Palliativversorgung und Trauerbegleitung in der Neonatologie

Lars Garten · Kerstin von der Hude
(Hrsg.)

Palliativversorgung und Trauerbegleitung in der Neonatologie

3. Auflage

Hrsg.
Lars Garten
Klinik für Neonatologie
Charité Universitätsmedizin Berlin
Berlin, Deutschland

Kerstin von der Hude
Klinik für Neonatologie
Charité Universitätsmedizin Berlin
Berlin, Deutschland

ISBN 978-3-662-71981-7 ISBN 978-3-662-71982-4 (eBook)
https://doi.org/10.1007/978-3-662-71982-4

Die Deutsche Nationalbibliothek verzeichnet diese Publikation in der Deutschen Nationalbibliografie; detaillierte bibliografische Daten sind im Internet über ► https://portal.dnb.de abrufbar.

Springer ist ein Imprint der eingetragenen Gesellschaft Springer-Verlag GmbH, DE und ist ein Teil von Springer Nature.
Die Anschrift der Gesellschaft ist: Heidelberger Platz 3, 14197 Berlin, Germany

Wenn Sie dieses Produkt entsorgen, geben Sie das Papier bitte zum Recycling.

Vorwort zur 3. Auflage

> **„Schwerstkranke und sterbende Neugeborene sowie deren Eltern und Nahestehende haben ein Recht auf eine umfassende medizinische, pflegerische, psychosoziale und spirituelle Betreuung und Begleitung, die ihrer individuellen Lebenssituation Rechnung trägt."**
> *In Anlehnung an die Charta zur Betreuung schwerstkranker und sterbender Menschen in Deutschland*

Seit der ersten Auflage unseres Buches sind mittlerweile 12 Jahre vergangen. Die Rückmeldungen, die uns auch jetzt noch regelmäßig erreichen, spiegeln das anhaltend große Interesse an dieser interdisziplinären und interprofessionellen Thematik im Gesamtkontext von Peri- und Neonatologie, pädiatrischer Palliativversorgung sowie Trauerbegleitung wider.

Überarbeitung, Aktualisierung und teilweise Erweiterung der Kapitel für die dritte Auflage waren nur möglich dank des ungebrochenen Engagements unserer Koautorinnen und -autoren; hierfür bedanken wir uns von Herzen.

Wir hoffen, dass wir mit dieser Auflage den gegenwärtigen Entwicklungen auf dem Gebiet der Palliativversorgung und Trauerbegleitung in der Peri- und Neonatologie erneut gerecht werden.

Ihre Rückmeldungen sind uns weiterhin stets willkommen!

Lars Garten
Kerstin von der Hude
Berlin, Deutschland
Frühjahr 2026

Allgemeine Hinweise: *Die Autorenhonorare dieses Buches werden dem Bundesverband Verwaiste Eltern in Deutschland e.V. gespendet.*

Wenn in den folgenden Kapiteln von Neugeborenen die Rede ist, so sind damit immer Früh- und Reifgeborene gemeint. Wenn ausschließlich Reifgeborene gemeint sind, so ist explizit von „Reifgeborenen" die Rede.

Inhaltsverzeichnis

I Palliativversorgung in der Neonatologie

II Trauerbegleitung in der Neonatologie

III Selbstsorge und Qualitätsmanagement

Serviceteil

Über die Herausgeber

Kerstin von der Hude

Psychosoziale Elternberaterin an der Klinik für Neonatologie der Charité Universitätsmedizin – Berlin sowie Mitgründerin und psychosoziale Leiterin des dortigen Palliativteams Neonatologie. Neben der perinatalen Beratung und Begleitung von Familien, deren Kinder in der neonatologischen Klinik behandelt werden, liegen ihre Tätigkeitsschwerpunkte in der perinatalen Palliativberatung sowie der Trauerbegleitung früh verwaister Familien. Ihre Erfahrungen der vergangenen 25 Jahre verdeutlichen immer wieder die Sinnhaftigkeit eines interprofessionellen und -disziplinären Teams, um betroffenen Familien eine individuelle, adäquate und ressourcenorientierte Begleitung anbieten zu können.

PD Dr. Lars Garten

Oberarzt an der Klinik für Neonatologie der Charité Universitätsmedizin – Berlin sowie Mitgründer und ärztlicher Leiter des dortigen Palliativteams Neonatologie. Er beschäftigt sich sowohl im klinischen Alltag als auch wissenschaftlich intensiv mit den Themen pränatale Palliativberatung, Palliativversorgung im Kontext von Peri- und Neonatologie sowie Symptomkontrolle bei palliativ betreuten Neugeborenen. Die initiale Idee zu dem vorliegenden Buch entstand aus der Zusammenarbeit mit engagierten Kolleginnen und Kollegen aus dem stationären und ambulanten Versorgungsbereich.

Palliativversorgung in der Neonatologie

Grundlagen peri- und neonataler Palliativversorgung

Lars Garten

Inhaltsverzeichnis

L. Garten und K. von der Hude (Hrsg.), *Palliativversorgung und Trauerbegleitung in der Neonatologie*,
https://doi.org/10.1007/978-3-662-71982-4_1

1.1 Definition, Epidemiologie und Besonderheiten

1.1.1 Definition

Pädiatrische Palliativversorgung Die pädiatrische Arbeitsgruppe IMPaCCT (International Meeting for Palliative Care in Children, Trento) der European Association for Palliative Care erarbeitete erstmalig 2007 auf europäischer Ebene eine Definition pädiatrischer Palliativversorgung. Diese ist der allgemeinen WHO-Definition von Palliativmedizin angelehnt (WHO Definition of Palliative Care) und kann für alle lebensverkürzenden und -bedrohlichen Erkrankungen im Kindesalter angewandt werden (Übersicht).

Definition pädiatrischer Palliativversorgung nach der European Association for Palliative Care (Craig et al. 2008)

- Unter pädiatrischer Palliativversorgung versteht man die aktive und umfassende Versorgung von Kindern und Jugendlichen mit lebensbedrohlichen oder -verkürzenden Erkrankungen. Diese berücksichtigt Körper, Seele und Geist des Kindes gleichermaßen und gewährleistet die Unterstützung der gesamten betroffenen Familie.
- Sie beginnt mit Diagnosestellung und ist unabhängig davon, ob das Kind eine Therapie mit kurativer Zielsetzung erhält.
- Es ist Aufgabe der professionell Helfenden, das Ausmaß der physischen, psychischen wie sozialen Belastung des Kindes einzuschätzen und zu minimieren.
- Wirkungsvolle pädiatrische Palliativversorgung ist nur mit einem breiten interdisziplinären und interprofessionellen Ansatz möglich, der die Familie und alle öffentlichen Ressourcen mit einbezieht.
- Sie kann auch bei knappen Ressourcen erfolgreich implementiert werden. Pädiatrische Palliativversorgung kann in Krankenhäusern der höchsten Versorgung, in den Kommunen und zu Hause bei der Patientin/bei dem Patienten erbracht werden.

Lebensbedrohliche Erkrankung Es handelt sich hierbei um Erkrankungen, die kurativ behandelt werden können, wobei der Ausgang der Behandlung unsicher ist. Bei einer lebensbedrohlichen Erkrankung ist ein vorzeitiger Tod sehr wahrscheinlich, aber auch ein Überleben bis in das Erwachsenenalter möglich.

Lebensverkürzende Erkrankung Kinder mit lebensverkürzenden Erkrankungen haben kaum Hoffnung auf Heilung und sterben in der Regel an ihrer Erkrankung. Einige dieser Erkrankungen verlaufen progredient, sodass das Kind zunehmend von Eltern und Betreuungspersonen abhängig wird.

Perinatale Palliativversorgung Perinatale Palliativversorgung ist ein Hilfsangebot für Eltern, die während der Schwangerschaft von einer lebensverkürzenden Krankheit ihres Kindes erfahren. Für Eltern, die sich für die Fortführung der Schwangerschaft entscheiden, wird diese Unterstützung von der Diagnose an über die Geburt und den Tod hinaus angeboten.

Neonatale Palliativversorgung Neonatale Palliativversorgung ist die Planung und Bereitstellung von Palliativversorgung eines Neugeborenen und Begleitung seiner Familie. Sie erfolgt meist im Krankenhaus, in der Regel in einem Perinatalzentrum, und beginnt mit der (nachgeburtlichen)

Diagnosestellung einer lebensbedrohlichen oder lebensverkürzenden Erkrankung.

Palliativpatient*in Wenn in diesem Buch von Neugeborenen in palliativen Versorgungssituationen geschrieben wird, so sind damit primär Kinder gemeint, die an einer fortgeschrittenen, unheilbaren Erkrankung leiden und in ihrer Lebensqualität deutlich eingeschränkt sind. Dieser Gebrauch des Begriffs Palliativpatient*in ist den Kriterien nach van Mechelen et al. (2013) angelehnt, die für die Qualifizierung als Palliativpatient*in folgende vier Aspekte angeben:

- Unheilbarkeit der Erkrankung
- Rasches Fortschreiten der Erkrankung trotz Therapie
- Deutlich limitierte Lebenserwartung
- (Potenzieller) Nutzen einer symptomatischen Therapie, die primär auf die Lebensqualität ausgerichtet ist

1.1.2 Epidemiologie

Nach Angaben des Statistischen Bundesamtes versterben jährlich in Deutschland fast 4000 Kinder und Jugendliche bis zum 18. Lebensjahr. Circa 55 % dieser Todesfälle ereignen sich im 1. Lebensjahr, davon wiederum rund drei Viertel innerhalb der ersten 4 Lebenswochen. Somit stellen Neugeborene mit einem Anteil von fast 40 % die größte Gruppe innerhalb aller Todesfälle im Kindes- und Jugendalter dar. Wenn man die Ursachen für ein vorzeitiges Versterben in der Neugeborenenperiode betrachtet, so lassen sich die betroffenen Kinder in drei Hauptgruppen unterteilen (Übersicht).

Ätiologie lebensbedrohlicher und -verkürzender Erkrankungen von Neugeborenen: die drei Hauptgruppen (modifiziert nach Garten et al. 2011; Stephens et al. 2010; Verhagen et al. 2010)

- **Gruppe 1:** Extreme Frühgeburtlichkeit an der Grenze der Lebensfähigkeit
  - Definition: Gestationsalter zwischen 22 0/7 und 23 6/7 Schwangerschaftswochen
- **Gruppe 2:** Nichtbeherrschbare, spezifische Erkrankungen des Neugeborenen
  - Beispiele: schwere perinatale Asphyxie, Hydrops fetalis, hochgradige Lungenhypoplasie
- **Gruppe 3:** Angeborene komplex chronische Erkrankung, die mit infauster Prognose einhergeht und deren Langzeitprognose sich durch eine Intensivtherapie nicht wesentlich beeinflussen lässt
  - Beispiele: Trisomie 13 oder 18, nicht korrigierbare Herzfehler

1.1.3 Besonderheiten

1.1.3.1 Wann beginnt perinatale Palliativversorgung?

Im Normalfall ist die Schwangerschaft für werdende Eltern eine Zeit glücklicher Vorfreude. Meist erfährt eine Frau heutzutage bereits 4–6 Wochen nach der Konzeption, dass sie schwanger ist. Der Einsatz bildgebender Verfahren in der Frühschwangerschaft lässt das heranwachsende Kind sehr rasch für die Eltern Gestalt annehmen. Eine in vielen Ländern einfach zugängliche und hochtechnisierte Schwangerenvorsorge hat die Anzahl von feindiagnostischen Maßnahmen in den letzten Jahren zunehmen lassen.

Veränderungen in Qualität und Quantität pränataler Diagnostik haben dazu geführt, dass lebensverkürzende Erkrankungen immer häufiger schon in der Fetalzeit diagnostiziert werden. Anders als in der pädiatrischen Palliativmedizin haben die Eltern im Falle einer früh pränatal erhobenen Diagnose noch keinen direkten Kontakt zu ihrem Kind gehabt, abgesehen von Ultraschallbildern und ggf. der Wahrnehmung intrauteriner Bewegungen des Kindes (ab ungefähr 20–22 Schwangerschaftswochen). Dennoch stürzt der bei fast allen mit erstem Wissen um die Schwangerschaft entwickelte neue Lebensplan in sich zusammen. Das Hauptziel vorgeburtlicher Palliativversorgung ist es, den Bedürfnissen der betroffenen Eltern bereits zu begegnen, wenn sie um den Verlust der „normalen Schwangerschaft" trauern und ggf. im Verlauf bereits vor der Geburt weitreichende Entscheidungen für ihr Kind treffen müssen (Tatterton und Fisher 2023).

Weitere Zeitpunkte, zu denen Eltern von einer lebensverkürzenden oder -bedrohlichen Erkrankungen ihres Kindes erfahren können, sind:

- unmittelbar vor der Geburt (z. B. bei extremer Frühgeburtlichkeit),
- unmittelbar nach der Geburt (z. B. bei perinataler schwerer Asphyxie) oder
- im Laufe der Neonatalperiode nach zum Teil umfangreicher Diagnostik (z. B. bei syndromalen Erkrankungen mit infauster Prognose).

1.1.3.2 Wo findet Palliativversorgung von Neugeborenen statt?

Im Falle eines vorhersehbaren, nicht akuten Todeseintritts versterben Kinder jenseits der Neonatalperiode häufig zu Hause in ambulanter Betreuung eines pädiatrischen Palliativteams oder in stationären Palliativeinrichtungen (z. B. Hospiz). Für pädiatrisch-onkologische Erkrankungen liegt die Rate der zu Hause verstorbenen Kinder und Jugendlichen je nach vorhandenen lokalen ambulanten Versorgungsstrukturen um 60 % (Noyes et al. 2022). Für Neugeborene mit lebensverkürzenden bzw. -bedrohlichen Erkrankungen trifft dies nicht zu. Nur wenige palliativ versorgte Neugeborene werden zuhause oder in ambulanten Versorgungsstrukturen betreut. Mehr als 90 % versterben innerhalb der stationären Versorgungsstrukturen von Perinatalzentren (Fraser et al. 2011; Garten et al. 2018; Soni et al. 2011). Diesen großen Unterschied zwischen Neugeborenen und älteren Kindern erklären folgende drei Aspekte:

- Lebensverkürzende bzw. -bedrohliche Erkrankungen in der Neugeborenenperiode zeichnen sich meist durch eine extrem rasche Dynamik aus. Dies bedingt eine mediane Überlebenszeit palliativmedizinisch betreuter Neugeborener von nur 4–5 Tagen nach der Geburt (Garten et al. 2018; Hellmann et al. 2016). Im Vergleich dazu liegt die mediane Überlebenszeit, wenn ältere Kinder z. B. an hämatologisch-onkologischen Erkrankungen versterben, bei 1,45 Jahren (Vickers et al. 2007). Es liegt auf der Hand, dass es einen wesentlichen Unterschied macht, ob ein palliativ betreutes älteres Kind innerhalb von Tagen bis Wochen „zum Sterben" zurück nach Hause entlassen werden soll. An einen Ort, an dem es in der Regel schon gelebt hat und wo es von Eltern erwartet wird, die bereits längere Zeit eigenverantwortlich für ihr Kind gesorgt haben. Oder ob im Gegensatz dazu ein palliativ betreutes Neugeborenes, welches noch nie außerhalb der Klinik gewesen ist, nach Hause entlassen und dort zum ersten Mal von seinen Eltern größtenteils allein betreut wird.
- Mehr als 80 % der neonatologischen Palliativpatient*innen werden initial nicht mit palliativem, sondern mit rein kurativem Therapieziel behandelt (Garten et al. 2018). Erst im Laufe der Behandlung erfolgt dann nach Versagen des kurativen Therapieansatzes eine Therapiezieländerung von kurativ auf palliativ. Die mediane Überlebenszeit von Neugeborenen nach Therapiezieländerung auf eine palliative Behandlung lag in einer retrospektiven Analyse von Hellmann et al. (2016) bei nur einer Stunde. Auch dieser Aspekt bedingt den

signifikanten Unterschied in der Krankheits- und Sterbedynamik von neonatologischen und pädiatrischen Palliativpatient*innen.

- Zwischen den Eltern palliativ versorgter Neugeborener und dem neonatologischen Behandlungsteam besteht oftmals zum Zeitpunkt der Diagnosestellung bereits ein sehr enges Vertrauensverhältnis. Viele Eltern wünschen sich daher, dass ihr Kind und sie selbst auch im weiteren – voraussichtlich sehr kurzzeitigen (s. oben) – Verlauf der Terminal- und Sterbephase im vertrauten personellen und räumlichen Umfeld der neonatologischen Intensivstation begleitet werden.

Anders sieht es für den deutlich geringeren Anteil von palliativ versorgten Neugeborenen mit lebensverkürzenden Erkrankungen aus, bei denen mehr Zeit zur Verfügung steht und die auf weniger medizintechnische Unterstützung angewiesen sind (z. B. Kinder mit Trisomie 18). Nach sorgfältiger Vorbereitung können diese Kinder fast ausnahmslos aus der Klinik entlassen werden.

1.1.3.3 Palliativversorgung auf der Intensivstation – geht das?

Obwohl mehr als 90 % der palliativ betreuten Neugeborenen aktuell in einer neonatologischen Klinik versterben, wird immer wieder die Frage aufgeworfen, ob dies wirklich der geeignete Ort für eine bedarfsgerechte Versorgung für die betroffenen Kinder und ihre Familien sei (Brosig et al. 2007; Craig und Mancini 2013). Dem Umfeld der neonatologischen Intensivstation haftet der Ruf an, nicht sehr zuträglich für eine palliativmedizinische Denk- und Arbeitsweise zu sein. Dieser Befürchtung liegen unter anderem folgende Umstände zu Grunde:

Das ärztliche und pflegerische Personal von neonatologischen Intensivstationen setzt mit hohem Engagement hochspezialisiertes Fachwissen, manuelle Fertigkeiten und langjährige Erfahrung in der medizinischen Betreuung ihrer Patient*innen ein. Täglich kann man auf diesen Stationen sehen, dass heute viele Neugeborene, die noch vor zwei oder drei Jahrzehnten keine Überlebenschancen gehabt hätten, dank hochtechnisierter Intensivmedizin die Aussicht auf ein Überleben in gutem Gesundheitszustand haben.

Diese an sich erfreuliche Errungenschaft hat jedoch eine prekäre Kehrseite. Immer wieder wird im Feld heutiger Hochleistungsmedizin der Tod eines Neugeborenen als eine Art medizinisches Versagen gewertet. Es kann daher starke Konflikte auslösen, wenn bei einem Neugeborenen lebenserhaltende Maßnahmen eingestellt werden sollen. In dieser Situation mag bei dem einen oder anderen Mitglied des Behandlungsteams vielleicht sogar der Eindruck entstehen, man gebe das Kind viel zu früh auf. Zusätzlich zur Trauer über den Tod einer Patientin bzw. eines Patienten können dann Schuldgefühle entstehen („Vielleicht haben wir nicht alles getan?“). Pressemitteilungen von „Wunderbabys“, die trotz vermeintlich auswegloser Situation überleben, verstärken dabei mitunter das Gefühl, alles Mögliche „bis zum bitteren Ende“ versuchen zu müssen.

Trotzdem sind wir überzeugt, dass neonatologische Intensivstationen ein sehr geeigneter Betreuungsort für palliativ zu versorgende Neugeborene und ihre Familien sein können. Auf neonatologischen Intensivstationen werden rund um die Uhr alle notwendigen personellen, zeitlichen und technischen Ressourcen vorgehalten, um die medizinische Betreuung von Neugeborenen sowie die psychosoziale Begleitung ihrer Familien zu gewährleisten. Folgerichtig sind neonatologische Intensivstationen von ihrem Behandlungsauftrag und ihrer strukturellen und personellen Ausstattung her der primäre Ort, an dem schwerkranke Neugeborene und ihre Familien betreut werden sollen. Dieser Behandlungsauftrag gilt erst einmal unabhängig von der Ausrichtung des primären Therapieziels (kurativ oder palliativ).

Wie sieht es mit der inhaltlichen Ausrichtung aus? Bei oberflächlichem Vergleich von neonatologischer Intensivmedizin und Palliativversorgung kann leicht der Eindruck entstehen, man betrachte zwei Extreme, die inhaltlich unterschiedlicher kaum sein können. Neonatologische Intensivmedizin zielt primär auf die Stabilisierung von Funktionen einer oder mehrerer akut erkrankter Organsysteme mit dem Ziel der Lebensverlängerung. Hierbei wird im Einzelfall eine passagere Verschlechterung der Lebensqualität durchaus in Kauf genommen. In der Palliativmedizin hingegen steht primär die Lebensqualität der Patientin bzw. des Patienten im Fokus. Eine Lebensverlängerung ist per se kein primäres Therapieziel der Palliativversorgung.

Und dennoch überschneiden sich beide Fachgebiete in großen Bereichen. Sowohl auf neonatologischen Intensivstationen als auch in der Palliativversorgung sind interdisziplinäres und interprofessionelles Arbeiten essenziell. In beiden Bereichen ist die Konfrontation mit Sterben und Tod im Praxisalltag allgegenwärtig. Und nicht zuletzt gehören sowohl schwerwiegende Entscheidungen an der Grenze zwischen Leben und Tod, Schmerztherapie und Symptomkontrolle als auch eine professionelle Elternbegleitung zu den Kernkompetenzen palliativmedizinischer und neonatologischer Versorgung.

Fazit Auf einer neonatologischen Intensivstation sind grundsätzlich optimale strukturelle und personelle Voraussetzungen für eine hochqualitative, bedarfsgerechte und interprofessionelle stationäre Palliativversorgung von Neugeborenen gegeben. Die Integration von palliativmedizinischem Denken und Kompetenzen in das Umfeld einer neonatologischen Intensivstation ist nicht nur möglich, sie ist obligat. Nur so kann an der Schnittstelle zwischen Heilung und Palliativversorgung für eine auf ein würdiges Sterben ausgerichtete Begleitung von Neugeborenen mit lebensverkürzenden oder -bedrohlichen Erkrankungen Sorge getragen werden. Geeignete interne und externe multiprofessionelle Fort- und Weiterbildungsangebote und eine Verankerung von palliativmedizinischem Basiswissen in den Weiterbildungsordnungen von Ärzt*innen und Pflege könnten wesentlich dazu beitragen, dass die Kompetenzen der Betreuenden gestärkt werden (Mayer et al. 2006; Truog et al. 2006).

> Die Palliativversorgung von Neugeborenen ist genuiner Bestandteil neonatologischer Regelversorgung und muss daher zu den Kernkompetenzen eines Perinatalzentrums gehören.

1.1.3.4 Überleitung in die ambulante Versorgung

Die Entlassung eines palliativ versorgten Neugeborenen bedarf einer frühzeitigen und sorgfältigen Planung und Vorbereitung während des stationären Aufenthalts. Das ambulante Versorgungsnetz muss in enger Abstimmung mit den betroffenen Familien und entsprechend der vorhandenen personellen und strukturellen Ressourcen festgelegt werden. Die Eltern befinden sich häufig in einem Zwiespalt. Einerseits haben sie den Wunsch, ihr krankes Kind mit nach Hause zu nehmen, andererseits sehen sie den teilweise sehr hohen Versorgungsaufwand und empfinden Unsicherheit, ob sie mit dem Versterben des Kindes zu Hause umgehen können. Hier gilt es, die Eltern bereits während der stationären Betreuung zu befähigen, ihr Kind zu großen Teilen selbstständig zu versorgen, leidvolle Symptome einzuschätzen und adäquat darauf reagieren zu können. Auch ist es notwendig, ihnen alle außerhalb der Klinik bestehenden Möglichkeiten zur Unterstützung – sei es pflegerisch, medizinisch, psychosozial als auch finanziell – detailliert und realistisch darzulegen. Die Überleitung in den ambulanten Bereich und insbesondere nach

Hause sowie das ambulante Versorgungskonzept sollten niemals unter Zeitdruck provisorisch „zusammengeschustert" werden. Es besteht ansonsten die große Gefahr, dass die betroffenen Familien aufgrund emotionaler oder praktischer Überforderung in der Versorgung ihres Kindes bzw. das Kind selbst aufgrund einer unzureichender Versorgung einen hohen Preis für etwaige Versorgungslücken nach der Entlassung aus der Klinik bezahlen müssen.

> Familien müssen die Möglichkeit haben, selbst zu entscheiden, welchen Weg sie gehen wollen und was sie leisten können. Aufgabe des Behandlungsteams ist es, gemeinsam mit den Eltern die Umsetzung ihrer individuellen Entscheidung unter Berücksichtigung der vorhandenen Versorgungsressourcen zu realisieren.

Wird ein Neugeborenes mit einer lebensverkürzenden Erkrankung nach Hause entlassen, so bedeutet dies nicht automatisch, dass dies auch der Ort des späteren Versterbens sein muss. Manche Eltern mögen sich für eine initiale Betreuung ihres Kindes zu Hause im Kreise von Familie und Freunden entscheiden, dennoch kann es durchaus ihr späterer Wunsch sein, in der Sterbephase wieder mit ihrem Kind in der Klinik begleitet zu werden. Daher ist es wichtig, zwischen dem „Ort der Palliativpflege" und dem „Ort des Versterbens" zu unterscheiden.

Welche Optionen jenseits der Klinik gibt es für betroffene Familien? Die wichtigsten Alternativen zur Klinik stellen je nach Wunsch der Eltern bzw. je nach klinischer Situation und vorhandenen Versorgungsstrukturen folgende Optionen dar:

- Überleitung in ein stationäres Kinderhospiz (ggf. mit dem Ziel der späteren Entlassung nach Hause)
- Überleitung in ein Rehabilitationszentrum für Kinder und Jugendliche mit dem Ziel der späteren Entlassung nach Hause
- Entlassung nach Hause (mit Unterstützung durch ein ambulantes Kinderpalliativteam)

Im Vergleich zur neonatologischen Intensivstation bietet ein Kinderhospiz neben einer 24-stündigen pflegerischen Betreuung des Kindes eine deutlich familiengerechtere Umgebung. Im Hospiz haben Familien zum ersten Mal die Möglichkeit, allein für ihr Kind zu sorgen. Sie können als Familie zusammen in einem Zimmer schlafen. Die Geschwister des erkrankten Kindes können ausreichend Kontakt zu dem neuen Familienmitglied haben und es besteht oftmals die Möglichkeit, zum ersten Mal als Familie gemeinsam mit dem Neugeborenen spazieren zu gehen. Im Hospiz kann demzufolge oftmals ein Stück normales Familienleben gelebt werden.

Eine Entlassung nach Hause steht und fällt mit der ambulanten Betreuung der Familie durch ein spezialisiertes ambulantes pädiatrisches Palliativteam (SAPV-Team) und je nach Pflegeaufwand ggf. zusätzlich durch einen spezialisierten Kinderkrankenpflegedienst. Spezialisierte ambulante Palliativversorgung (SAPV) und spezialisierte ambulante Kinderkrankenpflege werden ärztlich verordnet; die Krankenkasse übernimmt die Kosten. Der Betreuungsbedarf zu Hause muss vor der Entlassung zusammen mit den Eltern genau abgeschätzt werden. Manche Kinder benötigen eine 24-h-Pflege, bei anderen mag es ausreichen, wenn eine Mitarbeitende des ambulanten Palliativteams alle 2–3 Tage nach dem Kind schaut. Nur im Vertrauen auf ein professionelles und lückenloses Versorgungskonzept werden Eltern sich (zu)trauen, den Schritt mit ihrem schwerkranken Kind nach Hause zu wagen.

1

Wichtige Netzwerkpartner aus der ambulanten Palliativversorgung und Hospizarbeit (nach Nolte-Buchholtz und Garten 2018)

- Stationäre Kinderhospize.
  Stationäre Kinderhospize bieten Entlastung und die Möglichkeit, mit anderen betroffenen Familien in Austausch zu kommen. Im Gegensatz zum Erwachsenenbereich sterben in den Kinder- und Jugendhospizen nur wenige der Bewohner. Dennoch ist die Begleitung in der Sterbephase auch im Kinder- und Jugendalter eine der zentralen Aufgaben stationärer Hospize.
- Spezialisierte ambulante Palliativversorgung (SAPV).
  Seit 2007 hat jede Versicherte das prinzipielle Recht auf spezialisierte ambulante Palliativversorgung (SAPV), insofern die Voraussetzungen erfüllt sind (§37b SGB V). Für Kinder und Jugendliche haben sich in der Regel klinikgestützte SAPV-Teams etabliert, bestehend aus Kinderärzt*innen mit Zusatzbezeichnung Palliativmedizin und Kinderkrankenpflegenden sowie Koordinationskräften mit pädiatrischer Palliative-Care-Ausbildung. Die Teams sind 24 Stunden 7 Tage in der Woche für die Familien erreichbar und können je nach Vertragssituation bereits während des stationären Aufenthaltes die Begleitung beginnen und das Team der Station im Rahmen von Therapiezielfestlegung, Versorgungsplanung, Anleitung und Vernetzung unterstützen.
- Ambulanter Kinder- und Jugendhospizdienst (AKJHD).
  Ausgebildete Ehrenamtliche begleiten und entlasten unentgeltlich Kinder und Jugendliche mit lebensverkürzenden Erkrankungen und ihre Familien im Alltag. Die Ehrenamtlichen können sich in dieser labilen und belastenden Zeit beispielsweise um Geschwister kümmern, in alltäglichen Dingen begleiten und als in Trauersituationen geschulter Gesprächspartner fungieren. Mehr Informationen unter ▶ www.deutscher-kinderhospizverein.de.

Die regelmäßig aktualisierten Datenbanken der nationalen palliativmedizinischen Fachgesellschaften ermöglichen eine schnelle internetbasierte Suche nach geeigneten spezialisierten Versorgern:

- Deutsche Gesellschaft für Palliativmedizin (DPG): ▶ www.wegweiser-hospiz-palliativmedizin.de/de/angebote/kinder_jugendliche
- Österreichische PalliativGesellschaft (ÖPG): ▶ https://www.palliativ.at/services/kontakte-adressen.html
- Schweizerische Gesellschaft für Palliative Care: ▶ https://www.palliative.ch/de/was-ist-palliative-care/palliative-care-schweiz

Strukturen der pädiatrischen Palliativversorgung und Hospizarbeit stellen allerdings nur einen Teil eines funktionierenden ambulanten Versorgungsnetzes dar. Eine qualitativ gute, individuelle und adäquate Begleitung der ganzen Familie im Rahmen einer ambulanten Palliativversorgung bedarf eines interprofessionell und interdisziplinär kooperierenden Netzwerkes. Am ambulanten Netzwerk können z. B. beteiligt sein: die/der ortsansässige niedergelassene Kinderärztin/-arzt, ein spezialisierter Kinderkrankenpflegedienst, eine Hebamme, eine wohnortnahe Kinderklinik usw. Es sei an dieser Stelle betont, dass es keinen allgemeingültigen Standard für die Struktur eines gut funktionierenden Versorgungsnetzes gibt. Es bedarf regionaler Lösungen entsprechend der vorliegenden strukturellen und personellen Ressourcen. Die frühzeitige Festlegung von ein oder zwei hauptverantwortlichen, koordinierenden Ansprechpartner*innen trägt entscheidend zum Gelingen der ambulanten Versorgung bei.

Grundvoraussetzungen für eine bedarfsgerechte Entlassungsplanung und Überleitung in ambulante Versorgungsstrukturen (nach Nolte-Buchholtz und Garten 2018)

- Interprofessionelle Beratung, die die Eltern befähigt, eine tragfähige Entscheidung für ihr Kind und die Familie zu treffen
- Befähigung und Anleitung der Eltern in der Versorgung und in der Symptomkontrolle
- Aufbau eines Versorgungsnetzes angepasst an die Bedarfe der Familie
- Informationen über alternative Optionen der Versorgung in der Sterbephase (z. B. stationäres Hospiz, Krankenhaus)
- Unterstützung in finanzieller Absicherung durch Beratung und ggf. Begleitung in sozialrechtlichen Belangen
- Unterstützung und Begleitung der gesamten Familie in der Krankheitsverarbeitung und Trauer auch über den Tod des Kindes hinaus

Empfehlung zum Vorgehen in Notfallsituationen Auch im ambulanten Bereich sollten allen Versorgenden die Wertvorstellungen, Wünsche und Behandlungsziele der Familie bekannt sein und entsprechend umgesetzt werden. Als hilfreich hat sich in diesem Kontext u. a. eine bereits vor der Entlassung aus der Klinik gemeinsam mit den Eltern erarbeitete und verschriftlichte Vorausverfügung für Akutsituationen (ped-VVN für einwilligungsunfähige Minderjährige, Formular abrufbar unter: ▶ https://zenodo.org/records/4974145) erweisen (Rellensmann et al. 2023).

Die Basis einer solchen Vorausverfügung bilden Gespräche, in denen gemeinsam mit den Eltern der aktuelle Stand der Erkrankung, Prognose, Therapieoptionen, sinnvolle diagnostische und therapeutische Maßnahmen und der Verzicht auf selbige thematisiert werden. Diese Gespräche sind häufig geprägt von großer Ambivalenz auf beiden Seiten – bei Eltern und Fachpersonen. Es gibt Vorbehalte und Schwierigkeiten, die berücksichtigt werden müssen und die einen empathischen, offenen Gesprächsprozess erfordern. Der Gesprächsprozess kann durch Vermitteln von Klarheit und Wissen den Eltern und dem Behandlungsteam mehr Sicherheit im Umgang mit kritischen Situationen geben. Dies entspricht in aller Regel auch dem Wunsch der Eltern, aktiv etwas für ihr Kind, für sich und ihre Familie tun zu können.

Anhand eines schriftlichen Protokolls können die Eltern die Gesprächsinhalte reflektieren, Verständnisfragen stellen, Missverständnisse klären und ggf. Ergebnisse der Gespräche korrigieren. In einem zweiten Schritt werden dann auf einem Formblatt neben der Diagnose indizierte und nicht indizierte Maßnahmen dargestellt. Dieses sollte von den behandelnden Ärzt*innen, der Pflege und wenn möglich den Eltern unterschrieben sein. Damit wird ermöglicht, den im potenziellen Notfall involvierten Ersthelfenden und Fachkräften eine Handlungsanleitung zur Verfügung zu stellen, z. B. auch zur Symptomkontrolle für absehbare Krisen bei palliativer häuslicher Begleitung (z. B. erforderliche Medikamente).

1.2 Perinatale Szenarien mit palliativem Versorgungsbedarf

In der Perinatologie unterscheidet man 4 Grundszenarien der Palliativversorgung (nach Boss et al. 2011): früh pränatal, spät pränatal, früh postnatal und spät postnatal. In **Kap.** 3 werden alle wichtigen Informationen zum früh bzw. spät pränatalen Grundszenario detailliert beschrieben. Im Folgenden sind spezifische Aspekte der Palliativversorgung von Neugeborenen und der Begleitung der Eltern für das früh und spät postnatale Szenario zusammengefasst:

1.2.1 Früh postnatal

Eine Palliativversorgung in der früh postnatalen Phase richtet sich in der Regel an Familien, die eine komplikationslose und unbeschwerte Schwangerschaft erleben durften, deren Kind dann aber unter der Geburt oder innerhalb der ersten Stunden nach der Geburt eine lebensbedrohliche Erkrankung entwickelt. Mögliche Krankheitsbilder sind unter anderem: schwerste Geburtsasphyxie, fulminante Sepsis oder auch vorgeburtlich unbekannte lebensverkürzende Fehlbildungen oder andere Erkrankungen. Es ist eine schwierige Situation für die Eltern und das betreuende medizinische Team, wenn ein Neugeborenes „aus dem Nichts heraus" in einen akut lebensbedrohlichen Zustand gelangt. In diesen Fällen werden die Eltern unweigerlich zunächst in einen schockähnlichen Angstzustand verfallen.

Im Falle einer akuten perinatalen, lebensbedrohlichen Situation kommt erschwerend hinzu, dass die Eltern in der Regel noch keine Möglichkeit hatten, ein Vertrauensverhältnis zu den Personen aufzubauen, die von jetzt auf gleich um das akut bedrohte Leben ihres bis dato vollkommen gesunden Kindes kämpfen. Oft stehen dem Behandlungsteam zu Beginn nur sehr wenige Informationen zur Verfügung, und eine Gesamteinschätzung von Ätiologie und Prognose der akuten Erkrankung des Neugeborenen ist in der Regel noch nicht möglich. Für den Aufbau einer vertrauensvollen und partnerschaftlichen Beziehung mit den Eltern ist es entscheidend, dass ihnen in einer klaren und angemessenen Sprache mit Empathie und Ehrlichkeit begegnet wird. In den ersten Gesprächen muss die Ernsthaftigkeit der aktuellen Situation deutlich zum Ausdruck kommen. Es sollte davon ausgegangen werden, dass die meisten Eltern aus der akuten Schocksituation heraus erst im Rahmen von wiederholten Gesprächen deren Inhalt und Tragweite erfassen können.

Wird ein Kind in einer externen Klinik oder zu Hause geboren, muss aber zur weiteren Betreuung in ein Perinatalzentrum verlegt werden, so wird das erste Gespräch zwischen Ärztin/Arzt und Eltern in der Regel vor dem Transport stattfinden. Es sollte darauf geachtet werden, dass die Eltern ihr Kind vor dem Transport sehen und berühren können. Mit einfachen, verständlichen Sätzen sollte den Eltern erklärt werden, was passiert ist, wie es ihrem Kind geht, warum es verlegt werden muss und wohin es genau verlegt wird. Vor der Abfahrt aus der Geburtsklinik sollte unbedingt ein Foto des Kindes für die Eltern gemacht werden. Sobald es der medizinische Zustand zulässt, sollte die Mutter in die ihr Kind weiter betreuende Klinik verlegt werden.

▶ Fallbeispiel

Frau M. stellt sich mit 40 SSW wegen fehlender Kindsbewegungen in der Klinik vor. Bei silentem CTG wird eine Notsectio durchgeführt. Das Kind wird postnatal über 30 min reanimiert. Der Nabelarterien-pH beträgt 6,6 und bestätigt den Verdacht einer schweren Asphyxie. Im Anschluss an die Reanimation geht die betreuende Kinderärztin zur Mutter in den Aufwachraum. „Guten Tag Frau M. Mein Name ist B., ich bin Kinderärztin und betreue Ihren Sohn. Es tut mir leid, aber ich habe keine guten Nachrichten für Sie. Ihr Kind hatte vor der Geburt einen Herzstillstand. Aus diesem Grund wurde ein Notkaiserschnitt durchgeführt. Wir mussten bei Ihrem Sohn eine Herzdruckmassage durchführen. Jetzt schlägt sein Herz wieder, aber er benötigt zur Unterstützung weiterhin starke Medikamente. Wir wissen derzeit noch nicht, warum Ihr Kind einen Herzstillstand hatte. Aber wir werden alles tun, um eine Erklärung dafür zu finden. Bevor wir mit Ihrem Kind auf die Intensivstation fahren, werden wir mit ihm zu Ihnen kommen. Er liegt in einem Brutkasten mit vielen Kabeln und Schläuchen, mit deren Hilfe wir ihn überwachen, ihm Medikamente geben und ihn beatmen. Erschrecken Sie nicht, Ihr Sohn ist sehr blass und er bewegt sich nicht. Sie dürfen ihn gern anfassen und mit ihm reden. Ich werde innerhalb der nächsten 2 h noch einmal zu Ihnen kommen und Ihnen berichten, wie es Ihrem Kind geht." Es ist entscheidend, dass das Versprechen, innerhalb der nächsten 2 h noch einmal zur Mutter zu gehen, eingehalten wird. Kommt die Kinderärztin nicht wie versprochen innerhalb der nächsten 2 h erneut zur Mutter, so stellt dies für die Mutter unter Umständen einen ersten schweren Vertrauensbruch dar. ◄

Im Rahmen der Eröffnungsgespräche kann es immer wieder zu teils aggressiven Beschuldigungen der Eltern gegen das medizinische Team kommen. In der Regel ist dies eine Ausdrucksform elterlicher Ohnmacht, Trauer und Angst. Dieser Prozess ist vollkommen normal. Das geburtshilfliche und neonatologische Team müssen mögliche Beschuldigungen vonseiten der Eltern aushalten können. Die Eltern brauchen jemanden, an den sie ihre unkontrollierbaren Emotionen adressieren können, u. a. um ihre Hilflosigkeit zu kompensieren (► Abschn. 5.8).

► Fallbeispiel (Fortsetzung 1)

Herr M. trifft nach 2 h in der Klinik ein. Nachdem er erfahren hat, dass es seinem Sohn weiterhin sehr schlecht geht und man ihm den Grund für den Herzstillstand des Kindes nicht nennen kann, macht er der Kinderärztin und dem Team lautstark Vorwürfe. Die Kinderärztin hört sich die Vorwürfe des Vaters in Ruhe an und entgegnet: „Herr M., ich merke, dass Sie wütend sind und große Angst um Ihr Kind haben. Ich verspreche Ihnen, dass wir alles tun, damit es Ihrem Sohn wieder besser geht. Außerdem werden wir intensiv nach den Gründen für seinen Herzstillstand suchen. Sobald es neue Informationen gibt, oder sich am Zustand Ihres Sohnes irgendetwas ändert, werden wir Sie und Ihre Frau umgehend darüber informieren. Im Moment kann ich Ihnen noch nicht mehr sagen. Es tut uns allen wirklich leid, dass es Ihrem Sohn so schlecht geht." ◄

Eltern in früh postnatalen Palliativsituationen sind verständlicherweise von der Notwendigkeit überrumpelt, schwierige medizinische Zusammenhänge verstehen zu müssen, Prognoseeinschätzungen in ihrem persönlichen Familienkontext zu bewerten. Dabei müssen sie oft zusammen mit dem Behandlungsteam Therapieziele formulieren und sich dabei immer auf eine maximale Ausschöpfung der Zeit, die ihnen mit ihrem Kind verbleibt, fokussieren.

► Fallbeispiel (Fortsetzung 2)

Am 3. Lebenstag des Kindes findet ein erneutes Gespräch mit Frau und Herrn M. statt. Kinderärztin: „Ich würde gern wissen, ob Sie soweit alles verstanden haben, was wir in den letzten Tagen bereits miteinander besprochen haben, oder ob es noch Fragen Ihrerseits gibt. Ihr Sohn ist weiterhin in einem sehr kritischen, lebensbedrohlichen Zustand. Ich kann Ihnen nicht sagen, wie es weitergehen wird. Auch wir müssen von Schicht zu Schicht schauen, ob und wie sich ein möglicher Heilungsprozess entwickelt. Wir tun dabei alles, um diesen Prozess zu unterstützen." ◄

1.2.2 Spät postnatal

Neugeborene mit lebensverkürzenden Erkrankungen, die sich in den ersten Lebenswochen manifestieren, werden der Gruppe der spät postnatalen Palliativversorgung zugerechnet. Kinder dieser Gruppe leiden u. a. an schweren Komplikationen kinderchirurgischer Krankheitsbilder (z. B. Zwerchfelllücke), neurologischen Erkrankungen (z. B. progressive multizystische Enzephalopathie) oder an schweren Folgeerkrankungen extremer Frühgeburtlichkeit (z. B. Cor pulmonale im Rahmen einer hochgradigen bronchopulmonalen Dysplasie).

Der klinische Verlauf bei Neugeborenen in spät postnatalen Palliativversorgungssituationen ist häufig von einem ständigen Wechsel von „Hochs" und „Tiefs" im Verlauf der Erkrankung geprägt. Viele betroffene Familien müssen mit der Zeit wiederholt schwere Krisen ihres Kindes durchstehen. Im Rahmen dieser lebensbedrohlichen Krisen kann es innerhalb weniger Tage oder Wochen notwendig sein, mit den Eltern immer wieder über ein wahrscheinliches Versterben des Kindes in der aktuellen Krise zu sprechen. Je häufiger derartige Krisen vom Kind durchlebt werden, umso schwieriger wird es für viele Familien, der klinischen Einschätzung des Behandlungsteams im Allgemeinen und speziell bei einer erneuten Krise zu vertrauen. Die Begleitung der betroffenen Familien kann mit zunehmender Betreuungszeit immer schwieriger werden.

Um Problemen vorzubeugen, gilt es vor allem, innerhalb des Behandlungsteams und im Umgang mit den Eltern auf eine gute Kommunikation zu achten. Im Behandlungsteam müssen die Behandlungsziele für das betreute Kind und dessen Familie immer wieder entsprechend der aktuellen Situation klar formuliert werden. Regelmäßige, strukturierte, interprofessionelle und interdisziplinäre Teambesprechungen sind hier ein wichtiges Instrument. In der Kommunikation mit den Eltern sollten innerhalb des Behandlungsteams ein bis maximal drei Hauptgesprächspartner*innen definiert werden. Immer wieder können sich im Verlauf einer Langzeitbetreuung von Kindern und deren Eltern Spannungen innerhalb der Behandlungsteams, aber auch zwischen einzelnen Teammitgliedern und der Familie entwickeln. Um Eskalationen zu vermeiden, ist eine Kultur des offenen Umgangs mit diesen Spannungen unverzichtbar. Eine regelmäßige oder aktuell bedarfsorientierte Teamsupervision kann hier hilfreich sein.

Ein weiteres häufiges Problem der spät postnatalen Palliativversorgung sind unterschiedliche elterliche Behandlungsziele. Immer wieder kommt es zu Situationen, in denen die mütterlichen und väterlichen Vorstellungen bezüglich lebensverlängernder Maßnahmen unterschiedlich sind. Die wenigsten Eltern können untereinander offen über ihre unterschiedlichen Wünsche in Bezug auf ihr Kind sprechen. Wichtige Aufgabe des Behandlungsteams ist es, diese Differenzen wahrzunehmen und zu artikulieren. Insbesondere muss den Eltern verdeutlicht werden, dass derartige Differenzen vollkommen normal sind und es in Palliativsituationen kein objektives „richtig" oder „falsch" gibt. Auch kann nicht immer eine Angleichung der elterlichen Wünsche erreicht werden. Dann benötigen Eltern häufig Hilfestellung von außen, um ihre Differenzen auszuhalten und die Meinung ihres Partners bzw. ihrer Partnerin zu akzeptieren. Wenn irgendwie möglich, sollte dann in Ruhe, ohne Zeitdruck und in gegenseitiger Wertschätzung ein Weg für das Kind gefunden werden, den beide Eltern mitgehen können.

Literatur

Boss R, Kavanaugh K, Kobler K (2011) Prenatal and Neonatal Palliative Care. In: Wolfe J, Hinds P, Sourkes B (eds) Textbook of interdisciplinary pediatric palliative care. Elsevier Saunders, Philadelphia, USA, S 388–392

Brosig C, Peirucci R, Kupst MJ, Leuthner SR (2007) Infant end-of-life care: The parents' perspective. J Perinatol 27:510–516

Craig F, Abu-Saad Huijer H, Benini F, Kuttner L, Wood C, Feraris PC, Zernikow B (2008) IMPaCCT: standards of paediatric palliative care. Schmerz 22(4):401–408

Craig F, Mancini A (2013) Can we truly offer a choice of place of death in neonatal palliative care? Semin Fetal Neonatal Med 18(2):93–98

Fraser LK, Miller M, Draper ES, McKinney PA, Parslow RC, on behalf of the Paediatric Intensive Care Audit Network (2011) Place of death and palliative care following discharge from paediatric intensive care units. Arch Dis Child 96:1195e8

Garten L, Daehmlow S, Reindl T, Wendt A, Münch A, Bührer C (2011) End-of-life opioid analgesia administration on neonatal and pediatric intensive care units: nurses' attitudes and practice. Eur J Pain 15(9):958–965

Garten L, Ohlig S, Metze B, Bührer C (2018) Prevalence and characteristics of neonatal comfort care patients: a single-center, 5-year, retrospective. Observational Study. Front Pediatr 6:221

Hellmann J, Knighton R, Lee SK, Shah PS, Canadian Neonatal Network End of Life Study Group (2016) Neonatal deaths: prospective exploration of the causes and process of end-of-life decisions. Arch Dis Child Fetal Neonatal Ed 101(2):F102–107

Mayer EC, Ritholz MD, Burns JP, Truog RD (2006) Improving the quality of end-of-life care in the pediatric intensive care unit: parents‘ priorities and recommendations. Pediatrics 117:649–657

Nolte-Buchholtz S, Garten L (2018) Perinatale Palliativversorgung. Monatsschr. Kinderh 166:1127–1142

Noyes M, Herbert A, Moloney S, Irving H, Bradford N (2022) Location of end-of-life care of children with cancer: a systematic review of parent experiences. Pediatr Blood Cancer 69(6):e29621

Rellensmann G, Hasan C, Beissenhirtz A, Hauch H, Hülsheger Y, Nolte-Buchholtz S, Brenner S, Hoffmann F, Zernikow B (2023) Vorausverfügungen in der Pädiatrie: Strukturierte, rechtlich fundierte Vorausverfügungen für Akutsituationen. Monatsschr Kinderheilkd 171:726–732

Soni R, Vasudevan C, English S (2011) A national survey of neonatal palliative care in the UK. Infant 2:162e3

Stephens BE, Tucker R, Vohr BR (2010) Special health care needs of infants born at the limits of viability. Pediatrics 125(6):1152–1158

Tatterton MJ, Fisher MJ (2023) “You have a little human being kicking inside you and an unbearable pain of knowing there will be a void at the end”: a meta-ethnography exploring the experience of parents whose baby is diagnosed antenatally with a life limiting or life-threatening condition. Palliat Med 37(9):1289–1302

Truog RD, Meyer ED, Burns JP (2006) Toward interventions to improve end-of-life care in the pediatric intensive care unit. Crit Care Med 34(11):S373–S279

van Mechelen W, Aertgeerts B, De Ceulaer K, Thoonsen B, Vermandere M, Warmenhoven F, Van Rijswijk E, De Lepeleire J (2013) Defining the palliative care patient: a systematic review. Palliat Med 27(3):197–208

Verhagen AA, Janvier A, Leuthner SR, Andrews B, Lagatta J, Bos AF, Meadow W (2010) Categorizing neonatal deaths: a cross-cultural study in the United States, Canada, and The Netherlands. J Pediatr 156(1):33–37

Vickers J, Thompson A, Collins GS, Childs M, Hain R, Paediatric Oncology Nurses' Forum/United Kingdom Children's Cancer Study Group Palliative Care Working Group (2007) Place and provision of palliative care for children with progressive cancer: a study by the pediatric oncology nurses‘ forum/United Kinddom Children‘s Cancer Study Group Palliative Care Working Group. J Clin Oncol 25:4472–4476

WHO Definition of Palliative Care. ▶ https://www.who.int/news-room/fact-sheets/detail/palliative-care. Zugegriffen: 12. Dec. 2024

Ethik – Moral – Recht

Sigrid Graumann und Peter W. Gaidzik

Inhaltsverzeichnis

L. Garten und K. von der Hude (Hrsg.), *Palliativversorgung und Trauerbegleitung in der Neonatologie*, https://doi.org/10.1007/978-3-662-71982-4_2

2

Hinweis Einen Überblick wichtiger Begrifflichkeiten, die in diesem Kapitel genannt sind, finden Sie unter ► http://extras.springer.com, Checkliste 2).

2.1 Wenn ein Neugeborenes nicht leben kann

S. Graumann

Sollen bei jedem Neugeborenen alle lebenserhaltenden Behandlungsmöglichkeiten ausgeschöpft werden? Und falls nicht, mithilfe welcher Kriterien kann das Unterlassen einer Behandlung oder der Übergang zu einer palliativen Behandlungsstrategie gerechtfertigt oder sogar geboten sein? Besonders drängend stellen sich diese Fragen in den Grenzfällen, in denen die Überlebensaussichten des Kindes unsicher oder begrenzt sind und in denen mit einer bleibenden gesundheitlichen Beeinträchtigung oder Behinderung des Kindes gerechnet werden muss (von Loewenich 2005; Mieth 2002; Rellensmann 2017).

Bei der Beantwortung ethischer Fragen im Rahmen von Therapiezielentscheidungen sind wir keineswegs völlig frei, sondern an rechtliche Vorgaben in Form von Gesetzen und berufsrechtlichen Richtlinien gebunden. Die rechtlichen Regelungen geben einen belastbaren und verbindlichen, aber normativ nur groben Rahmen vor. Sie lassen einen relativ weiten Spielraum für Gewissensentscheidungen im Einzelfall offen. Manche Jurist*innen sprechen daher von einem rechtlichen Graubereich, den sie gerne mit genaueren Regelungen füllen würden, um einer befürchteten Willkür ethischer Einzelfallentscheidungen den Boden zu entziehen (Glöckner 2007). Wahrscheinlich wäre dies für die alltägliche Praxis aber weder wünschenswert noch sinnvoll. Die Hauptschwierigkeiten bestehen nämlich nicht in etwaigen unklaren rechtlichen Regelungen, sondern vor allem in den besonderen Anwendungsbedingungen, die sich in jedem Einzelfall anders darstellen und die kaum mit allgemeinen Regelungen zu fassen wären.

Auch aus ethischer Sicht sind Behandlungsentscheidungen in der Neonatologie oftmals eine große Herausforderung. Im Folgenden wird zunächst auf die ethischen Grundlagen für Behandlungsentscheidungen in der Neonatologie generell eingegangen, und dann wird konkreter herausgearbeitet, wer welche Entscheidungen trifft und wie dies auf ethisch gerechtfertigte Weise geschehen kann.

2.2 Wer bestimmt, was geschieht?

S. Graumann und P. W. Gaidzik

Die Frage nach der personellen Zuordnung der Entscheidungsbefugnis hängt untrennbar mit der Frage des rechtlich Zulässigen zusammen, also „worüber" entschieden werden kann bzw. darf. Eine wesentliche Grenze hierfür setzt § 216 StGB, wonach mit Freiheitsstrafe von sechs Monaten bis zu fünf Jahren bestraft wird, wer „durch das ausdrückliche und ernstliche Verlangen des Getöteten zur Tötung bestimmt" worden ist. Diese „Tötung auf Verlangen" ist gegenüber den sonstigen Tötungsdelikten im Strafmaß privilegiert (bei Totschlag – § 212 StGB – ist auf Freiheitsstrafe nicht unter fünf Jahren zu erkennen und selbst der „Totschlag im minderschweren Fall" – § 213 StGB – ist mit einer Freiheitsstrafe von mindestens einem Jahr bedroht), indessen hat der deutsche Gesetzgeber trotz zahlreicher Reformversuche an der grundsätzlichen Strafbarkeit eines „mercykilling" festgehalten.

Damit steht jede Handlung, die darauf abzielt, Leben zu verkürzen im Sinne einer „aktiven Sterbehilfe" unter Strafe, eigenmächtiges Verhalten je nach Fallgestaltung als Totschlag oder gar Mord.

Die Sterbebegleitung bzw. der „Beistand im Sterben“ (zuweilen auch „echte“ oder „reine Sterbehilfe“ genannt) umfasst hingegen Maßnahmen zur Leidenslinderung ohne lebensverkürzenden Effekt. Sie ist ebenso wie die Basispflege oder das Stillen von Hunger oder Durst nicht nur – natürlich – rechtlich zulässig, sondern als Teil des Behandlungsauftrags rechtlich geboten. Verstöße in diesem Bereich erfüllen den Tatbestand der Körperverletzung mit dementsprechenden straf- und zivilrechtlichen Folgen.

Zwischen diesen beiden Polen – der aktiven Sterbehilfe und der Sterbebegleitung – bewegen sich Verhaltensweisen, die sich zwar lebensverkürzend auswirken (können), gleichwohl aber von der Rechtsordnung gebilligt werden. Dies kann leidenslindernde Maßnahmen („indirekte Sterbehilfe“) oder auch die schlichte Untätigkeit bei auftretenden Komplikationen und insgesamt infauster Prognose („passive Sterbehilfe“) betreffen. Ersteres setzt voraus, dass keine therapeutische Alternative ohne vitale Gefährdung existiert, man also die Verkürzung der Lebenszeit als Nebeneffekt zwangsläufig in Kauf nehmen muss, um das eigentliche Ziel der Leidenslinderung zu erreichen, und dass dies dem erklärten oder zumindest dem mutmaßlichen Willen der betroffenen Person entspricht.

Der Patient*innenwille ist auch maßgeblich für die Frage, ob lebensverlängernde Maßnahmen überhaupt ergriffen werden oder aber beendet dürfen und man so einem Sterbeprozess „seinen Lauf lassen darf“, ohne in den Anwendungsbereich von § 216 StGB zu geraten bzw. als Arzt oder Ärztin den jeweiligen Behandlungsauftrag zu verletzen. Dabei hat die Rechtsprechung seit den 1990er Jahren die Sterbehilfe begrifflich vom unmittelbar oder doch in nächster Zeit zu erwartenden Tod und damit vom eigentlichen Sterbeprozess abgekoppelt und auf Erkrankungen mit insgesamt infauster Prognose (hochgradige Demenz, chronisch-vegetativer Status bzw. „apallisches Syndrom“) ausgedehnt. In einer Entscheidung aus dem Jahr 2010 hat der Bundesgerichtshof selbst die aktive Vereitelung von Rettungsbemühungen Dritter in den Bereich des Erlaubten einbezogen (Angehörige hatten gegen den Willen des betreuenden Personals die PEG-Sonde einer Patientin durchtrennt), wenn und solange dieses Handeln der Durchsetzung des Patient*innenwillens dient. Da diese Erweiterung über das bisherige Begriffsverständnis von passiver Sterbehilfe hinausging, prägte man hierfür den allgemeineren Begriff des rechtlich erlaubten „technischen Behandlungsabbruchs“.

Ob eine solche terminologische Änderung die Abgrenzung zur nach wie vor verbotenen aktiven Sterbehilfe erleichtert, mag an dieser Stelle offen bleiben. Immerhin hat die Gesetzgebung die Entwicklungen der Rechtsprechung zum Anlass genommen, der Autonomie der Patient*innen durch eine gesetzliche Verankerung der Patient*innenverfügung sowie der Vorsorgevollmacht Rechnung zu tragen. Leider hat man sich entschlossen, hierfür (anders als z. B. in Österreich) kein eigenes Gesetz zu schaffen, sondern die entsprechenden Regelungen in das betreuungsrechtliche Kapitel des Bürgerlichen Gesetzbuches (BGB) einzufügen (§§ 1827–1829 BGB), womit aus gesetzessystematischen Gründen die Patientenverfügung der einsichtsfähigen volljährigen Person vorbehalten bleibt. Minderjährigen steht nur die Möglichkeit offen, auf vergleichbare Art Behandlungswünsche zu äußern, deren Vollzug dann allerdings in den Verantwortungsbereich des bzw. der Sorgeberechtigten fällt, die ihrerseits „die wachsende Fähigkeit und das wachsende Bedürfnis des Kindes zu selbständigem verantwortungsbewusstem Handeln“ (§ 1626 Abs. 2 BGB) zu berücksichtigen haben, andererseits aber dem „Wohl des Kindes“ (§ 1627 BGB) verpflichtet sind. Mit dem Postulat eines „Rechts auf ein selbstbestimmtes Sterben“ als Ausfluss des allgemeinen Persönlichkeitsrechts hat das Bundesverfassungsgericht einen nur vorläufigen Schlusspunkt gesetzt (BVerfG, Urt. v. 26.02.2020–2 BvR 2347/15). Es bleibt jetzt Aufgabe von Wissenschaft und Praxis, dem keineswegs trivialen Begriff der „Freiverantwortlichkeit" inhaltliche Konturen zu verleihen. Die Ergebnisse dieser Diskussion bleiben abzuwarten, einschließlich der sich anschließenden Frage, ob und welche Konsequenzen hieraus für die Rechtsposition potenziell betroffener Minderjähriger zu ziehen sind.

> Jedes lebend geborene Kind gilt vor dem Gesetz von Geburt an als Subjekt mit gleicher Würde und gleichen Rechten.

In Bezug auf Behandlungsentscheidungen bei extrem früh oder schwer krank geborenen Kindern sind ebenfalls die Rechte des Kindes, die Garantenstellung des Arztes bzw. der Ärztin und das Personensorgerecht der Eltern zu berücksichtigen. Allerdings steht hier der ansonsten – wie vorstehend gezeigt – im Vordergrund stehende Patientenwille als maßgebliche Richtschnur nicht zur Verfügung, und auch sonst fehlen spezielle gesetzliche Vorgaben. Allenfalls lassen sich dazu Empfehlungen und Leitlinien finden. Solche Empfehlungen und Leitlinien sind jedoch rechtlich nicht unmittelbar verbindlich, sondern dienen in erster Linie der Orientierung für verantwortliche Einzelfallentscheidungen. Sie können als Ausdruck eines sachlich fundierten Konsenses in der Fachwelt aber auch rechtliche Relevanz erhalten, wenn es etwa um die Beurteilung geht, ob eine bestimmte Entscheidung aus medizinischer Sicht gerechtfertigt und damit möglicherweise auch rechtlich vertretbar war.

Der Schutz von Verfassung und Recht erstreckt sich in gewissem Umfang schon auf das Ungeborene. So verletzen Experimente an Ungeborenen deren Menschenwürde und können Schädigungen in utero, z. B. infolge eines ärztlichen Behandlungsfehlers Schadenersatzansprüche des – geborenen – Kindes begründen. Im Zivilrecht beginnt der Status als Rechtssubjekt mit der abgeschlossenen Geburt, im Strafrecht markiert das Einsetzen der Eröffnungswehen bzw. im Fall der Sectio die Eröffnung der Gebärmutterwand die Grenze zwischen den speziellen Vorschriften des Schwangerschaftsabbruchs und dem Bereich der herkömmlichen Tötungs- bzw. Körperverletzungsdelikte. Damit hat jedes lebend geborene Kind unabhängig von seinem Reifegrad und seinem Gesundheitszustand ein Recht auf Leben und körperliche Unversehrtheit und folglich auch einen Anspruch auf eine erforderliche medizinische Behandlung (Rieger 2001).

Die Garantenstellung der behandelnden Ärztinnen und Ärzte verpflichtet diese dazu, Leben und körperliche Unversehrtheit des Kindes durch die hierfür notwendige medizinische Behandlung zu schützen. Sie sind damit haftbar sowohl für Schäden, die das Kind durch eine fehlerhafte Behandlung, als auch für Schäden, die das Kind durch Unterlassen einer erforderlichen Behandlung erleidet. Das heißt, dass einem Kind weder eine notwendige Behandlung vorenthalten werden noch eine aussichtslose Übertherapie zugemutet werden darf (Harnack 1985), insbesondere wenn dies für das Kind mit subjektivem Leiden verbunden wäre.

Die Entscheidungsbefugnis über eine medizinische Behandlung haben aber die Eltern aufgrund ihres Sorgerechts für das Kind. Allerdings sind die Eltern gehalten, ihre Entscheidung am Kindeswohl auszurichten und dürfen deshalb eine erfolgversprechende lebenserhaltende Therapie für ihr Kind nicht ablehnen. Während bei einwilligungsfähigen erwachsenen Patienten, die für sich selbst entscheiden können, letztlich von ärztlicher Seite eine Therapieverweigerung akzeptiert werden muss, kann sich bei Neugeborenen die Frage stellen, wann das Verhalten der Eltern dem objektiven Kindeswohl widerspricht und der darin liegende Missbrauch des Personensorgerechts mit Hilfe des bei Minderjährigen zuständigen Familiengerichts korrigiert werden muss. Strittig zwischen Ärzt*innen und Eltern können mitunter Entscheidungen sein, in denen die Lebens- und Überlebensaussichten des Kindes unsicher sind und/oder vorhandene therapeutische Optionen bei ungewissen Erfolgschancen mit Einbußen an Lebensqualität verknüpft sein können. Die Beurteilung von solchen Fällen wäre auch für ein Familiengericht schwierig, weil sich ein solcher Abwägungsprozess kaum jemals eindeutig als Sorgerechtsmissbrauch darstellt, insbesondere in der Neonatologie, wo einerseits die prognostischen Unsicherheiten besonderes deutlich hervortreten, andererseits aber die Zeitspanne gemeinsamen „Er-Lebens" noch kurz ist. Das macht auch verständlich, warum zu elterlichen Therapieverweigerungen im Unterschied zu anderen Gebieten der Kinderheilkunde (z. B. eine lebensrettende Chemotherapie bei Leukämie) in der Neonatologie keine Gerichtsurteile vorliegen.

Die Deutsche Gesellschaft für Medizinrecht hat Empfehlungen für das Vorgehen bei Entscheidungen über die medizinische Behandlung von „schwerstgeschädigten Neugeborenen" in den sogenannten Einbecker Empfehlungen (1986/1992) vorgelegt. In diesen Empfehlungen wird zunächst festgestellt, dass „die grundsätzliche Unverfügbarkeit menschlichen Lebens in jeder Entwicklungs- und Altersstufe" nicht zur Disposition stehe. Dennoch könne es in Grenzsituationen vorkommen, „dass dem Bemühen um Leidensvermeidung oder Leidensminderung im wohlverstandenen Interesse des Patienten ein höherer Stellenwert eingeräumt werden muss, als dem Bemühen um Lebenserhaltung oder Lebensverlängerung". Gegen den Willen der Eltern dürfe eine Behandlung nicht abgebrochen werden. Wenn die Eltern aber eine aus ärztlicher Sicht notwendige Behandlung ablehnen, solle die Entscheidung des Familiengerichts eingeholt werden, und wenn dies nicht rechtzeitig möglich ist, eine dringend indizierte Behandlung auch gegen den Willen der Eltern durchgeführt werden. In den Empfehlungen wird auch darauf hingewiesen, dass der Umstand, dass einem Neugeborenen ein Leben mit Behinderung bevorsteht, nicht rechtfertigen kann, eine lebenserhaltende Behandlung zu unterlassen oder abzubrechen.

Da in Deutschland, aber auch in vielen anderen Staaten verbindliche spezialgesetzliche Regelungen fehlen, werden Entscheidungen über intensivmedizinische Behandlungen von extrem früh oder schwer krank geborenen Kindern zumeist nur durch Leitlinien der zuständigen medizinischen Fachgesellschaften geregelt (vgl. AWMF 2020).

Trotz einiger inhaltlicher Unterschiede der Leitlinien verschiedener Länder im Detail wird das Kind in allen Leitlinien als Person mit gleicher Würde und gleichen Rechten anerkannt. Es besteht Einigkeit darüber, dass ihm ein Recht auf Behandlung, aber auch der Schutz vor aussichtsloser Übertherapie und, wenn es nicht überleben kann, der Anspruch auf palliative Behandlung zusteht. Die Pflicht zur Lebenserhaltung von extrem früh oder schwer krank geborenen Kindern ist folglich nur dann begrenzt, wenn es nicht möglich oder sehr unwahrscheinlich ist, einen Behandlungserfolg herbeizuführen oder wenn die Behandlung unzumutbar wäre (Harnack 1985). Die Unterschiede in den Regulierungen spiegeln ganz offensichtlich weniger unterschiedliche moralische Grundüberzeugungen als verschiedene Schlüsse aus der ethischen Abwägung von Lebens- und Überlebensaussichten einerseits und Belastungen des Kindes andererseits wider. Keine der Leitlinien geht auf die in der Praxis äußerst wichtige Frage ein, welche Rolle die soziale Situation der Eltern bei Behandlungsentscheidungen im Grenzfall spielen darf. Dazu kommt, dass die Leitlinien lediglich eine Orientierung für ethische Abwägungen bieten, die individuelle ethische Rechtfertigung im Einzelfall aber nicht ersetzen können.

2.3 Ethische Grundlagen von Behandlungsentscheidungen

S. Graumann

Jedes neugeborene Kind muss als Person mit gleicher Würde und gleichen Rechten anerkannt werden. Seine Menschenwürde wird missachtet, wenn ihm eine erfolgversprechende lebenserhaltende Behandlung vorenthalten wird, aber auch, wenn ihm eine experimentelle, aussichtslose Übertherapie zugemutet wird.

Konkrete Behandlungsentscheidungen bei extrem früh, schwer krank oder behindert geborenen Kindern sind unausweichlich, insofern Behandlungsmöglichkeiten zur Verfügung stehen. Und sie müssen ethisch gerechtfertigt werden. Die ethischen Grundlagen, auf die wir uns dabei stützen können, sind allerdings umstritten. Das Kindeswohl ist unstrittig das leitende Prinzip (AWMF 2020); Inthorn u. Paul 2017). In Grenzfällen ist allerdings schwierig zu bestimmen, welche Behandlung dem Wohl des Kindes dient. Eine Reihe von Autoren bestreitet ein eigenständiges Lebensrecht von Neugeborenen (z. B. Kuhse und Singer 1985; für einen Überblick zu dieser Debatte s. Lantos und Meadow 2006), was der geltenden Rechtsordnung widerspricht. Im Folgenden wird eine Kantische Konzeption vorgeschlagen, die mit den Grund- und Menschenrechten vereinbar ist. Daran anschließend werden die mittleren ethischen Prinzipien vorgestellt, an denen wir uns orientieren können, um zu beurteilen, ob eine medizinische Behandlung moralisch geboten, erlaubt oder verboten ist.

2.3.1 Jedes Kind ist Person mit gleicher Würde und gleichen Rechten

Mit Kants Kategorischem Imperativ kann die Position verteidigt werden, dass wirklich alle Menschen als Personen mit gleicher Würde und gleichen Rechten anerkannt werden müssen. Für diesen theoretischen Ausgangspunkt spricht, dass es sich beim Kategorischen Imperativ einerseits um ein plausibles und gut begründetes und andererseits um ein inklusives Moralprinzip handelt. Mit „inklusiv" ist hier gemeint, dass alle Menschen Mitglieder der moralischen Gemeinschaft sind und unter dem Schutzbereich des Moralprinzips stehen. Das soll im Folgenden anhand von drei Kriterien (Potenzialitätskriterium, Vorsichtskriterium sowie Zugehörigkeit zur primären sozialen Gemeinschaft) plausibel gemacht werden (Graumann 2011).

Potenzialitätskriterium Das erste Kriterium, das für die Verteidigung der Inklusivität der moralischen Gemeinschaft herangezogen werden kann, ist das Potenzialitätskriterium. Es besagt, dass nicht aktuell entwickelte Personeneigenschaften, sondern potenzielle Personeneigenschaften für den Status eines Menschen als Person mit gleicher Würde und gleichen Rechten entscheidend sind. Die Verteidigung des Potenzialitätskriteriums kann sich auf den Kantischen Würdebegriff stützen: Der Grund für die Würde des Menschen ist für Kant seine Autonomie, das heißt, seine Fähigkeit zu selbstbestimmtem, vernünftigem, moralisch verantwortungsvollem Handeln. Kant selbst hat sich zum Einbezug von Menschen, die die Fähigkeit zu Autonomie nicht, noch nicht oder nicht mehr aufweisen, nicht geäußert. Dennoch kann mit dem Kantischen Verständnis der Menschenwürde die Inklusivität des Menschenwürdebegriffs verteidigt werden. Dafür müssen wir Autonomie als faktische empirische Fähigkeit und Autonomie als ethische Norm unterscheiden (Graumann 2018; Horn 2011). Wir sollten uns dabei vergegenwärtigen, dass Menschen nicht als autonomiefähige Personen geboren werden, sondern sich erst zunehmend zu autonomiefähigen Personen entwickeln. Wir sollten uns außerdem vergegenwärtigen, dass Menschen als verletzliche Wesen ihre Fähigkeiten zu Autonomie jederzeit zeitweise oder ganz verlieren können. Und mit großer Wahrscheinlichkeit beendet ein Mensch sein Leben mit stark eingeschränkter oder sogar ganz fehlender Fähigkeit zu Autonomie.

Eine strikte Unterscheidung zwischen autonomen und nichtautonomen Menschen ist außerdem nicht möglich. Autonomie ist faktisch niemals vollständig verwirklicht. Autonomie als faktische Fähigkeit ist immer mehr oder weniger durch innere und äußere Faktoren eingeschränkt. Dazu gehören körperliche, kognitive und intellektuelle Beeinträchtigungen sowie psychische Zwänge, aber auch äußere gesellschaftliche Bedingungen wie materielle Not, soziale Zwänge oder die Bedrohung durch Missbrauch und Gewalt. Ein Verständnis von Menschenwürde, das deren Zuschreibung auf die aktuell faktisch vorhandene Fähigkeit zu Autonomie gründet, müsste einem Menschen dann, wenn die Fähigkeit zu Autonomie aufgrund innerer oder äußerer Umstände fehlt oder eingeschränkt ist, keine oder weniger Menschenwürde zugestehen. Ein solches Verständnis von Würde, das einer Abstufbarkeit anhand von Eigenschaften und Fähigkeiten entsprechen würde, werden wir kaum akzeptieren wollen.

Vorsichtskriterium Das zweite Kriterium, das Vorsichtskriterium oder „precautionary principle", berücksichtigt den Umstand, dass wir als außenstehende Urteilende nie mit Sicherheit sagen können, ob und wie weit Personeneigenschaften entwickelt sind oder in welchem Maß das individuelle Potenzial hierfür vorhanden ist (Giesinger 2017). Außerdem wissen wir nicht, wo wir die Grenze ziehen sollen, ab der die verwirklichten oder die potenziellen Eigenschaften einen Grad erreicht haben oder voraussichtlich erreichen werden, sodass wir sinnvollerweise von autonomiefähigen Personen sprechen können. Wir haben beispielsweise große Schwierigkeiten, verbindlich Kriterien dafür zu nennen, ob und in welchem Umfang ein Neugeborenes das individuelle Potenzial besitzt, solche Eigenschaften irgendwann einmal zu entwickeln.

Wenn das individuelle Potenzial zu Personalität entscheidend wäre, würde das bedeuten, dass wir ihm nach einer entsprechenden medizinischen Diagnose den Status als Person mit gleicher Würde und gleichen Rechte wieder absprechen müssten, den wir ihm zuvor zuerkannt hatten. Aber auch wenn es sich um ein Kind handelt, von dem wir von vornherein ausgehen müssen, dass es aufgrund einer angeborenen Beeinträchtigung nur einige Monate leben kann oder dass es aufgrund einer erblichen Veranlagung in seiner kognitiven Entwicklung sein Leben lang stark beeinträchtigt sein wird, können wir niemals mit letzter Sicherheit sagen, welches Potenzial zur Entwicklung von Autonomiefähigkeit es genau besitzt. Das heißt, unsere Urteile über das Vorhandensein von Personeneigenschaften und in noch stärkerem Maß unsere Urteile über das individuelle Potenzial, zukünftig Personeneigenschaften entwickeln zu können, sind in den Grenzfällen mit großen Unsicherheiten verbunden. Wir sollten also deshalb, weil es so schwierig ist, die konkreten Fähigkeiten und Entwicklungspotenziale in den Grenzfällen zu bestimmen, und weil jede Grenzziehung zwischen Personen und Nichtpersonen notwendigerweise mit Willkür behaftet wäre, vorsichtshalber davon ausgehen, dass zumindest alle geborenen, lebenden Menschen als Personen mit gleicher Würde und gleichen Rechten anerkannt werden müssen.

Zugehörigkeit zur primären sozialen Gemeinschaft Als Drittes ist das Kriterium der Zugehörigkeit zur primären sozialen Gemeinschaft zu nennen (Graumann 2011). Es ist ein sozialethisches Kriterium und beinhaltet, dass menschliche Individuen von Geburt an Mitglieder einer sozialen Ge-

2

meinschaft sind, die unhintergehbar ist. Die soziale Gemeinschaft teilt die moralischen Werte und Normen, die das Zusammenleben von allen Gemeinschaftsmitgliedern regelt, das heißt, nicht nur die Interaktion zwischen autonomen, voll vernunft-, handlungs- und kommunikationsfähigen Personen, sondern auch den Umgang mit nicht, nicht mehr, noch nicht und nur eingeschränkt autonomiefähigen Gemeinschaftsmitgliedern. Die unbedingte Annahme eines jeden Kindes prägt unser gesellschaftliches Zusammenleben auf fundamentale Weise. Jedes Kind, das geboren wird, ist existenziell auf die unbedingte Annahme durch seine Eltern, seine Familie und sein näheres und weiteres soziales Umfeld angewiesen, ohne dass daran Bedingungen hinsichtlich seiner Fähigkeiten, Eigenschaften und Entwicklungsmöglichkeiten geknüpft werden. Die Mitgliedschaft in der moralischen Gemeinschaft sollten wir aufgrund der fatalen Konsequenzen, die ein Ausschluss daraus für die Einzelne oder den Einzelnen haben würde, für unhintergehbar ansehen. Dafür spricht noch ein weiteres Argument: Wenn nicht ausnahmslos alle geborenen, lebenden Menschen als Mitglieder der moralischen Gemeinschaft gelten würden, müsste eine Gruppe von Menschen autorisiert werden, darüber zu entscheiden, welche Menschen dazu gehören sollen und welche nicht. Aber wer sollte eine solche Autorisierung vornehmen und mit welchem Recht? Das spricht dafür, dass die Anerkennung von Menschen als Personen mit gleicher Würde und gleichen Rechten willkürlichen Entscheidungen entzogen bleiben sollte.

Aus dem Potenzialitätsprinzip, dem Vorsichtsprinzip und der Unhintergehbarkeit der primären sozialen Gemeinschaft zusammen kann für den Schutzbereich der moralischen Gemeinschaft damit der folgende Schluss gezogen werden: Wir sollten am Grundsatz der Inklusivität der moralischen Gemeinschaft festhalten. Wir sollten davon ausgehen, dass alle geborenen, lebenden Menschen als Personen mit gleicher Würde und gleichen Rechten anzuerkennen sind. Dazu gehören auch alle extrem früh, schwer krank oder behindert geborenen Kinder.

2.3.2 Achtung der Menschenwürde bei Behandlungsentscheidungen

Ärztliches Handeln am Lebensende ist generell häufig – gerade bei Patienten, die aktuell oder dauerhaft nicht selbst urteilsfähig sind – auf die Einschätzung ihrer Lebensqualität angewiesen. Manchmal wird Lebensqualität mit einem „würdevollen Leben" verknüpft. Allerdings wäre es nicht richtig, den Besitz von Menschenwürde von einem bestimmten Grad von Lebensqualität abhängig zu machen. Einschätzungen der Lebensqualität sind unumgänglich immer mit einer gewissen Unsicherheit behaftet. Die Beurteilung der Lebensqualität kann individuell und abhängig von der eigenen Lebenssituation und -erfahrung sehr unterschiedlich sein. Letztlich lässt sich die Beurteilung von Lebensqualität nicht objektivieren sondern nur subjektiv beurteilen (Schmitz 2018). Das heißt, dass die subjektiven Werthaltungen der urteilenden Personen zwangsläufig einfließen. Behandlungsentscheidungen, die sich auf eine Beurteilung der Lebensqualität „von außen" stützen müssen, sollten die einfließenden Einstellung zu Behinderung kritisch reflektieren und besonders sorgsam getroffen werden. Eine bestimmte Lebensqualität kann jedenfalls keine Voraussetzung für den Besitz von Menschenwürde sein.

Die Menschenwürde als Moralprinzip geht in moralischer Hinsicht von der Gleichheit aller Menschen ohne Berücksichtigung von individuellen Eigenschaften und Fähigkeiten aus. Sie zeichnet den Menschen als Menschen dadurch aus, nicht auf einen „Wert" für etwas anderes reduzierbar zu sein. „Menschenwürde" bedeutet dabei sowohl die Voraussetzung, Rechte zu besitzen, als auch die Verpflichtung, grundlegende Rechte anderer zu achten. „Menschenwürde" bedeutet in diesem Sinne die vernünftige Einsicht in die wechselseitige Verpflichtung, andere Menschen „niemals bloß als Mittel", sondern immer auch „als Zweck an sich selbst" zu behandeln. Menschenwürde muss demnach nicht erworben werden und kann nicht verloren gehen. Sie kommt dem Menschen allein aufgrund seines Menschseins zu. Die Kantische Tradition geht demzufolge von einem unveräußerlichen Recht auf Leben aus, das in der Würde des Menschen begründet ist. Unveräußerlich bedeutet dabei, dass es nicht gegen beliebige andere Güter aufgewogen werden kann. Die Menschenwürde selbst aber gilt als absolut und kann nicht eingeschränkt werden.

> Von einer Missachtung der Menschenwürde wird dann gesprochen, wenn ein Mensch zum bloßen Mittel gemacht wird, wenn er völlig instrumentalisiert wird, wenn seine grundlegenden moralischen Rechte geopfert werden für einen fremden Zweck.

Das alles heißt zunächst: Jeder Mensch und damit auch jedes extrem früh, schwer krank oder behindert geborene Kind hat ein unveräußerliches Recht auf Leben und damit auch das Recht auf eine lebenserhaltende medizinische Behandlung. Ob es ethisch gerechtfertigt oder sogar geboten ist, im Einzelfall auf eine lebenserhaltende Behandlung zu verzichten oder diese einzustellen, hängt davon ab, ob und welche in Abwägung gegen das Recht auf Leben gleichgewichtigen Rechte des Kindes auf dem Spiel stehen.

Eine Missachtung der Menschenwürde selbst wäre dann gegeben, wenn eine Behandlungsentscheidung auf Grund von Interessen Dritter getroffen wird, das heißt z. B., wenn auf lebensrettende Behandlung behinderter Kinder mit guten Erfolgsaussichten verzichtet werden würde, um gesellschaftliche Kosten zu sparen. Wenn allerdings auf eine lebenserhaltende intensivmedizinische Behandlung im Interesse des Wohlergehens des Kindes selbst verzichtet wird, wäre das ethisch nicht nur gerechtfertigt, sondern sogar geboten. Zwischen den genannten Extremen, auf der einen Seite einer ethisch gebotenen lebensrettenden Behandlung mit guten Erfolgsaussichten und auf der anderen Seite einer ethisch unzulässigen aussichtslosen experimentellen Übertherapie, sind die Fallkonstellationen angesiedelt, in denen umsichtige ethische Abwägungen getroffen werden müssen.

2.4 Ethische Rechtfertigung medizinischer Behandlungen

S. Graumann

> Eine medizinische Behandlung ist in der Regel dann ethisch gerechtfertigt, wenn der Beitrag durch die Behandlung zum Wohlergehen des Patienten größer ist als die Schädigungen und Belastungen, die ihm durch die Behandlung aufgebürdet werden, und wenn er freiwillig und informiert zugestimmt hat.

Bei Kindern müssen ihre Eltern stellvertretend einwilligen, die dabei an das Wohlergehen ihres Kindes gebunden sind.

Die Achtung der Menschenwürde fordert von uns einerseits, Dinge zu unterlassen, die die Rechte eines Menschen verletzten würden, und andererseits Dinge zu unternehmen, ohne die das Wohlergehen eines Menschen gefährdet wäre. Um diese beiden ethischen Forderungen in Konflikten an den Grenzen medizinischer Handlungsmöglichkeiten gegeneinander abwägen zu können, sind sogenannte mittlere ethische Prinzipien hilfreich. „Mittlere" ethische Prinzipien werden diese genannt, weil sie zwischen theoretischen moralphilosophischen Konzeptionen und konkreten praktischen ethischen Entscheidungs- und Handlungsbegründungen „vermitteln“. Beauchamp und Childress haben in ihrem Buch „Principles of Biomedical Ethics“ die 4 mittleren Prinzipien Autonomie, Fürsorge, Nichtschädigung und Gerechtigkeit unterschieden (2012). Im Folgenden werden diese vier Prinzipien vor dem Hintergrund einer Kantischen Ethik eingeführt, und es wird aufgezeigt, welche Bedeutung diese für Behandlungskonflikte in den Grenzbereichen medizinischer Handlungsmöglichkeiten generell haben.

2.4.1 Die 4 mittleren ethischen Prinzipien

2.4.1.1 Autonomie

Dem Autonomieprinzip kommt in der Medizinethik eine gewisse Vorrangstellung zu, die sich darin äußert, dass die Zulässigkeit einer medizinischen Behandlung aus ethischer Sicht grundsätzlich die freie und informierte Einwilligung des Patienten voraussetzt. Allerdings birgt die Dominanz des Autonomieprinzips die Gefahr, dass über den Kopf von Kindern hinweg entschieden wird. Ihr stärkerer Einbezug ist aus Sicht der „Kinderethik“ eine zentrale Forderung (vgl. Giesinger 2007; Schickhardt 2016).

Die Voraussetzung für eine Umsetzung dieser Forderung ist, dass zwischen Autonomie als Fähigkeit und aktuelle Verfassung eines Patienten und Autonomie als Grund der Würde des Menschen als Menschen unterschieden wird (Graumann 2018). In der Autonomie als Grund der Würde des Menschen ist sein Recht auf Selbstbestimmung begründet. Seine Fähigkeit zu Selbstbestimmung aber kann entwicklungs- oder krankheitsbedingt mehr oder weniger stark eingeschränkt sein. Sein Recht auf Selbstbestimmung bleibt davon aber unberührt. Daraus folgt das Recht des Patienten auf freiwillige und informierte Einwilligung in eine medizinische Behandlung, der Anspruch, dass seine Abhängigkeit, Verletzlichkeit und Manipulierbarkeit nicht missbraucht werden, und der Anspruch, in seinen Fähigkeiten und Möglichkeiten, selbstbestimmt zu entscheiden, zu handeln und zu leben, unterstützt und gefördert zu werden.

Bei entscheidungs- und einwilligungsfähigen Patient*innen umfasst das Recht auf freiwillige und informierte Einwilligung auch ein Recht auf Ablehnung von medizinischen Behandlungen, auch wenn der Tod die Folge sein kann. Eine „Zwangsbehandlung“ wäre in einem solchen Fall nur dann zu rechtfertigen, wenn begründete Zweifel an der Freiwilligkeit und der Einwilligungsfähigkeit des Patienten bestehen. Nun fehlt Neugeborenen aber noch jede eigene Selbstbestimmungs- und Entscheidungsfähigkeit. Das heißt aber nicht, dass Kinder als „Eigentum von Erwachsenen“ betrachtet werden dürfen, die über ihr Wohl zu entscheiden haben. Was wir schützen sollen ist die Entwicklungsfähigkeit eines Kindes zu einer freien und selbstbestimmten Person und sein Recht auf eine offene Zukunft. Dabei müssen seine besondere Verletzbarkeit und seine Angewiesenheit auf soziale Beziehungen berücksichtigt werden (Maio 2012).

Und genau an dieser Stelle kommen seine Eltern als diejenigen Personen ins Spiel, die die engste soziale Beziehung zu ihm haben, von denen moralisch verantwortliche stellvertretende Entscheidungen erwartet werden (vgl. Wiesemann 2015). Weil die Eltern für das Wohlergehen ihres Kindes verantwortlich sind und weil sie normalerweise eine enge emotionale Bindung zu ihrem Kind haben, wird davon ausgegangen, dass sie in der Regel auch die Personen sind, die am besten dazu geeignet sind, für das Wohlergehen ihres Kindes zu sorgen. Wenn die Eltern ihre Entscheidung allerdings nicht am Wohlergehen des Kindes ausrichten wollen oder können, kann es ethisch gerechtfertigt sein, in das elterliche Entscheidungsrecht einzugreifen. Dabei wird allerdings in die Eltern-Kind-Beziehung und damit auch in das Recht auf Selbstbestimmung der Eltern selbst eingegriffen, was ihnen gegenüber ethisch gerechtfertigt werden muss.

2.4.1.2 Fürsorge

Das Fürsorgeprinzip verpflichtet Ärzt*innen auf das Wohlergehen ihrer Patient*innen. Kranke Menschen haben ein Recht auf ärztliche und pflegerische Fürsorge in Abhängigkeit von ihrer Bedürftigkeit, das in der Menschenwürde und den grundlegenden moralischen Rechten auf Leben und auf körperliche und psychische Unversehrtheit begründet ist. Das gilt für extrem früh, schwer krank oder behindert geborene Kinder genauso wie für alle anderen Patient*innen. Aus der ärztlichen und pflegerischen Fürsorgepflicht folgt damit der Auftrag, Leben zu bewahren, Leiden zu lindern und Gesundheit wiederherzustellen. Das heißt, dass jeder Patient entsprechend seiner Bedürftigkeit ein Recht auf medizinische Behandlung hat.

Ärztliches und pflegerisches Handeln an den Grenzen medizinischer Möglichkeit ist oft damit konfrontiert, dass Patient*innen nicht mehr gesund werden, nur noch eine begrenzte Zeit oder nur mit dauerhaften Beeinträchtigungen weiterleben können. Dadurch können die einzelnen Inhalte ärztlicher und pflegerischer Fürsorge, wie Leben zu bewahren, Gesundheit wiederherzustellen und Leiden zu lindern, miteinander in Konflikt geraten und müssen gegeneinander abgewogen werden. Wenn nun ein extrem früh, schwer krank oder behindert geborenes Kind auch mit medizinischer Hilfe nicht dauerhaft überleben kann, gebietet das Fürsorgeprinzip, zu einer palliativen Behandlungsstrategie überzugehen und ihr bzw. sein Leiden, soweit möglich, zu lindern.

2.4.1.3 Nichtschädigung

Das Nichtschädigungsprinzip fordert im ärztlichen und pflegerischen Handeln vermeidbare Schädigungen von Patienten und Patientinnen zu unterlassen. Viele medizinische Eingriffe sind zwangsläufig mit einer Verletzung der körperlichen und psychischen Integrität der/des Patient*in verbunden, oder sie gehen mit Risiken und Belastungen einher, durch die diese geschädigt werden kann. Eine vorhersehbare Schädigung der/des Patient*in oder das Risiko einer Schädigung durch ärztliches Handeln kann dann gerechtfertigt sein, wenn der Beitrag zum Wohlergehen der/des Patient*in voraussichtlich überwiegt. So ist etwa ein chirurgischer Eingriff eine Körperverletzung, die in der Regel dadurch ethisch gerechtfertigt werden kann, dass der Beitrag zur Gesundheit der/des Patient*in mögliche Schädigungen überwiegt.

Mit dieser Abwägung kann der Verzicht auf eine potenziell lebensverlängernde ärztliche Maßnahme geboten sein, wenn davon ausgegangen werden muss, dass die Beeinträchtigung des Wohlergehens der/des Patient*in zu groß wäre. Das bedeutet, dass bei Entscheidungen über die Aufnahme einer lebenserhaltenden Behandlung oder den Übergang zu einer palliativen Behandlungsstrategie die ärztliche und pflegerische Fürsorgepflicht, Leben zu bewahren, und das Nichtschädigungsgebot gegeneinander abgewogen werden müssen. Solche Abwägungen sind im Einzelfall gerade bei extrem früh, schwer krank oder behindert geborenen Kindern zum einen wegen der prognostischen Unsicherheit in Bezug auf ihre Überlebenschancen und ihre Lebensaussichten und zum anderen wegen der Schwierigkeiten, zu beurteilen, wie sie ihr eigenes Leiden empfinden, ausgesprochen schwierig. Dennoch müssen sie anhand der genannten Prinzipien nach bestem Wissen und Gewissen getroffen werden.

2.4.1.4 Gerechtigkeit

Das Gerechtigkeitsprinzip verpflichtet Ärzte und Pflegende, alle verfügbaren personellen und materiellen Ressourcen gerecht zwischen ihren Patient*innen zu verteilen. Dabei kann es im Einzelfall durchaus unterschiedlich sein, an welchem Gerechtigkeitsverständnis man sich orientiert (z. B. Gerechtigkeit als ausgleichende Gerechtigkeit, als Chancen- oder Leistungsgerechtigkeit oder als soziale Gerechtigkeit). Im ärztlichen Alltag sind Beurteilungen, was gerecht ist, aber meist wenig umstritten: So ist es in der kinderärztlichen Praxis sicher gerecht, nicht alle Kinder gleich zu behandeln, sondern schwer kranken Kindern mehr Ressourcen, Zeit und Aufmerksamkeit zu widmen.

Auf das Gerechtigkeitsprinzip wird aber auch Bezug genommen, wenn es darum geht, einen gerechten Ausgleich im Konfliktfall zwischen verschiedenen moralischen Rechten der/des Patient*in untereinander sowie zwischen ihren bzw. seinen moralischen Rechten und anderen Interessen oder dem Gemeinwohl zu suchen. Dabei sind sorgfältige Abwägungen notwendig, bei denen auch jeweils das Gewicht der mit einander in Konflikt stehenden Rechte berücksichtigt werden muss. So würde im Konfliktfall bei guten Überlebensaussichten das Recht auf Leben des Kindes höher als das Entscheidungsrecht von Eltern zu gewichten sein, wenn diese kein behindertes Kind haben wollen. In einer Ethik auf der Grundlage der Menschenwürde als Moralprinzip bedeutet das auch, dass moralische Rechte der/des Patient*in nicht im Namen des Gemeinwohls oder anderer Güter und Interessen geopfert werden dürfen, weil damit die betroffene Person als „bloßes Mittel“ für fremde Zwecke behandelt werden würde. Positionen, die die Verpflichtung zu einer bestmöglichen lebenserhaltenden oder palliativen Behandlung von extrem früh, schwer krank oder behindert geborenen Kindern mit Verweis auf hohe Kosten im Namen des Gemeinwohls relativieren wollen, wie dies immer wieder in Mediendebatten geschieht (Wüsthof 2004), können damit als ethisch ungerechtfertigt zurückgewiesen werden.

2.4.2 Stellvertretende Entscheidungen: Wer, Was, Wie?

Behandlungsentscheidungen in der Kinderheilkunde bewegen sich im Spannungsfeld zwischen ärztlicher Fürsorgepflicht, Beachtung des Kindeswohls und den Interessen der Eltern. Dabei wird davon ausgegangen, dass den Eltern aufgrund ihrer Beziehung zu ihrem Kind das Entscheidungsrecht zukommt, sie dabei aber daran gebunden sind, im Sinne des Wohlergehen ihres Kindes zu entscheiden (Dörries 2003). Das ist für Eltern von einem extrem früh, schwer krank oder behindert geborenen Kind, die sich dadurch selbst in einer emotionalen Ausnahmesituation befinden können, nicht immer leicht. Wann aber darf im Konfliktfall von außen in das Entscheidungsrecht der Eltern eingegriffen werden? Die nahe liegende Antwort ist: Wenn das Wohlergehen des Kindes ernsthaft in Gefahr ist – aber wann ist dieser Punkt erreicht? Der Punkt ist sicher dann erreicht, wenn die Gefährdung des Kindeswohls schwerer wiegt als der Eingriff in die eigenen moralischen Rechte der Eltern. Dabei umfassen die Rechte der Eltern neben ihrem Sorge- und Entscheidungsrecht für ihr Kind natürlich auch das Recht, selbst nicht verletzt, gekränkt oder stigmatisiert zu werden.

Eingriffe in das elterliche Sorge- und Entscheidungsrecht gibt es nicht nur in der Medizin, sondern beispielsweise auch bei Sorgerechtsfragen in Folge der Trennung oder Scheidung der Eltern. In diesem Kontext hat sich der sogenannte „best interest standard“ als international anerkanntes Prinzip für das kindliche Wohlergehen durchgesetzt, welches auch in die Kinderrechtskonvention der Vereinten Nationen aufgenommen wurde. Das bedeutet, dass bei einer Abwägung verschiedener Handlungsoptionen immer überlegt werden muss, was den Interessen des Kindes in dieser Situation am besten entsprechen würde, oder, wie das Kind selbst in dieser Situation entscheiden würde, wenn es schon selbst entscheiden könnte. In diesem Sinn stellt der „best interest standard" einen Schwellenwert dar, der, wenn er unterschritten wird, einen Eingriff in das Sorge- und Entscheidungsrecht der Eltern geboten sein lässt. Darüber hinaus dient der „best interest standard" aber auch als Standard bei der Entscheidung, welche von mehreren medizinischen Handlungsmöglichkeiten aus medizinethischer Sicht am besten wäre. In diesem Sinne sollte auf den „best interest standard" bei der Entscheidung zwischen einer kurativen und einer palliativen Behandlungsstrategie Bezug genommen werden (Kopelman 1997).

2.4.3 Notwendige Differenzierungen

> Jedes extrem früh, schwer krank oder behindert geborene Kind hat das Recht auf medizinische Behandlung und menschliche Zuwendung.

Wenn es überleben kann, hat es ein Recht auf eine lebenserhaltende Therapie mit kurativem Behandlungsziel, und wenn es nicht überleben kann, das Recht auf Schutz vor aussichtslosen Therapiemaßnahmen sowie auf die Gewährung einer palliativen Leidenslinderung.

Für ethisch begründete Entscheidungen ist es wichtig, zwei grundlegend verschiedene Situationen zu unterscheiden: Einerseits stellt sich meist vor oder unmittelbar nach der Geburt eines extrem früh, schwer krank oder behindert geborenen Kindes die Frage, ob mit einer lebensrettenden Behandlung überhaupt begonnen werden soll. Eine Schwierigkeit ist dabei, dass man das Kind noch nicht kennt, und es gerade in Grenzfällen sehr schwierig ist, die Überlebenschancen und die Lebensaussichten des Kindes zu prognostizieren. Wenn überhaupt, stehen hierfür oft nur statistische Überlebensraten – etwa die Überlebenswahrscheinlichkeit in Abhängigkeit vom Geburtsgewicht – und subjektive Einschätzungen zur Verfügung. Eine zweite Schwierigkeit ist dabei oft, dass die Entscheidung unter enormem Zeitdruck gefällt werden muss und in der Situation kaum Zeit bleibt, mit den Eltern gemeinsam sorgsam zu überlegen, wie entschieden werden soll. Dennoch gilt auch hier für ethisch begründete Entscheidungen, dass das Entscheidungsrecht bei den Eltern liegt. Diese sollen sich am Wohlergehen ihres Kindes orientieren, was bedeutet, dass die erwarteten Überlebenschancen und Lebensaussichten die behandlungsbedingten Belastungen für das Kind überwiegen sollen. Soweit das angesichts unsicherer Prognosen und Zeitdruck möglich ist, sollte diese Abwägung nach bestem Wissen und Gewissen erfolgen.

Andererseits muss unter Umständen zu einem späteren Zeitpunkt entschieden werden, ob die lebenserhaltende Therapie eingestellt und auf eine palliative Behandlungsstrategie übergegangen werden soll, wenn sich das Kind nicht wie erhofft entwickelt oder wenn Komplikationen wie schwere Gehirnblutungen oder irreversibles Organversagen auftreten. Diese Entscheidungen können individueller, weil man das Kind schon kennt, und in der Regel unter viel geringerem Zeitdruck getroffen werden. Die Schwierigkeit, die sich hier bei einer Therapiezieländerung stellt, besteht vor allem auch darin, den richtigen Zeitpunkt zu treffen. Aus ethischer Sicht ist der richtige Zeitpunkt für die Therapiezieländerung dann erreicht, wenn die Überlebensaussichten des Kindes so gering geworden sind, dass sie die behandlungsbedingten Belastungen nicht mehr rechtfertigen können.

Aus ethischer Sicht ist es außerdem in Bezug auf beide Entscheidungssituationen relevant, die drei Fallkonstellationen – extrem früh, schwer krank oder behindert geborene Kinder – zu unterscheiden.

Extrem frühgeborenes Kind Droht die Geburt eines extrem frühgeborenen Kindes, muss regelmäßig die Entscheidung über den Beginn lebenserhaltender Therapiemaßnahmen getroffen werden. Dabei geht man in fast allen Ländern aktuell davon aus, dass eine Behandlung vor 22 0/7 Schwangerschaftswochen wegen sehr geringen Überlebensaussichten nicht medizinisch oder ethisch zu rechtfertigen ist. Auf der anderen Seite werden z. B. in Deutschland und anderen Ländern nach 24 0/7 Schwangerschaftswochen die Überlebenschancen und Lebensaussichten in der Regel als so gut eingeschätzt, dass lebenserhaltende Therapiemaßnahmen begonnen werden sollten. Besonders schwierig sind die Entscheidungen, wenn ein Kind im Graubereich „an der Grenze zur Lebensfähigkeit" (in Deutschland versteht man hier extrem Frühgeborene mit einem Gestationsalter zwischen 22 0/7 und 23 6/7 Schwangerschaftswochen) oder mit aus anderen Gründen sehr schlechten Lebensaussichten zur Welt kommt. In diesen Fällen sind die Überlebenschancen begrenzt, und die Wahrscheinlichkeit, dass eine dauerhafte Gesundheitsschädigung zurückbleibt, ist verhältnismäßig hoch. Wenn die Gelegenheit dazu besteht, sollte die Entscheidung entsprechend der nun schon mehrfach genannten Abwägung schon vor der Geburt gemeinsam mit den Eltern getroffen werden. Bei der Entscheidung über eine Therapiezieländerung stellt sich dabei regelmäßig auch die Frage, welche Rolle eine befürchtete Behinderung des Kindes spielen darf.

Schwer krank geborenes Kind Wenn ein Kind schwer krank zur Welt kommt, stellt sich die Entscheidung etwas anders dar. In diesem Fall müssen in die Abwägung über die Frage nach dem Beginn einer lebenserhaltenden Therapie, neben den Überlebenschancen und Lebensaussichten einerseits und den Belastungen durch die lebenserhaltenden Maßnahmen andererseits, die Aussichten, Belastungen und Risiken einer therapeutischen Behandlung der Krankheit des Kindes – z. B. Herzoperation – einfließen. Dasselbe gilt für die Entscheidung über eine Therapiezieländerung, sofern Komplikationen auftreten. Beide Entscheidungen enthalten dadurch zwar keine andere ethische Qualität, sie können aber im Einzelfall mit deutlich komplexeren Abwägungen verbunden sein.

Angeborene Behinderung Davon zu unterscheiden sind die Fälle von Kindern, die mit einer angeborenen Behinderung zur Welt kommen. Hier sind assoziierte Gesundheitsprobleme ggf. behandelbar, wie etwa der Herzfehler eines Kindes mit einer Trisomie 13; die grundlegende Behinderung aber ist nicht heilbar. Hier stellt sich besonders drängend die Frage, welchen Einfluss die Behinderung des Kindes auf die Behandlungsentscheidung haben darf.

Einem Kind alleine wegen einer Behinderung eine lebensrettende oder -erhaltende Behandlung vorzuenthalten, wäre eine Diskriminierung, die ethisch nicht zu rechtfertigen ist. Das heißt aber nicht, dass die Behinderung bei der Entscheidung überhaupt keine Rolle spielen darf. Wesentlich ist, dass das Kind in der Entscheidung als Person mit gleicher Würde und gleichen Rechten anerkannt wird. Und das bedeutet, dass nicht die Behinderung als solche, sondern die individuelle körperliche, seelische, spirituelle und soziale Entwicklungsperspektive, die das Kind mit seiner Behinderung hat, bei der Entscheidung über den Beginn oder die Fortsetzung einer lebenserhaltenden Behandlung berücksichtig werden soll (Maio 2012).

Während z. B. ein Kind mit Down-Syndrom heute die Aussicht hat, mit guter Förderung und Unterstützung ein langes und glückliches Leben zu führen, haben Kinder mit Trisomie 13 oder Trisomie 18 keine vergleichbare Entwicklungsperspektive. Das Kind mit Down-Syndrom und einer assoziierten Organfehlbildung kann seine individuelle Entwicklungsperspektive realisieren, wenn es operiert wird, was ein gewichtiges Argument für die lebensrettende Operation ist. Eine Entscheidung gegen die Operation würde dem Kind seine individuelle Entwicklungsperspektive nehmen, sein Recht auf Leben verletzen und wäre damit kaum zu rechtfertigen. Bei einem Kind mit Trisomie 13 oder 18, das trotz der chirurgischen Korrektur einer assoziierten Organfehlbildung voraussichtlich nur wenige Wochen oder Monate leben kann, könnte seine begrenzte individuelle Entwicklungsperspektive die behandlungsbedingten Risiken und Belastungen nicht unbedingt rechtfertigen. In seinem Fall könnte die Linderung von Leiden mit einer primären palliativen Behandlungsstrategie mit Bezug auf sein Recht auf körperliche und psychische Unversehrtheit die ethisch gebotene Option sein. In keinem der beiden Fälle wäre es die Behinderung des Kindes an sich, die den Ausschlag für die Entscheidung zwischen lebenserhaltender Maximaltherapie und palliativer Behandlungsstrategie gibt. Und in beiden Fällen könnte die Entscheidung, je nachdem, wie die individuelle Entwicklungsperspektive gegenüber den Erfolgsaussichten, Risiken und Belastungen der (teil) kurativen Therapie genau eingeschätzt werden, auch anders ausfallen.

> Eine bestehende oder befürchtete Behinderung des Kindes alleine kann einen Verzicht auf eine lebenserhaltende Behandlung nicht rechtfertigen; entscheidend ist, welche individuelle körperliche, seelische, spirituelle und soziale Entwicklungsperspektive das Kind hat.

An dieser Stelle muss auch aus ethischer Sicht noch einmal betont werden, dass trotz der pränatalen Diagnostik einer „nicht mit dem Leben vereinbaren" Krankheit oder Behinderung des Kindes die Fortführung einer Schwangerschaft bis zur natürlichen Geburt eine legitime und gleichberechtigte Alternative zu einem (späten) Schwangerschaftsabbruch ist – vorausgesetzt, es ist eine adäquate primäre palliativmedizinische Versorgung des Kindes unmittelbar nach der Geburt gewährleistet. Dies gilt nicht nur aus der Sicht des Kindes, sondern auch aus elterlicher Sicht, denn Erfahrungen aus der Selbsthilfe zeigen, dass ein Schwangerschaftsabbruch unter Umständen schwerer in das weitere Leben der verwaisten Eltern zu integrieren ist als der Verlust eines Neugeborenen nach primärer Palliativversorgung (Baumgarten 2007; Schlößer 2008).

2.5 Möglichkeiten einer ethischen Entscheidungskultur

S. Graumann

> Auch Eltern haben eigene Rechte: Sie haben das Recht auf die Unterstützung, die sie brauchen, um im Sinne des Wohlergehens ihres Kindes zu entscheiden und zu handeln, und sie haben das Recht, wenn ihr Kind nicht leben kann, auf die Begleitung, die sie brauchen, um sich von ihrem Kind zu verabschieden und mit dem Verlust weiterleben zu können.

Bisher war in diesem Kapitel von den Eltern noch viel zu wenig die Rede. Sie sind es, die ein extrem frühgeborenes, ein lebensbedrohlich erkranktes oder ein behindertes Kind annehmen und versorgen müssen. Und sie sind es, die ggf. mit dem Verlust ihres Kindes weiterleben lernen müssen. Und sie sind es auch, denen die Bürde auferlegt wird, verantwortungsvolle Entscheidungen für ihr Kind zu treffen, was von ihnen vielfach als Überforderung empfunden wird (van der Heide et al. 1998; Partridge et al. 2005; Rostain 1986). Außerdem zeigen soziologische Studien, dass die Eltern zwar formal ihre freie und informierte Einwilligung geben, in Wirklichkeit aber oft Entscheidungen etwa über eine Therapiezieländerung schon zuvor im Behandlungsteam getroffen worden sind und die Entscheidung durch die Eltern eigentlich nur noch nachvollzogen wird (Anspach 1997; Frohock 1986). Das aber ändert nichts daran, dass die Eltern das Entscheidungsrecht haben, sich am Wohlergehen ihres Kindes orientieren sollen und ihre Entscheidung vor ihrem Gewissen verantworten können müssen.

Für die Einbindung der Eltern in die Entscheidungen können drei idealtypische Modelle unterschieden werden, die in der Praxis allerdings oft zusammenspielen.

2.5.1 Consent-Modell

Das erste Modell nennt Anspach das „Consent-Modell" (Anspach 1997). Hier ist die Vorstellung, dass die Ärzte den Eltern vollständige Informationen über die Behandlungsmöglichkeiten und deren Konsequenzen non-direktiv und auf für sie verständliche Weise geben und die Eltern auf dieser Basis eine freiwillige und informierte Entscheidung treffen sollen. Die moralische Einstellung, die diesem Modell zugrunde liegt, ist, dass das Entscheidungsrecht der Eltern respektiert werden muss. Nur wenn die Eltern dem Wohlergehen ihres Kindes zuwider entscheiden, besteht die Berechtigung, in das Entscheidungsrecht der Eltern einzugreifen. Dabei können mindestens zwei Probleme entstehen: Zum einen können die Eltern aufgrund der emotionalen Ausnahmesituation, in der sie sich befinden, völlig überfordert sein und später, vor allem wenn die Entscheidung für eine Therapiezieländerung gefallen ist und das Kind stirbt, mit schweren Schuldgefühlen reagieren. Zum anderen kann dieses Vorgehen dazu führen, dass Ärzt*innen und Pflegende die Verantwortung für schwierige Entscheidungen auf die Eltern abschieben und sich so selbst entlasten. In der Praxis wird notwendigerweise häufig nach diesem Entscheidungsmodell mit all seinen Problemen vorgegangen, wenn es um eine Therapiezieländerung auf der Grundlage unklarer Prognosen geht.

2.5.2 Assent-Modell

Das zweite Modell nennt Ansprach das „Assent-Modell" (Anspach 1997). Hier wird den Eltern ein Entscheidungsvorschlag gemacht, über den sich das Behandlungsteam im Vorfeld verständigt hat, und die Eltern werden um ihre Einwilligung gebeten. Hinter diesem Modell steht die moralische Einstellung der „breiten Schultern", d. h. der paternalistischen Sorge für das Kind und seine Eltern. Den Eltern soll die Bürde der Entscheidung zumindest teilweise abgenommen werden. In der Praxis ist dieses Vorgehen vor allem bei der Entscheidung, ob mit einer lebenserhaltenden Therapie begonnen werden soll oder nicht, die im Notfall und unter Zeitdruck gefällt werden muss, kaum zu vermeiden.

2.5.3 Shared-decision-making-Modell

Das dritte Modell, das als ideales Vorgehen diskutiert wird, ist das „Shared-decision-making-Modell" (D'Aloja et al. 2010), das auch von der AWMF empfohlen wird (AWMF 2020). Mit dem Modell soll den Problemen der beiden anderen Modelle begegnet werden. Hier soll das gesamte Behandlungsteam gemeinsam mit den Eltern eine ethisch begründete Entscheidung im Konsens treffen. Die moralische Einstellung dahinter ist, dass die Verantwortung für die Entscheidung gemeinsam getragen werden soll, auch wenn die Eltern das letzte Wort haben. Es ist viel über die Grenzen dieses Modells geschrieben worden. Zweifellos ist es ein ethisches Ideal, das häufig an Klinikhierarchien, Zeitdruck, ungleicher Verteilung von Wissen und Abhängigkeit sowie emotionaler Überforderung scheitert. Dennoch sollte es aus ethischer Sicht als Orientierung dienen, weil es weder das Behandlungsteam noch die Eltern aus der Verpflichtung gegenüber dem Kind entlässt.

Ein gutes prozedurales Entscheidungsmodell alleine kann allerdings ethisch gut begründete Entscheidungen nicht garantieren. Für ethisch gut begründete Entscheidungen ist es wichtig, die ethischen Abwägungen anhand der hier entfalteten ethischen Kriterien gewissenhaft zu treffen. In einem kommunikativen Prozess auf Augenhöhe, in dem sich alle gemeinsam auf die Rechte des Kindes verpflichtet fühlen, kann dies am besten gelingen.

Literatur

Anspach R (1997) Deciding who lives. Fateful choices in the intensive-care nursery. University of California Press, Berkeley

AWMF (2020) Frühgeborene an der Grenze der Lebensfähigkeit. Leitlinien-Register Nr. 024/019 ► https://register.awmf.org/de/leitlinien/detail/024-019. Zugegriffen: 21. Juli 2024

Baumgarten K (2007) Mein kleines Kind – danach … Ein autobiografischer Dokumentarfilm. Mabuse-Buchversand

Beauchamp TL, Childress JF (2012) Principles of Biomedical Ethics. Oxford University Press, Oxford

Bundesärztekammer (2011) Grundsätze zur ärztlichen Sterbebegleitung. Deutsches Ärzteblatt 108: A346–348

D'Aloja E, Floris L, Muller M, Birocchi F, Fanos V, Paribello F, Demontis R (2010) Shared decision-making in neonatology: an utopia or an attainable goal? J Matern Fetal Neonatal Med 23(3):56–58

Dörries A (2003) Der Best-Interest Standard in der Pädiatrie. In: Wiesemann C, Dörries A, Wolfslast G, Simon A (Hrsg) Das Kind als Patient. Ethische Konflikte zwischen Kindeswohl und Kindeswille. Campus, Frankfurt a. M., S 116–130

Einbecker Empfehlungen der Deutschen Gesellschaft für Medizinrecht (DGMR) zu den Grenzen ärztlicher Behandlungspflicht bei schwerstgeschädigten Neugeborenen (1986/1992) ► https://www.leona-ev.de/index.php?eID=dumpFile&t=f&f=889&token=7b4ced21693e05177d52d829e24b04fedb232e48. Zugegriffen: 21. Juli 2018

Frohock F (1986) Special care: medical decisions at the beginning of life. University of Chicago Press, Chicago

Giesinger J (2007) Autonomie und Verletzlichkeit. Der moralische Status von Kindern und die Rechtfertigung von Erziehung. transcript, Bielefeld

Giesinger J (2017) Kinder und Erwachsene. In: Drerup J, Schickhardt C (Hrsg) Kinderethik. Aktuelle Perspektiven – Klassische Problemvorgaben. Mentis, Münster, S 21–32

Glöckner M (2007) Ärztliche Handlungen bei extrem unreifen Frühgeborenen. Rechtliche und ethische Aspekte. Springer, Berlin Heidelberg New York

Graumann S (2011) Assistierte Freiheit. Von einer Behindertenpolitik der Wohltätigkeit zu einer Politik der Menschenwürde. Campus, Frankfurt a. M

Graumann S (2018) Assistierte Autonomie – das Rechte und das Gute für Menschen mit komplexen Beeinträchtigungen? In: Müller J, Lelgemann R (Hrsg) Menschliche Fähigkeiten und komplexe Behinderung. Philosophie und Sonderpädagogik im Gespräch mit Martha Nussbaum. Wbg Academic, Darmstadt, S 68–82

Harnack EW (1985) Grenzen ärztlicher Behandlungspflicht bei schwerstgeschädigten Neugeborenen aus juristischer Sicht. Medizinrecht, S 33–40

Horn C (2011) Die verletzbare und die unverletzbare Würde des Menschen – eine Klärung. Information Philosophie 3:30–41

Inthorn J, Paul WN (2017) Medizinethik in der Pädiatrie. Das Kindeswohl als leitendes Prinzip. Pädiatrie 1:6–9

Kopelman L (1997) The best-interests standard as threshold, ideal, and standard of reasonableness. J Med Philos 22:271–289

Kuhse H, Singer P (1985) Should the baby live? The problem of handicapped infants. Oxford University Press

Lantos JD, Meadow WL (2006) Neonatal bioethics. The moral challenges of medical innovation. The Johns Hopkins University Press, Baltimore

Maio G (2012) Ethik in der Kinder- und Jugendmedizin. Mittelpunkt Mensch: Ethik in der Medizin. Ein Lehrbuch. Schattauer, Stuttgart, S 267–280

Mieth D (2002) Das sehr kleine Frühgeborene. Ethische Fragen aus der Sicht eines Neonatologen. In: Medizin-ethischer Arbeitskreis Neonatologie des Universitätsspitals Zürich (Hrsg) An der Schwelle zum eigenen Leben. Lebensentscheide am Lebensanfang bei zu früh geborenen, kranken und behinderten Kindern in der Neonatologie. Peter Lang, Bern, S 47–56

Partridge CJ, Partridge JC, Martinez AM, Nishida H, Boo NY, Tan KW, Yeung CY, Lu JH, Yu VY (2005) International comparison of care for very low birth weight infants: parents' perceptions of counseling and decision-making. Pediatrics 116(2):263–271

Rellensmann G (2017) Ethische Herausforderungen in der Neonatologie und Intensivmedizin. Pädiatrie S1:26–31

Rieger D (2001) Behandlungspflicht bei schwerstgeschädigten Neugeborenen. In: Rieger HJ (Hrsg) Lexikon des Arztrechts, 2. Auflage. C.F. Müller, Heidelberg, S 772

Rostain A (1986) Deciding to forgo life-sustaining treatment in the intensive care nursey: a sociologic account. Perspektives in Biology and Medicine 30:117–134

Schickhardt C (2016) Kinderethik. Der moralische Status und die Rechte der Kinder. Mentis, Münster

Schlößer R (2008) Maximaltherapie und Sterbebegleitung an der Grenze zur Lebensfähigkeit bei Früh- und Neugeborenen. In: Wewetzer C, Wernstedt T (Hrsg) Spätabbruch der Schwangerschaft. Praktische, ethische und rechtliche Aspekte eins moralischen Konflikts. Campus, Frankfurt a. M., S 122–133

Schmitz B (2018) Bemerkungen zum lebenswerten Leben und Martha Nussbaums Fähigkeitenansatz. In: Müller J, Lelgemann R (Hrsg) Menschliche Fähigkeiten und komplexe Behinderung. Philosophie und Sonderpädagogik im Gespräch mit Martha Nussbaum. Wbg Academic, Darmstadt, S 122–144

van der Heide A, van der Maas PJ, van der Wal G, Kollee LA, de Leeuw R, Holl RA (1998) The role of parents in end-of-life decisions in neonatology: physicians' views and practices. Pediatrics 101:413–418

von Loewenich V (2005) Ethische Probleme in der Neonatologie. In: Ganten D et al (Hrsg) Molekularmedizinische Grundlagen von fetalen und neonatalen Erkrankungen. Springer, Berlin Heidelberg New York, S 129–138

Wiesemann C (2015) Ethik in der Kinderheilkunde und Jugendmedizin. In: Marckmann G (Hrsg) Praxishandbuch Ethik in der Medizin. Medizinische Wissenschaftliche Verlagsgesellschaft, Berlin, S 313–325

Wüsthof A (2004) Der Preis des Überlebens. Die Zeit, Nr. 35, 19.8.2005

Perinatale Palliativversorgung

Lars Garten und Kerstin von der Hude

Inhaltsverzeichnis

Ergänzende Information Die elektronische Version dieses Kapitels enthält Zusatzmaterial, auf das über folgenden Link zugegriffen werden kann ▶ https://doi.org/10.1007/978-3-662-71982-4_3.

L. Garten und K. von der Hude (Hrsg.), *Palliativversorgung und Trauerbegleitung in der Neonatologie*,
https://doi.org/10.1007/978-3-662-71982-4_3

Definition
Zunehmend finden ganzheitliche und abteilungsübergreifende Konzepte zur Palliativversorgung von Kindern mit lebensverkürzenden Erkrankungen oder in akut lebensbedrohlichen Situationen den Weg in die Pränataldiagnostik bzw. in die Perinatologie. Bemühungen, Palliativversorgung interdisziplinär und interprofessionell, sowie von der Pränatalberatung bis zur palliativen Geburt inklusive einer bedarfsgerechten Trauerbegleitung der früh verwaisten Eltern zu konzipieren, werden heute unter dem Begriff *perinatale Palliativversorgung* zusammengefasst.

3.1 Vorgeburtliche Palliativberatung

3.1.1 Wie viel Expertise ist erforderlich?

Eine einfach zugängliche und hochtechnisierte Schwangerenvorsorge hat die Anzahl von feindiagnostischen Maßnahmen deutlich zunehmen lassen. Diese Veränderungen in Qualität und Quantität pränataler Diagnostik haben dazu geführt, dass lebensverkürzende oder -bedrohliche Erkrankungen immer häufiger schon in der Fetalzeit diagnostiziert werden. Betroffene Eltern sehen sich dann meist mit zwei Optionen konfrontiert: Fortführung der Schwangerschaft oder Prüfung zur medizinischen Indikation für einen straffreien Schwangerschaftsabbruch nach § 218a des StGB. Die Beratung der betroffenen Paare erfolgt in diesen Situationen meist durch Pränataldiagnostiker*innen. Eine darüber hinausgehende Schwangerenkonfliktberatung muss empfohlen werden, wäre jedoch keine verpflichtende Voraussetzung für einen eventuellen Schwangerschaftsabbruch. Pränataldiagnostiker*innen sind seitens ihrer Ausbildung Frauenärzt*innen. Das bedeutet, sie haben i. d. R. neben ihrem theoretischen Wissen keine persönliche Erfahrung in der medizinischen Versorgung von Kindern mit lebensverkürzenden oder -bedrohlichen Erkrankungen. Ebenso wenig haben die meisten von ihnen eine konkrete Vorstellung davon, was z. B. Palliativversorgung nach der Geburt leisten kann, welche Formen der Symptomkontrolle bereits im Geburtsraum zur Verfügung stehen (Garten und von der Hude 2022), wie eine familienzentrierte und individuelle Betreuung in einem Perinatalzentrum aussehen kann (Garten et al. 2013) oder dass auch Neugeborene in Kinderhospizen oder zu Hause mit Unterstützung eines ambulanten Kinderpalliativteams betreut werden können. Folgerichtig bleibt die alleinige Beratung durch Pränataldiagnostiker*innen in relevanten Anteilen lückenhaft.

Immer wieder berichten betroffene Paare, dass sie im Rahmen der ambulanten Erstberatung durch Frauenärzt*innen/Pränataldiagnostiker*innen direktiv in Richtung Schwangerschaftsabbruch beraten wurden. Dies geschieht unserer Erfahrung nach (i) in der guten Absicht, die betroffenen Paare vor einer vermeintlichen Traumatisierung schützen zu wollen, und (ii) in der generellen Annahme, dass im Vergleich zum rasch durchgeführten Schwangerschaftsabbruch eine palliative Geburt eine unzumutbare emotionale und psychische Mehrbelastung für die Betroffenen darstellt. Studien zufolge ergaben sich für diese generellen Befürchtungen bisher keine wissenschaftlichen Belege:

- In einer Untersuchung von Heider und Steger (2014) fand sich für die Annahme, ein Schwangerschaftsabbruch sei generell weniger belastend als das Austragen eines Kindes mit anschließend primärer Palliativversorgung, kein Beleg. Vielmehr folgern die Autor*innen aufgrund ihrer Studiendaten aus qualitativen Interviews mit betroffenen Frauen, dass sich rückblickend die Zufriedenheit mit der vorgeburtlichen

Entscheidung für einen Schwangerschaftsabbruch oder für ein Austragen des Kindes mit lebensverkürzender oder -bedrohlicher Erkrankung primär aus dem individuellen Entscheidungsprozess der Eltern ergibt.
- In einer Studie von Wool et al. (2018) wurden 121 Frauen nachuntersucht. Die Studienteilnehmerinnen hatten sich alle nach pränataler Diagnose einer lebensverkürzenden Erkrankung für ein Austragen ihres Kindes entschieden. 97,5 % der Frauen gaben an, ihre Entscheidung auch retrospektiv nicht zu bereuen. Sie wertschätzten ihr Kind als wichtigen Teil ihrer Familie und waren dankbar für die Möglichkeit, ihr Kind kennengelernt zu haben. Obwohl emotional belastend, beschrieben die Frauen, dass sie verändert und gestärkt aus der Erfahrung der palliativen Geburt herausgegangen sind.

> Es ist die primäre Aufgabe der vorgeburtlich Beratenden, die betroffenen Eltern zu befähigen, eine gut informierte, gestützt-autonome Entscheidung im Einklang mit ihrer Hoffnung, ihrem Glauben, ihren Wertvorstellungen und ihrer individuellen Lebenssituation zu treffen.

Pränatale Beratung bei diagnostizierter lebensverkürzender oder -bedrohlicher Erkrankung sollte aus perinatologisch-palliativmedizinischer Sicht idealerweise interdisziplinär und interprofessionell erfolgen. Es sollte sichergestellt sein, dass auf die Expertise von *Pränataldiagnostiker*innen, Geburtshelfer*innen, Neonatolog*innen* und *pädiatrischen Palliativmediziner*innen* zurückgegriffen werden kann. Obligat sollte neben der medizinischen auch eine *psychosoziale Beratung* erfolgen. Bei speziellen Erkrankungen ist es oft sinnvoll, das beratende Team um zusätzliche Spezialist*innen zu erweitern (z. B. aus den Fachbereichen Kinderkardiologie, Kinderchirurgie, Neurochirurgie, Humangenetik, Kindernephrologie, etc.).

Hierfür müssen jeweils individuelle Strukturen geschaffen werden, die sich an den lokal vorhandenen personellen und institutionellen Ressourcen orientieren. Bei der Auswahl der Beratenden muss bedacht werden, dass die betroffenen Eltern viele Fragen bewegen, die deutlich über medizinische Themen hinausgehen. Besondere Beachtung sollte zudem dabei stets der Schnittstellenoptimierung zwischen ambulanten, prästationären und stationären Versorgungsstrukturen sowie die inhaltliche Abstimmung aller beteiligten Akteur*innen zuteil werden. Es liegt nach unserem Verständnis in der primären Verantwortung der Kolleg*innen aus der Pränataldiagnostik, solche Gespräche für die betroffenen Paare zu initiieren.

> Im Rahmen einer pränatalen Palliativberatung sollte mindestens auf die Expertise von Vertreter*innen der folgenden Fachbereiche zurückgegriffen werden: Pränataldiagnostik, Geburtsmedizin, Neonatologie, pädiatrische Palliativmedizin sowie psychosoziale Beratung.

Die Terminierung, Koordinierung und Vorbereitung von Beratungsgesprächen aus eigener Kraft sowie die Gespräche selbst werden von den Eltern immer wieder als sehr anstrengend und kräftezehrend beschrieben. Betroffene Eltern müssen achtsam mit ihren Ressourcen umgehen. Im Sinne einer ressourcenorientierten Beratung ist es unbedingt empfehlenswert, dass eine oder zwei Personen aus dem interdisziplinären und -professionellen Behandlungsteam die Koordination und Kommunikation der einzelnen involvierten Fachbereiche von Anfang an übernehmen. Im Rahmen eines „Palliativmedizinischen Care Managements" werden dann die vorhandenen Kompetenzen gebündelt und Synergien geschaffen, die den Eltern gezielt zur Verfügung gestellt werden. Eltern empfinden es als sehr hilfreich, wenn jemand gemeinsam mit ihnen Ordnung in das vorhandene Organisations-, Fragen- und Gefühlschaos bringt.

3

> Der Prozess pränataler Palliativberatung kann für alle Beteiligten wesentlich vereinfacht werden, indem so früh wie möglich ein interprofessionelles ***palliativmedizinisches Care-Management-Team*** benannt wird, das folgende zwei Funktionen übernimmt: (i) Koordination für Absprachen zwischen den betroffenen Eltern und einzelnen Mitgliedern des Behandlungsteams, (ii) Koordination für Absprachen innerhalb des interprofessionellen und interdisziplinären Behandlungsteams (unter Einschluss aller ambulant und stationär tätigen Akteur*innen bzw. Institutionen). Es sollte ein/e zeitnah und komplikationslos erreichbare/r Hauptansprechpartner/in für die betroffenen Eltern benannt werden.

3.1.2 Grundlagen und Ziele ärztlicher Beratung

Wird bereits in der frühen Schwangerschaft eine lebensverkürzende Diagnose bei einem Kind gestellt, sind mit der Palliativversorgung besondere Anforderungen verbunden. Diese Situation ist in der Palliativmedizin einzigartig, denn der palliativ zu versorgende Patient bzw. die Patientin ist noch nicht geboren.

Besteht der dringende Verdacht einer lebensverkürzenden oder -bedrohlichen Erkrankung, sollten zuerst alle notwendigen Informationen zusammengetragen werden, um die Diagnose so sicher wie möglich zu stellen. In der initialen Phase der Diagnosesicherung sind die Eltern zum einen durch die Konfrontation mit einer das Leben ihres Kindes bedrohenden Diagnose belastet. Zum anderen ist es extrem kräftezehrend, mit einer sich unter Umständen über mehrere Wochen ziehenden Ungewissheit zu leben. Wechselnde ärztliche Ansprechpartner*innen mit eventuell unterschiedlicher Bewertung der medizinischen Fakten und/oder Kommunikationskultur können erhebliche weitere Belastungen für die (werdenden) Eltern bedeuten. Es ist daher wichtig, die Rollenaufteilung im betreuenden Team für alle Beteiligten klar zu definieren und transparent zu machen. Die Eltern müssen wissen, wer „die Fäden in der Hand hält".

Die Eröffnung der endgültigen Diagnose (sofern sicherzustellen) oder auch die Mitteilung einer hochwahrscheinlichen Verdachtsdiagnose muss sorgfältig vorbereitet werden. Bereits im Vorfeld sollte festgelegt werden, wer vonseiten des Behandlungsteams bei der Diagnoseeröffnung anwesend sein soll und ob die Eltern sich zusätzlich jemanden in dieser Situation an ihrer Seite wünschen. Es sollte vorab geklärt werden, ob ein professioneller Dolmetschdienst notwendig ist. Im Beratungsgespräch sollte eine Betrachtung des Kindes mit seinen gesamten Auffälligkeiten erfolgen. Eine gestückelte Aneinanderreihung von Einzelgesprächen durch die jeweiligen Spezialdisziplinen sollte vermieden werden.

Ein wichtiger Aspekt in der initialen Phase des Gespräches ist es, in Erfahrung zu bringen, welche Informationen die Eltern bereits im Vorfeld erhalten und was sie davon verstanden haben bzw. welche Folgen sie aus diesen Informationen für ihr Kind und sich selbst aktuell ableiten („Wo stehen die Eltern?"). Auch sollte abgeschätzt werden, wie detailliert die Eltern im Rahmen des aktuellen Beratungsgespräches aufgeklärt werden möchten. Die momentane Fähigkeit und die Bereitschaft bzw. der Wunsch der Eltern, neue Informationen aufzunehmen, beeinflussen die Gesprächsführung entscheidend. Es sollte klar sein, ob es Dinge gibt, die die Eltern explizit nicht wissen möchten („Recht auf Nichtwissen").

Ein pränatales Beratungsgespräch kann nur ein Angebot und keine zeitlich festgelegte Pflichtveranstaltung für die Eltern sein. Nicht immer können oder wollen Eltern genau dann dieses Angebot annehmen, wenn der entsprechende Beratungstermin ansteht. In diesem Fall ist es sinnvoll, mit den Eltern über mögliche Gründe und potenzielle Hilfsangebote zu sprechen. Manchmal ist es notwendig, die Beratung zu vertagen, oder in einem anderen Rahmen, vielleicht mit zusätzlicher Unterstützung des Paares durch anwesende Mitglieder aus der Familie oder dem engeren Freundeskreis, durchzuführen. Die zeitlichen und personellen Investitionen, die im Rahmen der pränatalen Beratungssituationen notwendig sind, tragen wesentlich dazu bei, dass sich ein solides Vertrauensverhältnis zwischen Eltern und Betreuungsteam entwickeln kann.

Bereits im Diagnoseeröffnungsgespräch sollte darauf geachtet werden, dass mögliche Eigen- („Bestimmt liegt es daran, dass ich mich nicht genug geschont habe") oder Fremdschuldzuweisungen („Du wolltest ja nicht mit dem Rauchen aufhören, das ist jetzt die Strafe dafür") aus dem Weg geräumt werden.

Im Rahmen des Beratungsgespräches sollten die psychosozialen, ethischen und lebenskontextbezogenen Aspekte der schwangeren Frau und ihres Partners bzw. ihrer Partnerin berücksichtigt werden. Empathie, aktives Zuhören, eine ergebnisoffene Haltung im Rahmen der Einzelfallbetrachtung, Respekt vor dem ungeborenen Kind und dem elterlichen Werteverständnis erleichtert es den werdenden Eltern, ihre persönlichen Probleme, Ängste oder Sorgen in das Gespräch zu bringen. Häufig gestellte Fragen, auf die das Team vorbereitet sein sollte, finden Sie unter ► http://extras.springer.com, Checkliste 1.

Eltern haben Verständnis, wenn ihre Fragen nicht alle beantwortet werden können, Nichtwissen darf von professioneller Seite „zugegeben" werden. Insbesondere, wenn eine Diagnose nicht sicher gestellt werden kann, sondern nur ein hochgradiger Verdacht besteht, sollte eine gewisse „Gelassenheit" im Umgang mit späteren Therapieentscheidungen erlaubt sein. Eltern muss dann erläutert werden, dass nicht immer alle Therapieentscheidungen bereits im Vorfeld gefällt werden müssen bzw. können. Unter Umständen bedarf es dazu weiterer klinischer oder diagnostischer Informationen, die erst im Verlauf zur Verfügung stehen.

Immer wieder werden Kinder geboren, die trotz einer pränatal als „infaust" eingestuften Diagnose einige Jahre leben oder deren pränatal gestellte Diagnosen sich nicht bestätigen. Eine vorgeburtliche Festlegung auf ein *unwiderrufliches* Unterlassen jeglicher kurativen Therapie ist daher nicht zielführend und könnte auch von den Eltern als voreiliges „Abschreiben" des Kindes interpretiert werden. Für eine autonom gestützte Entscheidungsfindung ist eine umfassende Aufklärung über alle möglichen Szenarien notwendig. Nicht alle Eltern können sich ein gemeinsames Leben auf unbestimmte Zeit mit ihrem lebensverkürzend erkrankten Kind vorstellen. Folgende Szenarien müssen – je nach vorliegender (Verdachts-)Diagnose – den Eltern proaktiv vorgestellt und gemeinsam durchdacht werden:

- Versterben des Kindes im Mutterleib mit anschließender stiller Geburt (s. 3.1.4.1)
- Versterben des Kindes unter der Geburt
- Versterben des Kindes kurz nach der Geburt im Geburtsraum
- Versterben des Kindes nach Aufnahme auf eine neonatologische Station (im Idealfall mit der Möglichkeit zum Familien-Rooming-in)
- Entlassung in ein Kinderhospiz (und späteres Versterben des Kindes)
- Entlassung nach Hause in Begleitung eines ambulanten Palliativteams (und späteres Versterben des Kindes)

> Ziel der vorgeburtlichen Beratung ist es, Therapieoptionen für mögliche klinische Verläufe durchzuspielen und die Eltern darin zu unterstützen, eine eigene Haltung zu entwickeln (im Sinne eines Advance Care Planning). Entscheiden sich Eltern für ein Austragen ihres Kindes,

so sollten sie auf beide Wege vorbereitet sein: sowohl auf ein Versterben des Kindes um die Geburt herum als auch auf einen unter Umständen längeren gemeinsamen Lebensweg mit ihrem Kind.

Die Auseinandersetzung mit verschiedenen Standpunkten bei der Suche nach verantwortbaren Entscheidungen, die von den Frauen und Paaren auch langfristig als in ihre Lebensgeschichte integrierbar erlebt werden, spielt eine große Rolle. Gespräche mit verschiedenen Personen eines interprofessionellen Teams (Ärzt*innen, Pflegende, Elternberatende, Psycholog*in, Sozialpädagog*in, Seelsorger*in usw.) bieten den Ratsuchenden die Möglichkeit, die für ihre Entscheidung wichtigen Wertvorstellungen zu reflektieren. Kontakt und Austausch mit anderen Betroffenen (z. B. über das Kindernetzwerk oder Selbsthilfegruppen) können manchen Eltern den Entscheidungsprozess ebenfalls erleichtern. Eltern sollten unbedingt frühzeitig auf die Möglichkeit einer psychosozialen Unterstützung hingewiesen werden. Dies ermöglicht ihnen, unter geringstmöglichem Zeitdruck, die für sie passenden Schritte im Rahmen des mehrzeitigen Entscheidungsprozesses treffen zu können. Für die Eltern ist es äußerst entlastend, wenn der initiale Kontakt zu den entsprechenden internen oder externen Stellen auf ihren Wunsch hin proaktiv vermittelt wird. Das Beratungsteam sollte Konflikte zwischen den Eltern im Rahmen von Entscheidungsprozessen erkennen und versuchen zu vermitteln, um zu deren Auflösung beizutragen. So kann für die Eltern im Idealfall wieder eine gemeinsame Perspektive geschaffen werden.

Es ist in den pränatalen Beratungsgesprächen sehr wichtig, die bewussten und unbewussten Ängste der Eltern zu erkennen, zu formulieren und ihnen diese – soweit wie es möglich ist – zu nehmen. Insbesondere muss unmissverständlich vermittelt werden, dass ihr Kind im Sterben nicht leiden muss, wenn es medizinisch lege artis begleitet wird. Eltern können einer postnatalen primären Palliativversorgung nur in dem Vertrauen auf eine lückenlose, professionelle und empathische Betreuung ihres Kindes zustimmen.

Das Konzept postnataler primärer Palliativversorgung als Alternative zum Schwangerschaftsabbruch basiert unserem Verständnis nach auf dem Grundsatz, dass jeder Schwangerschaft, egal von welcher Dauer, und jedem Neugeborenen, unabhängig von der individuellen Lebenszeit, ein eigener Wert innewohnt. Betroffene Eltern wissen ganz genau um diesen Wert. Es ist unsere Aufgabe als perinatal begleitendes Team, immer wieder zu signalisieren, dass auch wir uns dieses Wertes bewusst sind. Wenn die Entscheidung für eine primäre Palliativversorgung gefallen ist, sollte dies auch im Mutterpass dokumentiert werden. Im Rahmen der nun folgenden Beratungen sollte immer wieder verdeutlicht werden, dass das ungeborene Kind bereits ein Familienmitglied ist und vom begleitenden Team auch als ein solches wahrgenommen wird. Für die Eltern ist dies ein wichtiges Signal, dass sie in ihrer Elternrolle wahrgenommen werden und ihr Kind wertgeschätzt wird. In Vorbereitung auf die Geburt des Kindes sollten auch die Eltern von Kindern mit lebensverkürzender Erkrankung dahingehend beraten werden, sich rechtzeitig eine Hebamme zu suchen.

> Die Vorstellung, dass ein Kind mit einer lebensverkürzenden Erkrankung einem grausigen Schicksal ausliefert wird, wenn man es lebend auf die Welt kommen lässt, ist weder hilfreich noch rational begründet.

Am Ende des ärztlichen, interdisziplinären pränatalen Diagnoseeröffnungsgespräches bei Vorliegen einer lebensverkürzenden oder -bedrohlichen Erkrankung sollten im Idealfall folgende **3 Grundziele** erreicht sein:

- Die Eltern haben verstanden, an welcher Erkrankung ihr Kind leidet bzw. im

Falle einer Verdachtsdiagnose höchstwahrscheinlich leiden könnte, dass es sich um eine lebensverkürzende bzw. -bedrohliche Erkrankung handelt und wie hoch die vermutete (postnatale) Lebenserwartung des Kindes ist.

- Die Eltern kennen therapeutische Möglichkeiten, mögliche Komplikationen und Handlungsalternativen (z. B. Schwangerschaftsabbruch, prä- und postnatale Therapien mit kurativem oder palliativem Ansatz etc.) für ihr Kind und wissen, ob sie sich zwischen diesen entscheiden müssen bzw. können und wie viel Zeit sie für eine Entscheidung haben.
- Die Eltern wissen, wer ihr verantwortlicher ärztlicher Hauptansprechpartner bzw. Hauptansprechpartnerin ist und ihnen wurde die Inanspruchnahme einer psychosozialen Beratung zur Unterstützung in ihrer Entscheidungsfindung empfohlen. Die Eltern und die entsprechenden Mitglieder des interprofessionellen Behandlungsteams sind über das weiter geplante Vorgehen informiert.

3.1.3 Grundlagen und Ziele psychosozialer Beratung

Die Diagnose einer lebensverkürzenden Erkrankung ihres Kindes löst bei den betroffenen Eltern die unterschiedlichsten Gefühle aus. Als besonders schmerzlich wird der Verlust ihrer Hoffnung auf ein gesundes Kind und auf ein gemeinsames Leben als Familie empfunden. Daraus folgend bewegen betroffene Eltern im Rahmen der vorgeburtlichen Beratung neben den medizinischen Fragen zur Erkrankung, Behandlung und Prognose ihres Kindes noch viele weitere nichtmedizinische Fragen. Viele dieser Fragen entwickeln sich erst im Laufe der Zeit und setzen auch hier ein solides Vertrauensverhältnis zu den Beratenden voraus. Aus diesem Grund ist es sinnvoll, so früh wie möglich eine psychosoziale Beratung zu empfehlen und bei Bedarf einen ersten Kontakt zu initiieren.

3.1.3.1 Psychosoziale Erstberatung

Die erste psychosoziale Einzelberatung kann zum einen dazu dienen, noch einmal im „nichtärztlichen Setting" mögliche elterliche Unsicherheiten oder Fragen zu medizinischen Themen zu identifizieren, die vielleicht eine weitere, kurzfristige ärztliche Beratung notwendig machen. Zum anderen bewegen die Eltern häufig Fragen, die sich sowohl um organisatorische als auch um persönliche Themen drehen. Es ist empfehlenswert, die Eltern im Vorfeld zu bitten ihre Fragen niederzuschreiben und diese Liste zum Erstgespräch mitzubringen. Da sich viele Eltern hilflos, ohnmächtig und abhängig von für sie fremden Menschen und deren vermeintlicher Fachkompetenz fühlen, kann das Vorbereiten einer Liste helfen, das innere Chaos ein wenig zu strukturieren. Zudem eröffnet es ihnen die Möglichkeit, das Gespräch aktiv mitzugestalten, um somit ihren Gesprächspartner*innen ein wenig mehr auf Augenhöhe begegnen zu können.

Zuallererst geht es darum, gemeinsam zu priorisieren. Welche Themen beschäftigen die Eltern besonders, welche Themen beschäftigen vielleicht nur ein Elternteil und welche Themen dürfen zunächst unbeachtet bleiben, weil sie zum jetzigen Zeitpunkt noch keine unmittelbare Relevanz haben? Die gemeinsame Suche nach Prioritäten und unterstützende Impulse durch die psychosozial beratende Person helfen den Eltern, sorgsam mit ihren Ressourcen umzugehen und Energien nicht unnötig zu verschwenden, aus der Sorge heraus, etwas zu versäumen. Erfahrungsgemäß ist es sinnvoll, wenn folgende Themen im Rahmen einer psychosozialen Erstberatung durch die beratende Person aktiv angesprochen werden:

- Struktur und konkrete Ansprechpartner*innen des interprofessionellen Begleitteams
- Erreichbarkeit der Ansprechpartner*innen
- Unterstützung im familiären und sozialen Kontext (Ressourcen und Belastungsfaktoren)
- Beruflicher Kontext der Mutter und des Vaters bzw. der Co-Mutter (Belastung, Ressourcen, mögliche Krankschreibung etc.)
- Geschwister
- Weitere anamnestische Belastungsfaktoren (Erkrankungen, Tod, Trauma etc.)
- Vaterschaftsanerkennung, Sorgerecht bei Vätern
- Mutterschutz, Elternzeit
- Perspektive der weiteren psychosozialen Begleitangebote

Diese teils sehr komplexen Themen können und müssen nicht alle innerhalb eines einzelnen Gespräches benannt werden, sondern bedürfen häufig weiterer Termine, um adäquat auf sie eingehen zu können. Weiterführende Fragen zu stellen, setzt ein Vertrauensverhältnis voraus, das die beratende Person sich zunächst erwerben muss.

3.1.3.2 Psychosoziale Folgeberatungen

Empfehlenswert sind Folgeberatungen zu allen relevant werdenden Themen, bei Bedarf auch in den unterschiedlichen Konstellationen (Paar- bzw. Einzelberatungen). Erfahrungsgemäß ergeben sich aus jeder Folgeberatung neue Themenschwerpunkte, die nach und nach besprochen werden können. Die Eltern empfinden dies als eine große Entlastung, weil sie sich in ihrem persönlichen Rhythmus den für sie oft schweren Themen langsam annähern können.

3.1.3.3 Partnerschaft

Die wachsende Erkenntnis darüber, dass beide Elternteile unterschiedliche Themenschwerpunkte und Herangehensweisen haben, kann auch innerhalb der Partnerschaft für Konfliktpotenzial sorgen und benötigt eine hohe Aufmerksamkeit und Kompetenz seitens der beratenden Person. Die Entscheidung zur palliativen Geburt sollte möglichst von beiden Elternteilen gleichermaßen getroffen und getragen werden, um spätere zusätzliche Belastungen innerhalb der Partnerschaft zu minimieren. Dazu ist es notwendig, dass beide Elternteile die Gelegenheit erhalten, ihre Befürchtungen, Zweifel, Hoffnungen und Ängste zu formulieren und sie so in einem geschützten Rahmen dem anderen Elternteil mitzuteilen. Häufig hören Eltern zum ersten Mal erstaunt von den Gedanken und Gefühlen des jeweils anderen Elternteils und kommen darüber in konstruktive Gespräche, die ihnen helfen, die nächsten Schritte gemeinsam zu gehen. Besonders die Schwangeren beschreiben immer wieder ihre Einsamkeit innerhalb der Partnerschaft, wenn sich kaum Gelegenheiten im Alltag bieten, um gemeinsam über die Schwangerschaft, die notwendigen Entscheidungen und daraus resultierenden Konsequenzen zu sprechen. Väter bzw. Co-Mütter spüren oftmals eine unbestimmte Erwartungshaltung und reagieren verunsichert. Durch die persönliche Betroffenheit beider Elternteile und aus dem Mangel an Erfahrungen im Umgang mit dieser belastenden Lebenssituation erwächst häufig eine Sprachlosigkeit, die die Partnerschaft belastet. Die Beratenden sollten Konflikte zwischen den Eltern im Rahmen von Entscheidungsprozessen erkennen und versuchen, zu deren Auflösung beizutragen. So kann für die Eltern im Idealfall wieder eine gemeinsame Perspektive, auch im Zuge der Entscheidungsfindung, geschaffen werden.

3.1.3.4 Geschwister

Sind bereits andere Kinder vorhanden, so gilt diesen ein großer Anteil der elterlichen Sorge um deren Wohlergehen. Eltern beschäftigt sehr die Frage, ob und wie sehr sie die Geschwister einbeziehen sollen. Zur Vertiefung dieser Thematik siehe ► Abschn. 7.3.14.

3.1.3.5 Zugehörige

Die Einbeziehung wichtiger Menschen aus dem Familien- oder Freundeskreis kann für die Eltern eine Ressource oder eine Belastung darstellen. Immer wieder berichten Eltern von einer großen Bandbreite der unterschiedlichsten Reaktionen, wenn sie darüber sprechen, die Schwangerschaft trotz „infauster Prognose" aufrechterhalten zu wollen. Menschen, die für die Eltern wichtig sind, begegnen ihnen mitunter verständnislos, hilflos, aggressiv, bewundernd oder unterstützend. In jedem Falle bedeutet dies für die Eltern, sich zu konfrontieren und auch auseinanderzusetzen. Alte Konflikte können sich belastend auswirken und müssen als solche identifiziert werden, damit sie in der aktuellen Situation die Belastung nicht noch erhöhen. Hilfsangebote vonseiten der Zugehörigen können als übergriffig empfunden werden, obwohl sie so nicht gemeint waren. Eltern in dieser Ausnahmesituation haben kaum Ressourcen, sich auch noch um die Gefühle ihrer Zugehörigen Gedanken zu machen. Deshalb ist es wichtig, den Eltern im Rahmen der Beratungen die Möglichkeit zu geben, darüber zu sprechen und nach einem Umgang mit „schwierigen" Zugehörigen zu suchen und diese möglicherweise ressourcenorientiert mit einzubeziehen. Viele Eltern erleben es als sehr entlastend, wenn den Zugehörigen ermöglicht wird, ebenfalls eine Beratung in Anspruch zu nehmen. Die Beratenden können so möglicherweise als „Blitzableiter" bzw. „Übersetzer" fungieren.

3.1.3.6 Besichtigung der Klinik

Entscheiden sich Eltern für eine palliative Geburt in der Klinik, ist die Besichtigung relevanter Räumlichkeiten ein notwendiges Element im Rahmen der pränatalen psychosozialen Beratung. Für viele Eltern ist es wichtig, nach diversen Gesprächen nun mit eigenen Augen den Ort kennenzulernen, an dem ihr Kind zur Welt kommen wird. Die Besichtigung kann zum einen dazu dienen, beängstigende Fantasien zu minimieren und durch die Realität zu ersetzen.

> „Werden wir Menschen begegnen, die tote Kinder durch die Gegend tragen?" (Vater eines Kindes mit pränatal nachgewiesener Trisomie 13)

Zum anderen kann die Besichtigung auch zur Konkretisierung und Konfrontation mit der aktuellen Lebenssituation dienen und vor Augen führen, worauf die Eltern sich mit der Entscheidung zur palliativen Geburt einlassen.

> „Und plötzlich wurde mir klar, dass mein Kind irgendwann auf die Welt kommen muss. Ich kann diese Tatsache nicht ewig von mir wegschieben und einfach nur schwanger bleiben wollen." (Mutter eines Kindes mit pränatal nachgewiesener Trisomie 18)

Es ist wichtig, mit den Eltern im Vorfeld den Ablauf der Besichtigung zu planen und sie darauf vorzubereiten, was sie sich ansehen können, aber nicht müssen. Die chronologische Besichtigung dient der Orientierung und kann in Absprache mit den Eltern folgende Räumlichkeiten umfassen:

- Aufnahme im geburtsmedizinischen Bereich
- Geburtsräume
- Neonatologische Station (im Idealfall mit der Möglichkeit zum Familien-Rooming-in)
- Wochenbettstation
- Geburtenmeldestelle
- Abschiednahmeräume

Manchmal ist es notwendig, sich schrittweise heranzutasten und nur mit einem Teil der o. g. Räumlichkeiten zu beginnen. In jedem Falle bestimmen die Eltern den Verlauf der Besichtigung und dürfen sich auch selbstverständlich gegen eine Besichtigung entscheiden. In diesem Fall ist es notwendig herauszufinden, woher die Abwehr kommt, um möglicherweise Zwischenschritte zu vereinbaren.

3.1.3.7 Schwangerschaft ist Familienzeit

Eltern erleben die Möglichkeit, über ihre vielfältigen und komplexen Themen und Fragen zu reflektieren, auch als sehr anstrengend. Sie bemühen sich, einmal alles zu durchdenken, zu planen, sich vorzubereiten und ggf. wichtige Menschen mit einzubeziehen. Sie versuchen, einen für sie möglichen Weg zu finden, sich zu sortieren und einen Plan zu entwerfen. Und all dies vor dem Hintergrund, dass weder für sie noch für die professionell Begleitenden alles genau vorhersehbar ist. Und gerade deshalb ist es wichtig, dass sie auch ihrem verständlichen Wunsch nachgeben dürfen, „einfach nur schwanger zu sein". Dies ist nicht immer möglich oder leicht, denn natürlich ist diese Schwangerschaft geprägt von vielen unterschiedlichen, teils ambivalenten Gefühlen und der Tatsache, dass mit dem Herannahen der Geburt das voraussichtliche Sterben ihres Kindes immer näher rückt. Gerade deshalb ist es wichtig für die Eltern, die Schwangerschaft auch als eine besondere Zeit, nämlich als bereits bestehende Familienzeit wahrzunehmen und sich daran zu erfreuen. Der Schwangerschaft kommt eine besondere Bedeutung zu, denn jetzt lebt ihr Kind und es geht ihm gut. Es ist bereits ein Familienmitglied und kann in das Familienleben und die Partnerschaft mit einbezogen werden. Schon jetzt können Erinnerungen geschaffen werden, die bezeugen, dass dieses Kind seinen eigenen Platz im Familiengefüge einnimmt und immer zu ihnen gehören wird. Mit voranschreitender Schwangerschaft und zunehmender körperlicher Veränderung wechseln sich viele Gefühle bei beiden Eltern ab. Der Vater bzw. die Co-Mutter nähert sich vielleicht nach anfänglicher Skepsis dem Bauch und damit seinem/ihrem Kind langsam an. Nicht wenige Mütter wagen es nur vorsichtig, sich wieder ihrem Ungeborenen zuzuwenden. Es braucht häufig Zeit, sich auf ein so schwer erkranktes Kind auch emotional einzulassen. Je näher die Geburt rückt, desto mehr Sorgen machen sich viele Väter bzw. Co-Mütter um ihre Partnerin im Hinblick auf die Geburt und deren seelische Verfassung. Viele Schwangere spüren eine zunehmende psychische Belastung durch den heranrückenden Geburtstermin und die damit verbundenen Konsequenzen. Gleichzeitig erleben gut vorbereitete Paare eine intensive Zeit der sowohl aktiven als auch kreativen Gestaltung der Schwangerschaft bzw. Vorbereitungen zur Geburt (Übersicht).

Schwangerschaft ist Familienzeit

Ideen für die Gestaltung der Schwangerschaft, das Schaffen von Erinnerungen sowie die Vorbereitung auf die Geburt:

- Anfertigen von Familienfotos/-videos mit schwangerem Bauch
- Anfertigen von 3D-Ultraschallbildern des ungeborenen Kindes
- Audioaufnahme der kindlichen Herztöne während eines CTG
- Rituale entwickeln (bspw. abendliches Einölen des Bauches)
- Kleidung, Decke fürs Baby kaufen, selbst nähen oder nähen lassen
- Schwangerenyoga oder -schwimmen, individuelle Geburtsvorbereitung
- Kliniktasche packen

In diesem Sinne kann die Schwangerschaft auch als etwas Normales erlebt werden und unterscheidet sich möglicherweise äußerlich kaum von anderen Schwangerschaften in ihrem Umfeld.

> „Irgendwann, als der Bauch deutlich zu sehen war, wurde ich häufig auf meine Schwangerschaft angesprochen. Davor

hatte ich mich anfangs sehr gefürchtet, aber dann merkte ich, dass die Fragen immer nur bis zur Geburt gingen. So nach dem Motto: Was wird es denn, und wann ist es denn so weit. Damit konnte ich ganz gut umgehen. Mehr wollten die meisten Leute, die uns nicht weiter kannten, gar nicht wissen.“ (Mutter eines Kindes mit pränatal diagnostiziertem Anenzephalus)

3.1.3.8 Möglichkeiten der Begegnung mit dem toten Kind

Auch und vielleicht gerade, weil betroffene Eltern nicht wissen, wie viel Lebenszeit ihr Kind mitbringen wird, drängen sich mit der voranschreitenden Schwangerschaft zunehmend Fragen und auch Ängste auf, die sich um den Umgang mit ihrem toten Kind drehen. Die hierzu vorhandenen Möglichkeiten werden im ▶ Kap. 7 ausführlich beschrieben.

3.1.4 Besondere Szenarien im Kontext perinataler Palliativversorgung

3.1.4.1 Wenn das Kind intrauterin verstirbt

Verstirbt ein Kind, das unabhängig von der Schwangerschaftswoche mindestens 500 g wiegt und keine Vitalzeichen unter oder nach der Geburt gezeigt hat, im Mutterleib, spricht man von einem intrauterinen Fruchttod (IUFT). Wiegt das im Mutterleib verstorbene Kind unter 500 g, spricht man von einer Fehlgeburt (Spätabort).

Wenn das Kind intrauterin verstirbt, bemerken es die Schwangeren nicht immer sofort. In der ersten Zeit nach dem Versterben des Kindes wird es wahrscheinlich keine mütterlichen körperlichen Reaktionen geben. Erst langsam „realisiert“ der Körper der Mutter den Tod des Kindes und leitet dann die Geburt ein. In dieser Zeit stellt das intrauterin verstorbene Kind keine gesundheitliche Gefahr für die Schwangere dar. Die meisten Frauen möchten unserer Erfahrung nach jedoch nicht warten, bis das verstorbene Kind spontan auf die Welt kommt, sondern wünschen sich eine medikamentöse Geburtseinleitung.

Ein intrauterin verstorbenes Kind ab einem Gewicht von 500 g erhält in den meisten deutschen Bundesländern eine Geburts- und eine Sterbeurkunde und muss bestattet werden (*Bestattungspflicht*). Es findet ein Eintrag mit Namen in das Familienstammbuch statt. Totgeborene Kinder mit einem Gewicht unter 500 g können auf Wunsch der Eltern standesamtlich registriert werden. Es kann eine Bestattung oder Beilegung auf Wunsch der Eltern erfolgen (*Bestattungsrecht*) (s. ▶ Abschn. 7.5.1). Für weiterführende Informationen sei an dieser Stelle z. B. auf die Homepage der Initiative REGENBOGEN e. V. verwiesen: ▶ www.initiative-regenbogen.de.

> Für den Fall, dass das Kind intrauterin verstirbt, sollte mit den Eltern gemeinsam über Zeitpunkt und Modus der Geburt gesprochen werden. Auch hier besteht meist kein zeitlicher Druck, sondern es kann sich in der Regel Zeit für den Abschied von der Schwangerschaft genommen werden. Dennoch sollten die Eltern dahingehend informiert werden, dass sich ihr verstorbenes Kind intrauterin bereits ein wenig verändern kann. Im Hinblick auf die Begegnungsmöglichkeiten mit ihrem toten Kind kann dies eine wichtige Information sein, um sich möglicherweise für eine zeitigere Geburtseinleitung zu entschließen. In jedem Fall muss den Eltern weiterhin eine interprofessionelle Betreuung und Trauerbegleitung angeboten werden.

3.1.4.2 Wenn die Zeit drängt: Diagnosestellung unmittelbar vor Geburt

Unter Umständen entsteht die Indikation für eine Palliativversorgung erst unmittelbar vor der Geburt des Kindes. Häufig handelt es sich in diesen Fällen um Frauen mit bis dato vollkommen unkomplizierter Schwangerschaft, bei denen im Rahmen einer Routineuntersuchung ein schwerwiegendes, akutes Problem bei ihrem Kind diagnostiziert wurde (z. B. hochgradige intrakranielle Blutung, Nachweis eines hochgradigen Hydrops fetalis oder drohende Frühgeburtlichkeit an der Grenze der Lebensfähigkeit). In vielen Fällen wird die Betreuung der betroffenen Mütter und deren Partner*in in der spät pränatalen Phase aufgrund der Dynamik des vorliegenden medizinischen Problems durch extremen Zeitdruck erschwert.

Immer wieder werden Frauen akut und vollkommen unerwartet aus der frauenärztlichen Praxis oder einer Geburtsklinik in ein Perinatalzentrum verlegt. In manchen Fällen hatten sie nicht einmal die Gelegenheit, ihren Partner bzw. ihre Partnerin über die dramatische Wendung ihrer Schwangerschaft zu informieren. Die Kommunikation ist in diesen Situationen zusätzlich durch die Konfrontation mit bis dahin unbekannten Gesprächspartner*innen (Hebamme, Geburtshelfer*in, Neonatolog*in …) erschwert. Der abrupte Wechsel von einer unbeschwerten Schwangerschaft hin zu einer akut lebensbedrohlichen Situation für ihr ungeborenes, bisher gesundes Kind wird von den Eltern als extrem belastend erlebt. Sie befinden sich in einer schockähnlichen Ausnahmesituation. Trotz dieser erschwerten Bedingungen gelten für das Diagnoseeröffnungsgespräch und die anschließende Beratung der betroffenen Schwangeren und deren Partner*in prinzipiell die gleichen inhaltlichen und formalen Zielkriterien, wie bei der früh pränatalen Beratung (▶ Abschn. 3.1.2). Wenn irgendwie möglich, sollten trotz akuten Zeitdrucks zumindest folgende 2 Grundziele erreicht werden:

- Die Eltern haben die akute Situation erfasst und verstehen, welches medizinische Problem bei ihrem Kind besteht. Sie wissen, ob es sich um eine lebensverkürzende oder -bedrohliche Erkrankung handelt und wie hoch die (postnatale) Lebenserwartung des Kindes aktuell eingeschätzt wird.
- Die Eltern sind über therapeutische Möglichkeiten, mögliche Komplikationen und ggf. Handlungsalternativen aufgeklärt.

Wird die Diagnose einer lebensbedrohlichen oder -verkürzenden Erkrankung in der spät pränatalen Phase gestellt, stellt ein Schwangerschaftsabbruch in der Regel keine Therapieoption mehr dar. Akute Entscheidungen, die in dieser Phase zur Disposition stehen, sind z. B.:

- Soll eine Wehenhemmung initiiert oder die Geburt eingeleitet werden?
- In welchem Umfang soll das Kind intrauterin überwacht werden (CTG, dopplersonographische Untersuchungen etc.)?
- Soll bei drohender Frühgeburtlichkeit eine antenatale Steroidgabe (ehemals „Lungenreifeinduktion" genannt) begonnen werden?
- Soll eine Sectio auch aus kindlicher Indikation durchgeführt werden?
- In welchem Umfang sollen postnatal intensivmedizinische Maßnahmen eingesetzt werden (z. B. kardiopulmonale Reanimation, Einsatz von Katecholaminen, iNO-Beatmung etc.)?

3.1.4.3 Wenn die Prognoseeinschätzung „zu unsicher" ist

In Fällen, bei denen die pränatale Prognoseeinschätzung des Kindes für eine vorgeburtliche Therapiezielentscheidung zu unsicher ist, wird man sich in der Regel auf den initialen Einsatz einer lebenserhaltenden Intensivtherapie nach der Geburt verständigen. Ist eine nachgeburtliche Stabilisierung des klinischen Zustandes unter Intensivmaßnahmen erfolgreich, so ist Zeit für eine Reevaluation der Pränatalbefunde und eine erneute, aktualisierte Prognoseeinschätzung des Kindes. Unter Umständen sind für die medizinische Prognoseeinschätzung weitere Untersuchungen sinnvoll und notwendig. Bestätigt sich der pränatale Verdacht einer unheilbaren lebensverkürzenden bzw. -bedrohlichen Erkrankung mit „infauster Prognose“, kann dann – im Rahmen einer gemeinsamen Entscheidungsfindung mit den Eltern – eine Therapiezieländerung von kurativ auf palliativ erfolgen.

Unter Umständen zeichnet sich aber bereits noch im Geburtsraum sehr rasch ab, dass trotz Einsatz lebenserhaltender Maßnahmen die Vitalfunktionen des Kindes nicht zu stabilisieren sind. Dann muss die akute ärztliche Prognoseeinschätzung rein aufgrund der bekannten Pränatalbefunde und des postnatalen Zustandes des Kindes durch den erstversorgenden Neonatologen bzw. die erstversorgende Neonatologin erfolgen. Besteht in diesem Fall keine medizinische Indikation mehr für den Einsatz lebenserhaltender Maßnahmen, so muss das Therapieziel sehr kurzfristig in Richtung Palliativversorgung geändert werden. Essenziell ist dann ein rasches Umschalten des behandelnden neonatologischen Teams auf „Palliativversorgung“ mit konsequenter Symptomkontrolle.

> Wenn von ihnen gewünscht, so ist es für die früh verwaisten Eltern später von unschätzbarem Wert, ihr Kind einmal lebend im Arm gehalten und es im Sterben nicht allein gelassen zu haben.

Ein Teil der von uns betreuten Eltern kann sich auf ein primär kuratives Vorgehen in der Erstversorgung des Kindes mit der Option auf rasche Therapiezieländerung in Richtung Palliativversorgung häufig besser einlassen, als sich bereits vorgeburtlich für eine primäre Palliativversorgung zu entscheiden. Es hilft diesen Eltern wahrscheinlich die Gewissheit, dass dem Kind nach der Geburt eine – egal wie kleine – Chance zum Überleben gegeben wurde und es dann trotz maximaler Unterstützung durch das neonatologische Team nicht überlebensfähig war. Die Eltern laden sich in diesem Fall auch nicht die Bürde der Entscheidung über Leben und Tod auf. Sie können mit Fug und Recht behaupten, „alles getan zu haben“. Nach der Geburt können sie sich außerdem mit eigenen Augen davon überzeugen, dass „es nicht hat sollen sein“.

3.1.4.4 Wenn eine Frühgeburt an der Grenze der Lebensfähigkeit droht

Pränatale Beratung bei drohender Frühgeburt an der Grenze der Lebensfähigkeit erfordert ein Höchstmaß an fachlicher und psychosozialer Beratungskompetenz. Die Eltern sollten die Möglichkeit haben, ihre Entscheidung im Rahmen eines im Idealfall mehrzeitigen Beratungsprozesses zu treffen. Es gibt keine Entscheidung ohne Restzweifel, deshalb ist es besonders wichtig, dass Eltern ihre getroffene Entscheidung immer wieder, auch zu späteren Zeitpunkten nachvollziehen und begründen können.

> Bei der Fragestellung „Palliativversorgung vs. lebenserhaltende Maßnahmen“ an der Grenze der Lebensfähigkeit gibt es kein „richtig“ oder „falsch“. Jedes Elternpaar muss seinen persönlichen und individuellen Weg wählen. Aufgabe des Beratungsteams ist es, auf diesem Weg mitzugehen, nicht voranzugehen.

Bei Entscheidungen über Maßnahmen zu Lebenserhaltung bei extrem unreifen Frühgeborenen an der Grenze der Lebensfähigkeit sind primär dieselben rechtlichen und ethischen Aspekte zu beachten, wie bei anderen medizinischen Entscheidungen (▶ Abschn. 2.4). Es liegen zu diesem Thema zahlreiche detaillierte Publikationen sowie Leitlinien nationaler und internationaler Fachgesellschaften vor. Für den deutschsprachigen Raum existieren jeweils eigene ausführliche Empfehlungen der entsprechenden Fachgesellschaften, diese sind in vollem Umfang online abrufbar (Deutschland: ► https://register.awmf.org/de/leitlinien/detail/024-019, Schweiz: ► https://www.neonet.ch/recommendations/authored-ssn, Österreich: ► https://www.springermedizin.de/das-fruehgeborene/neonatologie/empfehlung-zur-versorgung-von-fruehgeborenen-an-der-grenze-der-l/50097340#CR40, Abruf jeweils am 12.12.2024). Die genaue Darstellung all dieser Leitlinien würde den Rahmen dieses Buches sprengen, deshalb sei hier auf die Originalpublikationen der Fachgesellschaften verwiesen.

3.2 Planung einer palliativen Geburt

Entscheiden sich Eltern nach ausführlicher vorgeburtlicher Beratung für die Fortführung der Schwangerschaft trotz lebensverkürzender Erkrankung, sollte in enger interdisziplinärer und interprofessioneller Absprache die sorgfältige Planung der Geburt und damit die peripartale bzw. perinatale Betreuung von Mutter und Kind erfolgen.

Häufig werden bei betroffenen Schwangeren, die sich für eine palliative Geburt entschieden haben, im weiteren Verlauf keine regulären Schwangerenvorsorgeuntersuchungen mehr angeboten, mit der Begründung „das Baby stirbt ja sowieso nach der Geburt". Wie bei jeder anderen Schwangerschaft auch, besonders aber bei einer geplanten palliativen Geburt, hat die Gesundheit der Mutter in der medizinischen Betreuung oberste Priorität. Die Betreuung der Schwangeren bis zur Geburt und vor allem die Geburtsplanung bedürfen daher einer besonderen Sorgfalt.

> Es muss v. a. zum Schutz der Schwangeren stets auf die Notwendigkeit regulärer vorgeburtlicher Untersuchungen nach den Mutterschaftsrichtlinien hingewiesen werden. Zudem muss eine sorgfältige geburtshilfliche Planung der palliativen Geburt gewährleistet sein.

In Vorbereitung auf die Geburt des Kindes sollten auch die Eltern von Kindern mit „infauster" Prognose dahingehend beraten werden, sich rechtzeitig eine Hebamme zu suchen. Eine einfühlsame Hebammenbetreuung vermag ein bisschen Normalität in die Schwangerschaft zu bringen. Unter Umständen kann im Rahmen einer vorgeburtlichen Hebammenbetreuung auch eine individuelle Geburtsvorbereitung jenseits regulärer Geburtsvorbereitungskurse erfolgen.

3.2.1 Geburtsmodus und peripartale Betreuung der Mutter

Im Regelfall sollte aus medizinischer Sicht primär eine vaginale Spontangeburt ohne Monitoring des Kindes unter der Geburt empfohlen werden. Postnatal erfolgt dann – u. U. nach Bestätigung der pränatalen infausten Prognoseeinschätzung – die geplante primäre Palliativversorgung des Neugeborenen. Das führende Argument für eine Spontangeburt ist hier der Verzicht auf einen potenziell risikobehafteten, operativen Eingriff bei der Mutter. Dennoch kann im Einzelfall auch die Sectio eine sinnvolle Variante sein. Mögliche Indikationen für die vorzeitige pharmakologische Einleitung einer Spontangeburt bzw. für eine Sectio können sein (nach Leuthner und Jones 2007):

- Medizinische Probleme der Schwangeren, wie z. B. ein HELLP-Syndrom
- Potenzielle geburtsmechanische Probleme durch z. B. einen progredienten

hochgradigen Hydrozephalus des Kindes
- Fälle, in denen – trotz intensiver Begleitung der Schwangeren – ein Schwangerschaftsabbruch oder eine Fortführung der Schwangerschaft bis zum Geburtstermin für die Schwangere zu einer subjektiven oder objektiven inakzeptablen psychischen Belastung führen würde.

Bei perinatal zu erwartendem Tod des Kindes sollte in der geburtshilflichen Betreuung der werdenden Mutter auf folgende Punkte besonders Wert gelegt werden:
- Der Geburtsverlauf sollte vorab genau besprochen werden.
- Eine kostenfreie stationäre Mitaufnahme einer unterstützenden Person sollte angeboten werden.
- Solange nichts Dringendes dagegenspricht, sollte eine vaginale Geburt angestrebt werden.
- Eine frühe Schmerzlinderung bei der Mutter, meist durch Periduralanästhesie, wird empfohlen.
- Die Geburt sollte im Geburtsraum mit Betreuung durch eine/n besonders erfahrene/n bzw. einfühlsame/n Hebamme stattfinden.
- Individuelle Wünsche sollten, wo immer möglich, erfüllt werden.

3.2.2 Perinataler Palliativplan

Der Inhalt jedes pränatalen Beratungsgespräches sollte sorgfältig dokumentiert und frühzeitig an alle Begleitenden und im weiteren Verlauf potenziell involvierten Mitglieder des geburtshilflichen und neonatologischen Behandlungsteams weitergeleitet werden. Im Falle einer geplanten primären Palliativversorgung setzen manche Kliniken hierfür standardisierte Protokolle ein. Im Folgenden sind mögliche Komponenten, die ein derartiger perinataler Palliativplan aufgreifen könnte, zusammengefasst (Übersicht).

Peri- und postnataler Palliativplan (nach Boss et al. 2011 und Cortezzo et al. 2019)

Basisdaten der Familie und des Kindes
Pränatale (Verdachts-)Diagnose und Prognose
Elterliche Wünsche: Diese sollen wörtlich protokolliert werden, z. B. „Wir möchten in der Zeit, die unserem Sohn nach der Geburt verbleibt, immer bei ihm sein und jeden Moment seines Lebens mit ihm auskosten.“ oder „Wir wünschen uns, dass auch unsere älteren Kinder die Möglichkeit bekommen, ihre Schwester kennenzulernen und sich von ihr zu verabschieden.“

Vorgehen im Geburtsraum
- Zeitpunkt, Modus und Ort der Geburt
- Schmerzbehandlung der Mutter unter der Geburt
- Überwachung des Kindes unter der Geburt (Verzicht auf Sectio aus kindlicher Indikation?)
- Gewünschte Anwesenheit von Familie/Freund*innen
- Glaubenshandlungen/-rituale, die unmittelbar nach der Geburt durchgeführt werden sollen

Initiale Versorgung des Kindes
- Primär verantwortliches Team (Hebamme, Geburtsmediziner*in, neonatologische Intensivpflegeperson, Neonatolog*in etc.)
- Ausmaß von erwünschten medizinischen Maßnahmen bzw. klare Verzichtserklärung auf selbige
- Abtrocknen des Kindes nach der Geburt und Einwickeln in warme Tücher, zusätzlich externe Wärmezufuhr (z. B. Hautkontakt zu Eltern)
- Management von Schmerz, Dyspnoe oder anderen Symptomen (Fremdbeurteilung mittels welcher Skala? Einsatz welcher nichtpharmakologischer und pharmakologischer Maßnahmen?)

3

Betreuung der Familie nach der Geburt des Kindes

- Erwünschte Maßnahmen, um die gemeinsame Zeit mit dem Neugeborenen möglichst gut nutzen zu können (z. B. Körperkontakt zu den Eltern, Anwesenheit von Geschwistern oder Großeltern), Schaffen von Erinnerungen (z. B. Fotos vom Kind im Kreise der Eltern/Familie)
- Ermöglichung religiöser Handlungen
- Informationsweitergabe an Familie/Freund*innen, die nicht mit im Krankenhaus sind (Wer? Wann? Was? Durch wen?)

Versorgung des Kindes im weiteren Verlauf

- Basispflege der Neugeborenen, die sich primär an den Bedürfnissen des Kindes orientiert (Wärme, Lippen- und Mundpflege, Hautkontakt zu den Eltern etc.)
- Ggf. Beginn einer enteralen Ernährung (Stillen oder Zufuhr von Muttermilch oder Formulanahrung mittels Flasche, Fingerfeeder, Becher etc.)
- Ggf. Rachen- bzw. tracheales Absaugen und/oder Sauerstoffzufuhr
- Festlegung des Umfangs diagnostischer und therapeutischer Interventionen (primäres Ziel: Optimierung der Symptomkontrolle)
- Festlegung, wo das Kind betreut werden soll (z. B. Geburtsraum, Wochenbettstation oder neonatologische Station)

Mittelfristige Planung, falls das Kind die Neonatalperiode überleben sollte: Wo, wie, wie lange und durch wen soll das Kind versorgt werden, wenn die Mutter nach der Geburt entlassen wird?
Palliativversorgung des Kindes stationär auf einer neonatologischen Station, ambulante Betreuung zu Hause oder in einem Hospiz?

Sterbebegleitung und Versorgung des verstorbenen Kindes (manche Eltern/Familien können sich zu diesen Aspekten erst unmittelbar in der Terminalphase oder nach dem Tod des Kindes äußern)

- Wo, in wessen Anwesenheit und vor allem wie soll das Kind versterben?
- Wie möchte sich die Familie von dem Kind nach dem Tod verabschieden?
- Soll eine (Teil-)Obduktion oder Gewebebiopsie, eine Asservierung von (Nabelschnur-)Blut etc. zur weiterführenden Diagnostik durchgeführt werden?
- Gibt es Wünsche/Planungen der Eltern bzgl. der Bestattung des Kindes?

Psychosoziale Unterstützung: In welcher Form ist eine psychosoziale Unterstützung für die Familie eingeleitet/geplant bzw. steht potenziell zur Verfügung (für die Zeit vor und nach dem Tod bzw. in der konkreten Sterbephase des Kindes)?
Kontakt: Alle Kontaktdaten der Personen, die für die Palliativversorgung und anschließende Trauerbegleitung für die betroffene Familie entscheidend verantwortlich sind.

3.3 Palliativversorgung im Geburtsraum

Damit die primäre Palliativversorgung eines Neugeborenen im Geburtsraum (sog. „palliative Geburt“) im Sinne aller Betroffenen gelingen kann, muss sich das Behandlungsteam grundsätzlich folgender Hauptaufgaben in Bezug auf die Geburtssituation annehmen (Balaguer et al. 2012; Capitulo 2005; Goggin 2012; Moro et al. 2011; Williams et al. 2008):

- Durchführung der Begleitung von Mutter und Kind entsprechend des interprofessionell und interdisziplinär gemeinsam mit den Eltern im Vorfeld er-

arbeiteten perinatalen Palliativplans (s. ► Abschn. 3.2.2.)
- Gewährleistung einer kontinuierlichen interprofessionellen und interdisziplinären Betreuung der Betroffenen
- Offene, empathische und sich am Bedarf der Eltern orientierende Informationsvermittlung
- Genaue Koordination aller in die Betreuung involvierten Behandler*innen sowie der medizinischen und pflegerischen Abläufe
- Adäquate Symptomkontrolle in der Sterbephase für das Neugeborene
- Schaffen wertvoller Erinnerungen für die betroffene Familie

Das Neugeborene wird idealerweise postnatal interdisziplinär durch Geburtsmedizin (Hebamme und Geburtsmediziner*in) und Neonatologie (Neonatolog*in und neonatologische Intensivpflegeperson) betreut. Die Erfahrung zeigt, dass insbesondere in der Einschätzung von belastenden Symptomen wie Schmerz oder Unruhe häufig Unsicherheiten aufseiten des geburtshilflichen Teams herrschen. Symptombeurteilung und -kontrolle bei einem sterbenden Neugeborenen im Geburtsraum sollten unseres Erachtens daher durch ein erfahrenes neonatologisches Team erfolgen.

> Das konsequente Vorbeugen bzw. die Behandlung von Schmerzen und Unruhezuständen ist die Grundvoraussetzung für eine gelingende Begleitung des Kindes in der Sterbephase. Daher ist es essenziell, dass im Rahmen einer postnatalen primären Palliativversorgung eine pädiatrische Fachärztin oder ein pädiatrischer Facharzt bzw. ein/e Palliativmediziner*in anwesend ist, die/der bei Neugeborenen eine Fremdeinschätzung von Schmerz und Distress sowie eine (medikamentöse) Symptomkontrolle sicher durchführen kann.

Die Eltern sollen auch bei einem unmittelbar postnatalen Versterben ihres Kindes ermutigt und unterstützt, aber nicht gedrängt werden, bei ihrem Kind zu sein. Auch im Geburtsraum gilt: Bei Bedarf werden eine Taufe, eine Segnung oder andere rituelle Handlungen ermöglicht. In der inhaltlichen und formellen Gestaltung sollte auch hierbei soweit möglich auf alle Wünsche der Eltern eingegangen werden.

In der Regel wird eine palliative Geburt in einer Klinik stattfinden. Es sei an dieser Stelle lediglich darauf hingewiesen, dass in ausgesuchten Einzelfällen und unter bestimmten Voraussetzungen die Möglichkeit einer palliativen Hausgeburt mit z. B. Begleitung durch ein spezialisiertes ambulantes Kinder-Palliativteam (Kinder-SAPV-Team) besteht.

Egal, ob unmittelbar nach der Geburt oder zu einem späteren Zeitpunkt, die Grundzüge nichtpharmakologischer und pharmakologischer Symptomkontrolle in der Sterbephase (s. ► Kap. 4) unterscheiden sich nicht wesentlich voneinander. Dennoch gibt es relevante Unterschiede, die im Folgenden aufgezeigt werden:

Nichtpharmakologische Symptomkontrolle

Zwar gibt es keine wissenschaftlichen Untersuchungen zu einem möglicherweise schmerz- bzw. stressreduzierenden Effekt durch den Körperkontakt eines sterbenden Neugeborenen mit seinen Eltern, dennoch lassen Studien zu prozeduralen Schmerzen bei nicht palliativ versorgten Neugeborenen und die klinische Erfahrung die Annahme zu, dass direkter Körperkontakt auch in der Sterbephase eine sinnvolle Maßnahme für ein Kind ist. Zusätzlich unterstützt der direkte Körperkontakt zwischen Eltern und Kind den Aufbau der Eltern-Kind-Bindung und spendet den Eltern Trost im späteren Trauerprozess (Davies 2004; Pector 2004). Der Körperkontakt eines Neugeborenen unter primärer Palliativversorgung nach der Geburt sollte daher möglichst auch nicht durch Maßnahmen, wie z. B. ärztliche Untersuchung oder Messung von Körpermaßen, unterbrochen werden.

In Ergänzung empfiehlt es sich für eine unmittelbar postnatale Sterbebegleitung, die Umgebung des Kindes so zu gestalten, dass äußere Stressoren, wie z. B. grelles Licht, Lärm oder Unruhe reduziert bzw. vermieden werden. Ebenfalls sollte auf „eingreifende" diagnostische Maßnahmen – wie z. B. Monitoring mittels EKG-Elektroden, SaO_2-Messung, Blutentnahmen, Messen von Körpertemperatur oder Blutdruck – verzichtet werden.

> Ungestörter Körperkontakt zu den Eltern, der konsequente Verzicht auf invasive Diagnostik und Therapie sowie eine Reduktion äußerer Stressoren (z. B. grelles Licht oder Lärm) sollten die Basis einer primären palliativmedizinischen Begleitung von Neugeborenen im Geburtsraum bilden.

Pharmakologische Analgesie

Die Erfahrung aus Vortragsdiskussionen, Seminaren oder Workshops zum Thema „Perinatale Palliativversorgung" zeigt, dass unter pflegerischen und ärztlichen Kolleg*innen oftmals eine große Unsicherheit in Bezug auf die Schmerzbeurteilung bzw. die Indikation für eine pharmakologische Analgesie bei direkt postnatal sterbenden Neugeborenen besteht. Der Aspekt „Schmerzen und Leiden in der Sterbephase" soll an dieser Stelle daher noch einmal etwas genauer diskutiert werden. Die grundsätzliche Frage in diesem Zusammenhang lautet: „Tut Sterben weh?" Für pflegerische und ärztliche Mitarbeitende neonatologischer Intensivstationen wird der erste Impuls sein, diese Frage mit einem klarem „Ja" zu beantworten. Wir wissen aus der alltäglichen Praxis und wissenschaftlichen Untersuchungen (Garten et al. 2011; Janvier et al. 2011), dass der größte Teil von Neugeborenen, die auf einer neonatologischen Intensivstation versterben, in der Sterbephase mit starken Analgetika – in der Regel sind dies Opioide – behandelt werden. Mit welcher Indikation aber werden Analgetika eingesetzt? Oder anders gefragt, wodurch wird das Sterben auf der neonatologischen Intensivstation zu einem schmerzhaften Vorgang?

In vielen Fällen leiden sterbende Neugeborene im Rahmen ihrer intensivmedizinischen Betreuung an iatrogen bedingten belastenden Symptomen durch verschiedenste medizinische Maßnahmen, wie z. B. invasive Diagnostik, Beatmung oder Operationen. Im Gegensatz dazu können im Rahmen einer adäquat vorbereiteten primären Palliativbegleitung im Geburtsraum gerade diese prozeduralen Schmerzen in nahezu allen Fällen durch den konsequenten Verzicht auf belastende, invasive Diagnostik und Therapie vermieden werden.

Die zweite Hauptursache für Distress in der Sterbephase bei sterbenden Neugeborenen auf der Intensivstation sind krankheitsassoziierte Symptome. Es belastet hier nicht der Sterbeprozess als solcher das Neugeborene, sondern beispielsweise Schmerzen im Rahmen einer nekrotisierenden Enterokolitis, eines Kapillarlecksyndroms oder einer intrazerebralen Blutung mit erhöhtem Hirndruck. Auch eine hochgradige Dyspnoe, z. B. im Rahmen eines progredienten Lungenversagens oder einer schweren Herzinsuffizienz, stellt ein häufiges belastendes Symptom dar.

Im Geburtsraum stellt sich die Situation meist anders dar. Eine große Gruppe von Neugeborenen, die im Geburtsraum unter primärer Palliativversorgung versterben, sind extrem kleine Frühgeborene an der Grenze der Lebensfähigkeit. Diese Kinder sind zwar extrem klein und unreif, aber per se erst einmal nicht durch eine symptomreiche und belastende Krankheit betroffen. Es liegt also in den meisten Fällen keine leidvolle, schmerzverursachende Grunderkrankung vor. Woran sterben diese Kinder? Erfahrungsgemäß versterben sie im Rahmen einer primär zentralen Apnoe. Diese geht jedoch nicht mit einem subjektiven Gefühl von „Lufthunger“ einher, denn sie ist gerade durch das Fehlen jeglichen Atemantriebs gekennzeichnet. Die Kinder zeigen dementsprechend auch keine Zeichen eines „Todeskampfes“ mit Tachydyspnoe oder Agitiertheit. In Folge ihrer postnatalen zentralen Apnoe entwickeln Frühgeborene an der Grenze der Lebensfähigkeit bei Verzicht auf eine Atemunterstützung zusätzlich rasch eine hochgradige Hyperkapnie und Hypoxie. Beides führt zu einer Art natürlichen Sedierung in der Sterbephase.

Und noch eine weitere physiologische Besonderheit spielt unmittelbar postnatal in Bezug auf das Schmerzerleben sterbender Neugeborener wahrscheinlich eine Rolle. Eine Spontangeburt ist für Mutter und Kind ein stress- und schmerzassoziierter Vorgang. Die für eine Spontangeburt notwendige Wehentätigkeit wird durch das in der Hypophyse synthetisierte Hormon Oxytocin ausgelöst. Oxytocin fungiert außerdem als endogenes, peripher wirkendes Analgetikum. Die hohen peripartalen, mütterlichen Serumspiegel erleichtern es der Gebärenden, den Geburtsschmerz auszuhalten. Vermittelt wird der analgetische Effekt von Oxytocin über Vasopressin-1-A-Rezeptoren. Vasopressin (analog: antidiuretisches Hormon [ADH], Adiuretin oder Arginin-Vasopressin) ist ebenfalls ein Nona-Peptidhormon und unterscheidet sich von Oxytocin nur durch zwei Aminosäuren. Es wird wie Oxytocin von Nervenzellen des Hypothalamus produziert (Nucleus supraopticus und Nucleus paraventricularis), im Hypophysenhinterlappen gespeichert und von dort bedarfsgerecht in das Blut abgegeben. Unter der Geburt verändert sich im Gegensatz zur Gebärenden der Oxytocinspiegel beim Neugeborenen kaum. Hingegen steigt der Vasopressinspiegel eines Neugeborenen um mehr als den Faktor 100 an (Wellmann et al. 2010; Wellmann und Bührer 2012). Es ist anzunehmen, dass die geburtsstressinduzierten hohen Serumspiegel von Vasopressin eine Art physiologische, perinatale Analgesie bei Neugeborenen bewirken. Wahrscheinlich spielt diese natürliche Analgesie auch für den unmittelbar postnatalen Sterbeprozess primär palliativ versorgter Neugeborener eine Rolle.

Nur in seltenen Fällen führen daher die oben dargestellten nichtpharmakologischen Maßnahmen in Kombination mit der perinatalen physiologischen Analgosedierung nicht zu einer ausreichenden Symptomkontrolle in der unmittelbar postnatalen Sterbephase. In diesen Ausnahmefällen stellen dann Opioide die therapeutische Option der ersten Wahl dar. Durch den Einsatz von intranasal appliziertem (*off-route use*) Fentanyl (s. ► Abschn. 4.4.1.2 und ► Abschn. 4.4.1.3) kann es vermieden werden, den kontinuierlichen Körperkontakt zwischen sterbendem Kind und Eltern unnötigerweise durch die Anlage eines venösen Zugangs zu stören.

> Während eines unmittelbar postnatal einsetzenden Sterbeprozesses besteht bei vaginal geborenen Neugeborenen und für extrem unreife Frühgeborene eine relevante physiologische Analgosedierung durch hohe Vasopressinspiegel, Hyperkapnie und Hypoxie. In Kombination mit dem konsequenten Einsatz nichtpharmakologischer Maßnahmen reicht dies in den meisten Fällen für eine adäquate Symptomkontrolle aus, falls nicht, empfiehlt sich im Geburtsraum primär der Einsatz von intranasal appliziertem Fentanyl.

▪ Psychosoziale Begleitung der Eltern

Wenn ein Kind innerhalb von nur wenigen Minuten oder Stunden nach der Geburt verstirbt, so ist dies kein „leichterer Tod“ im Vergleich zum Verlust eines Kindes nach mehreren Monaten oder Jahren gemeinsamen Lebens. Daher ist die psychologische oder seelsorgerische Unterstützung der Eltern auch im Falle eines kindlichen Frühtodes in der Peri- bzw. Neonatalzeit von entscheidender Bedeutung (Bennett et al. 2011). Wie wichtig diese ist, zeigt eine epidemiologische Studie aus Dänemark. In dieser Untersuchung von Li et al. (2003) wurden die Daten von allen Kindern, die in den Jahren 1980–1996 in Dänemark verstarben, analysiert und diese Daten in Bezug zur Mortalität der verwaisten Eltern nach dem Versterben des Kindes gesetzt. In der Gesamtgruppe der 12.072 verstorbenen Kinder machten Neugeborene insgesamt 37 % aus. Die Untersuchung zeigte zwei wichtige Aspekte:

- Für verwaiste Mütter in den ersten 3 Jahren nach dem Verlust ihres Kindes besteht ein um 40 % erhöhtes Sterblichkeitsrisiko, bedingt durch eine Zunahme von Todesfällen infolge einer unnatürlichen Todesursache.
- Die Erhöhung der maternalen Mortalität war unabhängig vom Alter des verstorbenen Kindes. In Bezug auf das erhöhte Sterblichkeitsrisiko einer verwaisten Mutter wiegt der Tod eines Neugeborenen also genauso schwer wie der Verlust eines älteren Kindes, welches unter Umständen für viele Jahre ein fester Bestandteil der Familie gewesen ist.

Diese Aspekte zeigen, dass auch der Tod im Geburtsraum „kein Momentereignis“ ist, denn er wirkt im bedeutenden Maße über das eigentliche Sterben des Kindes hinaus. Die gesellschaftlich weit verbreitete Vorstellung „kleines Kind = kleine Trauer“ gilt demnach nicht. Die psychosoziale Begleitung der Eltern darf daher auch hier nicht mit dem Tod des Kindes enden, sondern muss obligat eine dem individuellen elterlichen Bedarf angepasste weiterführende Begleitung in einen gesicherten Alltag mit bedarfsorientierten Unterstützungsangeboten zum Ziel haben (Bennett et al. ▶ Abschn. 5.5.11; Garten et al. 2013; Kenner et al. 2015).

> Die Verantwortung für eine primäre Palliativbegleitung im Geburtsraum endet nicht mit dem Tod des Kindes. Es liegt in der Verantwortung des Klinikteams, eine weiterführende Begleitung früh verwaister Eltern aus der Klinik in einen gesicherten Alltag mit bedarfsorientierten Unterstützungsangeboten zu sichern.

3.4 Advance Care Planning

Advance Care Planning (ACP, vorausschauende Behandlungsplanung) verfolgt das Ziel, „mögliche künftige medizinische Entscheidungen so vorauszuplanen, dass Patient*innen auch dann zuverlässig nach ihren individuellen Wertvorstellungen und Wünschen behandelt werden, wenn sie diese krankheitsbedingt nicht mehr selbst äußern können“ (in den Schmitten et al. 2016). Die Ausweitung und Adaptation des Konzeptes von ACP in die vorgeburtliche Beratung und Begleitung bietet die Möglichkeit, systematisch zukünftige (Be-)Handlungsschritte mit der Schwangeren bzw. den Eltern vor und nach der Geburt unter Berücksichtigung sowohl medizinischer als auch nicht medizinischer Aspekte zu planen. Hierbei sollten alle relevanten Aspekte individuell für verschiedene Phasen der Schwangerschaft, der Geburt und des kindlichen Krankheitsverlaufes berücksichtigt werden. Im Rahmen eines pränatalen ACP lassen sich alle Inhalte, die in diesem Kapitel detailliert beschrieben wurden, zusammenfassend abbilden.

Ein systematisches und rechtzeitiges ACP hat das Potenzial: 1. eine Verbesserung der Versorgung von ungeborenen bzw. neugeborenen Kindern mit lebensverkürzenden Erkrankungen und ihren Familien zu erreichen, 2. unnötige und belastende

Maßnahmen zu vermeiden und 3. den Fokus auf Ziele zu legen, die für das Kind und die Familie wertvoll und bedeutsam sind. Beim pränatalen ACP ist im Besonderen zu berücksichtigen, dass die gesundheitlichen Belange der Mutter und/oder etwaiger Mehrlingsgeschwister unmittelbar von der vorausschauenden Behandlungsplanung für das erkrankte Kind betroffen sein können und daher einer besonderen Beachtung bedürfen.

In einem für die Perinatologie adaptierten ACP-Modell von Garten et al. (2020) wurden 6 grundlegende Schritte definiert, die in ◘ Tab. 3.1 zusammengefasst sind.

Durch ein vorgeburtliches ACP mit abschließender schriftlicher Dokumentation der Ergebnisse (z. B. in Form eines perinatalen Palliativplans) können alle professionell betreuenden Personen mehr Sicherheit in ihrem Handeln gewinnen. Ein gut ausgearbeiteter und für alle leicht zugänglicher perinataler Palliativplan kann beispielsweise als Grundlage für ein schnelles Teambriefing im Geburtsraum dienen. Insbesondere kann dies hilfreich sein, wenn Mitglieder des Behandlungsteams die betroffene Familie vor der Geburt nicht persönlich kennenlernen konnten.

◘ Tab 3.1 Grundlegende Schritte von Advance Care Planning (ACP) in der Perinatologie (nach Garten et al. 2020)

Lernen	– Eltern verstehen die lebensverkürzende Krankheit (Ätiologie, Verlauf, Prognose …) des Kindes sowie deren konkrete Auswirkungen auf das Leben des Kindes und der Familie – Eltern werden über prä- und postnatale diagnostische und therapeutische Optionen (einschließlich der Vorteile, Risiken, potenziellen Schäden und Belastungen für das Kind und die Familie) aufgeklärt
Nachdenken	– Abwägen von Werten, Wünschen, Überzeugungen, Bedenken, Erwartungen, Gefühlen, Gedanken, Ängsten durch die Eltern – Gespräche unter den Eltern sowie der Eltern mit ggf. weiteren Fachleuten (z. B. Schwangerenkonfliktberatung), mit der Familie und mit Freunden – Nachdenken der Eltern über *übergeordnete Therapieziele* für das Kind (Was wünschen wir uns für unser Kind?)
Entscheiden	– Welche konkreten Maßnahmen helfen, die zuvor definierten übergeordneten Therapieziele für das Kind am besten zu erreichen? Sind diese im Interesse des Kindes (*best interest*)? – Vereinbarung von gut informierten und gestützt (*sharded decision-making*) autonomen elterlichen Entscheidungen über zukünftige Maßnahmen in Bezug auf medizinische und nicht medizinische Aspekte, die verschiedene Phasen der Schwangerschaft, Geburt und den klinischen Verlauf des Kindes betreffen
Planen	– Abgleichen der zuvor definierten Therapieziele des Kindes mit gesundheitlichen Belangen der Mutter (und/oder etwaiger Mehrlingsgeschwister) – Konkrete Versorgungsplanung für das Kind in Bezug auf die zuvor definierten individuellen medizinischen und psychosozialen Versorgungsziele – Schriftliche Dokumentation der Ergbnisse des ACP-Prozesses, z. B. in Form eines *perinatalen Palliativplans*
Reevaluieren	– Regelmäßiger Abgleich der vereinbarten vorausschauenden Behandlungsplanung mit ggf. neuen Aspekten, die z. B. im Laufe der Schwangerschaft akut hinzukommen
Kommunizieren	– Transparente Kommunikation der Ergebnisse des ACP an alle Personen, die potenziell in die aktuelle und zukünftige Versorgung der schwangeren Frau und des Kindes eingebunden sind

Literatur

Balaguer A, Martín-Ancel A, Ortigoza-Escobar D, Escribano J, Argemi J (2012) The model of palliative care in the perinatal setting: a review of the literature. BMC Pediatr 12(12):25

Bennett J, Dutcher J, Snyders M (2011) Embrace: addressing anticipatory grief and bereavement in the perinatal population: a palliative care case study. J Perinat Neonatal Nurs 72–76

Boss R, Kavanaugh K, Kobler K (2011) Prenatal and neonatal palliative care. In: Wolfe J, Hinds P, Sourkes B (Hrsg) Textbook of interdisciplinary pediatric palliative care. Elsevier Saunders, Philadelphia, S 388–392

Capitulo KL (2005) Evidence for healing interventions with perinatal bereavement. MCN Am J Matern Child Nurs 30(6):389–396

Cortezzo DE, Bowers K, Cameron Meyer M (2019) Birth planning in uncertain or life-limiting fetal diagnoses: perspectives of physicians and parents. J Palliat Med 22:1337–1345

Davies R (2004) New understandings of parental grief: literature review. J Adv Nurs 46(5):506–513

Garten L, Daehmlow S, Reindl T, Wendt A, Münch A, Bührer C (2011) End-of-life opioid analgesia administration on neonatal and pediatric intensive care units: nurses' attitudes and practice. Eur J Pain 15(9):958–965

Garten L, von der Hude K (2022) Palliative care in the delivery room: challenges and recommendations. Children (Basel) 10(1):15

Garten L, von der Hude K, Rösner B et al (2013) Familienzentrierte Sterbe- und individuelle Trauerbegleitung an einem Perinatalzentrum. Z Geburtsh Neonatol 217:95–102

Garten L, von der Hude K, Strahleck T, Krones T (2020) Extending the concept of advance care planning to the perinatal period. Klin Padiatr 232(5):249–256

Goggin M (2012) Parents perceptions of withdrawal of life support treatment to newborn infants. Early Hum Dev 88(2):79–82

Heider U, Steger F (2014) Individuelle Entscheidungsfindung nach pränatal diagnostizierter schwerer fetaler Fehlbildung. Ethik Med 26:269–285

Janvier A, Meadow W, Leuthner SR et al (2011) Whom are we comforting? An analysis of comfort medications delivered to dying neonates. J Pediatr 159:206–210

Kenner C, Press J, Ryan D (2015) Recommendations for palliative and bereavement care in the NICU: a family-centered integrative approach. J Perinatol 35(Suppl 1):S19–S23. ▶ https://doi.org/10.1038/jp.2015.145

Leuthner S, Jones EL (2007) Fetal Concerns Program: a model of perinatal palliative care. MCN 32:272–278

Li J, Precht DH, Mortensen PB, Olsen J (2003) Mortality in parents after death of a child in Denmark: a nationwide follow-up study. Lancet 361(9355):363–367

Moro TT, Kavanaugh K, Savage TA, Reyes MR, Kimura RE, Bhat R (2011) Parent decision making for life support for extremely premature infants: from the prenatal through end-of-life period. J Perinat Neonatal Nurs 25(1):52–60

Pector EA (2004) Views of bereaved multiple-birth parents on life support decisions, the dying process, and discussions surrounding death. J Perinatol 24(1):4–10

Schmitten J, Nauck F, Marckmann G (2016) Behandlung im Voraus planen (Advance Care Planning): ein neues Konzept zur Realisierung wirksamer Patientenverfügungen. Zeitschrift für Palliativmedizin 17:177–195

Wellmann S, Benzing J, Cippa G et al (2010) High copeptin concentrations in umbilical cord blood after vaginal delivery and birth acidosis. J Clin Endocrinol Metab 95:5091–5096

Wellmann S, Bührer C (2012) Who plays the strings in newborn analgesia at birth, vasopressin or oxytocin? Front Neurosci 6:78

Williams C, Munson D, Zupancic J, Kirpalani H (2008) Supporting bereaved parents: practical steps in providing compassionate perinatal and neonatal end-of-life care. A North American perspective. Semin Fetal Neonatal Med 13(5):335–340

Wool C, Limbo R, Denny-Koelsch EM (2018) „I Would Do It All Over Again“: cherishing time and the absence of regret in continuing a pregnancy after a life-limiting diagnosis. J Clin Ethics 29(3):227–236

Schmerz- und Symptomkontrolle

L. Garten

Inhaltsverzeichnis

L. Garten und K. von der Hude (Hrsg.), *Palliativversorgung und Trauerbegleitung in der Neonatologie*,
https://doi.org/10.1007/978-3-662-71982-4_4

4.1 Palliativversorgung und Schmerz

Neben vielen anderen Faktoren, wie z. B. Hunger und Durst, Überstimulation durch Lärm und Licht oder die Trennung von der Mutter, sind Schmerzen die führende Ursache einer körperlichen und psychischen Stressbelastung für ein palliativ betreutes Neugeborenes. Hilflos mit ansehen zu müssen, wie das eigene Kind im Sterbeprozess aufgrund von Schmerzen oder Unruhezuständen leidet, ist für Eltern unerträglich. Erst eine optimale Symptomkontrolle ermöglicht es den Eltern, sich emotional auf den Sterbeprozess und die anschließende Verabschiedung von ihrem Kind einzulassen. Daher ist eine konsequente Behandlung von Schmerzen und Unruhezuständen eine Grundvoraussetzung für eine gelungene Begleitung des Kindes in der Sterbephase und die spätere Trauerverarbeitung der Eltern. Sie muss integraler Bestandteil jedes individuellen, palliativen Pflegekonzeptes sein.

In den letzten Jahrzehnten ist das Wissen um Physiologie (Sandkühler und Benrath 2015), Diagnostik und Therapie des neonatalen Schmerzes stetig gewachsen. Es wurden nationale und internationale Empfehlungen zur Schmerztherapie von intensivpflichtigen Neugeborenen veröffentlicht. All diese Empfehlungen basieren auf Studienergebnissen aus Untersuchungen an nicht palliativ betreuten Neugeborenen. Solange es keine spezifischen Studien zur effektiven Schmerzbeurteilung und -behandlung bei Neugeborenen in palliativen Versorgungssituationen gibt, sollte die Schmerz- und Symptomkontrolle hier nach den gleichen Grundprinzipien erfolgen, die auch für andere intensivpflichtige Neugeborene gelten.

Die Basis palliativer Schmerz- und Symptomkontrolle stellt eine Pflege dar, die sich ausschließlich nach den individuellen Bedürfnissen des Kindes richtet. Eine regelmäßige Symptombeurteilung (Schmerz/Unruhe) – im Idealfall mittels geeigneter Beurteilungsskala – sollte immer Bestandteil der Palliativpflege eines Kindes sein. Entsprechend der aktuellen Symptomatik erfolgt dann der Einsatz von nicht-pharmakologischen Maßnahmen sowie ggf. einer zusätzlichen medikamentösen Analgesie und/oder Sedierung.

Die Wirksamkeit nicht-pharmakologischer und auch pharmakologischer Maßnahmen kann zudem durch eine generelle Reduktion zusätzlicher äußerer Reize optimiert werden. Hilfreich sind hier eine adäquate Gestaltung der unmittelbaren Umgebung des Kindes sowie eine sensible Arbeitsweise auf der neonatologischen Intensivstation (► Abschn. 4.5).

Nach der Entscheidung für eine rein palliative Begleitung des Kindes kann in der Regel konsequent auf jegliche invasive Diagnostik verzichtet werden. So sollten dem Kind z. B. keine akuten prozeduralen Schmerzen durch Fortführung von Routineblutentnahmen zugefügt werden. Zusätzlich sollten Medikamente statt intravenös [Ausnahme: sicherer (zentral)venöser Zugang bereits vorhanden], subkutan oder intramuskulär bevorzugt oral, rektal, bukkal, nasal oder transdermal verabreicht werden. Häufig kann so im Rahmen einer Sterbebegleitung auf einen venösen Zugang verzichtet werden. Die Reduktion von schmerzhaften Prozeduren und invasiver Pflegemaßnahmen ist derzeit eine der effektivsten Strategien, um Schmerzen und Unbehagen bei einem intensivpflichtigen Neugeborenen zu reduzieren.

4.2 Beurteilung von Schmerz und Unbehagen

Die Erfassung und vor allem die Beurteilung von Symptomen, die Folge von Schmerz oder Unbehagen sein könnten, stellen neonatologische Behandlungsteams immer wieder vor eine besondere Herausforderung. Anders als in der Palliativversorgung von größeren Kindern, die bereits zu einer Selbsteinschätzung ihrer Schmerzen fähig sind, ist die Grundlage des Schmerzmanagements bei Neugeborenen die Fremdeinschätzung durch das betreuende Team. Die Fremdbeurteilung von Schmerzen muss mit größtmöglicher Sorgfalt erfolgen, denn sie ist die Voraussetzung für eine gezielte Steuerung der Schmerztherapie. Die Schmerzbeurteilung eines palliativ versorgten Neugeborenen sollte regelmäßig entsprechend dem klinischen Zustand des Kindes mittels standardisierter Beurteilungsskala erfolgen. In der Terminal- und Sterbephase ist meist eine 1- bis maximal 4-stündliche Beurteilung sinnvoll. Nach jeder Anpassung der Therapie sollte der Erfolg der Therapieänderung mittels erneuter Beurteilung reevaluiert und anschließend dokumentiert werden (z. B. 20 min nach jeder parenteralen Bolusgabe von Morphin).

Schmerzskalen Der Einsatz standardisierter Skalen für die Schmerzbeurteilung empfiehlt sich aus folgenden Gründen:

- Sie reduzieren den subjektiven Einfluss der Fremdbeurteilenden auf das Ergebnis.
- Sie berücksichtigen für die Schmerzbeurteilung in der Regel sowohl Vitalparamater als auch Verhaltensänderungen, d. h. sie sind multidimensional und damit steigert sich ihre Sensitivität.
- Sie helfen den Mitgliedern des Behandlungsteams durch die Quantifizierung und Benennung eines Schmerzniveaus (z. B. auf einer Skala von 0–10) zu einer gemeinsamen Sprache in der Beurteilung von Schmerzzuständen.

Seit den späten 1980er Jahren sind mehr als 40 verschiedene Beurteilungsscores für akute, prozedurale Schmerzen beim Neugeborenen validiert und publiziert worden (Giordano et al. 2019). Akute, prozedurale Schmerzen stehen in der Betreuung von palliativ betreuten Neugeborenen jedoch nicht im Vordergrund. Vielmehr sind es prolongierte akute oder chronische Schmerzzustände, die in den Fokus des Schmerzmanagements rücken. Für diese Art von Schmerzen sind aktuell drei Schmerzscores für das Neugeborenenalter validiert: Die „Echelle Douleur Inconfort Nouveau-né"-Skala (abgekürzt: EDIN-Skala; nach Debillon et al. 2001), die „Neonatal Pain, Agitation and Sedation Scale" (abgekürzt: N-PAS-Skala; nach Hummel et al. 2008, 2010) und die „COMFORTneo Scale" (nach van Dijk et al. 2009).

Die N-PAS-Skala und die COMFORTneo-Skala haben den Vorteil, dass sich mit ihnen neben einer Beurteilung von Schmerzen auch der aktuelle Sedierungsgrad eines Neugeborenen quantifizieren lässt. Wenn palliativ betreute Neugeborene insbesondere in der Terminal- und Sterbephase eine zusätzliche pharmakologische Sedierung erhalten, bzw. die Opioidtherapie einen zunehmend sedierenden Effekt hat, ist die Möglichkeit einer zusätzlichen Sedierungsbeurteilung mit einer dem Team aus der Schmerzbeurteilung vertrauten Skala von Vorteil. Im Gegensatz zur COMFORTneo-Skala gehen bei der N-PAS-Skala (◘ Tab. 4.1) zusätzlich zur Verhaltensbeobachtung auch die Vitalparameter Herzfrequenz, Blutdruck, Atemfrequenz und Sauerstoffsättigung in die Beurteilung ein.

Zwei kritische Punkte gilt es bei allen Schmerzbeurteilungsskalen für Neugeborene zu beachten. Alle neonatalen Schmerzscores zeigen paradoxerweise eine geringe Spezifität für den Parameter „Schmerz". Das bedeutet, dass bei auffälligem Score zwar die Aussage gemacht werden kann „das Kind zeigt Zeichen von Stress", jedoch können sich dahinter neben Schmerz auch Hunger, Wunsch nach körperlicher Nähe, Agitiertheit etc. verbergen. Es wäre also besser, von „Distress"- oder „Unbehagen"-Skalen statt von „Schmerz"-Skalen zu sprechen. Folgerich-

Tab. 4.1 Neonatal Pain, Agitation and Sedation Scale (N-PAS-Skala). (Adaptiert nach Hummel et al. 2008)

	Sedierung		Sedierung/Schmerz	Schmerz/Unruhe	
Beurteilungskriterien	**–2**	**–1**	**0**	**1**	**2**
Weinen Irritabilität	Kein Weinen bei schmerzhaftem Reiz	Weint oder jammert minimal bei schmerzhaftem Reiz	Adäquates Weinen Keine Irritabilität	Irritabel oder Weinen in Intervallen Durch Trösten zu beruhigen	Schrilles Schreien oder anhaltend leises Wimmern Lässt sich nicht trösten/beruhigen
Verhalten	Nicht erweckbar Keine spontane Bewegung	Erwacht leicht bei Stimulation Wenig spontane Bewegungen	Für Gestationsalter angemessenes Verhalten	Ständige motorische Unruhe Windet sich Erwacht häufig	Krümmt sich, tritt, ist dauerhaft wach oder Wird kaum wach, keine Bewegung, obwohl nicht sediert
Mimik	Mund entspannt Keine Mimik	Minimal mimische Reaktion bei Stimulation	Entspannte, angemessene Mimik	Intermittierend mimische Schmerzäußerungen	Dauerhaft Mimik, die Schmerz anzeigt
Muskeltonus der Extremitäten	Kein Greifreflex Schlaffer Muskeltonus	Schwacher Greifreflex Verminderter Muskeltonus	Entspannte Hände und Füße Normaler Muskeltonus	Intermittierend Verkrampfen von Zehen, Ballen der Faust, Abspreizen der Finger Körper nicht angespannt	Dauerndes Verkrampfen von Zehen, Ballen der Faust, Abspreizen der Finger Körper angespannt
Vitalparameter: Herzfrequenz (HF) Atemfrequenz (AF) Blutdruck (RR) Sauerstoffsättigung (SaO_2)	Keine Änderung der Vitalparameter bei Stimulation Hypoventilation oder Apnoe Bei beatmetem Kind: keine Spontanatmung	Geringfügige Abweichung (<10 %) von den Grundwerten bei Stimulation	Vitalparameter liegen innerhalb der normalen Grenzen und schwanken normal für das Gestationsalter	Deutlicher Anstieg (10–20 %) von HF, AF oder RR ausgehend von den Ausgangswerten bei Stimuli Milder SaO_2-Abfall (76–85 %) bei Stimuli Rasche Erholung	Bei Stimuli starker Anstieg (>20 %) von HF, AF oder RR ausgehend von den Ausgangswerten Tiefer SaO_2-Abfall (≤76 %) bei Stimuli Langsame Erholung Bei beatmetem Kind: atmet gegen den Respirator

tig darf es im Rahmen einer Schmerztherapie bei Neugeborenen auch keinen Automatismus geben, dass z. B. bei einem hohen „Schmerzwert" immer reflexhaft eine Bedarfsdosis Morphin verabreicht wird. Vielmehr muss jeder erhobene pathologisch erhöhte Schmerzscore eines Neugeborenen zusätzlich im klinischen Kontext durch das betreuende Team (i. d. R. gemeinsam durch Pflegende und Ärzt*in) interpretiert werden, um sich dann für die geeigneten Therapiemaßnahmen entscheiden zu können. Wenn immer möglich, sollten weitere Einschätzungen von anderen Teammitgliedern (z. B. von Physiotherapeut*innen), aber auch von den Eltern oder anderen Zugehörigen, berücksichtigt werden. Abschließend sei noch darauf hingewiesen, dass bisher keine neonatale Schmerzskala explizit für den Einsatz bei palliativ betreuten Neugeborenen validiert wurde.

> Schmerzbeurteilung bei palliativ betreuten Neugeborenen sollte multidimensional und multiprofessionell unter Einsatz einer validierten Fremdbeurteilungsskala erfolgen. Das Ergebnis jeder Fremdeinschätzung von Schmerz bzw. Unbehagen sollte obligat im klinischen Kontext bewertet werden.

Fremdeinschätzung mittels N-PAS-Skala (Tab. 4.1)

- **Schmerz/Unbehagen:** Es erfolgt für jedes der 5 Beurteilungskriterien (siehe Spalte ganz links) eine Einschätzung. Zur Einschätzung von Schmerz/Unbehagen werden ausschließlich die rechten Spalten der Tabelle benutzt (mögliche Punktwerte pro Kriterium: 0, +1 oder +2). Die Punkte werden anschließend zu einem Gesamtwert addiert. Man kann dementsprechend in der Summe einen minimalen Wert von 0 (keine Schmerzen/Unbehagen) und einen maximal Wert von +10 (stärkste/s Schmerzen/Unbehagen) erhalten. Therapeutisches Ziel für Schmerz/Unbehagen: <4.
- **Sedierung:** Es erfolgt eine Einschätzung für jedes der 5 Beurteilungskriterien. Zur Punktevergabe werden ausschließlich die linken Spalten der Tabelle benutzt (mögliche Punktwerte pro Kriterium: 0, −1 oder −2). Die Punkte werden anschließend zu einem Gesamtwert addiert. Man kann dementsprechend einen minimalen Sedierungswert von 0 (keine Sedierung) und einen maximal Wert von −10 (stärkster Sedierungsgrad) erhalten. Therapeutisches Ziel für Sedierung: Es gibt keine allgemeingültige Vorgabe. Die gewünschte Sedierungstiefe muss für jede Patientin bzw. jeden Patienten individuell und bedarfsgerecht festgelegt werden. Für ein nicht pharmakologisch sediertes Neugeborenes sind Werte zwischen 0 und −3 physiologisch.

4.2.1 Besonders vulnerable Neugeborene

▶ Fallbeispiel

Joshua kam nach 22 5/7 Schwangerschaftswochen aufgrund vorzeitiger Wehen bei einem Amnioninfektionssyndrom auf die Welt. Er ist das lang ersehnte erste Kind des Ehepaares K. und nach den ausführlichen Pränatalgesprächen hatten sich die Eltern bereits vor der Geburt für den maximalen Einsatz lebenserhaltender Intensivtherapie und ausdrücklich gegen ein primär palliatives Vorgehen entschieden. Im Laufe der ersten Lebenstage entwickelt Joshua ein fulminantes Lungenversagen, welches auf alle Therapieversuche keine Besserung zeigt. In Einverständnis mit den Eltern wird sich für eine Therapiezieländerung auf eine rein palliative Begleitung von Joshua entschieden. Eine Extubation wünschen die Eltern nicht. In den Gesprächen mit dem Team äußern sie wiederholt, dass ihr wichtigster Wunsch jetzt sei, dass ihr Sohn keine Schmerzen erleiden müsse. Bei Joshua wird regelmäßig alle 4 h das Schmerz/Unbehagen-Niveau mittels der N-PAS-Skala durch die betreuende Pflegeperson erhoben und im Verlauf eine intravenöse Dauerinfusion mit Morphin begonnen. Darunter liegen die erhobenen Werte der N-PAS-Skala im Bereich 0–3 und somit im angestrebten Zielbereich.

Die Mutter, die nahezu ununterbrochen am Inkubator ihres Kindes sitzt, spricht wiederholt Pflegende aus dem Behandlungsteam an. Sie habe das Gefühl, Joshua zeige immer wieder durch verkrampftes Fäusteln und Fingerspreizen, dass er sich trotz der laufenden Morphintherapie sehr unwohl fühle. Sie habe das Gefühl, ihr Kind leide dann an Schmerzen. Daraufhin werden der Mutter die dokumentierten Werte aus der Schmerzbeurteilung mittels N-PAS-Skala gezeigt und ihr erklärt, man habe keinen Anhalt dafür, dass die Schmerztherapie nicht ausreiche. Um sie weiter zu beruhigen, wird die Schmerzmessung nun alle 2 h durchgeführt. Die Morphindosierung wird beibehalten, da auch in den 2-stündlichen Beurteilungen mittels N-PAS-Skala keine Werte wiederholt über 3 gemessen werden. Joshua verstirbt 3 Tage später unter maschineller Beatmung auf dem Arm der Mutter im Beisein des Vaters. ◀

Ist die Fremdbeurteilung von Schmerzen in der Neonatologie schon eine besondere Herausforderung, so gibt es im Kollektiv der Neugeborenen zwei besonders vulnerable Subpopulationen entsprechend dem „Vulnerable Populations Model" von Flaskerud und Winslow (1998), bei denen die Schmerzbeurteilung noch zusätzlich erschwert ist.

ELBW-Frühgeborene Die Grenze, ab der ein extrem kleines Frühgeborenes mit einem Geburtsgewicht unter 1000 g (Extrem Low Birth Weight, ELBW) als überlebensfähig angesehen wird, ist von Land zu Land unterschiedlich. Allen Ländern ist jedoch gemein, dass sich die Grenze mit zunehmendem medizinischem Fortschritt weiter nach vorn verschoben hat. Folglich wird das Gestationsalter von extrem kleinen Frühgeborenen, die im Geburtsraum und auf neonatologischen Stationen intensivmedizinisch kurativ oder palliativ versorgt werden, tendenziell immer geringer. Dies bleibt für die klinische Erfassung von Schmerzen nicht ohne Folgen. In einer Studie von Johnston und Stevens konnte bereits (1996) gezeigt werden, dass sich bei sehr kleinen Frühgeborenen mit zunehmender Anzahl schmerzhafter Prozeduren die sichtbaren Verhaltensäußerungen – im Speziellen das Grimassieren – mit der Zeit vermindern. Dies ist besonders problematisch, da gerade (mimische) Verhaltensäußerungen bei Neugeborenen als hoch sensitive Indikatoren für Schmerzzustände angesehen werden. Bis heute wurden nur in wenigen Studien spezifische Schmerzäußerungen bei extrem unreifen ELBW-Frühgeborenen untersucht. In diesen Studien waren Beugen und Strecken der Extremitäten, Spreizen der Finger, Fäusteln und Lippenbewegungen mit schmerzhaften Prozeduren assoziiert, während Aufschrecken, Zuckungen, Zittern oder Tremor nicht mit Schmerz assoziiert waren. Die bekannten Verhaltensmuster, die Reifgeborene und größere Frühgeborene bei schmerzhaften Zuständen zeigen, können daher leider nicht einfach auf diese extrem unreifen Frühgeborenen übertragen werden. Es ist also fraglich, ob die derzeit zur Verfügung stehenden Schmerzbeurteilungsskalen überhaupt sinnvoll bei diesen extrem unreifen Frühgeborenen einzusetzen sind. Abgesehen davon ist keine der bisher publizierten Schmerzskalen für die Gruppe der extrem unreifen Kinder unter 24 SSW in Bezug auf ihre Sensitivität validiert worden.

Neurologisch schwer beeinträchtigte Neugeborene Bei neurologisch schwer beeinträchtigten Neugeborenen (z. B. nach intrakranieller Massenblutung oder schwerer hypoxischer Hirnschädigung) ist die Schmerzbeurteilung durch die Grunderkrankung erschwert, Grimassieren und physiologische Veränderungen nach Schmerzreizen können bei diesen Kindern deutlich abgeschwächt sein. Dies hat Auswirkungen auf die klinische Praxis. In einer 2003 durchgeführten Studie konnten die Autor*innen zeigen, dass Neugeborene mit dem höchsten Risiko für eine schwere neurologische Beeinträchtigung am ersten Lebenstag die höchste Anzahl von schmerzhaften Eingriffen über sich ergehen lassen mussten und dabei die geringste Menge an Opioiden erhielten (Stevens et al. 2003). In dem untersuchten Kollektiv gab es keinen nachweisbaren Zusammenhang zwischen durchgeführten schmerzhaften Eingriffen und dem Einsatz von Opioiden. In einer Befragung bei medizinischem Fachpersonal von neonatologischen Intensivstationen (Breau et al. 2006) fand sich unabhängig von Berufserfahrung oder anderen persönlichen Faktoren der Glaube, dass neurologisch beeinträchtigte Kinder eine mit zunehmender Schwere der Behinderung stetig abnehmende Schmerzempfindlichkeit zeigen.

Beiden dargestellten vulnerablen neonatalen Subpopulationen ist gemein, dass sie Gefahr laufen, in Bezug auf Schmerzen systematisch unterschätzt zu werden. Gerade bei diesen Kindern ist daher eine kontinuierliche Interpretation bzw. ein kritisches Hinterfragen des Schmerzscores im klinischen Kontext zwingend notwendig. Die zusätzliche subjektive Einschätzung durch das Behandlungsteam, basierend auf Erfahrung und Empathie, und das Befragen der Eltern bekommen hier einen besonders hohen Stellenwert.

> Kenntnisse über neurophysiologische und verhaltensbiologische Besonderheiten bei extrem unreifen Frühgeborenen sowie bei neurologisch schwer beeinträchtigten Neugeborenen sind für eine adäquate Beurteilung von Schmerzen bei diesen Kindern unverzichtbar.

► Fallbeispiel (Reevaluation)

Die Schmerztherapie von Joshua und die Begleitung seiner Eltern hätten optimiert werden können, wenn sich das Team nicht allein auf die Werte der Fremdbeurteilungsskala verlassen hätte. Ob neonatale Fremdbeurteilungsskalen bei Frühgeborenen an der Grenze der Überlebensfähigkeit überhaupt eine für die klinische Praxis ausreichende Sensitivität aufweisen, ist nicht sicher belegt. Bei diesen extrem unreifen Frühgeborenen sollten daher im Zweifelsfall den genauen und wiederholten „subjektiven" Beobachtungen ihrer Eltern genauso viel Gewicht für schmerztherapeutische Entscheidungen eingeräumt werden wie den mittels Fremdbeurteilungsskala erhobenen vermeintlich „objektiven" Zahlenwerten. Die Einbeziehung von elterlichen Beobachtungen in Therapieentscheidungen ist zudem ein wichtiges Zeichen der Wertschätzung in ihrer Rolle als „Experten für ihr Kind". Ebenfalls wäre es sinnvoll gewesen, die Mutter aktiv an der Schmerztherapie ihres Sohnes zu beteiligen. Nicht-pharmakologische, schmerzmodulierende Maßnahmen können sehr gut von Eltern übernommen werden. Ein sensibles Heranführen an eine aktive Rolle im Schmerzmanagement ihres Kindes wird in der Regel auch von Eltern extrem unreifer Frühgeborener als sehr hilfreich empfunden. Wichtig sind dabei eine einheitliche Anleitung und im Anschluss eine fortlaufend situationsgerechte Unterstützung durch das pflegerische Team. ◄

4.2.2 Pharmakologische Muskelrelaxierung und Schmerzbeurteilung

Es gibt Situationen, in denen Neugeborene auf neonatologischen Intensivstationen eine länger andauernde Muskelrelaxierung mittels repetitiver Bolusgaben oder Dauertropfinfusion erhalten. Häufig erfolgt dies, wenn es bedingt durch starke motorische Unruhe zu Problemen bei der maschinellen Beatmung trotz laufender Analgosedierung kommt. Eine Langzeitrelaxierung im Rahmen einer Palliativversorgung sollte aber aus den im Folgenden erläuterten Gründen vermieden werden. Erstens sollte eine ausgeprägte motorische Unruhe unter maschineller Beatmung immer primär an eine nicht ausreichende Schmerztherapie denken lassen. Der Beginn einer Muskelrelaxierung wäre in diesem Fall nicht nur kontraindiziert, sondern sogar unmenschlich.

Zweitens wird mit dem Beginn einer medikamentösen Muskelrelaxierung jede weitere adäquate Beurteilungsmöglichkeit von Schmerzen über Grimassieren, Motorik, Körperhaltung, etc. unmöglich. Eine ersatzweise eindimensionale Schmerzmessung, lediglich basierend auf Veränderungen von Vitalparametern, ist für die Palliativversorgung eines Neugeborenen nicht ausreichend. Der Einsatz von Muskelrelaxanzien vermag also Schmerzen zu maskieren, das Risiko für eine Unterversorgung der betroffenen Kinder mit Analgetika wird somit unakzeptabel erhöht. Es empfiehlt sich daher bei Neugeborenen, besonders in der Terminal- aber vor allem in der Sterbephase, auf eine Muskelrelaxierung zu verzichten. Das Ziel muss vielmehr sein, beatmete, agitierte und palliativ betreute Neugeborene ausschließlich mit Opioiden, ggf. in Kombination mit Benzodiazepinen oder Barbituraten, bedarfsgerecht zu analgosedieren.

Ist es im absoluten Ausnahmefall nicht möglich, eine ausreichende Symptomkontrolle zu erreichen, z. B. bei extremer Neuroirritabilität oder zerebralen Krampfanfällen, kann eine Muskelrelaxierung u. U. hilfreich sein, weil den Eltern dadurch ermöglicht wird, ihr Kind im Arm zu halten. Aber auch dann darf eine medikamentöse Muskelrelaxierung nicht als Monotherapie durchgeführt werden, sondern sollte in Kombination mit einer adäquaten Analgosedierung erfolgen. In dieser Sondersituation ist es wichtig, die Rationale und den Entschluss zum Einsatz einer medikamentösen Muskelrelaxierung sorgfältig mit den Eltern und allen professionellen Teammitgliedern zu besprechen und dies schriftlich in der Akte des Kindes zu dokumentieren.

4.3 Akute prozedurale Schmerzen

4.3.1 Nicht-pharmakologische Maßnahmen

Im Neugeborenenalter können verschiedene nicht-pharmakologische Maßnahmen zur Verminderung von Stressreaktionen bei akuten prozeduralen Schmerzen eingesetzt werden. Nicht-pharmakologische Maßnahmen lassen sich in 2 Gruppen unterteilen (Campbell-Yeo et al. 2011; Fernandes et al. 2011):

- Zur **Gruppe 1** werden alle Interventionen gezählt, bei denen dem Kind parallel zum prozeduralen Schmerzreiz angenehme sensorische Stimuli angeboten werden. Diese Maßnahmen werden im klinischen Alltag in der Regel primär von den betreuenden Pflegepersonen durchgeführt. Maßnahmen aus der Gruppe 1, bei denen in Studien ein therapeutischer Effekt nachgewiesen werden konnte, sind begrenzendes Halten („fascilitated tucking"), enges Einwickeln/Pucken („swaddling") und nicht nutritives Saugen („non-nutritive sucking").
- Zur **Gruppe 2** werden Maßnahmen gezählt, die durch die Eltern durchgeführt

werden. Maßnahmen aus der Gruppe 2, bei denen ein therapeutischer Effekt nachgewiesen wurde, sind Kängurupflege und Stillen.

Der Einsatz nicht-pharmakologischer Maßnahmen sollte in die tägliche Pflege von palliativ versorgten Neugeborenen fest eingebunden sein. Im Rahmen nicht pharmakologischer Maßnahmen besteht die wertvolle Möglichkeit, Eltern aktiv in einen zentralen und essenziellen Punkt der Pflege ihres Kindes, nämlich die Schmerztherapie, einzubeziehen. Die in der Übersicht aufgeführten Maßnahmen sind für den Einsatz bei nicht palliativ betreuten Neugeborenen evaluiert worden. Diese Maßnahmen vermögen physiologische und verhaltensbiologische Schmerzreaktionen Neugeborener bei akuten prozeduralen Schmerzen zu reduzieren (Schmerzmodulation) (Pillai Riddell et al. 2015).

Nicht-pharmakologische Maßnahmen zur Schmerzmodulation beim Neugeborenen

- **Begrenzendes Halten** („fascilitated tucking“): Das Neugeborene wird in Embryonalstellung (angewinkelte Beine in „Froschstellung“ sowie angewinkelte und am Thorax anliegende Arme) auf dem Bauch oder der Seite liegend gelagert. Vor der schmerzhaften Prozedur wird das Kind zusätzlich von einer Pflegekraft oder Mutter/Vater mit den Händen an Kopf/Rücken und Beinen begrenzend gehalten. Effektive Reduktion von Schmerzreaktionen nachgewiesen bei Frühgeborenen bis zu einem minimalen Gestationsalter von 25 SSW bei kapillärer Blutentnahme bzw. bei pharyngealem und endotrachealem Absaugen.
- **Pucken/Einwicklen** („swaddling“): Unter Pucken versteht man eine spezielle Wickeltechnik, bei der das Neugeborene eng in ein Tuch eingewickelt wird und ihm damit Grenzen für die Bewegung seiner Arme und Beine gesetzt werden. Ziel ist hier eine Reduktion von zusätzlichem Distress, der durch schmerzbedingte abrupte Bewegungen verursacht wird. Das Neugeborene wird zur oder unmittelbar nach der schmerzhaften Prozedur mit am Körper anliegenden Armen bis zum Hals in ein weiches Baumwolltuch eingewickelt. Effektive Reduktion von Schmerzreaktionen nachgewiesen bei Reifgeborenen und jungen Säuglingen nach kapillärer Blutentnahme und intramuskulärer Injektion. Bei reiferen Frühgeborenen konnte ebenfalls ein Effekt nachgewiesen werden, jedoch verringert sich dieser mit abnehmendem Gestationsalter stetig.
- **Nicht nutritives Saugen** („non-nutritive sucking“): Das Neugeborene erhält unmittelbar vor, während und nach der schmerzhaften Prozedur die Möglichkeit, an einem Beruhigungssauger oder angefeuchteten Wattestäbchen ohne Zusatz von Muttermilch oder Formula zu saugen. Effektive Reduktion von Schmerzreaktionen nachgewiesen bei Reif- und Frühgeborenen nach kapillärer Blutentnahme bzw. bei augenärztlicher Untersuchung.
- **Kängurupflege** („kangoroo care/skin-to-skin contact“): Bei der Kängurupflege wird das Neugeborene der Mutter oder dem Vater auf die nackte Haut (i. d. R. auf die Brust) gelegt und mit weichen Baumwolltüchern bedeckt, um einem Wärmeverlust entgegenzuwirken. Die schmerzhafte Prozedur wird z. B. 15–30 min nach Beginn der Kängurupflege auf der Brust der Mutter oder des Vaters durchgeführt. Effektive Reduktion

von Schmerzreaktionen nachgewiesen bei Reif- und Frühgeborenen nach kapillärer Blutentnahme.
- **Stillen/Muttermilch**: Das Neugeborene wird entweder im Rahmen der schmerzhaften Prozedur gestillt oder ihm wird Muttermilch per Spritze oder Flasche oral verabreicht. Effektive Reduktion von Schmerzreaktionen nachgewiesen für das Stillen von Reifgeborenen (vergleichbar mit dem Effekt oraler Zuckerstoffe) im Rahmen einer kapillären oder venösen Blutentnahme. Minimaler Effekt bei oraler Gabe von Muttermilch ohne gleichzeitiges Stillen (signifikant weniger schmerzlindernd als Stillen oder orale Gabe von Zuckerstoffen). Aktuell unzureichende Daten für Frühgeborene.

Ausreichende Studiendaten zur Effektivität von akustischen Reizen (Vorsingen durch die Eltern, Behandlung durch Musiktherapeut*in, Vorspielen von Musik von Tonträgern etc.) bei neonatalen Schmerzen liegen derzeit nicht vor. Bezüglich näherer Informationen zum allgemeinen Einsatz von Musiktherapie im Rahmen neonataler Palliativbegleitung siehe ▶ Abschn. 5.5.11. Zum alleinigen Einsatz olfaktorischer Reize (Aromatherapie) zur Schmerzmodulation gibt es aktuell keine ausreichenden Daten.

Eine Kombination mehrerer nicht-pharmakologischer Maßnahmen ist bezüglich des schmerzmodulierenden Effektes dem isolierten Einsatz von nicht-pharmakologischen Maßnahmen überlegen. Ein Beispiel hierfür ist die multisensorische Stimulation. Hier wird das Neugeborene parallel taktil (vorsichtige „Massage" von Rücken und Gesicht), auditiv (beruhigendes Sprechen mit dem Kind), olfaktorisch (Einsatz eines wohlriechenden Öles bei der „Massage") und orogustatorisch (nicht nutritives Saugen an einem mit Saccharose getränkten Wattestäbchen) stimuliert. In einer Studie (Bellieni et al. 2001) war diese multisensorische Stimulation im Rahmen einer kapillären Blutentnahme allen isoliert angewendeten Einzelmaßnahmen in Bezug auf eine Reduktion der kindlichen Schmerzäußerungen signifikant überlegen.

4.3.2 Orale Zuckerstoffe

Seit langer Zeit weiß man um die beruhigende Wirkung von oral verabreichtem Zucker auf Säuglinge, und dementsprechend war der Einsatz von Zuckerstoffen früher fester Bestandteil in der traditionellen Säuglingspflege. In der Regel wurde hierfür handelsüblicher „Zucker", also Saccharose, verwandt. Saccharose ist ein Disaccharid und besteht aus jeweils einem Molekül Glukose und Fruktose. Im Rahmen wissenschaftlicher Untersuchungen zum Einsatz von Zuckerstoffen bei Neugeborenen und Säuglingen, die prozeduralen Schmerzen ausgesetzt waren, wurden bislang fast ausschließlich Saccharose oder Glukose verwandt, diese beiden Zucker haben sich dementsprechend auch in der Pflege von Neugeborenen durchgesetzt. Fruktose oder andere künstliche Zuckerstoffe vermögen die Schmerzreaktionen von Neugeborenen auf prozedurale Schmerzen zwar auch zu reduzieren, diese Substanzen spielen trotzdem in der klinischen Praxis aktuell keine wesentliche Rolle.

> Oral applizierte Saccharose/Glukose reduziert nachweislich die beobachtbaren Schmerzreaktionen (Schreidauer, Grimassieren etc.) bei Früh- und Reifgeborenen nach schmerzhaften Prozeduren, wie z. B. venösen oder arteriellen Blutentnahmen.

Für den Einsatz bei extrem kleinen Frühgeborenen (unter 1000 g Geburtsgewicht) liegen noch sehr wenige Daten vor. Die Anwendung von oralen Zuckerstoffen in der Neonatologie ist sicher und effektiv, bisher deuten alle Daten daraufhin, dass dies auch bei wiederholter Anwendung der Fall ist. Es gibt bisher keinen Hinweis auf eine Toleranzentwicklung bei wiederholter Gabe von Saccharose. Durch Kombination von Saccharose mit anderen nicht-pharmakologischen Maßnahmen kann der schmerzmodulierende Effekt noch erhöht werden. Die wissenschaftliche Untersuchungen zum Einsatz von Saccharose bei Neugeborenen wurden zuletzt 2016 in einem systematischen Cochrane-Review zusammengefasst und bewertet (Stevens et al. 2016). Die empfohlene Dosierung in diesem Cochrane-Review wird mit 0,012–0,12 g Saccharose (entspricht z. B. 0,05–0,5 ml einer 24 %igen Saccharoselösung) angegeben. Dosierungen über 0,5 g (entspricht z. B. 2 ml einer 25 %igen Saccharoselösung) bewirken keine weitere Steigerung des therapeutischen Effektes. Die orale Gabe von Saccharose sollte ca. 1–2 min vor dem prozeduralen, schmerzhaften Eingriff erfolgen.

Der schmerzmodulierende Effekt nach oraler Gabe von Saccharose/Glukose ist in fast allen Studien dem isolierten Einsatz nicht-pharmakologischer Maßnahmen überlegen. Durch zusätzliche Gabe von Saccharose/Glukose kann der Effekt nicht-pharmakologischer Maßnahmen deutlich gesteigert werden. Es empfiehlt sich daher – wenn immer möglich – die Kombination nicht-pharmakologischer Maßnahmen mit oralen Zuckerstoffen (Cignacco et al. 2012; Curtis et al. 2007).

> Nicht-pharmakologische Maßnahmen zur Schmerzmodulation können gut in Kombination eingesetzt werden. Es empfiehlt sich der parallele Einsatz nicht-pharmakologischer Maßnahmen mit oraler Saccharose/Glukose zur Maximierung des schmerzmodulierenden Effektes.

4.4 Pharmakologische Analgesie

Pharmakologische Analgesie in der Palliativversorgung erfolgt nach den gleichen Grundregeln, die auch bei anderen Neugeborenen gelten. Für eine effektive und sichere systemische Behandlung starker bis stärkster Schmerzzustände stehen für Neugeborene derzeit außer Opioiden keine anderen Medikamente mit nachgewiesener Effektivität und Sicherheit zur Verfügung. Keine ausreichende wissenschaftliche Evidenz gibt es derzeit für den Einsatz von Ketamin, nichtsteroidalen Antirheumatika (z. B. Ibuprofen), Paracetamol, Metamizol oder transdermal applizierten Lokalanästhetika. Insbesondere gibt es weder zur analgetischen Effektivität noch zur Sicherheit bei Neugeborenen publizierte Daten unter prolongierter Gabe dieser letztgenannten Medikamente.

4.4.1 Opioide

Opioide binden gruppenspezifisch unterschiedlich stark an die verschiedenen Opioidrezeptoren, wobei sie aktivierend (agonistisch) oder hemmend (antagonistisch) wirken können. So entsteht ein komplexes Wirkmuster („multiple receptor theory"). Opioidrezeptoren befinden sich sowohl im zentralen als auch im peripheren Nervengewebe.

In der Neonatalzeit findet sich eine extreme intra- und interindividuelle Variabilität bezüglich der Metabolisierung und damit des Wirkungsprofils von Opioiden. Dies ist einerseits begründet in physiologischen Reifungsprozessen (z. B. Veränderungen von Fett- und Muskelmasseverhältnis, Proteinkonzentrationen und -bindungskapazitäten, renale und hepatische Clearance etc.), zudem können aber auch klinische Faktoren einen Einfluss haben. So können z. B. Dehydratation, arterielle Hypotension, schwere Infektionen (z. B. nekrotisierende Enterokolitis), mechanische Ventilation, therapeutische Hypothermie, ECMO-Therapie oder die gleichzeitige Gabe anderer Medikamente (z. B. Phenobarbital) das Verteilungsvolumen oder die Clearance von Opioiden signifikant beeinflussen.

Aufgrund der hohen Variabilität im Opioidmetabolismus kann es unabhängig von der angewandten Applikationsart für Opioide keine allgemeinen oder gewichtsbezogenen Standard- und/oder Maximaldosierungen geben. Die Dosis von Opioiden wird immer am Effekt austitriert, dass bedeutet, sie wird gesteigert, solange eine Zunahme des analgetischen Effektes beobachtet werden kann. Kommt es im Therapieverlauf zu Toleranzentwicklung, muss die erforderliche Dosis erneut individuell angepasst werden.

> Für eine Analgesie mittels Opioiden gilt das „WYNIWYG-Prinzip" („What You Need Is What You Get"), d. h. es gibt keine allgemeine oder gewichtsbezogene Maximaldosierung, die Dosierung wird stets individuell am analgetischen Effekt austitriert.

Opioide bewirken bei sehr unreifen Frühgeborenen bei „kleinen" prozedurale Schmerzen wie z. B. bei kapillärer Blutentnahme (Carbajal et al. 2005) oder endotrachealem Absaugen (Cignacco et al. 2008) keine ausreichende Analgesie. Eine Erklärung hierfür gibt es derzeit nicht. In diesen Situationen ist es daher sinnvoll, eine laufende Opioiddauerinfusion durch nicht-pharmakologische Maßnahmen in Kombination mit oralen Zuckerstoffen zu ergänzen.

> Auch unter laufender Opioidtherapie sollen im Rahmen „kleinerer" prozeduraler Schmerzen (z. B. kapilläre Blutentnahme endotracheales Absaugen etc.), insbesondere bei sehr kleinen Frühgeborenen, stets zusätzlich nicht-pharmakologische Maßnahmen in Kombination mit oralen Zuckerstoffen angewandt werden, da Opioide in diesen Situationen keine ausreichende Analgesie bewirken.

In der Gruppe der Opioide liegen für Morphin und Fentanyl die meisten Daten und Erfahrungen für das Neugeborenenalter vor, daher werden diese beiden Opioide bevorzugt in der Neonatologie eingesetzt werden (S. 3-Leitlinie Analgesie, Sedierung und Delirmanagement in der Intensivmedizin 2021). Im Folgenden sind die wichtigsten Aspekte beider Substanzen zusammengestellt.

4.4.1.1 Morphin

Morphin, eines der am häufigsten in der Pädiatrie verwandten Opioide und das am besten für Neugeborene untersuchte Analgetikum, ist ein reiner Agonist und wirkt fast ausschließlich über μ-Rezeptoren. Die Bioverfügbarkeit von oral gegebenem Morphin schwankt zwischen 15 und 50 % aufgrund der Variabilität in Bezug auf Resorptionsquote und First-Pass-Effekt in der Leber. Die Morphinclearence ist in den ersten 3 Monaten nach der Geburt verzögert. Die Halbwertzeit von Morphin liegt zwischen 10 und 20 h beim Frühgeborenen und verlängert sich mit abnehmendem Gestationsalter. Die Elimination unter therapeutischer Hypothermie ist zusätzlich relevant verzögert, hier kann es ab einer Dosis von mehr als 10 μg/kg/h häufig zur Entwicklung von unerwünschten Nebenwirkungen kommen (Róka et al. 2008). Die analgetische Wirkung nach intravenöser Bolusgabe beginnt nach ca. 5–10 min und erreicht ihr Maximum nach 15–30 min. Die Wirkdauer nach intravenöser Einmalgabe liegt zwischen 3 und 8 h. Häufige Nebenwirkungen sind Obstipation, Harnretention und Atemdepression, bei höheren Dosierungen oder nach rascher Bolusgabe kann es zu arterieller Hypotonie, Bradykardie oder auch sehr selten zu zerebralen Krampfanfällen kommen. Neugeborene benötigen höhere Plasmawirkspiegel für eine adäquate Analgesie als größere Kinder oder Erwachsene, wahrscheinlich aufgrund von Unterschieden an den Opioidrezeptoren und einer geringeren Umwandlungsrate in den aktiven, glukoronidierten Metaboliten Morphin-6-Glukoronid. Erfahrungsgemäß sollte Morphin als Analgetikum der ersten Wahl in der Terminal- und Sterbephase eines Neugeborenen eingesetzt werden. Im Vergleich zu Fentanyl ist insbesondere die zusätzlich zur Analgesie gute sedierende Wirkung von Vorteil.

4.4.1.2 Fentanyl

Fentanyl ist ein synthetisches Opioid, dessen analgetische Potenz bei parenteraler Gabe 50- bis 100-fach höher ist als die von Morphin. Fentanyl ist sehr gut fettlöslich, dies ermöglicht u. a. einen raschen Übertritt über die Blut-Hirn-Schranke, aber auch eine gute Resorption über Schleimhaut und Haut. Die analgetische Wirkung von Fentanyl nach intravenöser Bolusgabe beginnt nach ca. 2 min und erreicht ihr Maximum bereits nach 5 min. Die Wirkdauer nach einer Einmalgabe liegt unter 2 h, teils nur bei 30–60 min. Dies liegt an der raschen Aufnahme in Fett- und Muskelgewebe. Eine rasche Bolusgabe bei Neugeborenen kann sehr selten zu einer Muskelrigidität und krampfanfallsähnlicher Aktivität führen. Die Halbwertszeit beim Neugeborenen ist wie auch bei Morphin sehr variabel und liegt zwischen 6 und 30 h, Werte von Erwachsenen (2–7 h) werden nach ca. 2–3 Monaten erreicht.

Neben der klassischen Halbwertszeit nach einer Einmalgabe spielt die „kontextsensitive Halbwertszeit“ beim Einsatz von Fentanyl als Dauerinfusion eine wichtige Rolle. Unter der kontextsensitiven Halbwertszeit versteht man die Zeitspanne vom Beenden einer Infusion bis zum Erreichen einer 50 % Plasmakonzentration der Substanz. Im Vergleich zu anderen Opioiden zeichnet sich Fentanyl durch eine sehr lange kontextsensitive Halbwertzeit aus. Das bedeutet, dass sich unter kontinuierlicher Zufuhr die Halbwertzeit von Fentanyl mit zunehmender Applikationsdauer verlängert. Als Ursache wird die Akkumulation von Fentanyl insbesondere im Fettgewebe angesehen. In der ersten Phase müssen die Fettdepots aufgefüllt werden, der Plasmaspiegel fällt nach Beenden der Zufuhr dementsprechend rasch ab (kurze Halbwertszeit). Sind die Fettdepots gefüllt, fallen die Plasmaspiegel deutlich langsamer ab, das Fentanyl verbleibt länger im Serum (längere Halbwertszeit).

Klinisch relevante Unterschiede im Wirkprofil zwischen Fentanyl und Morphin sind in ◘ Tab. 4.2 zusammengefasst. Im Rahmen einer ausgeprägten Toleranzentwicklung können Entzugssymptome auftreten. In diesem Fall ist eine Beendigung der Fentanlydauertherapie notwendig, gefolgt von einem Opioidwechsel (z. B. auf Morphin) oder im Einzelfall alternativ einem Wechsel auf eine Ketaminanalgesie.

4.4.1.3 Applikationswege von Opioiden

Oral Erklärtes Ziel in der Palliativmedizin ist es, Analgetika auf dem einfachsten, sichersten, effektivsten und am wenigsten unangenehmen Weg zu verabreichen. Dies gilt natürlich auch für die Palliativversorgung von Neugeborenen. Eine orale Medikamentengabe hat den großen praktischen Vorteil, dass hierzu kein intravenöser Zugang benötigt wird. Wenn immer möglich, sollte daher auch in der neonatologischen Palliativmedizin mit oraler Morphinlösung gearbeitet werden. Liegt bei einem palliativ versorgten Neugeborenen aus anderen Gründen bereits ein (zentral)venöser Zugang, so kann dieser natürlich auch für die Analgetikagabe genutzt werden.

Rektal Die rektale Gabe von Opioiden wird aufgrund der hohen Variabilität der

Tab 4.2 Fentanyl in der Neonatologie: klinisch relevante Unterschiede im Vergleich zu Morphin

Circa 4- bis 8-mal schnellerer Beginn der analgetischen Wirkung und Erreichen der Maximalwirkung	Günstig bei kurzfristig indizierten schmerzhaften Prozeduren (z. B. Anlage einer Thoraxdrainage bei Pneumothorax, nicht elektive Intubation etc.)
Weniger blutdrucksenkend	Im Gegensatz zu Morphin stimuliert Fentanyl nicht die endogene Histaminfreisetzung und wirkt damit weniger blutdrucksenkend. Günstig bei instabilen Herz-Kreislauf-Verhältnissen
Weniger sedierend	Eine Komedikation mit einem zusätzlichen Sedativum (z. B. Midazolam) ist trotzdem nicht immer zwingend notwendig. Ob Fentanyl als Monotherapie ausreicht, sollte im klinischen Verlauf individuell entschieden werden
Weniger hemmender Einfluss auf gastrointestinale Motilität	Günstig im Rahmen einer postoperativen Analgesie nach abdominellen Eingriffen
Höheres Risiko für Thoraxrigidität und Laryngospasmus nach Bolusgabe	Dies tritt besonders nach raschen parenteralen Bolusgaben „aus der Hand“ (insbesondere bei Einzelgaben von >3 µg/kg/ED, Inzidenz <10 %) auf und ist durch Naloxon (wiederholte Einzelgaben von 0,01 mg/kg bis zum gewünschten klinischen Effekt) oder Pancuronium (0,015 mg/kg) antagonisierbar. Vorbeugend empfiehlt sich, parenterale Bolusgaben stets als Kurzinfusionen über mindestens 5–10 min zu verabreichen
Schnellere Toleranzentwicklung	Unter Fentanyldauerinfusion von mehr als 3 Tagen muss beim Neugeborenen bereits mit einer Toleranzentwicklung (Wirkungsverlust) gerechnet werden (ungefähr ab einer kumulativen Dosis von 1,6–2,5 mg/kg). Es sind dann höhere Plasmaspiegel für eine gleichbleibende Analgesie notwendig, die nur durch eine Dosissteigerung erreicht werden kann. Ähnliche Effekte sieht man unter Morphin meist erst nach Wochen
Höhere kontextsensitive Halbwertzeit	Mit zunehmender Applikationsdauer verlängert sich die Eliminationszeit von Fentanyl. Nach Beendigung einer kontinuierlichen Zufuhr kann es zudem durch Rückverteilung von peripheren (Fettgewebe) in zentrale Kompartimente (ZNS) zu Rebound-Effekten mit der Gefahr der Atemdepression kommen

Resorptionsquote von z. B. Morphin über die Rektalschleimhaut in der pädiatrischen Palliativmedizin eher kritisch bewertet. Sie kann aber durchaus im Rahmen einer ambulanten Palliativversorgung von Neugeborenen ohne intravenösen Zugang eine mögliche Therapieoption sein.

Subkutan Eine subkutane Gabe von Opioiden ist sowohl als Bolus als auch als Dauertropfinfusion möglich und stellt eine Alternative zur parenteralen Gaben bei Neugeborenen ohne intravenösen Zugang dar. Die Infusionslösungen müssen in der Regel höher konzentriert aufgezogen werden, sodass das Medikament mit einer niedrigen Infusionsgeschwindigkeit (maximal 1–2 ml/kg/h bei Reifgeborenen) appliziert werden kann. Als Infusionszugang kann eine handelsübliche Venenverweilkanüle (24 oder besser 26 G) oder alternativ eine spezielle Subkutanverweilkanüle verwendet werden. Es empfiehlt sich, die Einstichstelle mit durchsichtigem Verbandsmaterial abzudecken, so kann diese problemlos mindestens alle 2–4 h kontrolliert werden. Der subkutane Zugang sollte in der Regel alle 48–72 h gewechselt werden. Alternativ können auch zwei s.c.-Zugänge parallel gelegt werden, die alle 24 h im Wechsel benutzt werden. Eine Neuanlage dieser beiden Parallelzugänge sollte dann nach 6 Tagen erfolgen.

Parenteral Die intravenöse Gabe von Opioiden hat den Vorteil eines schnellen Einsetzens des analgetischen Effektes, einer einfachen Dosistitration zu Beginn einer Dauertherapie und einer hohen und gleichmäßigen Bioverfügbarkeit des Medikamentes (kein First-pass-Effekt in der Leber, keine Resorptionsschwankungen). Von großem praktischem Nachteil ist die Notwendigkeit eines intravenösen Zugangs, dies kann unter Umständen zum limitierenden Faktor werden. Es ist medizinisch nicht zu rechtfertigen, ein palliativ betreutes Neugeborenes z. B. ein- bis zweimal am Tag dem Stress einer Neuanlage einer peripheren Venenverweilkanüle zu unterziehen. In diesem Fall sollte dringend nach einer Alternative gesucht werden, die dem Kind, seiner Familie und der klinischen Gesamtsituation gerecht wird.

Wenn parenteral therapiert wird, ist es sinnvoll, folgende Punkte zu beachten:

- Prolongierte Schmerzzustände sollten mittels kontinuierlicher intravenöser Opioidinfusion therapiert werden. Dies gewährleistet stabilere Plasmaspiegel und vermeidet eine Unter- oder Übertherapie aufgrund von Plasmaspitzen- und -talspiegeln.
- Parenterale Bolusgaben von Opioiden beim Neugeborenen sollten primär zu Beginn einer Dauertherapie zum initialen Loading und zur Therapie von akuten Schmerzzuständen eingesetzt werden.
- Bei Morphin und insbesondere bei allen schnell wirkenden synthetischen Opioiden sollte eine parenterale Bolusgabe nicht rasch „aus der Hand" gespritzt werden. Dies kann schwere arterielle Blutdruckabfälle (insbesondere bei Frühgeborenen), hochgradige Thoraxrigidität oder einen Laryngospasmus auslösen. Es empfiehlt sich daher, Opioidbolusgaben immer als Kurzinfusion über ca. 5 min zu verabreichen, dies gilt auch unter bereits laufender Dauerinfusion.

Intranasal In der Palliativversorgung von Neugeborenen können Opioide neben den klassischen Applikationswegen auch alternativ nasal verabreicht werden (*off-label use*). Die intranasale Gabe von Medikamenten ist seit vielen Jahren eine häufig angewandte Applikationsmethode in der Erwachsenenmedizin und in der Pädiatrie. Die Nasenschleimhaut ist sehr gut durchblutet und ermöglicht somit eine schnelle Absorption von Substanzen in die Blutbahn, dies gilt insbesondere für fettlösliche Medikamente. Vor allem im vorderen Bereich der Nasenhöhle kommt es zur raschen Resorption und Übertritt des Medikamentes in die systemische Zirkulation via Vena cava superior. Aufgrund der Umgehung der Leber tritt, anders als bei oraler Gabe, kein First-pass-Effekt auf. Zusätzlich kann es im Abschnitt der Regio olfactoria zum direkten Übergang von Medikamenten in die zerebrospinale Flüssigkeit und somit ins Gehirn kommen.

Die meisten Studiendaten für intranasal applizierte Analgetika liegen derzeit für Fentanyl vor. In einem Review (Serra et al. 2023) zur intranasalen Gabe von Fentanyl in der Akutmedizin wurden u. a. 18 pädiatrische Studien analysiert. Die Autor*innen kommen zu dem Ergebnis, dass die nasale Gabe von Fentanyl im Kindesalter eine effektive, sichere und auch von Eltern gut tolerierte Therapiemethode darstellt.

Eine signifikante Schmerzreduktion erfolgt in der Regel bereits 10 min nach intranasaler Applikation. Eine initiale Auftitration durch wiederholte Bolusgaben bei Therapiebeginn ist vergleichbar gut durchführbar wie bei der intravenösen Applikation. Das Intervall zwischen den einzelnen Bolusgaben in der Auftitrationsphase sollte mindestens 10 min betragen. In keiner Studie wurden nach intranasaler Gabe von Fentanyl schwere Nebenwirkungen nachgewiesen.

Aktuell gibt es lediglich eine Publikation zum Einsatz von intranasalem Fentanyl zur Analgosedierung im Rahmen einer Palliativversorgung bei Neugeborenen und Säuglingen bis zum 6. Lebensmonat (Harlos et al. 2013). In dieser Publikation zeigte sich der Einsatz von intranasalem Fentanyl als sicher und effektiv. Erfahrungsgemäß sollten Einzeldosierungen von 1–3 µg/kg eingesetzt werden, diese führen zu einer adäquaten Verbesserung der Analgosedierung innerhalb von 5–10 min. Die Resorptionsrate bei intranasaler Gabe ist abhängig von dem Verhältnis Medikamentenvolumen zu nasaler Schleimhautoberfläche, die optimale Menge pro Nasenloch liegt bei 0,2–0,3 ml. Bei höheren Medikamentenvolumina kann die Gesamtmenge in zwei Dosen aufgeteilt und dann je eine 50 %-Dosis in jedes Nasenloch gegeben werden. Für die nasale Gabe kann die handelsübliche Fentanyl-Injektionslösung (0,1 mg/2 ml) benutzt werden. Die Applikation mittels Nasenzerstäuber (*intranasal mucosal atomization device*) ist bei Neugeborenen nicht praktikabel, da die Medikamentenvolumina in der Regel zu gering sind.

Für die intranasale Gabe von Fentanyl hat sich in der Praxis folgende Applikation bewährt: 2 ml Fentanyl-Injektionslösung (0,1 mg/2 ml) + 8 ml NaCl 0,9 %. Von dieser verdünnten Lösung (enthält 10 µg/ml) werden 0,1–0,3 ml/kg intranasal appliziert (das entspricht einer Fentanylgabe von 1–3 µg/kg) (Garten und Bührer 2019).

Zu intranasal appliziertem Sufentanyl wurden bislang nur wenige pädiatrische Serien mit geringer Fallzahl publiziert, für andere Opioide liegen bisher keine Daten zur intranasalen Gabe im Kindesalter vor.

Bukkal/sublingual Für den Einsatz von Fentanyl bukkal/sublingual (als Bukkal-Tablette, Sublingualspray oder Lutscher) liegen einige Daten aus der Erwachsenenmedizin und der Pädiatrie vor. Für die Neonatologie gibt es keine Evidenz. Alternativ zur intranasalen Gabe setzten wir im Einzelfall die handelsübliche Fentanyl-Injektionslösung (0,1 mg/2 ml) im Rahmen einer Palliativversorgung auch bukkal ein (*off-label use*). Eine denkbare Situation wäre z. B. bei einem Neugeborenen ohne i.v.-Zugang, bei dem eine intranasale Fentanylgabe nicht erwünscht bzw. möglich ist (z. B. bei schwerer Gesichtsfehlbildung).

Transdermal Die transdermale Applikation von Fentanyl oder Buprenorphin ist bei erwachsenen Patient*innen mit chronischen und stabilen Schmerzzuständen eine anerkannte Therapieform. Auch in der Pädiatrie wird diese Applikationsform bei größeren, palliativ betreuten Kindern in zunehmendem Maße eingesetzt (Mitchell und Smith 2010). In der Literatur ist die transdermale Gabe von Fentanyl oder Buprenorphin bei einem Neugeborenen bisher nicht beschrieben. Unserer Erfahrung nach ist der Einsatz eines Opioidpflasters im ausgesuchten Einzelfall auch bei palliativ betreuten Neugeborenen in der Terminalphase möglich. Insbesondere wenn ein Neugeborenes keine oralen Medikamente zu sich nehmen kann, keinen intravenösen Zugang hat oder ambulant betreut wird, stellt das Pflaster eine mögliche nicht invasive Therapieoption dar.

Einige wichtige Aspekte sind unbedingt zu beachten:

- Der Einsatz sollte nur bei stabilen Schmerzzuständen in der Terminalphase erfolgen.
- Mögliche Schmerzspitzen (z. B. bei Lagerung, endotrachealem Absaugen etc.) werden durch das Opioidpflaster nicht abgedeckt, hier ist in der Regel eine Zusatzmedikation notwendig (möglich wäre z. B. Fentanyl oder Sufentanyl intranasal).

- Bei Neugeborenen arbeiten wir mit der kleinsten Fentanylpflastergröße (25 μg/h). Bei einem 3 kg schweren Neugeborenen wird dann z. B. ein Viertel des Fentanylpflasters (Anmerkung: Fentanylpflaster können zerschnitten werden) auf die Haut des Kindes aufgeklebt, das entspricht dann einer Fentanylabgabe von ca. 6 μg/h (oder in diesem Fall 2 μg/kg/h).
- Fentanyl flutet transdermal langsam an, eine adäquate Analgesie wird ungefähr nach 12–24 h erreicht, ein Steady State 24–72 h nach Applikation.
- Die Wirkung nach Entfernung des Pflasters klingt langsam ab (ungefähr 12–18 h nach Entfernung), das benutzte Hautareal sollte anschließend für 7 Tage frei bleiben.

4.4.1.4 Therapie opioidinduzierter Nebenwirkungen

Klinisch bedeutsame, unerwünschte Nebenwirkungen von Opioiden bei palliativ versorgten Neugeborenen sind u. a. die über periphere μ-Rezeptoren vermittelte Hemmung der Darmmotilität und ein Harnverhalt. Andere Nebenwirkungen wie z. B. Atemdepression, Thoraxrigidität, Laryngospasmus, arterielle Hypotension und Bradykardie spielen – anders als sonst auf der neonatologischen Intensivstation – im palliativmedizinischen Kontext eine eher untergeordnete Rolle. Symptomatische Therapieansätze zur Prävention oder Behandlung von opioidinduzierten Nebenwirkungen unter Langzeittherapie zeigen in der Praxis einen sehr wechselhaften Erfolg. Für eine gezielte Antagonisierung von opioidinduzierten Nebenwirkungen werden in der Erwachsenenmedizin vor allem die Opioidrezeptorantagonisten Naloxon und Methylnaltrexon eingesetzt. Insgesamt liegen für das Neugeborenenalter zur Prophylaxe und Therapie unerwünschter Nebenwirkungen unter einer Opioidtherapie keine ausreichenden Studiendaten vor.

Naloxon Naloxon wirkt als kompetetiver, reiner Antagonist an allen Opioidrezeptoren. Naloxon kann somit an peripheren Opioidrezeptoren unerwünschte opioidinduzierte Nebenwirkungen antagonisieren. Da es aber auch über die Blut-Hirn-Schranke tritt, antagonisiert es ebenso die opioidinduzierte zentrale Analgesie. In den letzten 25 Jahren hat es immer wieder Versuche gegeben, opioidinduzierte Nebenwirkungen über die systemische Komedikation von niedrig dosiertem Naloxon (p.o. oder i.v.) zu vermindern bzw. zu verhindern. In der Gesamtheit der publizierten Daten zeigt sich jedoch ein sehr inhomogenes Bild bezüglich des therapeutischen Effektes. Bei höheren Dosierungen (>1 μg/kg/h) muss zudem mit einer Antagonisierung des zentralnervösen, analgetischen Opioideffekts gerechnet werden. Dieser unerwünschte Effekt ist sogar in einer Studie für den Einsatz von oral verabreichtem Naloxon in Niedrigdosierung beschrieben (Liu und Wittbrodt 2002).

Für die Antagonisierung einer akut auftretenden opioidinduzierten Apnoe eignet sich Naloxon hingegen sehr gut (Einzeldosis: 0,05–0,1 mg/kg, ggf. wiederholen). Nach erfolgreicher initialer Antagonisierung mittels Naloxonbolus kann zur Prävention eines Rebounds der Atemdepression folgendes Prozedere zur Anwendung kommen: Die initial effektive Gesamtbolusdosis Naloxon wird erneut aufgezogen (z. B. ad 5 ml NaCl 0,9 %) und dann über 5 h mittels Perfusorspritze appliziert.

N-Methylnaltrexon Die gezielte medikamentöse Blockade ausschließlich der peripheren Opioidrezeptoren mittels Substanzen aus der Klasse der PAMORA (Peripherally Acting, μ-Opioid-Rezeptor-Antagonist) stellt ein vielversprechendes Therapiekonzept dar. N-Methylnaltrexon ist ein selektiv peripher wirksamer Opioidrezeptorantagonist, der aufgrund seiner Polarität und schlechten Fettlöslichkeit die Blut-Hirn-Schranke nicht in klinisch relevantem Maße übertreten kann. Damit kann N-Methylnaltrexon nicht die opioidinduzierte zentrale Analgesie antagonisieren, aber spezifisch in der Peripherie Opioidrezeptoren blocken. Effektivität und Sicherheit in der Anwendung von N-Methylnaltrexon zur Therapie opioidinduzierter Obstipation bei Erwachsenen sind gut belegt. N-Methylnaltrexon ist in der subkutanen Applikationsform für die Behandlung einer opioidinduzierten Obstipation ausschließlich bei erwachsenen Patient*innen mit fortgeschrittener Erkrankung unter palliativer Pflege zugelassen. Schwerwiegende Nebenwirkungen sind bislang nicht beschrieben. Zeichen einer Antagonisierung der zentralen, analgetischen Opioidwirkung oder sogar Entzugssymptome wurden bisher nicht beobachtet.

In den letzten 15 Jahren wurden mehrere Studien zum Einsatz von N-Methylnaltrexon (s.c. und i.v.) bei pädiatrischen Intensivpatient*innen publiziert. Effektivität und Sicherheit bei der Anwendung im Kindesalter waren vergleichbar zum Einsatz bei Erwachsenen. Es gibt aktuell jedoch nur zwei Fallberichte über den Einsatz von N-Methylnaltrexon bei Neugeborenen (Garten et al. 2011b; Garten und Bührer 2012). N-Methylnaltrexon (s.c oder i.v.) sollte daher bei Neugeborenen bis auf Weiteres nur als individueller Heilversuch eingesetzt werden (*off-label use*).

Für den Einsatz oral verabreichter Medikamente aus der PAMORA-Klasse (z. B. Naloxegol) bei Kindern wurden erste Fallserien publiziert, für das Neugeborenenalter liegen hier noch keine Erfahrungsberichte vor.

Fazit: Wir behandeln eine opioidinduzierte Obstipation derzeit prophylaktisch mit Polyethylenglykol p.o. (Macrogel 3353 = Movicol: 0,8 g/kg/d, bei Frühgeborenen verteilt auf alle Tagesmahlzeiten, bei Reifgeborenen verteilt auf 2–4 Einzelgaben/Tag) bzw. zusätzlich akut therapeutisch mit Glycerol rektal (Babylax: 0,25 mg für Frühgeborene, 0,5 mg für Reifgeborene). Im ausgesuchten Einzelfall setzen wir bei Neugeborenen mit opioidinduziertem Harnverhalt oder Obstipation/Subileus eine subkutane oder intravenöse Einzelgabe von 0,15 mg/kg N-Methylnaltrexon ein. Bei Therapieerfolg und weiter bestehender Symptomatik wiederholen wir die Gabe nach frühstens 12–24 h. Unserer Erfahrung nach kann vergleichbar zu Studienergebnissen aus der Erwachsenenmedizin mit einem Ansprechen bei ungefähr der Hälfte der Patient*innen gerechnet werden. Die Wirkung tritt meist innerhalb von 30–60 min auf.

4.4.2 Nichtopioidanalgetika

4.4.2.1 Nichtsaure antipyretische Analgetika

▪ Paracetamol

Paracetamol wirkt über zentrale Cyclooxygenase-Hemmung, Interaktion mit dem Serotonin- und Endocannabinoid-System sowie spinale Mechanismen. Die Substanz wird seit mehr als 70 Jahren in der Pädiatrie als Antipyretikum und Analgetikum genutzt. Bei vergleichsweise schwacher analgetische Wirkung ist Paracetamol als Monotherapeutikum bei leichten bis mittelstarken Schmerzzuständen einsetzbar. Paracetamol wird hepatisch metabolisiert (Sulfatierung und Glutathionidierung), die therapeutische Breite ist sehr gering. Bei Überdosierungen oder durch den Verbrauch von hepatischen Glutathionspeichern kann es zum Auftreten von stark hepatotoxischen Metaboliten kommen. Als Antidot hat sich der Einsatz von parenteral appliziertem N-Acetylcystein bewährt. Diese Substanz wirkt als SH-Gruppendonator und ersetzt das fehlende Glutathion als „Fängermolekül“ für die entstandenen Paracetamol-Metabolite. Auch unter korrekter Dosierung kann es zu toxischen Nebenwirkungen kommen.

Orale und rektale Applikation Alle bis dato publizierten randomisierten placebokontrollierten Studien konnten keinen Nachweis einer schmerzlindernden Wirkung von Paracetamol nach rektaler oder oraler Gabe bei Neugeborenen nachweisen. Selbst beim Einsatz von Hochdosis-Regimen (Einzelgabe 40 mg/kg) waren diese der Gabe eines Placebos in Bezug auf die gemessene Schmerzmodulation nicht überlegen. Die genaue Ursache hierfür ist derzeit noch unbekannt, diskutiert werden u. a. unzureichende Wirkspiegel nach oraler und rektaler Gabe in den derzeit empfohlenen Dosierungen. Für einen begründeten Routineeinsatz von oralem oder rektalem Paracetamol als Monotherapie oder in Kombination mit Opioiden zur Analgesie beim Neugeborenen fehlt folgerichtig derzeit jegliche Evidenz.

Parenterale Applikation Für den parenteralen Gebrauch von Paracetamol wurde im Januar 2013 die erste randomisierte, placebokontrollierte Doppelblindstudie bei Neugeborenen (>36 Schwangerschaftswochen) und Säuglingen (maximales Alter: 365 Lebenstage) publiziert (Ceelie et al. 2013). Es handelt sich um eine monozentrische Studie, bei der erstmalig ein Morphin-einsparender Effekt unter Paracetamoltherapie (30 mg/kg/d i.v. in 4 Einzeldosen) nach thorax- oder abdominalchirurgischen Eingriffen nachgewiesen werden konnte. 2016 wurde eine Studie zum Einsatz von parenteralem Paracetamol bei Frühgeborenen unter 32 Schwangerschaftswochen publiziert (Härma A et al. 2016). Auch hier führte die Gabe von Paracetamol i.v. zu einer Reduktion des Morphinbedarfs.

Zusammengefasst kann aufgrund der aktuell unzureichenden Datengrundlage noch keine evidenzbasierte Therapieempfehlung für den Routinegebrauch von i.v.-Paracetamol zur Analgesie bei Neugeborenen ausgesprochen werden (Ohlsson A und Shah PS 2015). Weitere prospektive Studien sind hier erforderlich.

Metamizol

Metamizol (oder Novaminsulfon) ist ein Pyrazolonderivat, welches unter den Nichtopioidanalgetika die stärkste analgetische Wirkung besitzt und zudem sehr gut fiebersenkend wirkt. Es hemmt direkt die Erregungsübertragung im nozizeptiven System und aktiviert die Hemmung im periduktalen Grau. Zusätzlich ist eine Hemmung der Prostaglandinsynthese bei sehr hohen Dosierungen beschrieben.

Metamizol kann als schwere Nebenwirkung eine Agranulozytose auslösen. Die Häufigkeit dieser schweren Nebenwirkung im Erwachsenenalter wird sehr unterschiedlich beschrieben und führte dazu, dass Metamizol in einigen Ländern, vor allem des angelsächsischen Sprachraums, aber auch weiteren Ländern (z. B. Schweden und Japan) nicht zugelassen ist. In einer Reviewarbeit zum Einsatz von Metamizol im Kindesalter (de Leeuw TG et al. 2017) bewerten die Autor*innen die analgetische Potenz von Metamizol aufgrund der bislang publizierten Daten als vergleichbar mit intravenös appliziertem Paracetamol bei potenziellem Risiko für die Entwicklung einer Agranulozytose.

Für einen begründeten Einsatz von Metamizol als Monotherapie oder in Kombination mit Opioiden zur prolongierten Analgesie beim Neugeborenen oder Säugling fehlt derzeit jegliche Evidenz. Es wurde bis heute keine Studie zu Effektivität und/oder Sicherheit von wiederholten Einzelgaben oder einer Dauertropfinfusion mit Metamizol in dieser Altersgruppe durchgeführt. In der einzigen bis heute publizierten Fallserie wurde eine Assoziation einer Metamizoltherapie und dem Auftreten generalisierter Ödeme bei Neugeborenen und Säuglingen beschrieben (Bajoghli et al. 1977).

Wird Metamizol im Rahmen einer Palliativversorgung eingesetzt und treten im Verlauf eine Verschlechterung des Allgemeinzustandes, Fieber oder andere Zeichen einer Infektion auf, muss an die Möglichkeit einer Agranulozytose gedacht und die Metamizoltherapie umgehend beendet werden (vor Erhalt der Blutbildkontrolle). Bei parenteraler Gabe ist Sorge zu tragen, dass Bolusgaben immer als Kurzinfusion über mindestens 15–30 min appliziert werden und kein intravasaler Volumenmangel vorliegt. Eine schnelle i.v.-Gabe kann sonst eine bedrohliche arterielle Hypotension bewirken. Metamizol ist in der oralen Applikation ab dem 8. Lebensmonat, zur parenteralen Gabe ab dem 12. Lebensmonat und als i.m.-Injektion ab dem 3. Lebensmonat zugelassen.

4.4.2.2 Saure nichtsteroidale Antirheumatika (NSAR)

NSAR wirken durch Hemmung des Enzyms Cyclooxygenase und die dadurch verminderte Synthese von Prostaglandinen. Sie wirken antiphlogistisch und analgetisch, wobei die analgetische Potenz Paracetamol überlegen ist. Mit zunehmender Dosissteigerung kommt es irgendwann zu einem Sättigungs- oder Ceiling-Effekt (wenn jegliche Cyclooxygenase gehemmt ist), eine Dosissteigerung kann dann keine weitere Zunahme des therapeutischen – z. B. analgetischen – Effekts bewirken. Von allen NSAR wird in Europa im Kindes- und Jugendalter vermutlich Ibuprofen am häufigsten als Antiphlogistikum und Analgetikum eingesetzt. In der Neonatologie wird Ibuprofen zum medikamentösen Verschluss des Ductus arteriosus Botalli eingesetzt, sodass für diese Substanz in der Neonatologie reichlich Erfahrung bezüglich des Nebenwirkungsprofils bei Kurzzeitanwendung besteht. Ibuprofen hat eine sehr gute orale Verfügbarkeit und wird daher auch per os zum Duktusverschluss eingesetzt (Ohlsson A et al. 2018).

NSAR stellen theoretisch eine sehr interessante Alternative zur Opioidtherapie bei leichten bis mittelschweren Schmerzzuständen dar. Insbesondere die potenzielle Vermeidung opioidinduzierter respiratorischer (Apnoen), gastrointestinaler (Ileus) und urodynamischer (Harnverhalt) Nebenwirkungen wäre klinisch von hoher Relevanz. Leider gibt es aktuell für einen begründeten Einsatz von NSAR als Analgetikum im Neugeborenenalter keine ausreichende Evidenz. Das einzige NSAR, das jemals im Gebrauch als Analgetikum bei Neugeborenen untersucht wurde, ist Ketorolac, eine Substanz, die derzeit in Deutschland und vielen anderen europäischen Ländern nicht zugelassen ist. Es liegen drei Publikationen vor: In einer prospektiven, monozentrischen Studie wurde die analgetische Wirksamkeit von Ketorolac bei Neugeborenen (Papacci et al. 2004) untersucht. Für die Studie wurde 18 spontanatmenden Neugeborenen (Gestationsalter 25–37 SSW) zur Behandlung prozeduraler bzw. postoperativer Schmerzen 1 mg Ketorolac i.v. appliziert. Bis auf eine Ausnahme konnte bei allen Neugeborenen eine adäquate Analgesie erzielt werden. Die Sicherheit einer Ketorolac-Therapie bei Neugeborenen wurde in zwei retrospektiven Studien untersucht. Moffett et al. (2006) analysierten die Daten von 53 Kindern mit einem Alter unter 6 Monaten (darunter 11 Neugeborene), die zur Analgesie nach einem kardiochirurgischen Eingriff Ketorolac erhalten hatten. Bei keinem der Kinder wurden klinisch relevante renale oder hämatologische Nebenwirkungen beobachtet. In der zweiten retrospektiven Studie von Aldrink et al. (2011) hingegen wurde bei 10 von 57 Kinder mit einem Alter von 0–12 Lebenswochen unter Behandlung mit Ketorolac eine Blutung nachgewiesen, bei 3 Kindern kam es sogar zu einem Hb-Abfall, der eine Bluttransfusion notwendig machte. Risikofaktoren für eine Blutung waren eine Ketorolactherapie innerhalb der ersten 3 Lebenswochen und der Einsatz bei Frühgeborenen unter 37 SSW.

Falls sich zu einer Therapie mit einem NSAR (am ehesten sollte dies dann Ibuprofen sein) im Rahmen einer Palliativversorgung eines Neugeborenen entschieden werden sollte, muss auf das Auftreten einer Nierenfunktionseinschränkung geachtet werden. Nichtsteroidale Antirheumatika vermögen die im Neugeborenenalter noch stark Prostaglandin-abhängige Nierenfunktion signifikant zu hemmen. Im Falle einer NSAR-induzierten Niereninsuffizienz, die zu zusätzlicher Belastung des Kindes z. B. durch Überwässerung führt, kann in manchen Fällen schon eine Dosisreduktion des nichtsteroidalen Antirheumatikums ausreichen, oft muss das Medikament auch komplett abgesetzt werden. Eine zweite schwere Nebenwirkung, die unter einer Dauertherapie mit einem nichtsteroidalen Antirheumatikum (insbesondere beim Einsatz in Kombination mit Steroiden) bei Kindern auftreten kann, sind akute Magenblutungen. Die genaue Inzidenz dieser schwerwiegenden Nebenwirkung ist unklar. Aufgrund des potenziell erhöhten Risikos wird jedoch von vielen pädiatrischen Palliativmediziner*innen ab einer NSAR-Therapiedauer von mehr als einer Woche prophylaktisch ein Antazidum (i. d. R. ein Protonenpumpenhemmer) eingesetzt. Systematische Daten zur Inzidenz von Magenblutungen unter einer Dauertherapie mit nichtsteroidalen Antirheumatika bei Neugeborenen liegen derzeit nicht vor.

Fazit Ein Therapieversuch im begründeten Einzelfall kann erfolgen, eine generelle Empfehlung zum Einsatz von nichtsteroidalen Antirheumatika, insbesondere als Dauertherapie, kann jedoch aufgrund fehlender Evidenz nicht ausgesprochen werden.

4.4.3 Adjuvante Analgetika – Ketamin

Die Kombination von Opioiden und Nichtopioiden zielt auf eine Verbesserung des analgetischen Effektes bei häufig gleichzeitiger Reduktion des Opioidbedarfs und demzufolge der opioidinduzierten unerwünschten Nebenwirkungen.

Für Neugeborene liegen einige wenige Daten zum Off-label-Einsatz von Ketamin vor. Chemisch ist Ketamin ein Racemat, ein 1:1-Gemisch aus den Enantiomeren (R)-Ketamin und (S)-Ketamin. S-Ketamin steht als Arzneimittelpräparat (Wirkstoffbezeichnung auch Esketamin) zur Verfügung und wird im deutschsprachigen Raum weit verbreitet eingesetzt. Die analgetische und anästhetische Potenz von (S)-Ketamin ist etwa dreifach höher als die der (R)-Form bzw. doppelt so hoch wie die des Racemats; zur Erzielung gleichartiger Wirkungen ist mit (S)-Ketamin gegenüber dem Racemat eine Dosisreduktion um die Hälfte möglich. Bei Dosisangaben (z. B. in Studien) ist deshalb besondere Sorgfalt geboten, es sollte genau eruiert werden, ob sich Dosisangaben auf das Racemat (häufig bei englischsprachiger Primärliteratur) oder auf das Enantiomer (S)-Ketamin (häufig in deutschsprachiger Literatur) beziehen.

Wirkorte und -mechanismen der vielfältigen Ketamin-Effekte sind nur teilweise geklärt. Ketamin wirkt primär nichtkompetitiv antagonistisch am NMDA(N-Methyl-D-Aspartat)-Rezeptorkomplex, interagiert jedoch auch mit dem adenosinergen, monoaminergen, cholinergen und opioidergen Systemen. Es wirkt sowohl anästhetisch als auch analgetisch und wird in der Erwachsenenmedizin u. a. als Adjuvans zu einer Opioiddauertherapie eingesetzt. Für den längerfristigen Gebrauch von hohen Ketamindosierungen sind Nephro- und Hepatotoxizität beschrieben. Da Ketamin halluzinatorisch und iktogen wirken kann, werden bei Erwachsenen häufig prophylaktisch Benzodiazepine gegeben. Diese Nebenwirkungen sind bei Kindern insgesamt sehr selten, und eine Routinegabe von Benzodiazepinen ist – insbesondere im ersten Lebensjahr – nach aktueller Datenlage nicht gerechtfertigt. Im Einzelfall kann es nach intravenöser Bolusgabe von Ketamin bei Kindern zu Hypersalivation kommen, welcher mit Gabe von Atropin entgegengewirkt werden kann. Hypersalivation, wie auch ein ketamininduzierter Laryngospasmus, treten im ersten Lebensjahr jedoch extrem selten auf.

Es finden sich in der Literatur nur wenige Untersuchungen zu Effektivität und Sicherheit von Ketamin bei Kindern. In den vorhandenen pädiatrischen Studien wurde Ketamin meist als Anästhetikum bei schmerzhaften Kurzeingriffen eingesetzt. Für Neugeborene gibt es nur vereinzelte Fallberichte oder kleinere Fallserien zu isolierten Einzelgaben von Ketamin, jedoch keine randomisierten placebokontrollierten Studien, welche die Effektivität und Sicherheit einer prolongierten Ketamintherapie untersucht haben.

In der Palliativversorgung von Kindern jenseits der Neugeborenenperiode wird Ketamin bevorzugt wegen seiner gleichzeitigen analgetischen Wirkung als Anästhetikum bei schmerzhaften Kurzeingriffen eingesetzt. Ketamin hat hier im Vergleich zu Opioiden den Vorteil, dass es „kreislaufneutral" ist, also keine akuten Blutdruckabfälle verursacht. Zudem wird Ketamin in subanästhetischer Dosierung bei akuten neuropathischen Schmerzen oder im Rahmen terminaler Analgosedierung verwandt.

Im Rahmen neonatologischer Palliativversorgung kann Ketamin in Einzelfällen hilfreich sein. Zum Beispiel bei Neugeborenen mit schweren Schmerz- und Unruhezuständen (z. B. im Rahmen einer hochgradigen Epidermolysis bullosa), die nicht durch die alleinige Kombination aus Opioid und Benzodiazepin zufriedenstellend einzustellen sind. Ketamin und Opioide haben einen synergistischen Effekt, bei den meisten Patient*innen kann daher mit Beginn einer Ketamindauertherapie die Dosierung von parallel verabreichten Opioiden reduziert werden.

Dosierungsempfehlungen zu Ketamin variieren erheblich. Wir beginnen in der Regel eine parenterale Dauertherapie mit einer *loading dose* von 1 mg/kg Esketamin als Kurzinfusion über 5 min und starten dann die Dauerinfusion zunächst mit 0,5 mg/kg/h Esketamin. Je nach analgetischem Effekt steigern wie die Dosierung schrittweise im Einzelfall bis maximal 2mg/kg/h. Es kann auch unter Esketamin zur Toleranzentwicklung kommen, eine weitere Dosissteigerung kann daher unter Umständen im Verlauf notwendig sein. Entgegen vieler Darstellungen kann es auch unter Esketamin zu einer Atemdepression bei Neugeborenen kommen. Esketamin kann alternativ in der Palliativversorgung auch oral, subkutan, rektal sowie nasal verabreicht werden. Die Bioverfügbarkeit ist nach oraler Gabe aufgrund eines ausgeprägten First-pass-Effektes mit 15–20 % sehr gering, therapeutische Plasmaspiegel werden nach oraler Gabe erst nach 20–30 min erreicht. Subkutane Bolusgaben sollten stets als Kurzinfusion erfolgen, da es sonst zu Schmerzen und Gewebeschädigung an der Einstichstelle kommen kann. Eine subkutane Dauertherapie mittels Infusionspumpe ist ebenfalls möglich. Die nasale Applikation eignet sich ausschließlich zur Bolusgabe (Beginn der Anästhesie ca. 5–10 min nach Applikation).

4.4.4 Lokalanästhetika

Lokalanästhetika wirken über eine Blockade von spannungsabhängigen Natriumkanälen in den Zellmembranen von Nervenzellen kutaner Rezeptoren, dadurch wird die Erregungsweiterleitung von Druck, Schmerz, Wärme, Kälte etc. an das Gehirn verhindert.

Infiltrationsanästhesie Für viele stark schmerzhafte Lokaleingriffe (z. B. Anlage einer Thoraxdrainage, Biopsien oder Punktionen) ist der Einsatz einer Infiltrationsanästhesie mit einem Lokalanästhetikum auch bei Früh- und Neugeborenen geeignet. Nach Einspritzen des Lokalanästhetikums in das Gewebe sollte 1 bis 3 Minuten gewartet werden, dann erst ist mit einer ausreichenden Anästhesie zu rechnen. Die Wirkdauer ist dosisabhängig und beträgt ein bis zu 3 Stunden. Gut geeignete Lokalanästhetika für den Einsatz bei Neugeborenen sind Lidocain (Maximaldosis 7 mg/kg), Levo-/Bupivacain (Maximaldosis 2–3 mg/kg) und Ropivacain (Maximaldosis 3–4 mg/kg). Um eine schmerzarme Infiltrationsanästhesie beim wachen Kind zu ermöglichen, sollten möglichst kleine Kanülen verwendet werden und die Injektion über nur eine Einstichstelle langsam erfolgen.

Transdermale Applikation (Salbe/Creme/Pflaster) Der transdermale Einsatz von Lokalanästhetika (Lidocain/Prilocain) in Form einer Creme (Eutetic Mixture of Local Anesthetics/EMLA) ist in der Pädiatrie weit verbreitet, Effektivität und Sicherheit sind für die Altersgruppe ab dem 5. Lebensjahr belegt. Eine analgetische Wirkung bei peripherer und zentraler Venenpunktion, i.m.-Injektion und Lumbalpunktion konnte bei Säuglingen ab dem 3. Lebensmonat nachgewiesen werden. Für Säuglinge unter dem 3. Lebensmonat liegen derzeit keinerlei ausreichenden Daten zur Effektivität und Sicherheit vor. Jedoch sind Fallberichte publiziert, die auf das Risiko von relevanten lokalen (Blasenbildung der Haut) und systemischen (Meth-Hb-Erhöhung) Nebenwirkungen nach transdermaler Anwendung von Lokalanästhetika insbesondere bei Frühgeborenen hinweisen. Für einen begründeten Routineeinsatz von transdermal applizierten Lokalanästhetika in der Neonatalzeit fehlt derzeit die wissenschaftliche Grundlage.

Periphere oder zentrale Nervenblockaden Periphere und zentrale Regionalanästhesieverfahren erfreuen sich in den letzten Jahren auch in der perioperativen Versorgung von Neugeborenen zunehmender Beliebtheit. Diese Verfahren sind in der Hand des Erfahrenen und unter Intensivüberwachung effektiv und sicher. Für die Palliativversorgung von Neugeborenen spielen diese „Akut"-Techniken unserer Erfahrung nach jedoch nur eine sehr untergeordnete Rolle.

4.5 Sedierung in der Palliativversorgung

Eine medikamentöse Dauersedierung eines Neugeborenen sollte normalerweise nur in ausgesuchten Einzelfällen erfolgen (S3-Leitlinie Analgesie, Sedierung und Delirmanagement in der Intensivmedizin 2021). Grund für den sehr zurückhaltenden Einsatz von Sedativa in der Neugeborenenperiode ist die begründete Sorge um mögliche negative Auswirkungen auf die spätere neurologische Entwicklung der Kinder. Im Falle einer neonatalen Palliativversorgung spielen diese potenziellen Langzeitnebenwirkungen meist keine relevante Rolle, und der Einsatz dieser Medikamente darf daher, wenn klinisch indiziert, deutlich niedrigschwelliger erfolgen.

> Es muss bei der Entscheidung über den Beginn einer pharmakologischen Dauersedierung eines Neugeborenen grundsätzlich zwischen Sedierung in nicht-palliativer und palliativer Betreuungssituation unterschieden werden.

Um einen für die Eltern annehmbaren Tod ihres neugeborenen Kindes zu ermöglichen, muss nicht nur für eine bestmögliche Schmerztherapie gesorgt sein, sondern jeglicher Stress so weit wie möglich vermieden werden. Dazu gehört auch die konsequente Vorbeugung bzw. Behandlung von Unruhe und Agitiertheit. Trotz neugeborenengerechter Gestaltung der unmittelbaren Umgebung des Kindes und sensibler Arbeitsweise kann insbesondere in der Terminal- und Sterbephase von Reifgeborenen und größeren Frühgeborenen häufig nicht auf eine pharmakologische Sedierung verzichtet werden.

> Die Gründe für den Beginn einer Dauersedierung sollten durch die betreuende Ärztin bzw. den betreuenden Arzt mit

den Eltern des Kindes ausführlich besprochen werden. Wichtig ist es, den Eltern zu erklären, dass eine Dauersedierung ihres Kindes den Todeseintritt nicht beschleunigt.

4

Es ist empfehlenswert, sowohl die genaue Indikationsstellung für eine Dauersedierung als auch die diesbezüglichen Gespräche mit den Eltern sorgfältig zu dokumentieren. Spätestens mit Beginn einer Sedierung ist der Sedierungsgrad des Kindes mittels Beurteilungsskala (z. B. N-PAS- oder COMFORTneo-Skala) zu ermitteln (▶ Abschn. 3.2). Ist die erwünschte Sedierungstiefe nach erster Bolusgabe eines Sedativums erreicht (ggf. nach Auftitration), so sollte dies sorgfältig dokumentiert werden. Im weiteren Verlauf sollte der aktuelle Sedierungsscore mindestens alle 4 h erhoben werden. Eine Dauersedierung wird im Verlauf stets mit dem Ziel fortgeführt, mittels möglichst niedriger Dosierung das Maximum an Symptomkontrolle zu erreichen.

Mit Ausnahme von Morphin und Midazolam gibt es für die im Weiteren aufgeführten Medikamente keine Daten zur Effektivität oder Sicherheit bei wiederholter Gabe bzw. Dauertherapie. Wir setzen im klinischen Setting zur Sedierung von Neugeborenen unter Palliativversorgung primär Morphin ein. Falls unter Morphin keine ausreichende Sedierung zu erreichen ist, erfolgt eine Erweiterung der Sedativatherapie mit Midazolam. Alle anderen Medikamente (Phenobarbital, Choralhydrat, Clonidin/Dexmedetomidin) kommen erst nach Ausschöpfung der Komedikation von Morphin und Midazolam zum Einsatz.

4.5.1 Morphin

Nach aktueller Empfehlung sollte im klinischen Setting Morphin als Mittel der ersten Wahl zur dauerhaften Sedierung von Neugeborenen eingesetzt werden (S3-Leitlinie Analgesie, Sedierung und Delirmanagement in der Intensivmedizin 2021). Es liegen hier für nicht-palliativ versorgte Neugeborene entsprechende Studiendaten und Metaanalysen vor. Für weitere pharmakologische und klinische Informationen zu Morphin siehe ▶ Abschn. 3.4.1.

4.5.2 Midazolam

Midazolam ist ein kurzwirksames Benzodiazepin mit hypnotischer, anxiolytischer, muskelrelaxierender und antikonvulsiver Wirkung. Benzodiazepine wirken als Liganden am $GABA_A$-Rezeptor (GABA = γ-Aminobuttersäure). Die Anbindung verändert die Rezeptorgestalt und führt so zur Erhöhung der Affinität des inhibitorisch wirkenden Neurotransmitters GABA an seiner Bindungsstelle, was wiederum zu einer geringeren Erregbarkeit der Neuronenmembran führt. Benzodiazepine unterliegen einem Sättigungs- oder Ceiling-Effekt, d. h. auch hohe Dosen verstärken die Maximalwirkung nicht. Die Halbwertszeit bei Neugeborenen liegt bei ca. 12 h (bei Erwachsenen 2 h), damit wird Midazolam 20-mal so schnell wie Diazepam abgebaut. Insbesondere bei Frühgeborenen kann es nach initialer *loading dose* zu Atemdepression und arterieller Hypotonie kommen. Selten können Myoklonien oder paradoxe Unruhezustände unter einer Midazolamtherapie auftreten. Als Antidot kann Flumazenil eingesetzt werden (je nach therapeutischem Effekt 1–2 Einzeldosen von 10 µg/kg i.v.).

Unter Dauertherapie akkumuliert Midazolam, daher ist insbesondere bei Frühgeborenen unter 33 Schwangerschaftswochen in der Regel 24 h nach Beginn einer Dauertherapie eine Dosisreduktion um 50 % möglich. Im Kindesalter sind in bis zu 25 % der Fälle unter Dosisreduktion im Verlauf einer längeren Dauertherapie schwere Entzugserscheinungen beschrieben. Soll eine Midazolamdauertherapie beendet werden, empfiehlt sich daher ein Weaning über mindestens 72 h. Midazolam kann aufgrund eines synergistisch-sedativen Effektes gut in Kombination mit Opioiden oder Ketamin eingesetzt werden. Neben der parenteralen Gabe können Einzelgaben auch oral, bukkal oder nasal appliziert werden. Die Bioverfügbarkeit nach oraler Gabe beträgt 35 % bzw. 50 % nach bukkal oder nasaler Gabe. Midazolam kann bei Neugeborenen als Mittel der 2. Wahl nach einem initialen Sedierungsversuch mit Morphin in Kombination mit Morphin oder alternativ als Monotherapeutikum eingesetzt werden.

4.5.3 Phenobarbital

Phenobarbital wirkt als Ligand am $GABA_A$-Rezeptor. Wie auch Benzodiazepine verstärken Barbiturate die GABA-Wirkung am Rezeptor. Im Gegensatz zu Benzodiazepinen erhöhen sie jedoch nicht die Offenwahrscheinlichkeit des $GABA_A$-Rezeptors, sondern bewirken, dass der Kanal nach Bindung von GABA länger geöffnet bleibt.

Phenobarbital wird bei Kindern hauptsächlich zur Therapie von zerebralen Krampfanfällen eingesetzt. Überdosierungen können arterielle Hypotonie und schwere Atemdepression auslösen. Phenobarbital wird zum größten Teil in der Leber metabolisiert, beim Neugeborenen werden 25 % unverändert renal ausgeschieden. Die Halbwertszeit beträgt 2–4 Tage in der Neonatalzeit, sodass Phenobarbital nicht häufiger als einmal pro Tag gegeben werden muss. Unter therapeutischer Hypothermie verdoppelt sich die Halbwertzeit auf 4–8 Tage. Ein bis 2 Wochen nach Beginn einer Dauertherapie halbiert sich die Halbwertszeit aufgrund einer Leberenzyminduktion. Therapeutische Plasmaspiegel sind in der Literatur mit 20–40 mg/l angegeben, eine zunehmend hypnotische/narkotisierende Wirkung tritt bei Plasmaspiegeln über 50 mg/l auf. Phenobarbital kann parenteral verbreicht werden, dies ist jedoch nur bei gewünscht sehr raschem Therapieeffekt (z. B. Akuttherapie bei zerebralen Krampfanfall) notwendig. Im Rahmen einer palliativen Sedierung sollte Phenobarbital ausschließlich oral gegeben werden, die Resorption erfolgt langsam, mit schweren Nebenwirkungen ist daher bei empfohlener Dosierung eher nicht zu rechnen.

4.5.4 Chloralhydrat

Der Wirkmechanismus von Chloralhydrat beruht ebenfalls auf der Bindung am $GABA_A$-Rezeptor mit Verstärkung der GABA-Wirkung. Chloralhydrat hat den Vorteil, dass es das Schlafprofil wenig beeinflusst und einen schnellen Wirkungseintritt aufweist. Chloralhydrat wird rasch und effektiv nach oraler Gabe resorbiert, hepatisch metabolisiert und nach Glukoronidierung renal ausgeschieden. Die Halbwertszeit von Chloralhydrat ist sehr variabel und beträgt bei Reifgeborenen ca. 10–50 h, bei Frühgeborenen ist sie noch länger. Erwachsenenwerte für die Halbwertzeit (3–18 h) werden erst mit dem Kleinkindalter erreicht. Chloralhydrat wirkt primär schlafinduzierend, der erwünschte Effekt tritt ca. 45 min nach oraler Gabe auf. Durch die parallele Gabe einer kleinen Menge Milch kann in den meisten Fällen evtl. auftretende Übelkeit oder Erbrechen verhindert werden. Alternativ kann Chloralhydrat auch rektal verabreicht werden. Als unerwünschte schwere Nebenwirkungen nach Einzelgaben sind arterielle Hypotension und Atemdepression beschrieben, nach Dauertherapie indirekte Hyperbilirubinämie, Ileus- und Harnblasenatonie. Als Antidot kann Flumazenil eingesetzt werden. Bei Überdosierung kann es zudem sehr selten zu Herzrhythmusstörungen kommen, welche mit Propranolol therapiert werden können.

4.5.5 α2-Adrenorezeptor-Agonisten

α2-Adrenorezeptor-Agonisten gehören zwar zur Gruppe der Sympathomimetika, besitzen aber durch die Erregung der α2-Adrenorezeptor-Agonisten der Präsynapse einen hemmenden Einfluss auf die efferenten sympathischen Fasern. Systemisch appliziert wirken α2-Adrenorezeptor-Agonisten sedierend, sympatholytisch und anxiolytisch. In der Pädiatrie werden sie u. a. zur Prämedikation vor Operationen, zur symptomatischen Therapie bei Opioidentzug, zur Sedierung bei maschinell beatmeten Patient*innen oder vor invasiven Prozeduren eingesetzt. Die beiden wichtigsten Vertreter aus der Gruppe der α2-Adrenorezeptor-Agonisten sind Clonidin und Dexmedetomidin. Im Vergleich zu Clonidin zeichnet sich Dexmedetomidin durch eine deutlich höhere Spezifität für den α2-Adrenorezeptor (α2:α1-Ratio = 16.000:1 vs. 250:1) und eine kürzere Halbwertszeit (2–3 h vs. 12–24 h) aus. Als relevante Nebenwirkungen von systemisch applizierten α2-Adrenorezeptor-Agonisten sind bei Erwachsenen und Kindern vor allem akute arterielle Hypertonie bzw. Hypotonie sowie Sinusbradykardien (im Extremfall Sinusarrest) beschrieben.

Für den Einsatz von α2-Adrenorezeptor-Agonisten bei Neugeborenen, die auf neonatologischen Intensivstationen behandelt werden, liegen wenige Daten vor (Hünseler et al. 2014, Portelli, 2023). Die bislang vorliegenden Studien belegen einen sedierenden Effekt auch bei Neugeborenen. Clonidin und Dexmedetomidin werden in Bezug auf ihr akutes Nebenwirkungsprofil im Vergleich zu Opioiden als eher sicherer beurteilt. Die Therapie von Unruhezuständen bei Neugeborenen mittels Clonidin oder Dexmedetomidin kann daher im Einzelfall erwogen werden (S3-Leitlinie Analgesie, Sedierung und Delirmanagement in der Intensivmedizin 2021). Beide Medikamente sind aktuell nicht für den Einsatz bei Neugeborenen zugelassen.

Hinweis: α2-Adrenorezeptor-Agonisten wirken auch analgetisch und werden in der Erwachsenenmedizin im Rahmen der multimodalen Schmerztherapie eingesetzt. Die analgetische Wirkung wird über postsynaptische α2-Adrenorezeptoren im ZNS vermittelt. Clonidin und Dexmedetomidin vermögen nach systemischer Gabe bei Erwachsenen den perioperativen Opioidverbrauch zu reduzieren. Der opioideinsparende Effekt ist höher als bei Paracetamol, jedoch geringer als bei Ketamin oder NSAR. Für den längerfristigen Einsatz von α2-Adrenorezeptor-Agonisten als systemisches Analgetikum liegen weder für Erwachsene noch für pädiatrische Patient*innen valide Daten vor.

4.5.6 Palliative Sedierung

Eine Sonderform der Sedierung in der palliativen Versorgung ist die palliative Sedierung. Von ihr spricht man, wenn eine Sedierung mit dem primären Ziel begonnen wird, Patientinnen bzw. Patienten unerträgliche, leidvolle Symptome (z. B. Schmerz oder Dyspnoe) zu ersparen, die anderweitig trotz intensiver palliativmedizinischer Maßnahmen nicht zufriedenstellend behandelbar sind. Eine palliative Sedierung bewirkt über die gezielte Reduktion des Bewusstseins (tiefster Schlaf bis Anästhesie), dass das betroffene Kind leidvolle Symptome nicht mehr wahrnimmt. Eine Lebenszeitverkürzung als mögliche Nebenwirkung der palliativen Sedierung wird dabei bewusst in Kauf genommen (Cuviello et al. 2022). Bei Neugeborenen ist ein Einsatz palliativer Sedierung nur extrem selten notwendig.

Eine Dosierungsübersicht aller o. g. Analgetika, Sedativa und Komedikamente findet sich in ◘ Tab. 4.3.

Tab. 4.3 Analgosedierung von Neugeborenen unter Palliativversorgung – Übersicht Medikamentendosierungen

Applikationsweg	Intravenöser Bolus	Intravenöser DTI	Subkutan	Peroral	Rektal	Nasal	Bukkal
Saccharose 30 %	–	–	–	FG 0,1–0,2 ml/ED RG 0,5–1,0 ml/ED	–	–	–
Morphin*	0,05–0,1 mg/kg/ ED (KI über 15 min) alle 3–6 h	Start: 0,01–0,02 mg/kg/h	Dosis sowohl für Bolus als auch DTI entsprechend der i.v. Dosierungen	0,2 mg/kg/ED (= z. B. 7 Tropfen/kg/ED Morphinhydrochlorid 0,05 %-Lsg.) alle 3–6 h	0,1–0,2 mg/ kg/ED alle 3–6 h	–	0,2 mg/kg/ED (= z. B. 7 Tropfen/kg/ED Morphinhydrochlorid 0,05 %-Lsg.) alle 3–6 h
Fentanyl	3 µg/kg/ED (KI über 15 min) alle 1–4 h	Start: 1–2 µg/kg/h	Dosis sowohl für Bolus als auch DTI entsprechend der i.v. Dosierungen	–	–	3 µg/kg/ED alle 1–4 h	3 µg/kg/ED alle 1–4 h
Naloxon	0,05–0,1 mg/kg/ ED	▸	–	▸	–	–	–
N-Methylnaltrexon	0,15 mg/kg/ED alle (12–)24 h	–	0,15 mg/kg/ ED alle (12–)24 h	▸	–	–	–
Paracetamol	7,5 mg/kg/ED (KI über 15 min) alle 6 h	–	–	▸	▸	–	–

(Fortsetzung)

Tab. 4.3 (Fortsetzung)

Applikationsweg	Intravenöser Bolus	Intravenöser DTI	Subkutan	Peroral	Rektal	Nasal	Bukkal
Metamizol	10–20 mg/kg/ED (KI über 15 min) alle 6–8 h	2–3 mg/kg/h	–	10–15 mg/kg/ED (Novalminsulfon 1 Tropfen = 25 mg) alle 6–8 h	10–20 mg/kg/ED alle 6–8 h	–	–
Ibuprofen	–	–	–	10 mg/kg/ED alle 6–8 h	10 mg/kg/ED alle 6–8 h	–	–
Esketamin**	0,5–2 mg/kg/ED	0,5–2 mg/kg/h	Dosis sowohl für Bolus als auch DTI entsprechend der i.v. Dosierungen	2–4 mg/kg/ED	2–4 mg/kg/ED	2–4 mg/kg/ED	2–4 mg/kg/ED
Midazolam	0,1 mg/kg/ED alle 2–4 h	Start 0,1–0,2 mg/kg/h	Dosis sowohl für Bolus als auch DTI entsprechend der i.v. Dosierungen	0,3 mg/kg/ED alle 2–4 h	0,5–1,0 mg/kg/ED alle 2–4 h	0,2 mg/kg/ED alle 2–4 h	0,2 mg/kg/ED alle 2–4 h
Flumazenil	10 µg/kg/ED	–	–	–	–	–	–
Phenobarbital	5 mg/kg/d alle 24 h	–	–	5 mg/kg/d alle 24 h	–	–	–
Chloralhydrat	–	–	–	25–50(–80) mg/kg/ED alle 4–6 h	25–50(–80) mg/kg/ED alle 4–6 h	–	–

(Fortsetzung)

Tab. 4.3 (Fortsetzung)

Applikationsweg	Intravenöser Bolus	Intravenöser DTI	Subkutan	Peroral	Rektal	Nasal	Bukkal
Clonidin	–	0,5–2,5 µg/kg/h	–	2–4 µg/kg/ED alle 4–6 h	–	–	–
Dexmedetomidin	–	Loading: 0,5 µg/kg/ED DTI: 0,3–1,0 µg/kg/h	–	–	–	–	–

*Morphin: i.m.-Bolusgabe auch möglich (Dosis entsprechend der i.v.-Dosierung), Umstellung von i.v.-Einzelgaben auf p.o.-Einzelgaben: aktuelle ED i.v. × 3 = ED p.o.

** Esketamin: i.m.-Bolusgabe auch möglich (Dosis 2–4 mg/kg/ED); kann bei s.c.-Gabe zu Hautreizungen führen

DTI = kontinuierliche Dauertropfinfusion; ED = Einzeldosis; FG = Frühgeborene; KI = Kurzinfusion; RG = Reifgeborene; ► = detaillierte Ausführungen siehe Text (► Abschn. 3.4).

Hinweis: In der Tabelle sind auch Off-label-(route-)Anwendungen aufgeführt, diese sind nicht speziell gekennzeichnet!

4.6 Spezielle Aspekte der Symptomkontrolle

4.6.1 Abbruch maschineller Beatmung

4

Im Gegensatz zu größeren Kindern verstirbt eine hohe Anzahl von palliativ versorgten Neugeborenen auf neonatologischen Intensivstationen nach Beendigung maschineller Beatmung und terminaler Extubation (Garten et al. 2011). Zu rechtlichen, ethischen und praktischen Aspekten der Entscheidungsfindung siehe ▶ Kap. 2 und ▶ Abschn. 4.4.

Insbesondere bei Neugeborenen, bei denen nach terminaler Extubation mit einer relevanten Zeit spontaner Eigenatmung zu rechnen ist, ist eine sorgfältige Vorbereitung von Kind und Eltern notwendig, um im Sinne einer prädiktiven Palliativmedizin potenziell auftretenden, belastenden Symptomen prophylaktisch begegnen zu können. Kaum eine anderer Situation auf einer neonatologischen Intensivstation ist für Eltern belastender, als der Anblick ihres dyspnoischen und/oder agitierten Kindes in der Sterbephase. Hauptziele der Palliativversorgung eines Neugeborenen im Rahmen einer Beendigung maschineller Beatmung sollten daher sein:

- Antizipation von Schmerz und terminaler Agitiertheit sowie prophylaktische bzw. rasche Behandlung derselben.
- Prävention bzw. rasche Therapie von Dyspnoe (meist bedingt durch Stridor nach Extubation oder selten durch exzessive bronchopulmonale Sekretion nach Langzeitbeatmung).

Die klinische Erfahrung zeigt, dass Stressreaktionen nach terminaler Extubation, wenn überhaupt, dann bei Reifgeborenen und älteren Frühgeborenen auftreten. Im Gegensatz dazu scheint bei extrem unreifen Frühgeborenen die natürliche Sedierung durch schnell einsetzende Hyperkapnie und Hypoxie die Wahrscheinlichkeit für das Auftreten belastender Stresssymptome zu vermindern, siehe ▶ Kap. 3, ▶ Abschn. 3.3. Genaue Daten hierzu liegen jedoch aktuell nicht vor.

Das im Folgenden dargestellte praktische Vorgehen ist aus Mangel neonatologischer Studiendaten an Publikationen aus der Erwachsenenmedizin angelehnt und wurde aus der klinischen Erfahrung heraus für den Einsatz bei palliativ versorgten Neugeborenen adaptiert (Garten und Bührer 2019).

Eine Opioidtherapie zur Prophylaxe von Schmerz und Stress durch akute Dyspnoe sollte bereits vor Beendigung einer maschinellen Beatmung und terminaler Extubation begonnen werden. Idealerweise sollte Morphin als Dauerinfusion eingesetzt werden, da die neben der Analgesie zusätzlich sedierende Wirkung in der Sterbephase durchaus erwünscht ist. Im Einzelfall kann eine zusätzliche Gabe von Benzodiazepinen notwendig sein. Wird eine zuvor begonnene Fentanylmonotherapie fortgesetzt, ist der zusätzliche Einsatz eines Benzodiazepins (z. B. Midazolam) zur Vermeidung von terminalen Unruhezuständen sinnvoll. Zur Vermeidung von Entzugssymptomen sollte eine bereits laufende Dauersedierung mit Benzodiazepinen in der Sterbephase niemals reduziert oder beendet werden. Die terminale Analgosedierung sollte mithilfe einer Beurteilungsskala (z. B. N-PAS- oder COMFORTneo-Skala, ▶ Abschn. 3.2) gesteuert werden; eine Dosissteigerung über den erwünschten klinischen Effekt der Symptomkontrolle hinaus sollte nicht erfolgen.

Agitiertheit und Schmerzen können nach Beendigung maschineller Beatmung und terminaler Extubation die Atemarbeit zusätzlich erheblich erhöhen. Im Verlauf kann zu es dann zu physischer Erschöpfung kommen, die zusätzlichen Stress für das sterbende Kind bedeutet. Eine konsequente Analgosedierung kann dem entgegenwirken und sollte daher höchste Priorität haben. Es gibt keine Evidenz, dass der

Einsatz von Opioiden und Benzodiazepinen zur Therapie von Schmerzen, Dyspnoe bzw. Unruhezuständen nach Beendigung maschineller Beatmung den Strebeprozess bei Palliativpatient*innen beschleunigt (Edwards 2005). Muskelrelaxanzien täuschen Schmerzfreiheit und innere Ruhe vor, das Risiko für eine Unterversorgung mit Schmerzmitteln und Sedativa bei relaxierten Patient*innen ist sehr hoch. Immer wieder wird jedoch eine laufende Muskelrelaxierung zur Beendigung maschineller Beatmung und Extubation mit dem Argument fortgesetzt, so eine terminale Schnappatmung verhindern zu können. Eine terminale Schnappatmung kann unter Umständen sehr belastend für Eltern und professionell Begleitende sein. Es ist sehr wichtig, allen Beteiligten im Vorfeld einer palliativen Extubation zu vermitteln, dass die terminale Schnappatmung ein physiologischer Prozess ist, der in unterschiedlicher Ausprägung bei jedem natürlichen Sterbeprozess eintritt. Terminale Schnappatmung ist nach heutigem Kenntnisstand nicht mit Distress für den betroffenen Menschen verbunden. Im Gegensatz zur Dyspnoe in der Sterbephase kann eine terminale Schnappatmung auch nicht mit Opioiden und/oder Sedativa verhindert werden. Aus diesen Gründen ist der Einsatz von Muskelrelaxanzien bei Beendigung maschineller Beatmung und terminaler Extubation medizinisch nicht indiziert.

In sehr seltenen Ausnahmefällen kann es bei älteren Reifgeborenen nach terminaler Extubation zu Rhonchi und pulmonal grobblasigen Rasselgeräuschen kommen. Dies kann z. B. bei intensiv langzeitbeatmeten Kindern, die zusätzlich eine Hyperhydratation aufweisen, auftreten. In etwa sind diese Symptome mit dem bei Erwachsenen nach Beendigung von Beatmung beschriebenen „Todesrasseln“ vergleichbar. „Todesrasseln“ wird nach Extubation durch exzessive bronchopulmonale Sekretion bei langzeitbeatmeten Patient*innen verursacht. Vorbeugend kann bei Riskopatient*innen ca. 6 h vor Beendigung einer maschineller Beatmung und Extubation jegliche Flüssigkeitszufuhr (Ausnahme Analgosedierung) beendet werden. Zusätzlich kann Furosemid eingesetzt werden. Bei Neugeborenen reicht jedoch meist ein kurzes Absaugen des Nasenrachenraumes aus, um ein geräuschvolles Atmen nach terminaler Extubation zu behandeln. Insbesondere bei Neugeborenen mit vorausgegangenen Episoden eines Stridors nach Extubation sollte ca. 6 h vor einer terminalen Extubation prophylaktisch Prednisolon i.v. (Einzelgabe 2mg/kg) verabreicht werden. Kommt es nach terminaler Extubation zu einem belastenden Stridor, kann in manchen Fällen eine Inhalation mit 2–3 ml Suprarenin 1:10.000 Linderung bringen. Hypoxie wirkt als „natürliches Sedativum“ in der Sterbephase. Nach Beendigung maschineller Beatmung und terminaler Extubation setzen wir daher in der Regel keine Sauerstoffsupplementation ein.

Es ist sinnvoll, in den Elterngesprächen, die vor der Beendigung der maschinellen Beatmung und der terminalen Extubation stattfinden, auf folgende spezielle Aspekte einzugehen:

- Geplantes pflegerisches und ärztliches praktisches Vorgehen
- Mögliche Symptome des Kindes in der Sterbephase und deren Therapiemöglichkeiten
- Möglichkeit, dass das Kind nicht unmittelbar nach der Extubation verstirbt bzw. je nach Krankheitsbild im absoluten Sonderfall sogar überleben kann

In ◘ Abb. 4.1. ist ein mögliches Vorgehen zur Beendigung maschineller Beatmung und terminaler Extubation beim Neugeborenen zusammengefasst (adaptiert nach Kompanje et al. 2008). Das dargestellte Vorgehen ist lediglich als Vorschlag zu werten, Effektivität und Sicherheit sind bisher nicht im Rahmen einer kontrollierten, neonatologischen Studie untersucht.

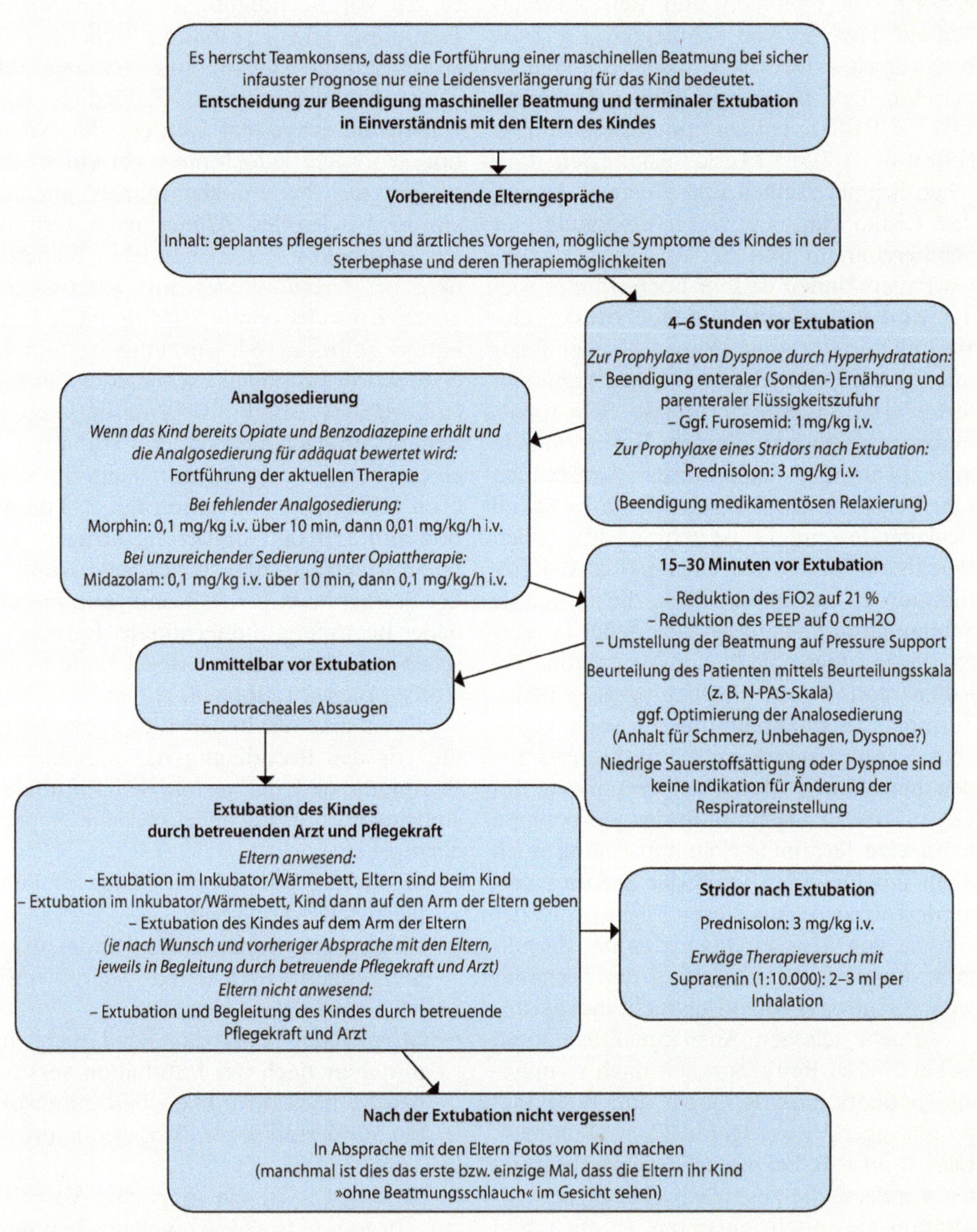

Abb. 4.1 Beendigung maschineller Beatmung und terminale Extubation bei Neugeborenen: ein mögliches Vorgehen. (Adaptiert nach Kompanje et al. 2008)

4.6.2 Abbruch von parenteraler Ernährung und Flüssigkeitszufuhr

Genau wie bei Erwachsenen beobachtet man bei Kindern und Jugendlichen mit schwerer fortschreitender Erkrankung häufig eine Abnahme des Hungergefühls, die in der Lebensendphase in der Regel in eine Appetitlosigkeit mündet. Im weiteren Verlauf gehört das freiwillige und bewusste Beenden der Nahrungsaufnahme unweigerlich zum terminalen Sterbeprozess. Solange ein Neugeborenes aber gern und komplikationslos orale Nahrung einfordert und trinkt, sollte eine enterale Ernährung auch in Palliativsituationen nicht beendet werden.

Doch wie sieht es in Bezug auf eine parenterale Ernährung und/oder Flüssigkeitszufuhr aus? Anders als in der Erwachsenenmedizin ist der Abbruch einer parenteralen Ernährung und/oder Flüssigkeitszufuhr im Bereich palliativer Betreuung von Neugeborenen eher eine Seltenheit. Auch ist das Wissen in der Öffentlichkeit um die Möglichkeit, eine „künstliche Ernährung" bei einem Neugeborenen abbrechen zu können, sehr begrenzt. Erfahrungsgemäß ist es für Ärzt*innen und Pflegende leichter, sich für eine terminale Extubation zu entscheiden oder eine Katecholamintherapie zu beenden, als einem palliativ betreuten Neugeborenen die parenterale Ernährung und/oder Flüssigkeitszufuhr vorzuenthalten bzw. eine solche zu beenden (Feltman et al. 2012). Wenn es um die Beendigung von parenteraler Ernährung und/oder Flüssigkeitszufuhr geht, entstehen daher auch häufig Konflikte bezüglich der Festlegung und Umsetzung von Therapiezieländerungen.

Der erste Fall, der dieses Thema aufgriff, wurde 1988 publiziert (Miraie 1988). Eltern eines Neugeborenen mit schwerer Geburtsasphyxie forderten den Abbruch parenteraler Ernährung und Flüssigkeitszufuhr bei ihrem Kind. In diesem Fall wurde dem Wunsch der Eltern nicht nachgekommen, man einigte sich jedoch zumindest auf eine ausschließliche Ernährung mittels nasogastraler Sonde. Seit dieser Publikation wurden weitere Beiträge veröffentlicht, die das Thema Abbruch von parenteraler Ernährung und/oder Flüssigkeitszufuhr bei Neugeborenen aufgriffen.

Die Vorstellung, dass ein Neugeborenes auf einer neonatologischen Intensivstation „verhungert" oder „verdurstet", ist für viele Eltern und Mitglieder des medizinischen Personals nur schwer auszuhalten. Hier steht für Eltern, Pflegende und Ärzt*innen das Grundrecht jedes Menschen auf Fürsorge und Befriedigung der elementaren Bedürfnisse Hunger und Durst zur Disposition. Ernährung wird von vielen als essenzieller Bestandteil der Säuglingspflege angesehen, vergleichbar mit z. B. Wickeln, Baden oder körperliche Nähe spenden. Stillen, Füttern, Ernähren eines Kindes haben einen großen symbolischen Charakter und ein bewusster Verzicht hierauf kann relevante Konflikte hervorrufen, vor allem moralischer, weniger ethischer oder juristischer Natur. Diskussionen über parenterale Ernährung/Flüssigkeitszufuhr im Rahmen einer Palliativversorgung können daher sehr emotional sein.

Zwei wichtige Aspekte, die im Zusammenhang einer Entscheidung über eine Beendigung von Ernährung/Flüssigkeitszufuhr immer wieder diskutiert werden, sind:

- Wie sieht der konkrete Verlauf nach Beendigung einer parenteralen Ernährung und/oder Flüssigkeitszufuhr aus?
- Sind Schmerz- oder Distresszustände nach Beendigung einer parenteralen Ernährung und/oder Flüssigkeitszufuhr zu erwarten? Wenn ja, wie können diese behandelt werden?

Im Kontext einer Palliativversorgung sollte vermieden werden, von „Verhungern" oder „Verdursten" zu sprechen. Der Gebrauch dieser Begriffe impliziert zwingendermaßen Leiden und Schmerz. Studien aus der Erwachsenenmedizin haben gezeigt, dass der Tod nach Abbruch einer Ernährung und/

oder Flüssigkeitszufuhr nicht durch Verhungern, sondern durch Dehydratation verursacht wird. Dehydratation führt zu einer Verminderung von Übelkeit, Erbrechen, Diarrhoe und Urinproduktion, dies ist mit keinem bis wenig subjektivem Unbehagen assoziiert (Ganzini et al. 2003; Pasman et al. 2005). Symptomlindernd wirkt möglicherweise die Ausschüttung von körpereigenen Endorphinen, ein Prozess, der im Rahmen von längeren Fastenperioden und der damit assoziierten Ketose beschrieben ist. Ist Dehydratation mit dem Gefühl von Durst gleichzusetzen? Nein, denn das Durstgefühl in der Sterbephase korreliert nicht mit der Menge der zugeführten Flüssigkeit, sondern mit dem Grad der Trockenheit der Mundschleimhäute. Die alleinige Flüssigkeitsgabe in der Sterbephase hilft daher nicht, das subjektive Durstgefühl zu verringern. Allein durch eine sorgfältige Mundschleimhautpflege kann jedoch das Auftreten eines möglichen Durstgefühls bei der sterbenden Patientin bzw. dem Patienten verhindert werden.

Rein medizinethisch und juristisch betrachtet, sind Entscheidungen bezüglich parenteraler Ernährung/Flüssigkeitszufuhr nicht anders zu werten als Entscheidungen zu anderen lebenserhaltenden Maßnahmen (z. B. maschinelle Beatmung).

> Das Behandlungsteam sollte sich bei der Entscheidung für oder gegen eine parenterale Ernährung/Flüssigkeitszufuhr – neben den Wertvorstellungen und Therapiewünschen der Eltern – von folgender Frage leiten lassen: Überwiegt der Nutzen der Therapie für das Kind oder die durch die Therapie verursachten Belastungen?

Gerade weil aber die parenterale Zufuhr von Nahrung und Flüssigkeit in der Terminal- und Sterbephase häufig mehr zur Leidensmehrung (z. B. kann ein durch Flüssigkeitsüberladung verursachtes Lungenödem eine schwere Atemnot verursachen) denn zu Linderung beiträgt, ist eine Fortführung unter Umständen nicht sinnvoll, während die Stillung von Durstgefühl durch adäquate Mundpflege grundsätzlich stets geboten ist (Grundsätze der Bundesärztekammer).

Mehr als bei anderen Therapieentscheidungen stehen neben dem Wohlergehen des Kindes (Überwiegt der Nutzen oder die durch die Therapie verursachten Belastungen?) die Wertvorstellungen der Eltern im Mittelpunkt der Entscheidung über eine Beendigung von parenteraler Ernährung/Flüssigkeitszufuhr bei einem Neugeborenen.

Im Gegensatz zur Erwachsenenmedizin sind nur extrem wenige neonatologische Szenarien außerhalb der Terminalphase denkbar, bei denen eine parenterale Ernährung und Flüssigkeitszufuhr beendet bzw. nicht initiiert wird. Wenn keine parenterale Ernährung/Flüssigkeitszufuhr durchgeführt wird und das Kind auch keine oder nur sehr wenig Nahrung oral zu sich nehmen kann oder soll, ist in den verbleibenden Tagen (oder sehr selten Wochen) die das Kind noch lebt, auf eine konsequente Symptomkontrolle zu achten. Genauso wie beim Abbruch maschineller Beatmung kann so ein leidfreies Sterben ermöglicht werden. Die Dauer bis zum Eintreten des Todes nach Abbruch einer parenteralen Ernährung und Flüssigkeitszufuhr bei Neugeborenen lag in einer retrospektiven Datenanalyse aus Kanada im Median bei 16 Tagen (minimal 2 bis maximal 37 Tage) (Hellmann et al. 2013).

Anhand eines Fallbeispiels wird ein mögliches Vorgehen zum Abbruch einer parenteralen Ernährung und Flüssigkeitszufuhr bei einem Neugeborenen dargestellt.

▶ **Fallbeispiel**

Tulja ist das 3. Kind des Ehepaares K. Nach der Geburt wurde bei Tulja die Diagnose eines Sha-Wardenburg-Syndroms gestellt. Diese syndromale Erkrankung geht u. a. mit einer vollkommenen Funktionslosigkeit des gesamten Darms einher und ist daher eine schwerwiegende lebensverkürzende Erkrankung. Initial wurde bei noch nicht sicher gestellter Diagnose eine vollparenterale Ernährung des Kindes begonnen. Nach Bestätigung der klinischen Verdachtsdiagnose wurde mit den Eltern über die Fortführung der lebensverlängernden vollparenteralen Ernährung und den damit möglichen einhergehenden Langzeitproblemen (Infektionen, Hepathopathie, …) diskutiert. Die Eltern führten in Folge ausführliche Gespräche im Kreise der Familie und mit verschiedenen Mitgliedern des multiprofessionellen Behandlungsteams. Schließlich wurde sich gemeinsam mit den Eltern für einen Abbruch der parenteralen Ernährung und Flüssigkeitszufuhr entschieden.

Gemäß elterlichem Wunsch wurde das Kind nicht entlassen. Auf unserer Intensivüberwachungsstation wurde der Familie ein Einzelzimmer mit Rooming-in-Möglichkeit zur Verfügung gestellt. Das Behandlungsteam der Station wurde in Fallbesprechungen ausführlich über die Prognose des Kindes informiert und relevante Aspekte der Beendigung der parenteralen Ernährung und Flüssigkeitszufuhr erläutert. Die primären Therapieziele (Stillung von Hunger- und Durstgefühl durch adäquate Mundpflege, Möglichkeit einer Analgosedierung bei Unruhezuständen oder Anhalt für Unbehagen, psychosoziale Betreuung der Eltern, Initiierung einer Trauerbegleitung, Verzicht auf jegliche diagnostischen Maßnahmen etc.) wurden im Team festgelegt. Allen Mitgliedern des Behandlungsteams wurde die Möglichkeit eröffnet, die Betreuung des Kindes und der Familie aus persönlichen Gründen abzulehnen. Zwölf Tage nach Beendigung der parenteralen Ernährung und Flüssigkeitszufuhr verstarb das Kind friedlich im Beisein der Familie. In der gesamten Terminal- und Sterbephase konnte eine gute Symptomkontrolle unter intensiver Mundpflege und zuletzt transdermaler Fentanylgabe erreicht werden. ◀

Literatur

Aldrink JH, Ma M, Wang W, Caniano DA, Wispe J, Puthoff T (2011) Safety of ketorolac in surgical neonates and infants 0 to 3 months old. J Ped Surgery 46:1081–1085

Bajoghli M, Ajudani TS, Gharavi M (1977) Generalized oedema of newborn associated with the administration of dipyrone. Eur J Pediatr 126:271–274

Bellieni CV, Buonocore G, Nenci A, Franci N, Cordelli DM, Bagnoli F (2001) Sensorial saturation: an effective analgesic tool for heel-prick in preterm infants: a prospective randomized trial. Biol Neonate 80:15–18

Breau LM, McGrath PJ, Stevens B, Beyene J, Camfield C, Finley GA, Franck L, Gibbins S, Howlett A, McKeever P, O'Brien K, Ohlsson A (2006) Judgments of pain in the neonatal intensive care setting: a survey of direct care staffs' perceptions of pain in infants at risk for neurological impairment. Clin J Pain 22:122–129

Campbell-Yeo M, Fernandes A, Johnston C (2011) Procedural pain management for neonates using nonpharmacological strategies: part 2: mother-driven interventions. Adv Neonatal Care 11:312–318

Carbajal R, Lenclen R, Jugie M, Paupe A, Barton BA, Anand KJ (2005) Morphine does not provide adequate analgesia for acute procedural pain among preterm neonates. Pediatrics 115:1494–1500

Ceelie I, de Wildt SN, van Dijk M, van den Berg MM, van den Bosch GE, Duivenvoorden HJ, de Leeuw TG, Mathôt R, Knibbe CA, Tibboel D (2013) Effect of intravenous paracetamol on postoperative morphine requirements in neonates and infants undergoing major noncardiac surgery: a randomized controlled trial. JAMA 309:149–154

Cignacco E, Hamers JP, van Lingen RA, Zimmermann LJ, Müller R, Gessler P, Nelle M (2008) Pain relief in ventilated preterms during endotracheal suctioning: a randomized controlled trial. Swiss Med Wkly 138:635–645

Cignacco EL, Sellam G, Stoffel L, Gerull R, Nelle M, Anand KJ, Engberg S (2012) Oral sucrose and „facilitated tucking" for repeated pain relief in preterms: a randomized controlled trial. Pediatrics 129:299–308

Curtis SJ, Jou H, Ali S, Vandermeer B, Klassen T (2007) A randomized controlled trial of sucrose and/or pacifier as analgesia for infants receiving venipuncture in a pediatric emergency department. BMC Pediatr 7:27

Cuviello A, Johnson LM, Morgan KJ, Anghelescu DL, Baker JN (2022) Palliative sedation therapy in pediatrics: an algorithm and clinical practice update. Children (Basel) 1/9(12):1887

Debillon T, Zupan V, Ravault N, Magny JF, Dehan M (2001) Development and initial validation of the EDIN scale, a new tool for assessing prolonged pain in preterm infants. Arch Dis Child Fetal Neonatal Ed 85:F36-41

van Dijk M, Roofthooft DWE, Anand KJS, Guldemond F, de Graaf J, Simons S et al (2009) Taking up the challenge of measuring prolonged pain in (premature) neonates: the COMFORTneo scale seems promising. Clin J Pain 25(7):607–616

Edwards MJ (2005) Opioids and benzodiazepines appear paradoxically to delay inevitable death after ventilator withdrawal. J Palliat Care 21:299–302

Feltman DM, Du H, Leuthner SR (2012) Survey of neonatologists' attitudes toward limiting life-sustaining treatments in the neonatal intensive care unit. J Perinatol 32:886–892

Fernandes A, Campbell-Yeo M, Johnston CC (2011) Procedural pain management for neonates using nonpharmacological strategies: part 1: sensorial interventions. Adv Neonatal Care 11:235–241

Flaskerud JH, Winslow BJ (1998) Conceptualizing vulnerable populations health-related research. Nurs Res 47:69–78

Ganzini L, Goy ER, Miller LL, Harvath TA, Jackson A, Delorit MA (2003) Nurses' experiences with hospice patients who refuse food and fluids to hasten death. N Engl J Med 349:359–365

Garten L, Bührer C (2012) Reversal of morphine-induced urinary retention after methylnaltrexone. Arch Dis Child Fetal Neonatal Ed 97:F151–153

Garten L, Bührer C (2019) Pain and distress management in palliative neonatal care. Semin Fetal Neonatal Med 24(4):101008

Garten L, Daehmlow S, Reindl T, Wendt A, Münch A, Bührer C (2011a) End-of-life opioid administration on neonatal and pediatric intensive care units: nurses' attitudes and practice. Eur J Pain 15:958–965

Garten L, Degenhardt P, Bührer C (2011b) Resolution of opioid-induced postoperative ileus in a newborn infant after methylnaltrexone. J Pediatr Surg 46:e13-15

Giordano V, Edobor J, Deindl P, Wildner B, Goeral K, Steinbauer P, Werther T, Berger A, Olischar M (2019) Pain and Sedation Scales for Neonatal and Pediatric Patients in a Preverbal Stage of Development: a Systematic Review. JAMA Pediatr 1;173(12):1186–1197

Harlos MS, Stenekes S, Lambert D, Hohl C, Chochinov HM (2013) Intranasal Fentanyl in the Palliative Care of Newborns and Infants. J Pain Symptom Manage 46:265–274

Härmä A, Aikio O, Hallman M, Saarela T (2016) Intravenous Paracetamol Decreases Requirements of Morphine in Very Preterm Infants. J Pediatr 168:36–40

Hellmann J, Williams C, Ives-Baien L, Shah PS (2013) Withdrawal of artificial nutrition and hydration in the Neonatal Intensive Care Unit: parental perspectives. Arch Dis Child Fetal Neonatal Ed 98:F21–F25

Hummel P, Lawlor-Klean P, Weiss MG (2010) Validity and reliability of the N-PASS assessment tool with acute pain. J Perinatol 30:474–478

Hummel P, Puchalski M, Creech SD, Weiss MG (2008) Clinical reliability and validity of the N-PASS: neonatal pain, agitation and sedation scale with prolonged pain. J Perinatol 28:55–60

Hünseler C, Balling G, Röhlig C, Blickheuser R, Trieschmann U, Lieser U et al (2014) Continuous infusion of clonidine in ventilated newborns and infants: a randomized controlled trial. Pediatr Crit Care Med 15(6):511–522

Johnston CC, Stevens BJ (1996) Experience in a neonatal intensive care unit affects pain response. Pediatrics 98:925–930

Kompanje EJ, van der Hoven B, Bakker J (2008) Anticipation of distress after discontinuation of mechanical ventilation in the ICU at the end of life. Intensive Care Med 34:1593–1599

de Leeuw TG, Dirckx M, Gonzalez Candel A, Scoones GP, Huygen FJPM, de Wildt SN (2017) The use of dipyrone (metamizol) as an analgesic in children: what is the evidence? A review. Paediatr Anaesth 27(12):1193–1201

Liu M, Wittbrodt E (2002) Low-dose oral naloxone reverses opioid-induced constipation and analgesia. J Pain Symptom Manage 23:48–53

Miraie ED (1988) Withholding nutrition from serious ill newborn infants: a Partners Perspektive. J Pediatr 113:262–265

Mitchell A, Smith HS (2010) Applying partially occluded fentanyl transdermal patches to manage pain in pediatric patients. J Opioid Manag 6:290–294

Moffett S, Wann TI, Carberry KE, Mott AR (2006) Safety of ketorolac in neonates and infants after cardiac surgery. Pediatr Anesth 16:424–428

Ohlsson A, Shah PS (2015) Paracetamol (acetaminophen) for patent ductus arteriosus in preterm or low-birth-weight infants. Cochrane Database Syst Rev (3):CD010061

Ohlsson A, Walia R, Shah SS (2018) Ibuprofen for the treatment of patent ductus arteriosus in preterm or low birth weight (or both) infants. Cochrane Database Syst Rev 9:CD003481

Papacci P, De Francisci G, Iacobucci T, Giannantonio C, De Carolis MP, Zecca E, Romagnoli C (2004) Use of intravenous ketorolac in the neonate and premature babies. Paediatr Anaesth 14:487–492

Pasman HR, Onwuteaka-Philipsen BD, Kriegsman DM, Ooms ME, Ribbe MW, van der Wal G (2005) Discomfort in nursing home patients with severe dementia in whom artificial nutrition and hydration is forgone. Arch Intern Med 165:1729–1735

Pillai Riddell RR, Racine NM, Turcotte K, Uman LS, Horton RE, Din Osmun L, Ahola Kohut S, Hillgrove Stuart J, Stevens B, Gerwitz-Stern A (2015) Non-pharmacological management of infant and young child procedural pain. Cochrane Database Syst Rev (10):CD006275

Portelli K, Kandraju H, Ryu M, Shah PS (2024) Efficacy and safety of dexmedetomidine for analgesia and sedation in neonates: a systematic review. J Perinatol 44(2):164–172

Róka A, Melinda KT, Vásárhelyi B, Machay T, Azzopardi D, Szabó M (2008) Elevated morphine concentrations in neonates treated with morphine and prolonged hypothermia for hypoxic ischemic encephalopathy. Pediatrics 121:e844-849

S3-Leitlinie Analgesie, Sedierung und Delirmanagement in der Intensivmedizin, Version 5.0 (2021) ► https://register.awmf.org/de/leitlinien/detail/001-012. Zugegriffen: 12. Dez 2024

Sandkühler J, Benrath J (2015) Das nozizeptive System von Früh- und Neugeborenen. In: Zernikow B (Hrsg) Schmerztherapie bei Kindern, Jugendlichen und jungen Erwachsenen. Springer, Berlin Heidelberg New York

Serra S, Spampinato MD, Riccardi A, Guarino M, Pavasini R, Fabbri A, De Iaco F (2023) Intranasal Fentanyl for Acute Pain Management in Children, Adults and Elderly Patients in the Prehospital Emergency Service and in the Emergency Department: a Systematic Review. J Clin Med 30;12(7):2609

Stevens B, McGrath P, Gibbins S, Beyene J, Breau L, Camfield C, Finley A, Franck L, Howlett A, Johnston C, McKeever P, O'Brien K, Ohlsson A, Yamada J (2003) Procedural pain in newborns at risk for neurologic impairment. Pain 105:27–35

Stevens B, Yamada J, Lee GY, Ohlsson A (2016) Sucrose for analgesia in newborn infants undergoing painful procedures. Cochrane Database Syst Rev 1:CD001069

Begleitung in der Sterbephase

L. Garten und B. Rösner

Inhaltsverzeichnis

unter Mitarbeit von Tycho Zuzak: Abschn. 5.5.10

unter Mitarbeit von Stephanie Scileppi: Abschn. 5.5.11

Ergänzende Information Die elektronische Version dieses Kapitels enthält Zusatzmaterial, auf das über folgenden Link zugegriffen werden kann ► https://doi.org/10.1007/978-3-662-71982-4_5.

L. Garten und K. von der Hude (Hrsg.), *Palliativversorgung und Trauerbegleitung in der Neonatologie,*
https://doi.org/10.1007/978-3-662-71982-4_5

5.1 Sterbebegleitung des Neugeborenen: Grundlagen und Ziele

> Palliativmedizin in der Neonatologie ist keine reine Leitlinienmedizin, sondern zu einem bedeutenden Anteil Individualmedizin, d. h. die Summe aus Leitlinien, Evidenz und Erfahrung.

5

Das pflegerische und ärztliche Personal einer Neonatologie trägt bei jeder Sterbebegleitung eine große Verantwortung sowohl für das sterbende Kind als auch für dessen Eltern und weitere Zugehörige. Es ist die Aufgabe des Behandlungsteams, sowohl unter Ausschöpfung intensivmedizinischer Möglichkeiten ein würdevolles Versterben des Kindes zu ermöglichen, als auch die Basis für ein individuelles Abschiednehmen der Familie von ihrem Kind zu bereiten. Im Rahmen der medizinischen Therapieplanung in der Terminal- und Sterbephase gilt es nicht, eine Entscheidung zwischen „maximaler" oder „minimaler" Therapie zu treffen. Vielmehr ist es die Aufgabe des betreuenden interprofessionellen Teams, ein Konzept für eine optimale und bedarfsgerechte Therapie zu entwickeln. Das bedeutet, herauszufinden, was das Kind braucht, aber auch, es vor dem zu schützen, was es nicht braucht.

Die drohende Frühtodsituation birgt die große Gefahr, dass Eltern die Möglichkeit nicht nutzen, mit ihrem Kind so viel Zeit wie möglich zu verbringen, um Erinnerungen zu sammeln, die für ihr weiteres Leben reichen müssen. Früh verwaisende bzw. verwaiste Eltern befürchten oft, dass der Schmerz um ihr verlorenes Kind umso größer wird, je mehr sie sich diesem zuwenden. In der Hoffnung, weniger zu leiden und schneller wieder in die Normalität zurückkehren zu können, versuchen manche, zu ihrem Kind möglichst wenig in Beziehung zu treten. Es liegt in der Verantwortung des Klinikpersonals, dafür zu sorgen, dass Eltern sich trauen, sich ihrem sterbenden Kind zu nähern, es kennenzulernen und eine Beziehung zu ihm zu entwickeln.

Um diesem Aufgabenkomplex gerecht werden zu können, bedarf es besonderer personeller und struktureller Voraussetzungen. Wünschenswert wären in diesem Zusammenhang (adaptiert nach Kenner C et al. 2015, Marc-Aurele KL und English NK 2017; Parravicini 2017; Quinn und Gephart 2016):

- Ein hohes Maß an Wissen und Erfahrung im Behandlungsteam in Bezug auf allgemeine neonatologische Intensivversorgung (z. B. schmerzfreie Positionsunterstützung und bedürfnisgerechte Körperpflege, Schmerzerfassung, Vermeidungsstrategien bzw. nichtpharmakologische und pharmakologische Behandlung von Distress und Schmerz)
- Die Gewährleistung fester ärztlicher und pflegerischer Ansprechpartner*innen für die Eltern, 24-h-Besuchsmöglichkeiten für die Eltern, Möglichkeiten zum Rooming-in, 24-h-Verfügbarkeit eines professionellen Übersetzerdienstes
- Regelmäßige Schulungen des gesamten Teams zu verschiedenen Aspekten von Palliativversorgung sowie eine strukturierte Einarbeitung von neuen Mitarbeitenden in palliativmedizinische Grundlagen
- Mindestens eine/n speziell in pädiatrischer Palliativmedizin fortgebildete/n Mitarbeitende/n im ärztlichen und pflegerischen Team („palliativmedizinisches Kernteam")
- Der Einsatz von strukturierten interprofessionellen Besprechungsformaten für (1) das Konfliktmanagement im Team oder auch zwischen Team und Eltern, (2) Entscheidungsfindung zu Therapiezieländerungen und (3) prozessorientierter Vorbereitung, Evaluation und Reflexion jeder Sterbebegleitung (▶ Abschn. 12.1)

In der Übersicht sind die Grundprinzipien für eine bedarfsgerechte Begleitung in der

Sterbephase in der Neonatologie zusammengefasst.

Grundprinzipien für eine bedarfsgerechte Begleitung in der Sterbephase in der Neonatologie (nach PaluTiN-Arbeitsgruppe, 2018)

- Die Sterbephase wird als wichtiger Teil des Lebens anerkannt.
- Bei der Betreuung Neugeborener und ihrer Eltern in der unmittelbaren Sterbephase des Kindes liegt der Fokus auf dem Vermeiden von Leid und auf der menschlichen Zuwendung.
- Die Würde und das Wohl des Kindes sind zu jedem Zeitpunkt zu achten.
- Umfassende nicht medikamentöse und medikamentöse Maßnahmen zur bestmöglichen Symptomkontrolle und ein sensibler Umgang mit den Eltern und der Familie werden vom Behandlungsteam in interprofessioneller Zusammenarbeit gewährleistet.
- Die Begleitung des Kindes und der Familie erfolgt den individuellen Bedürfnissen angepasst in achtsamer und angemessener Weise.

5.2 Familienorientierung

Das Sterben eines Kindes hat Auswirkungen auf die gesamte Familie. Der Begriff Familie sollte im Falle der Palliativversorgung von Kindern weit ausgelegt werden können und bei Bedarf auch weitere Personen außer den Familienangehörigen mit einbeziehen. Eine für die pädiatrische Palliativmedizin hilfreiche Definition des Begriffs Familie könnte daher auch lauten: „zwei oder mehr Personen, die durch Fürsorge und Intimität eng miteinander verbunden sind". Diese Definition hat den Charme, dass sie – unabhängig von der Biologie – z. B. auch gleichgeschlechtliche Partnerschaften mit Kind gleichberechtigt zur klassischen „Vater-Mutter-Kind-Familie" einschließt.

Die Beziehung zwischen der Familie und dem Behandlungsteam hat in der Zeit einer Palliativversorgung eines Kindes einen ausgesprochen hohen Stellenwert (Snaman JM et al. 2016; Butler A et al. 2015). Dies gilt sowohl individuell für jedes einzelne Familienmitglied als auch kollektiv für das Gesamtsystem Familie. Das Konzept einer „familienorientierten Medizin" (Übersicht) hat in alle Bereiche der Kinderheilkunde Einzug gehalten und ist dementsprechend auch ein fester Bestandteil pädiatrischer Palliativmedizin (Del Gaudio et al. 2012; Doorenbos et al. 2012).

Basiselemente einer familienorientierten Palliativversorgung in der Neonatologie

- Die elementare Bedeutung der Familie für das Leben von Kindern wird erkannt und respektiert. Die Eltern-Kind-Beziehung wird gefördert bzw. geschützt.
- Alle individuellen und kollektiven Anstrengungen der Familienmitglieder, für ihr krankes Kind zu sorgen, werden wertgeschätzt und gefördert. Information und Aufklärung sowie Partizipation an Entscheidungsprozessen sind die Grundvoraussetzungen für die Eltern, ihrer Aufgabe als Sorgeberechtigte nachkommen zu können.
- Die Entscheidungen, die eine Familie für ihr Kind trifft, werden respektiert und unterstützt, solange sie im vermeintlichen Interesse des Kindes sind. Wünschen und Wertvorstellungen der Familie wird offen und flexibel begegnet.
- Die psychosozialen Entwicklungsprozesse der Familie werden begleitet und durch Hilfsangebote unterstützt. Die Familie wird in allen Anstrengungen unterstützt, „Momente normalen

Lebens“ in die Extremsituation einer schweren kindlichen Erkrankung zu integrieren.
- Die Beziehung zwischen Familie und Behandlungsteam ist partnerschaftlich und professionell. Eine wahrhaftige Haltung des Teams, Aufrichtigkeit und Empathie sind im alltäglichen Kontakt für die Familie erfahrbar.
- Familienorientierte Betreuung endet nicht mit dem Tod des Kindes. Sie beinhaltet eine weiterführende Begleitung der verwaisten Familie in einen gesicherten Alltag mit bedarfsorientierten Unterstützungsangeboten.

Familienorientierung im Rahmen einer Sterbebegleitung eines Neugeborenen muss berücksichtigen, dass sich das System Familie in einer Phase des Entstehens bzw. der Umstrukturierung befindet (Craig JW et al. 2015; Lean RE et al. 2018). Das Neugeborene ist als neues Familienmitglied noch nicht in die neue bzw. vorhandene Familie integriert. Bei Erstgeborenen haben die Eltern noch keinerlei Erfahrung, wie sie ihrer Rolle als „Ernährer*in, Fürsorgespender*in und Entscheider*in für ihr Kind“ gerecht werden können.

Autonomie, Selbstbestimmung und Selbstbefähigung der Eltern und anderen Zugehörigen sollten im täglichen Kontakt durch das Behandlungsteam gestärkt und gefördert werden. Alle Eltern sollten das aktive Angebot bekommen bzw. im Idealfall befähigt werden, die tägliche Pflege des Kindes, therapeutische Entscheidungen am Lebensende, die Sterbephase ihres Kindes und die Planung des Abschiednehmens aktiv mitzugestalten. Eine zwingende Voraussetzung für eine aktive Mitgestaltung durch die Eltern ist die Kenntnis aller hierfür notwendiger Informationen, die Fähigkeit, diese Informationen zu erfassen und sie zu verstehen. Nur dann haben Eltern die Chance, Ängste abzubauen und eigene Entscheidungen zu treffen. Nicht immer wird dies der Fall sein. Manche Eltern sind in dieser Extremsituation wie gelähmt und mit jeder Entscheidung überfordert. Ihnen sollte dann die Möglichkeit eröffnet werden, die Abwägung von Therapieoptionen teilweise oder vollständig an das Behandlungsteam zu delegieren. Dann kann es u. U. die Aufgabe des Behandlungsteams sein, Entscheidungen im vermuteten besten Interesse des Kindes vorzuformulieren und diese im Einverständnis der Eltern umzusetzen.

Da es für die Begleitung von Eltern, deren Neugeborenes im Sterben liegt, keine allgemeingültigen „Betreuungsrezepte“ gibt, muss sich das Behandlungsteam immer wieder neu auf jede einzelne Familie in ihrer Individualität einlassen. Gespräche mit den Eltern sollten stets im Bewusstsein erfolgen, dass Eltern Experten für sich selbst sind und Grundvoraussetzungen in sich tragen, um für ihr Kind und sich selbst tragfähige Entscheidungen zu treffen. Hilfreich für alle Betreuenden ist es, sich immer wieder zu verdeutlichen, dass die Familien Unterstützungsangebote sowohl annehmen als auch ablehnen können.

> Die Ablehnung eines Hilfsangebotes sollte nie als „persönliche Absage“ interpretiert werden. Manchmal sind die zuerst gemachten Angebote einfach nicht diejenigen, die von den Eltern als für sie hilfreich eingeschätzt werden. Vielleicht ist es aber bereits das nächste oder auch erst das übernächste Hilfsangebot.

Und dennoch, es können Situationen auftreten, in denen die Mechanismen, derer sich eine Familie zur Bewältigung der Extremsituation „Sterben eines Kindes“ bedient, nicht funktionieren bzw. diese sogar für das Kind oder andere Familienmitglieder eine Gefährdung darstellen. Zum Beispiel können in diesen Extremsituationen familiäre Gewalt, Drogen- oder Alkoholmissbrauch oder selbstgefährdendes bzw. -verletzendes Verhalten auftreten. Dann ist das Behandlungsteam verpflichtet, zum Schutz des Kindes (oder anderer Familienmitglieder) aktiv einzugreifen und u. U. die entsprechenden Behörden (Jugendamt, Familiengericht etc.) einzuschalten.

5.2.1 Gespräche mit Eltern

Im Rahmen einer palliativmedizinischen Versorgung finden intensive Gespräche zwischen dem Behandlungsteam und den Eltern statt. In diesen Gesprächen werden u. a. elementare Inhalte besprochen, z. B. die Eröffnung einer lebensbedrohlichen oder lebensverkürzenden Diagnose, die Option einer Therapiezieländerung oder elterliche Wünsche zu den Umständen des Sterbens ihres Kindes. Im Sinne der Eltern sind für diese Gespräche feste ärztliche und pflegerische Ansprechpartner*innen zu fordern (Aschenbrenner et al. 2012). Wenn eine Kontinuität der Gesprächspartner*innen nicht immer realisiert werden kann, so ist für eine optimale persönliche Informationsweitergabe unter den wechselnden, gesprächsführenden Teammitgliedern Sorge zu tragen.

Zu allgemeinen Gesprächshaltungen in der Kommunikation mit Eltern von lebensbedrohlich erkrankten Kindern finden sich im ► Abschn. 5.3 einige Anmerkungen. Als zusätzliche Anregung für den Alltag sollen die im Folgenden (Übersicht) aufgeführten Hinweise des „Bundesverband Verwaiste Eltern und trauernde Geschwister in Deutschland e. V." dienen. Sie betreffen die Kommunikation ab dem Zeitpunkt der Diagnoseeröffnung einer lebensverkürzenden Erkrankung, denn mit dieser beginnt der Trauerprozess um das Kind.

Hinweise zur Kommunikation mit trauernden Eltern

(„Bundesverband verwaiste Eltern und trauernde Geschwister in Deutschland e. V.")

- Versuchen Sie nicht, „Zauberworte" zu finden, die den Schmerz verschwinden lassen. Es gibt keine! Eine Umarmung, eine Berührung oder ein schlichtes „Es tut mir so leid" bieten eine Menge Trost und Unterstützung.
- Haben Sie keine Angst, weinen zu müssen. Ihre Tränen sind eine Anerkennung für das Kind, die Eltern und die ganze Familie. Ja, vielleicht werden die Eltern anfangen, mit Ihnen zu weinen, aber diese gemeinsam geweinten Tränen können wichtig sein für den Trauerprozess. Vermeiden Sie es zu sagen „Ich weiß, wie Du Dich fühlen musst". Es ist sehr schwierig, die Schwere und Tragweite des Verlustes zu verstehen, wenn ein Kind gestorben ist. Die Behauptung, es verstehen zu können, kann anmaßend auf die Eltern wirken.
- Vermeiden Sie es, Dinge zu sagen wie: „Es war Gottes Wille" oder andere Klischees, die den Tod des Kindes herabsetzen oder erklären sollen. Versuchen Sie auch nicht, positive Dinge angesichts des Todes des Kindes zu sehen wie „Wenigstens habt ihr noch andere Kinder". Solche Sätze machen alles nur noch schlimmer, denn kein Kind kann ein verstorbenes je ersetzen. Akzeptieren Sie einfach, dass es keine Worte gibt, die den Tod des Kindes wieder gutmachen könnten.
- Hören Sie zu! Lassen Sie die Familie ihre Wut, Fragen, Schmerz, Fassungslosigkeit und die Schuld, die vielleicht empfunden wird, zum Ausdruck bringen. Sie müssen verstehen, dass Eltern manchmal das Bedürfnis haben,

immer wieder über ihr Kind und die Todesumstände zu reden.
- Vermeiden Sie jegliches Urteil, jede Beurteilung oder gar Verurteilung dessen, was die Zugehörigen tun. „Du solltest …“ oder „Du solltest nicht …“ ist weder passend noch hilfreich. Entscheidungen und das Verhalten Trauernder können in einigen Fällen sehr extrem erscheinen.
- Seien Sie sich darüber im Klaren, dass der Tod eines Kindes, besonders bei sehr religiösen Eltern, ernste Zweifel an Gott hervorrufen kann. Versuchen Sie nicht, Antworten zu liefern. Wenn die Eltern dieses Thema ansprechen, versuchen Sie lieber zuzuhören und die Eltern ihre eigenen Gefühle erleben zu lassen. Sie werden ihre eigenen Antworten zu diesem Thema finden müssen.
- Seien Sie „einfach“ da für die Eltern …
- Schenken Sie den übrigen Kindern der betreuten Familie besonders viel Aufmerksamkeit. Sie leiden, sind verwirrt und werden oft übersehen in ihrer Not. Nehmen Sie nicht an, sie würden nicht leiden, nur weil sie ihre Gefühle scheinbar nicht zeigen. Oft verstecken Geschwisterkinder ihre Trauer, da sie ihren Eltern nicht zusätzlichen Schmerz zufügen wollen. Reden Sie mit ihnen und erkennen Sie den Verlust an.
- Erwähnen Sie den Namen des verstorbenen Kindes. Befürchten Sie nicht, dass es den Eltern noch mehr weh tut, wenn über ihr Kind geredet wird. Normalerweise bewirkt es genau das Gegenteil. Indem man den Namen des verstorbenen Kindes benutzt, wird den Eltern das Gefühl gegeben, dass nicht nur sie sich an ihr Kind erinnern.
- Haben Sie Geduld. Sie müssen verstehen, dass in einer Familie jeder unterschiedlich mit seiner Trauer umgeht. Einige sprechen es aus, andere möchten überhaupt nicht darüber reden, einige ziehen sich zurück und andere zeigen sich sehr wütend.

5.2.2 Eltern auf der neonatologischen Intensivstation

1988 hat die European Association for Children in Hospital (EACH) eine Charta für die Rechte der Kinder im Krankenhaus verabschiedet. Die Bundesrepublik Deutschland war durch das Aktionskomitee „Kind im Krankenhaus“ vertreten. Im Artikel 2 der EACH-Charta heißt es: „Kinder (vom Neugeborenen- bis zum Jugendalter) im Krankenhaus haben das Recht, ihre Eltern oder eine andere Bezugsperson jederzeit bei sich zu haben.“ Artikel 3 führt aus: „Bei der Aufnahme eines Kindes ins Krankenhaus soll allen Eltern die Mitaufnahme angeboten werden (…).“ Weiter heißt es im Artikel 3: „Um an der Pflege ihres Kindes teilnehmen zu können, müssen Eltern (…) informiert und ihre aktive Teilnahme (…) soll unterstützt werden.“

Für die gesetzlichen Krankenkassen ist diesbezüglich im 5. Buch des Sozialgesetzbuches (SGB V) Folgendes festgelegt: Während des stationären Aufenthaltes eines Kindes im Krankenhaus kann eine Begleitperson mit aufgenommen werden. Bei Attestierung der medizinischen oder psychologischen Notwendigkeit durch die Ärztin bzw. den Arzt werden die Kosten der Mitaufnahme von der Krankenkasse übernommen (§ 11 SGB V). Zusätzlich kann bei Mitaufnahme eines erwerbstätigen Elternteils ein Ausgleich von Verdienstausfall bei der Krankenkasse beantragt werden – dies ist allerdings eine „Kann-Leistung“ und die Kostenübernahme steht im Ermessen der Krankenkasse (§ 11 SGB V). Lebt ein weiteres Kind unter 12 Jahren im Haushalt und kann dieses wegen Mitaufnahme der haushaltsführenden Person nicht versorgt werden, so steht der Familie die Finanzierung einer Haushaltshilfe durch die Krankenkasse zu. Da das erkrankte Kind nicht der Leistungsempfänger ist, ist hier jedoch eine Zuzahlung durch die Familie zu leisten (§ 38 SGB V).

Wenn nicht schon während des gesamten Klinikaufenthaltes, so doch spätestens in der Sterbephase sollte Eltern die Möglichkeit eingeräumt werden, auch auf einer neonatologischen Intensivstation kontinuierlich bei ihrem Kind bleiben zu können. Das beinhaltet zwingend die Möglichkeit zur Übernachtung. Manche Kliniken haben vielleicht das Glück, dass ein Rooming-in direkt auf der Intensivstation als Standardangebot für alle Eltern vorgesehen ist. Aber auch wenn dies nicht der Fall sein sollte, so kann im Einzelfall auch auf einer neonatologischen Intensivstation ein „provisorisches“ Rooming-in-Zimmer eingerichtet werden (Garten et al. 2013).

Alternativ kann Eltern auch eine Übernachtungsmöglichkeit in einem separaten Elternzimmer in der Nähe der Intensivstation angeboten werden. Gibt es keine klinikinterne Unterbringungsmöglichkeit, so sollten die Eltern zumindest bei der Organisation einer kliniknahen Unterbringungsmöglichkeit unterstützt werden. Möchten oder können die Eltern nicht kontinuierlich bei ihrem Kind bleiben, sollte selbstverständlich auch auf der Intensivstation ein uneingeschränktes Besuchsrecht für die Eltern und deren Familien bestehen.

5.2.3 Einbeziehung von Geschwistern

Ältere Geschwister wurden oftmals bereits während der Schwangerschaft von den Eltern in die gedanklichen und praktischen Vorbereitungen auf das neue Familienmitglied eingebunden und haben u. U. eine klare Vorstellung von ihrer Schwester oder ihrem Bruder. Oft sind mit diesen Vorstellungen ganz individuelle Wünsche, Hoffnungen oder auch Ängste verbunden. Genauso wie die Annahme der elterlichen Rolle bereits in der Schwangerschaft initialisiert wird, trifft dies auch für die „Geschwisterwerdung“ zu. Kinder sind hochsensibel für die Emotionen ihrer Eltern. Im Falle einer lebensverkürzenden bzw. -bedrohlichen Prognose für das neue Kind werden elterliche Sorgen, Ängste und Trauer nicht unentdeckt bleiben. Viele Eltern neigen aus Sorge vor einer unzumutbaren Belastung ihrer älteren Kinder dazu, nicht ehrlich über die Situation ihres Un- bzw. Neugeborenen zu sprechen. Dies kann für ältere Geschwister extrem verstörend sein, merken sie doch unweigerlich „dass etwas sehr Belastendes in der Luft liegt“ (Youngblut JA und Brooten D 2013).

Im Rahmen wissenschaftlicher Befragungen gaben Geschwister an, dass sie es als besonders hilfreich empfanden, wenn ehrlich, offen und altersgerecht mit ihnen über die Situation ihres schwer erkrankten Geschwister gesprochen wurde (Chin WL et al. 2018; Marsac ML et al. 2018). Andernfalls kann es zu Missverständnissen kommen, und ältere Kinder suchen im ungünstigsten Fall bei sich die Ursache für z. B. Trauer, Angst oder Wut ihrer Eltern oder für die Erkrankung des neuen Familienmitgliedes. Während des Aufenthaltes des Neugeborenen in der Klinik müssen ältere Geschwister in bedeutendem Maße auf die physische und „psychisch-emotionale“ Anwesenheit ihrer Eltern verzichten. Der familiäre Tagesablauf ändert sich grundlegend, und die Beziehungen zwischen den Familienmitgliedern und eventuell auch die Rollenverteilung innerhalb des Familienverbundes werden neu definiert. Die achtsame Einbeziehung älterer Geschwister in die Palliativsituation holt sie aus der oft gefühlten „Unsichtbarkeit“ wieder heraus und wird als Wertschätzung der eigenen Person wahrgenommen. Auf dem Weg der Einbindung in die Palliativsituation bedarf es einer feinfühligen Begleitung. Die Begleitung der Geschwister kann aufgrund von fehlenden emotionalen, psychischen und zeitlichen Ressourcen in den meisten Fällen nicht allein von den Eltern übernommen werden. Wenn möglich, sollte den Eltern daher in diesen Fällen eine Unterstützung angeboten werden (Eilertsen MB et al. 2018). Die zusätzliche Einbindung einer oder mehrerer anderer Vertrauenspersonen aus dem Kreis der Familie oder dem Freundeskreis in die Begleitung und Betreuung älterer Geschwister hat sich als sehr hilfreiche Ergänzung bewährt und wird häufig von den Eltern als wichtige psychische Entlastung empfunden.

Initial bestehen oft Vorbehalte vonseiten der Eltern, ihre älteren Kinder mit auf die Intensivstation zu nehmen. Diese können durch eine sensible Beratung meist entkräftet werden. Im Rahmen dieser Beratung wird die Wichtigkeit einer altersgerechten Einbeziehung von Geschwistern erklärt, insbesondere auch im Hinblick auf den späteren familiären Trauerprozess (Lövgren M et al. 2016). Was können Geschwister konkret auf der Intensivstation tun? Sie können je nach Zustand des Neugeborenen das Kind z. B. streicheln, es auf den Arm nehmen, eincremen oder füttern. Kleine Geschwister können Bilder malen, die dann am Inkubator oder Bett des Kindes angebracht werden. Auch kann ein „Familienschild" für das erkrankte Neugeborene gestaltet werden. Auf diesem Familienschild könnte z. B. geschrieben stehen: „Ich heiße Lena. Meine Mutter heißt Silke, mein Vater heißt Michael. Ich habe zwei Geschwister: Martha und Ben", eventuell ergänzt um Fotos der Familienmitglieder. Wenn so ein Familienschild am Inkubator oder Bett des Kindes angebracht wird, ist die ganze Familie immer präsent und auch die Geschwister sind für alle sichtbar. Jugendlichen Geschwistern hilft es manchmal, das Erleben der Palliativsituation in einem persönlichen Tagebuch niederzuschreiben.

5.2.4 Todesvorstellungen von Kindern

Die Erfahrungen aus der Praxis zeigen, dass sich gerade die Todesvorstellungen von Kindern gleichen Alters abhängig von ihrer Sozialisation im Hinblick auf ihren Realitätsgehalt teilweise sehr stark voneinander unterscheiden können. Neben dem individuell stark variierenden Entwicklungstempo spielen die oft so überraschenden eigenen Konstruktionsleistungen der Kinder in Bezug auf ihren individuellen Todesbegriff eine große Rolle (Panagiotaki G et al. 2018). Daher muss sich das Wissen um die aktuelle Todesvorstellung jedes einzelnen Kindes individuell im persönlichen Gespräch erarbeitet werden. Gerade bei Gesprächen rund um dieses existenzielle Thema Tod sind Geduld, Empathie, Hellhörigkeit und Achtsamkeit gefordert.

▶ Fallbeispiel

Der 5 Jahre alte Mehmet besucht seinen im Sterben liegenden Bruder Can. Die Eltern sind im Vorfeld sehr besorgt und haben große Angst und Sorge, ob sie es ihrem 5-jährigen Sohn überhaupt zutrauen können, seinen Bruder auf der Neugeborenenintensivstation zu besuchen, zumal dies der erste Besuch von Mehmet in einem Krankenhaus ist. Can ist ein Frühgeborenes und wurde nach 24 Schwangerschaftswochen geboren. Er liegt im Inkubator und wird maschinell beatmet. Zusammen mit den Eltern wird Mehmet altersgerecht in die Situation eingeführt. Er erfährt, dass sein Bruder sehr krank und schwach ist und bald sterben wird. Mehmet erwidert: „Ja, das kenne ich schon. Mein Meerschweinchen war auch zu schwach und ist auch gestorben" und geht ohne Zögern zum Inkubator seines Bruders.

Als er seinen frühgeborenen Bruder sieht, sagt er erstaunt zu seiner Mutter: „Guck mal, was für kleine Hände Can hat!". Die Eltern sind erleichtert über den unbekümmerten Umgang ihres großen Sohnes mit der Situation. In den nächsten Tagen kommt Mehmet noch mehrere Male zu Besuch. Er malt Bilder für seinen Bruder, die an den Inkubator gehängt werden. 5 Tage später verstirbt Can auf der Neugeborenenintensivstation. ◄

5.3 Familien mit kulturell und sprachlich diversem Hintergrund

Immer wieder erleben wir im klinischen Alltag, dass unbewusst davon ausgegangen wird, Familien mit einer spezifischen Migrationsbiografie hätten einen „homogenen Hintergrund". Doch es gibt sie nicht, „die muslimische Familie". Genauso wie es nicht „die katholische Familie", „die Großstadt-Familie" oder „die Patchwork-Familie" gibt. Wir müssen uns bei jeder Palliativversorgung aufs Neue auf den Weg machen und die von uns betreute Familie mit ihren individuellen Werten, Hoffnungen und Wünschen kennenlernen. Das Wertesystem eines Elternpaares bzw. einer Familie ist immer multifaktoriellen Ursprungs. Die Religionszugehörigkeit – egal ob bei Familien mit oder ohne Migrationsbiografie – ist hier nur ein einziger möglicher Faktor. Ethnische, kulturelle, psychosoziale Faktoren und die momentane soziale Lage spielen hier in familien- und manchmal sogar in situationsspezifischer Ausprägung eine zusätzliche Rolle. Der kulturelle „Hintergrund" einer betreuten Familien kann nicht im Voraus „aus der Erfahrung heraus" antizipiert werden. Das Wertesystem jeder einzelnen Familie muss individuell erfragt werden. Hilfreich dabei sind eine Haltung von Offenheit und Neugierde, Zeit und Ruhe, Empathie und Flexibilität, Unvoreingenommenheit und soziale Kompetenz, sowie Anerkennung und Akzeptanz des Anderen.

Eine bedeutende Barriere im Prozess des Kennenlernens eines familiären Wertesystems können unzureichende Sprachkenntnisse der Familie sein. Diese Sprachbarrieren müssen bewusst wahrgenommen und ihnen muss adäquat begegnet werden. Auch wenn ein Elternteil die Sprache versteht, sollte bei „größeren" Gesprächen stets ein externer, professioneller Dolmetscherdienst hinzugezogen werden. Die Erfahrung zeigt, dass Familienangehörige als Dolmetschende teilweise emotional überfordert sind und nicht wahrheitsgemäß oder unvollständig übersetzen, da sie Sorge haben, durch Übermittlung schlechter Nachrichten den Partner/die Partnerin bzw. die Eltern zu überfordern. Zusätzlich kann es zu Rollenkonflikten kommen (z. B. zwischen der Rolle des „tröstenden Ehemanns" und der Rolle des „Wissensvermittlers"). Der kontinuierliche Einsatz einer bzw eines professionellen, der Familie nicht zugehörigen Dolmetschenden ist daher unbedingt wünschenswert. Es sollten möglichst professionell Dolmetschende hinzugezogen werden, die nicht nur die Sprache, sondern auch die Standards, Regeln und Ethik des Dolmetschens beherrschen. Alternativ zu professionell Dolmetschenden können auch – wenn vorhanden – bikulturelle Mitarbeitenden aus dem Behandlungsteam eingesetzt werden. Diese genießen im Gegensatz zu externen Dolmetschenden meist einen Vertrauensvorschuss bei den Eltern, können das nötige Fachwissen vorweisen, und sind in der medizinischen Fachsprache zu Hause.

Erfolgen wegweisende Elterngespräche ohne Einsatz professionell Dolmetschender besteht die Gefahr, dass es aufgrund von sprachlichen Missverständnissen oder unzureichender Informationsweitergabe an die Eltern zu Frustration, Wut und Enttäuschung bei den betroffenen Eltern kommen kann, die über den Tod des Kindes hinauswirken (Davies et al. 2010). Innerhalb des Behandlungsteams sollten sich alle stets bewusst sein, dass das Nichtverstehen von Diagnose und Therapie auch zu einem Nichtverstehen der palliativen Situation des Kindes führen kann.

> Es liegt in der Verantwortung des Trägers und der Einrichtung, eine sprachlich einwandfreie Kommunikation zwischen Behandlungsteam und betroffenen Eltern mittels professionell Dolmetschender zu ermöglichen. Alternativ zu persönlich anwesenden Dolmetschenden kann auch der Einsatz von qualifizierten Video- oder Telefondolmetschenden erwogen werden. Es sollten keine Verwandten oder Nachbarn, auf keinen Fall Kinder oder Jugendliche, als Dolmetschende eingesetzt werden.

Entstehen im Rahmen einer Palliativversorgung Konflikte, weil die Vorstellungen zum Vorgehen von Eltern/Familie und Behandlungsteam nicht in Einklang zu bringen sind, ist es hilfreich, sich folgende Fragen zu stellen: Inwieweit hat das Behandlungsteam die Familie und ihre Wertvorstellungen in ihrer individuellen psychosozialen, kulturellen und religiösen Situation verstanden? Und: Ist es gelungen, das familiäre Wertesystem in ausreichendem Maße in das gesamte Behandlungsteam zu kommunizieren?

5.4 Entscheidungen am Lebensende – Therapiezieländerung

> In der Palliativmedizin gibt es keine Alternativlosigkeit.

Mit der Diagnose einer lebensverkürzenden Erkrankung entstehen für die Eltern und das Behandlungsteam komplexe Herausforderungen in Bezug auf notwendige Behandlungsentscheidungen. Eltern haben das Recht und mehrheitlich den Wunsch, aktiv an den Entscheidungen für ihr Kind mitzuwirken (gemeinsame Entscheidungsfindung, „shared decision-making“). Ein kontinuierlicher, offener und ehrlicher Austausch über Informationen, Werte, Ziele und Handlungsoptionen zwischen den Eltern und dem Behandlungsteam ist die Grundlage für tragfähige und langfristig nachvollziehbare Entscheidungen. Im Rahmen der notwendigen medizinischen Beratung sollten neben individuellen Aspekten des betroffenen Kindes auch lokale, nationale und internationale Untersuchungen zu Prognose und Behandlungsoptionen berücksichtigt werden (PaluTiN AG. Leitsätze für Palliativversorgung und Trauerbegleitung in der Peri- und Neonatologie 2018).

Im Zusammenhang mit Entscheidungen am Lebensende werden in der Literatur, aber auch in Gesprächen mit betroffenen Eltern immer wieder Begriffe wie „Therapieabbruch“ („withdrawing of intensive care“), „Behandlungsverzicht“, „Maximaltherapie“, „Therapiereduktion“ oder „Therapiedeeskalation“ gebraucht. Diese Begriffe sind medizinisch und ethisch missverständlich, können zu Verunsicherung bei den Eltern führen und sollten unseres Erachtens auch auf neonatologischen Intensivstationen vermieden werden. Es sollte besser von einer Therapiezieländerung („re-orientation of care“ bzw. „re-direction of care“) gesprochen werden. Palliativversorgung in der Neonatologie steht für eine aktive Fortführung einer bedarfsorientierten, individuellen Intensivmedizin mit einem neuen Therapieziel (palliativ statt kurativ). Das nachvollziehbare tiefe Bedürfnis jeder Mutter und jedes Vaters, es möge „alles für ihr/sein Kind getan werden“ (Gillis 2008), findet in diesem Begriff eine angemessene Haltung. Diese innere Haltung, die die intensive und professionelle Palliativversorgung und Begleitung in der Sterbephase als selbstverständliche Aufgabe ansieht, ist die Voraussetzung dafür, dass sich Eltern mit ihrem Kind nicht aufgegeben fühlen. Es sollte aus diesem Grund auch der Gebrauch von Sätzen wie „Wir können nichts mehr für ihr Kind tun“, „Ihr Kind ist austherapiert“ oder „Jetzt können wir ihrem Kind nicht mehr helfen“ vermieden werden. Den Eltern sollte stattdessen erklärt werden, dass das Behandlungsteam weiterhin unter Einsatz all seiner Ressourcen sowie mit Professionalität, Fürsorge und Sorgfalt dafür sorgen wird, dass ihr Kind die optimale Pflege und Therapie bekommt, der es in seiner jetzigen Situation sinnvollerweise bedarf.

5.4.1 Festlegung des Therapieziels

Bevor über die Indikationsstellung einzelner Therapiemaßnahmen entschieden werden kann, muss das übergeordnete Therapieziel für das betroffene Kind in seiner aktuellen Situation klar definiert werden. Die fachliche Grundlage stellt hierfür die strukturierte medizinische Evaluation der aktuellen Behandlungsoptionen dar – einschließlich ihrer Chancen und Risiken. Das Therapieziel sollte im Rahmen einer gemeinsamen Entscheidungsfindung von Eltern und Behandlungsteam definiert werden (Shaw C et al. 2016). Der Dialog zwischen Behandlungsteam und Eltern, in dem die Sachkompetenz vornehmlich beim Behandlungsteam, die Wertekompetenz bei den Eltern angesiedelt ist, bildet an dieser Stelle die Basis einer gemeinsam getragenen Entscheidung. Mögliche Therapieziele bei Vorliegen einer lebensverkürzenden Erkrankung könnten z. B. sein: „das Kind soll keine Schmerzen/Atemnot haben“, „das Kind soll in der ihm verbleibenden Zeit möglichst viel Körperkontakt zu seinen Eltern haben dürfen“, “das Sterben des Kindes soll nicht herausgezögert werden“, „das Kind soll unter guter Symptomkontrolle zu Hause versterben dürfen“.

> Transparenz und Ehrlichkeit in der Kommunikation sowie elterliches Vertrauen in die Kompetenz des Behandlungsteams sind wichtige Grundlagen dafür, dass Eltern später mit ihrer Entscheidung bzgl. des gewählten Therapiezieles für ihr Kind leben können.

Es ist die Pflicht des Behandlungsteams, dafür Sorge zu tragen, dass die Eltern die aktuell relevanten medizinischen und ethischen Aspekte erfasst haben und in der Position sind, im besten Interesse des Kindes mit zu entscheiden. Dies ist häufig ein Prozess, der mehrzeitige Gespräche – idealerweise mit den gleichen ärztlichen und pflegerischen Ansprechpartner*innen – erfordert. Es sollte das Ziel sein, die Eltern schrittweise, verständlich und nachvollziehbar zu einer tragfähigen, *gestützt-autonomen* Entscheidung zu befähigen. Sie sollen später die Gewissheit haben, nach bestem Wissen und Gewissen entschieden zu haben.

Es ist wichtig, daran zu denken, dass sich die Einschätzung und die anzustrebenden Therapieziele der Beteiligten unterscheiden können. Dies sollte klar benannt werden und sich bzgl. der unterschiedlichen Sichtweisen offen ausgetauscht werden. Die Schritte zur Therapiezielfindung sollten für alle transparent sein und schriftlich dokumentiert werden. Immer wieder können Veränderungen im Krankheitsverlauf für die Eltern oder das Behandlungsteam eine neue Einschätzung notwendig machen. Deshalb sind bei kritischen, instabilen Krankheitsverläufen häufig wiederholte Gespräche im Team und mit den Eltern notwendig.

Ob im Rahmen von Entscheidungen zu Therapiezieländerungen grundsätzlich eine mehr oder weniger aktive elterliche Rolle für deren späteren Trauerprozess günstiger ist, wird kontrovers diskutiert. Eltern sollten daher grundsätzlich selbst entscheiden dürfen, welche Rolle sie im Entscheidungsprozess bzgl. einer Therapiezieländerung einnehmen wollen. Sie benötigen für die damit verbundenen Auseinandersetzungen und Entscheidungsprozesse Ruhe und Zeit (Caeymaex et al. 2011).

> Das Modell der gemeinsam erarbeiteten und getragenen Entscheidung („shared

decision-making") am Lebensende beinhaltet, dass den Eltern die Bürde der Verantwortung nicht allein auferlegt wird, zugleich aber ihr Recht, aktiv an den Entscheidungen für ihr Kind mitzuwirken, respektiert und unterstützt wird.

Es gibt durchaus Eltern, die alle verfügbaren Informationen erfahren und dann die Entscheidungen für ihr Kind ganz autonom für sich allein treffen möchten. Auf der anderen Seite gibt es Eltern, die eigentlich gar nichts hören möchten und am liebsten alle Entscheidungen an das Behandlungsteam abgeben möchten. Beides sind Extreme innerhalb eines weiten Spektrums. Die meisten Eltern liegen irgendwo dazwischen mit individuellen und unterschiedlichen Bedürfnissen bzw. Vorstellungen in Bezug auf die Balance, autonom für ihr Kind zu entscheiden bzw. Entscheidungen in einem Vertrauensverhältnis graduell an das Behandlungsteam abzutreten. Die schwierige Aufgabe für das Behandlungsteam ist es, jedem Elternpaar die Mischung aus Autonomie und Fürsorge zu geben, die es aktuell benötigt. Dies ist u. a. deswegen ein schwieriges Unterfangen, weil diese „Mischung" im Laufe einer Behandlung durchaus variieren kann. Das bedeutet, dass das Behandlungsteam immer wieder von Neuem nachhorchen muss, wo die Eltern in der aktuellen Situation stehen. Ergänzend sei auch noch erwähnt, dass in der Begleitung und Beratung der Eltern dem u. U. kulturell unterschiedlichen Verständnis der Rolle der Zugehörigen im Entscheidungsprozess Rechnung getragen werden sollte.

Es kommt vor, dass Eltern Behandlungswünsche oder Therapieziele für ihr Kind äußern, die nicht oder nur mit einer extrem geringen Wahrscheinlichkeit realisierbar sind oder die mit unvertretbar hohem Aufwand oder Belastungen für das Kind verbunden wären. Insbesondere in solchen Situationen bedarf es weiterer klärender Gespräche über die zugrunde liegenden medizinischen Fakten und die Angemessenheit des tatsächlich realisierbaren Therapieziels.

Entscheiden sich Eltern, die Abwägung von Therapieoptionen teilweise oder vollständig an das Behandlungsteam zu delegieren, so könnte eine erforderliche Therapiezielfindung z. B. im Rahmen fallbezogener, interprofessioneller Teambesprechungen erfolgen. Im Rahmen dieser oder ähnlicher Besprechungsformate (▶ Abschn. 12.1) wird nach Darstellung der aktuellen medizinischen und pflegerischen Situation des Kindes sowie der psychosozialen Gesamtsituation der betroffenen Familie ein Konzept zum weiteren therapeutischen Vorgehen formuliert und im Idealfall im interprofessionellen Konsens verabschiedet. Das Konzept zum weiteren therapeutischen Vorgehen sollte dabei ausschließlich im besten Interesse des Kindes erarbeitet werden. Bei Teambesprechungen zur Therapiezielfindung sollte gewährleistet sein, dass sich jedes Teammitglied unabhängig von Berufsgruppe und Hierarchiestufe frei und ohne Angst vor Missachtung und Bloßstellung äußern kann. Hier empfiehlt sich unbedingt der Einsatz von Gesprächsmoderator*innen. Wird kein Konsens erreicht, sollte die Entscheidung vertagt und mit zeitlichem Abstand eine weitere Besprechung einberufen werden. Es kann u. U. hilfreich sein, externe Moderator*innen oder externe ärztliche oder pflegerische Kolleg*innen zu diesen Gesprächen hinzuzuziehen. An manchen Kliniken gibt es vielleicht sogar die Möglichkeit einer ethischen Beratung im Rahmen eines ethischen Konsils. Die Motivation für die Erarbeitung einer gemeinsam im Konsens verabschiedeten interprofessionellen Teamempfehlung ist nicht in erster Linie die Schaffung einer breiteren Rückendeckung. Vielmehr soll auf diesem Weg eine Korrektur individueller Subjektivität der einzelnen Teammitglieder mithilfe eines gleichberechtigten Austauschs verschiedener Ansichten und Vorstellungen erfolgen.

Grundlegende Aspekte bei Therapiezieländerungen in der Neonatologie (nach Laing 2013)

- Innerhalb des Behandlungsteams sollte stets eine Kultur des offenen Austauschs zu Fragen von Therapiezieländerungen herrschen. Der Umgang miteinander sollte dabei stets respektvoll sein, Kritik sollte konstruktiv geäußert werden.
- Vor Diskussion über eine Therapiezieländerung müssen alle medizinischen Fakten vollständig zusammengetragen werden. Wenn sich dabei zeigt, dass es noch Unschärfen bei einzelnen Aspekten gibt, müssen diese, wenn es die medizinische Situation des Kindes zulässt, ausgeräumt werden.
- Nicht immer können alle medizinischen Unsicherheiten aus dem Weg geräumt werden, dies sollte vom Behandlungsteam nicht als Schwäche empfunden werden. Ein offener und ehrlicher Umgang mit verbleibenden Unsicherheiten vermeidet Konflikte im Behandlungsteam und erhöht in der Regel das elterliche Vertrauen in das Behandlungsteam.
- Ansichten, Wünsche, Gedanken der Eltern sollten stets mit in die Entscheidungsfindung zu einer möglichen Therapiezieländerung einfließen. Der Schlüssel liegt hier im empathischen Zuhören, selbst auferlegter Zeitdruck ist in diesem Prozess kontraproduktiv.
- Eltern sollten in ihrem Wunsch unterstützt werden, sich zusätzlich Beratung(en) einzuholen, von wem sie dies auch immer als hilfreich empfinden. Das Einfordern einer „Zweitmeinung" sollte nicht als Misstrauensbeweis oder Ausdruck eines beginnenden Konfliktes zwischen Eltern und Behandlungsteam interpretiert werden. Die meisten Eltern wünschen sich durch eine Zweitmeinung eine Bestätigung der bereits mitgeteilten Teameinschätzung, um dann auf einer breiteren Basis über die existenzielle Entscheidung einer Therapiezieländerung nachdenken zu können.
- Eltern entscheiden für und nicht anstatt des Kindes. Bestehen Eltern trotz wiederholter und ausführlicher Aufklärung auf der Durchführung einer ärztlicherseits als sinnlos erachteten Therapie, so sollte die Anrufung des Familiengerichts erwogen werden. Das Familiengericht hat dann zu prüfen, ob ein Missbrauch des elterlichen Sorgerechts vorliegt.
- Alle Gespräche im Zusammenhang mit der Frage nach einer Therapiezieländerung müssen sorgfältig dokumentiert werden. Dies gilt insbesondere für die jeweiligen Gründe für eine bestimmte Entscheidung.

Von vielen Eltern wird die Aufgabe, für ihr Kind über so existenzielle Entscheidungen wie die Fortführung, Begrenzung oder Beendigung lebenserhaltender Maßnahmen zu entscheiden, als sehr belastend empfunden. Dies kann u. U. zu Konflikten zwischen den Eltern, innerhalb der Familie oder zwischen Eltern/Familie und dem Behandlungsteam führen.

Konflikte innerhalb der Familie können vor allem entstehen, wenn zwischen Mutter und Vater bzw. Co-Mutter des Kindes, bzw. zwischen den Eltern und weiteren Familienmitgliedern Uneinigkeit in Bezug auf das „richtige" Vorgehen in einer Palliativsituation herrscht. Im Behandlungsteam sollte eine hohe Sensibilität für derartige Konflikte vorhanden sein. Die klinische Erfahrung zeigt, dass diese innerfamiliären Konflikte am wahrscheinlichsten gelöst werden können, wenn sie aktiv vom Behandlungsteam angesprochen werden. Die Eltern sollten in ihrer Rolle als primär Sorgeberechtigte gestützt und der Familie ein gemeinsames Gespräch angeboten werden. In einer solchen „Familienkonferenz" wird den betroffenen Familienmitgliedern die Situation des palliativ betreuten Kindes noch einmal detailliert erklärt sowie Nutzen und Risiken der bestehende Therapieoptionen aufgezeigt (Michelson et al. 2011).

Hat das Behandlungsteam konkrete Anhaltspunkte dafür, dass die Eltern ausnahmsweise nicht in der Lage sein sollten, auf der Basis der ärztlichen Aufklärung über den Zustand ihres Kindes eine Entscheidung zu treffen, die das Kindeswohl wahrt, so besteht die Berechtigung bzw. Verpflichtung, das Familiengericht zu rufen, damit es die nötigen Maßnahmen zum Schutze des Kindes treffen kann (Grundgesetz für die Bundesrepublik Deutschland. Art. 6. BGBI 1949;I:2. und Bürgerliches Gesetzbuch. Gesetz zur Erleichterung familiengerichtlicher Maßnahmen bei Gefährdung des Kindswohls. BGBI 2008; § 1666:1888) (▶ Abschn. 2.2).

> Sind medizinisch, ethisch und juristisch tragfähige elterliche Entscheidungen getroffen, so sollen diese von allen Beteiligten respektiert werden, auch wenn das Behandlungsteam eine andere Behandlungsoption bevorzugt hätte. In sehr seltenen Fällen, wenn eine solche tragfähige Entscheidung nicht erreicht wird, kann das ethische Prinzip des Nichtschadens für die Behandlung führend werden.

5.4.2 Indikationsstellung medizinischer Maßnahmen

Erst wenn das individuelle Therapieziel für das betroffene Kind klar definiert ist, kann in einem zweiten Schritt über den Beginn, die Fortführung oder die Beendigung einzelner medizinischer Maßnahmen entschieden werden (Warrick C et al. 2011). Hierzu gehören auch alle lebenserhaltenden Maßnahmen, wie z. B. maschinelle Beatmung, Sauerstoffsupplementation, (teil)parenterale Ernährung, Ernährung mittels Magensonde oder i.v.-Katecholamindauerinfusion. Es sollte bedacht werden, dass jede Maßnahme prinzipiell nur dann indiziert ist, wenn das zuvor definierte Therapieziel durch diese realistisch erreicht werden kann.

> Es ist verständlich, dass Eltern, deren Kinder an einer lebensverkürzenden Erkrankung leiden, die Neigung haben, nach jedem vermeintlich „rettenden Strohhalm" zu greifen. Es ist aber unethisch, ihnen Strohhalme anzubieten, die keine sind. (Frei nach Borasio 2012).

Voraussetzung für Beginn und Fortführung jeder medizinischen Behandlungsmaßnahme ist die Indikationsstellung durch eine Ärztin bzw. einen Arzt. Die ärztliche Indikationsstellung muss erstens einen ganzheitlichen Charakter haben (auf den „Gesamtzustand" der Patientin bzw. des Patienten bezogen sein) und zweitens prospektiv ausgerichtet sein (die Prognose berücksichtigen). Mit der Indikationsstellung entscheidet die Ärztin bzw. der Arzt somit in vielen Fällen kraft ihrer bzw. seiner medizinischen Kompetenz über den Beginn oder die Fortführung lebensverlängernder Maßnahmen und übernimmt auch die Verantwortung in dieser Entscheidung.

Eine zulässige Behandlungsmaßnahme im palliativmedizinischen Kontext muss folgende Voraussetzungen erfüllen:

- Für den Beginn oder die Fortführung besteht nach fachlich begründeter Einschätzung einer erfahrenen Ärztin /eines erfahrenen Arztes bzw. des behandelnden Ärzteteams eine medizinische Indikation. Die moderne Medizinethik empfiehlt dabei, diese Frage in zwei Schritten zu beantworten: (1) „Ist die geplante bzw. laufende Maßnahme auf der Basis der evidenzbasierten Medizin prinzipiell geeignet, das aktuell für die behandelte Person definierte Therapieziel zu errei-

chen?“ und (2) „Ist die Maßnahme auch geeignet, der individuellen Person in ihrer konkreten Situation und Befindlichkeit mehr zu nützen als zu schaden?“
- Die Durchführung einer Therapiemaßnahme entspricht dem vermeintlichen Patient*innenwillen und erfolgt im besten Interesse der Patientin bzw. des Patienten.

Erfüllen die jeweils geprüften Behandlungsmaßnahmen diese Voraussetzungen, sollen sie eingeleitet bzw. fortgeführt werden. Wenn eine der beiden Voraussetzungen nicht vorliegt, sind die entsprechenden Maßnahmen nicht indiziert (da kein Nutzen) oder gar kontraindiziert (da schadensträchtig).

> Bei fehlender Indikationsstellung sollen (lebenserhaltende) Therapiemaßnahmen weder begonnen noch fortgeführt werden und können auch nicht von Eltern für ihr Kind eingefordert werden (Grundsätze der Bundesärztekammer zur ärztlichen Sterbebegleitung 2011).

Es sei an dieser Stelle noch einmal darauf hingewiesen, dass es keine Rechtsverpflichtung zur Erhaltung eines erlöschenden Lebens um jeden Preis gibt. Lebensverlängernde Maßnahmen sind nicht schon deshalb indiziert, weil sie technisch möglich sind. Angesichts des bisherige Grenzen überschreitenden medizinischen Fortschritts bestimmt nicht die Effizienz der Apparatur, sondern die an der Achtung des Lebens und der Menschenwürde ausgerichtete Einzelfallentscheidung die Grenzen ärztlicher Behandlungspflicht. Das Recht bietet die Grundlage für erforderliche Einzelfallentscheidungen am Lebensende. Leider kann das Recht dem Behandlungsteam jedoch weder einen Teil der ethisch-moralischen Komplexität, der psychologischen Härte oder der sozialen Herausforderung, welche Entscheidungen am Lebensende hervorbringen, beseitigen. Tod und Sterben bedeuten die größte Verunsicherung im Leben des Menschen, seine größte Herausforderung – keine Rechtssicherheit könnte diese existenzielle Unsicherheit je aufheben (Jox 2013).

Im interkulturellen Kontext, sei es durch Globalisierungseffekte, langjährige Migration oder die jüngeren Fluchtbewegungen, werden die oben aufgeführten Kriterien zur Indikationsstellung medizinischer Maßnahmen immer wieder im klinischen Alltag infrage gestellt. Durch gesellschaftliche Veränderungen stehen u. U. religiöse Glaubensüberzeugungen oder kulturelle Werte der betreuten Familien im Konflikt mit dem vermeintlich „besten Interesse“ des Kindes (bewertet aus der Außenperspektive einer wertepluralen Gesellschaft heraus). So kann es vorkommen, dass eine Therapiebegrenzung aufgrund des Wegfalls der medizinischen Indikation möglicherweise nicht von den Eltern akzeptiert wird. Stattdessen wird beispielsweise eine Fortsetzung intensiver Behandlungsmaßnahmen (z. B. invasive Beatmung) eingefordert. In diesen Situationen bedarf es einer kultursensiblen Kommunikation, die diese divergente Gewichtung von Werten und Normen aufgreift (Alt-Epping et al. 2020). Trotz aller Bemühungen verbleibt jedoch manchmal dieses Dilemma in der therapeutischen Entscheidungsfindung, wenn das rechtliche bzw. arztethisch erforderliche Verhalten mit einer kulturbedingen Ablehnung dieser ethischen Praxis in Konflikt gerät. Diese Situationen gehören dann zu den größten „nicht medizinischen“ Herausforderungen im Kontext einer neonataler Palliativversorgung und führen oftmals zu einer extremen psychischen Belastung für die betroffene Familie und das Behandlungsteam.

5.4.3 Therapiezieländerung

Eine Therapiezieländerung ist in der Regel kein punktuelles Ereignis. Vielmehr ist es eingebettet in einen mehrzeitigen Entscheidungsprozess, der manchmal Tage oder Wochen dauern kann. Er ist häufig begleitet von psychologischen Phänomenen der Ambivalenz und Fluktuation bei Eltern und innerhalb des Behandlungsteams. Eltern und das gesamte Behandlungsteam brauchen daher Zeit.

Das Verlassen einer kurativen Zielsetzung muss zwingend zu einer (regelmäßigen) Überprüfung sämtlicher diagnostischer, therapeutischer und pflegerischer Maßnahmen führen. Jede unnötige Belastung für das palliativ betreute Kind muss vermieden werden. Auf der anderen Seite gibt es nun auch keine rechtfertigenden Gründe mehr, dem Kind aus Sorge vor langfristigen Nebenwirkungen oder Spätfolgen etwas vorzuenthalten, das seine Lebensqualität verbessern könnte. Verbindliche Absprachen und Anordnungen sollten sorgfältig und für alle Teammitglieder gut einsehbar dokumentiert werden.

Zusätzlich sollten nun in der kommenden Zeit mit den Eltern z. B. Fragen zur Sterbephase und der Zeit nach dem Tod des Kindes besprochen werden. Wichtige Inhalte von derartigen Elterngesprächen sind unter ▶ http://extras.springer.com, Checkliste 3, aufgeführt.

Manchmal werden lebenserhaltende Maßnahmen fortgeführt, weil niemand deren Fortführung infrage stellt. Verschiedene „unausgesprochene Symptome" können ein Hinweis darauf sein, dass Gesprächsbedarf bzgl. der aktuellen Therapiemaßnahmen bei einer Patientin bzw. einem Patienten besteht (Übersicht).

Wenn der Wunsch nach einer Therapiezieländerung „in der Luft liegt": unausgesprochene Symptome (nach Chiswick 2001)

- Desinteresse und (demonstrative) Nichtbeteiligung an der Visite: Verstimmte Teammitglieder wenden sich während der Visite des betroffenen Kindes ab und sind plötzlich mit anderen, vermeintlich wichtigeren Dingen beschäftigt.
- Überzogene Darstellung von klinischen Symptomen: Die Überbetonung von z. B. Therapienebenwirkungen oder Symptomen wie Unruhe oder Agitiertheit spiegelt hier den verzweiflungsvollen Kummer über die aktuelle Situation des Kindes, die nicht offen ausgesprochen werden kann, wider.
- Therapeutischer Nihilismus: Alle Vorschläge zu Therapieänderung bzw. -anpassungen werden per se vom Team abgelehnt, es erfolgte kein objektives Abwägen von Nutzen und Nebenwirkungen.
- Der unpassende Ruf nach „dem Experten": Aus dem neonatologischen Team wird der Ruf nach einem externen Experten laut, z. B. nach dem Pulmologen, der Kardiologin oder jemandem aus dem ambulanten Kinderpalliativteam (vermutlich in der Hoffnung, der Experte werde die Diskussion nach der ersehnten Therapiezieländerung eröffnen).
- Kleingruppenformierung: Im Behandlungsteam bilden sich „Kleingruppen", die intern im engen Kreis über eine mögliche Therapiezieländerung diskutieren, diese Diskussion wird aber bewusst nicht in das ganze Team getragen.
- „Mit den Eltern hat noch niemand richtig gesprochen!": Trotz nachweislich regelmäßiger Elterngespräche über den Zustand des Kindes, wird mit Beharrlichkeit die Behauptung aufgestellt, die Eltern seien nicht informiert, wie krank ihr Kind in Wirklichkeit ist.

Teammitglieder aller Professionen auf einer neonatologischen Intensivstation sind immer wieder extrem hohen Belastungen ausgesetzt. In Bezug auf Entscheidungen zu Therapiezieländerungen können Konflikte gerade in größeren Teams leider nicht immer vermieden werden. Es ist die Aufgabe insbesondere der psychosozialen, pflegerischen und ärztlichen Leitung, Konflikte frühzeitig zu erkennen, diese anzusprechen und gemeinsam mit dem Team zu lösen. Hier hat sich der Einsatz von verschiedenen strukturierten Besprechungsformaten (▶ http://extras.springer.com, Checkliste 7) in der Klinikroutine bewährt (Garten et al. 2013).

> Kann sich ein einzelnes Teammitglied nicht auf eine im Einverständnis mit den Eltern getroffene Entscheidung zu einer Therapiezieländerung einlassen, so sollte es grundsätzlich möglich sein, dass diese Person vom weiteren Behandlungsprozess freigestellt wird.

In ▶ Kap. 2 finden sich nähere Ausführungen zu ethischen, moralischen und rechtlichen Aspekten in Bezug auf Entscheidungen am Lebensende bei Neugeborenen.

5.5 Pflege von Neugeborenen in der Sterbephase

Die Pflege eines sterbenden Neugeborenen unterscheidet sich nicht grundlegend von der Pflege anderer intensivmedizinisch versorgter Neugeborener. Aspekte, die in der unmittelbaren Sterbebegleitung eine besondere Beachtung finden sollten sind:

- Schmerzen und Unbehagen werden erkannt und umgehend behandelt (▶ Kap. 4).
- Die Umgebung des Kindes wird so gestaltet, dass äußere Stressoren (Licht, Lärm, Unruhe) vermieden werden.
- Die Pflege richtet sich ausschließlich nach den individuellen Bedürfnissen des Kindes.
- Die Fähigkeit des Kindes zur Selbstregulation wird unterstützt.
- Die Eltern sind die wichtigsten Bezugspersonen für das Kind, sie werden mit all ihren Bedürfnissen, Wünschen, Sorgen und Ängsten wahrgenommen und in ihrer elterlichen Autonomie unterstützt.

Erfahrungsgemäß ist es hilfreich, in regelmäßigen Pflegevisiten die Situation des Kindes und der Eltern zu besprechen. Ziele dieser Visiten ist es, Probleme und Ressourcen der Familie zu erkennen und diese in die weitere Pflegeplanung zu integrieren.

5.5.1 Allgemeine Körperpflege

Das oberste Allgemeinziel in der Sterbebegleitung ist die Minimierung äußerer Stressoren. Das Kind benötigt in der letzten Lebensphase insbesondere Ruhe, Wärme und körperliche Zuwendung. Daher sollte auch die Körperpflege auf ein individuelles, bedürfnisgerechtes und der aktuellen Situation des Kindes angemessenes Mindestmaß reduziert werden.

5.5.2 Wärme

Aufgrund des im Sterbeprozess herabgesetzten Stoffwechsels hat das sterbende Kind Mühe, seine Körpertemperatur aufrecht zu halten. Es ist daher sinnvoll, die Körpertemperatur des Kindes am Körperstamm (Nacken, Brust) regelmäßig zu erfühlen. Eine regelmäßige axillare oder sogar rektale Temperaturmessung ist nicht sinnvoll, da dies unnötig die Ruhe des Kindes stört. Die Messgenauigkeit der erfühlten Temperatur reicht aus, um etwaige Konsequenzen (z. B. Erhöhung der externen Wärmezufuhr) zu ziehen. Primär sollte eine externe Wärmezufuhr über direkten Körperkontakt zwischen Kind und Eltern erfolgen. Zusätzlich können vorgewärmte Tücher oder das Aufstellen von Wärmestrahlern am Platz des Kindes zur Linderung von Kältestress erwogen werden. Eine erfühlte Hypothermie darf kein Grund sein, den Körperkontakt zwischen Kind und Eltern zu unterbrechen.

Wenn es der Zustand des Kindes zulässt, kann ein Bad in warmem Wasser zur Entspannung des Kindes beitragen. In der Praxis hat es sich bewährt, insbesondere Frühgeborene zuvor in weiche Baumwolltücher zu hüllen und sie eingewickelt zu baden.

5.5.3 Mundpflege, Ernährung und Verdauung

Durch eine sorgfältige Mund- und Lippenpflege kann das Auftreten eines unangenehmen Durstgefühls verhindert werden. Hierzu sollte der Mund des Kindes regelmäßig befeuchtet werden. Industriell hergestellte Mundpflegelösungen, die gern in der Erwachsenenmedizin eingesetzt werden, haben teilweise einen unangenehmen Geschmack, daher sind Muttermilch, humane Spendemilch oder Formulanahrung für die Mundpflege bei Neugeborenen zu bevorzugen. Zusätzlich sollten die Lippen regelmäßig mit einer Fettcreme oder mit Muttermilch eingecremt werden. In der Sterbephase sind das subjektive Hunger- und Durstgefühl vermindert. Die enterale Ernährungsmenge richtet sich primär nach dem Zustand und den Bedürfnissen des sterbenden Kindes. Auch hier gilt: Oberstes Ziel ist eine Vermeidung von unnötigem Stress für das Kind bei optimaler Symptomkontrolle. Meist reicht es aus, den Kindern kleinere Mengen Muttermilch oder Formulanahrung bei häufigeren Mahlzeiten (z. B. 8–12 Mahlzeiten pro Tag) anzubieten. Wenn von der Mutter gewünscht und bei ausreichender Kraft des Kindes, kann das sterbende Kind gestillt werden. Dies fördert die Mutter-Kind-Bindung und wirkt zusätzlich schmerz- und stressmodulierend (▶ Abschn. 4.3.1). Liegt eine symptomatische Obstipation vor, kann Glycerol rektal (Babylax®: 0,5 mg für Reifgeborene, 0,25 mg für Frühgeborene) eingesetzt werden, bei einer opioidinduzierten Obstipation kann der Einsatz von Methylnaltrexon erwogen werden (▶ Abschn. 4.4.1). Unter Umständen können eine regelmäßige Bauchmassage oder abdominelle Öleinreibungen (s. unten) zusätzlich lindernd wirken. Bezüglich der Fortführung einer Ernährung bzw. Flüssigkeitszufuhr siehe auch ▶ Abschn. 4.6.2.

5.5.4 Atmung

Pharyngeales und endotracheales Absaugen erfolgen nur noch, wenn das Kind durch übermäßiges Sekret klinisch beeinträchtigt erscheint. Die Atemphysiologie verändert sich während des Sterbeprozesses. Das Atmen wird oberflächlicher und unregelmäßig, Phasen von Tachypnoe, Hypopnoe oder Apnoe können sich abwechseln. Kurz vor Eintritt des Todes kann eine Cheyne-Stokes-Atmung auftreten, das bedeutet, die Atemzüge werden immer flacher, bis sie nach einer Atempause von manchmal mehr als 10 Sekunden wieder tiefer bis hin zu angestrengten Atemzügen werden. Die Cheyne-Stokes-Atmung geht häufig der präterminalen Seufzer-/Schnappatmung voraus. Von diesen physiologischen Veränderungen, die zum Sterbeprozess dazugehören, muss eine echte Dyspnoe abgegrenzt werden. Diese ist belastend für das Kind und sollte symptomatisch behandelt werden (▶ Abschn. 4.6.1).

5.5.5 Augen

Bei seltenem oder fehlendem Lidschlag bzw. bei unvollständigem Lidschluss kann es zur Austrocknung und Hornhautulzerationen kommen. Beides verursacht lokales Unbehagen bis hin zu Schmerzen, dem sollte daher mittels regelmäßiger Augenpflege vorgebeugt werden. Hierzu eignet sich der lokale Einsatz von reinen Filmbildnern, z. B. „künstliche Tränen“, d. h. Augentropfen mit physiologischem pH-Wert (Anwendungshäufigkeit 3- bis 5-mal täglich, bei Bedarf auch häufiger) oder Tränenersatzgel (Anwendungshäufigkeit 3- bis 5-mal täglich, bei Bedarf auch häufiger). Zur Therapie bei bereits eingetretenen Hornhautschäden eignet sich u. a. der lokale Einsatz von Dexpanthenol-Augensalbe (Anwendungshäufigkeit 2- bis 4-mal täglich, Nachteil: bildet einen nicht blickdurchlässigen Film auf dem Auge).

5.5.6 Positionsunterstützung

Durch eine fachgerechte Positionsunterstützung wird das sterbende Neugeborene in seiner Selbstregulation unterstützt. Zusätzlich wird das Risiko für die Entstehung von Druckstellen minimiert. Wichtig ist es, dass das Kind so bequem wie möglich in seiner Position unterstützt wird und dabei sein Gewicht auf einer entsprechenden Unterlage abgeben kann.

Bei der Positionierung von sterbenden Neugeborenen können erfahrungsgemäß Aspekte des „kinaesthetic infant handlings“ (Kirov 2013) sehr gut zur Anwendung kommen. Das Konzept unterstützt das Prinzip der Individualpflege und wirkt wahrnehmungsfördernd. Immer stehen dabei das Kind und seine Familie mit ihren Ressourcen im Mittelpunkt. Für das Pflegepersonal entsteht dadurch nicht mehr Aufwand. Jedoch braucht es Bereitschaft, sich auf eine empathische Interaktion einzulassen.

Folgenden Punkten gilt es besondere Aufmerksamkeit zu schenken:

- Die Unterstützung des Kindes in seiner Position muss so gestaltet sein, dass es sich aktiv anpassen kann und nicht in seinen Anpassungsbewegungen behindert wird.
- Wie das Kind sein Gewicht in der jeweiligen Position an die Unterlage abgeben und durch kleine Bewegungen anpassen kann, hat einen Einfluss auf die Möglichkeiten, seine Muskelspannung und damit seine Vitalfunktionen zu regulieren.
- Zur Dekubitusprophylaxe sollte die Position – insbesondere bei in ihrer Bewegung eingeschränkten Kindern – immer wieder minimal verändert werden.
- Schmerz wird durch Muskelspannung beeinflusst. Das Kind sollte während therapeutischer oder diagnostischer Maßnahmen in der notwendigen Position so unterstützt werden, dass sich seine Muskelspannung nicht zusätzlich erhöht.
- Leidet das Kind an einem Lokalschmerz (z. B. Dekubitus, Wunde), so soll mittels Positionierungsunterstützung das Gewicht von schmerzhaften Bereichen weggeleitet und somit der Problembereich entlastet werden.
- Eine Schrägstellung der Liegeunterlage ist zu vermeiden. Bei respiratorischen Problemen sollte vielmehr nur eine Oberkörperhochlagerung durchgeführt werden. Wird die gesamte Liegefläche schräg gestellt, zieht die Schwerkraft das Gewicht aller Körperteile nach unten. Das Kind wird versuchen, über seine Muskelanspannung seine momentane Position beizubehalten, um nicht nach unten zu rutschen. Diese permanente Muskelanspannung behindert das Kind in seiner Eigenbewegung und Autoregulation. Teilweise wird dem Abrutschen der Kinder durch Lagerungshilfen entgegengewirkt. Durch dieses Stoppen von unten wird die Eigenbewegung des Kindes behindert, was die Atmung erschwert, das Schlucken einschränkt und die Darmperistaltik verringert. Es kann zu Atemproblemen, Verdauungsproblemen, Reflux, Ausscheidungsproblemen, Verspannungen und Kontrakturen kommen.

- Die Füße gegen eine Begrenzung zu drücken hilft, das Gewicht von Kopf, Brustkorb und Becken vom tiefsten Punkt des Körpers bis zum Kopf zu kontrollieren.

5.5.7 Reduktion von Licht und Lärm

5

Um zusätzlichen Stress zu minimieren, sollen Licht und Geräusche im Patient*innenzimmer minimiert werden. Das Verhindern direkter heller Lichteinstrahlung im Kopfbereich des Kindes, das generelle Abdimmen von Raumkunstlicht sowie Reduktion von hellem Tageslicht durch z. B. Vorhänge oder Inkubatorüberdecken sind hier sinnvolle Maßnahmen. In der terminalen Sterbephase kann die Monitorüberwachung beendet werden. Neben der Geräuschreduktion wird es so für viele Eltern erst möglich, sich vollkommen auf ihr Kind zu konzentrieren und nicht immer auf den Monitor zu sehen. Alternativ können lediglich alle akustischen Monitoralarme ausgeschaltet werden. Einige Monitorhersteller bieten einen sogenannten „Besuchermodus" an. Hier sehen die im Patient*innenzimmer Anwesenden keine Vitalparameter und hören auch keine Alarme. Die Werte werden lediglich an der zentralen Monitorüberwachung angezeigt und geben nur hier einen akustischen Alarm.

5.5.8 Körperkontakt zwischen Kind und Eltern

Körperkontakt zwischen Kind und Eltern ist eine nachgewiesene nichtpharmakologische Maßnahme zur Distress- und Schmerzreduktion (▶ Abschn. 4.3.1). Der Aufbau und die anschließende Förderung der Eltern-Kind-Beziehung sind für die spätere Trauerarbeit früh verwaister Eltern von wesentlicher Bedeutung. Der Förderung der elterlichen Autonomie im Umgang mit ihrem Kind und der Anregung zu engem und häufigem Hautkontakt zwischen Kind und Eltern kommt daher eine besondere Bedeutung in der Sterbebegleitung von Neugeborenen zu. Allen Eltern sollte angeraten werden, ihr Kind in den letzten Lebenstagen und -stunden vor Ort zu begleiten.

> Der direkte Körperkontakt mit ihrem sterbenden Kind spendet vielen Eltern im weiteren Trauerprozess Trost (Pector 2004) und sollte daher aktiv gefördert werden.

Die Erfahrung zeigt, dass es nur eine geringe Anzahl von Eltern gibt, die während des unmittelbaren Sterbeprozesses aus sehr individuellen Gründen nicht bei ihrem Kind sein können bzw. möchten.

Bei den meisten derzeit auf neonatologischen Intensivstationen gebräuchlichen Möglichkeiten zum direkten Körperkontakt zwischen Kind und Eltern muss das Kind aus seinem Bett oder Inkubator zu den Eltern umpositioniert werden. Das gestaltet sich z. B. bei schwerkranken größeren Reifgeborenen häufig schwierig. Wesentlich leichter für alle Beteiligten ist es, wenn die Eltern zum Kind kommen. Das kann z. B. ermöglicht werden, indem das schwerkranke Kind in ein Erwachsenenkrankenbett gebettet wird. Das Kind kann nach einmaliger Umpositionierung in dem großen Krankenbett bis zum Tod gepflegt werden. Es ist günstig, das Kind zusammen mit der Matratze aus dem Inkubator oder dem Säuglingsbett in das große Bett zu legen. Dadurch kann die Belastung durch die Umpositionierung auf ein Minimum reduziert werden. Zur Vermeidung von Kältestress kann insbesondere bei Frühgeborenen mit Wärmestrahlern oder Wärmematten gearbeitet werden.

Jederzeit besteht nun die Möglichkeit, dass sich die Mutter und/oder der Vater in das Bett zum Kind legen. Hier können sie gemeinsam mit ihrem Kind ruhen. Die Eltern können nun autonom entscheiden, wann und wie lange sie sich zu ihrem Kind legen möchten. So können auch individuelle und bedarfsgerechte Pausen (Toilettengang, Essen, Trinken etc.) gemacht werden, was bei einem schwerkranken Kind, das auf dem Arm der Eltern liegt, teilweise schwierig ist, da jede erneute Umpositionierung den Allgemeinzustand des Kindes verschlechtern und diese Situation den Eltern große Angst machen kann. Insbesondere für Mütter, die einen Kaiserschnitt erhalten haben, und noch durch Schmerzen in ihrer Bewegung eingeschränkt sind, kann die Pflegevariante in einem großen Krankenbett eine große Hilfe sein.

5.5.9 Einbindung der Eltern in die Pflege des Kindes

Im Sinne der Autonomieförderung sollen Eltern so weit wie möglich in die Pflege ihres sterbenden Kindes eingebunden werden. Wichtig sind dabei eine einheitliche Anleitung und im Anschluss eine fortlaufend situationsgerechte Unterstützung durch das pflegerische Team. Mit den Eltern muss individuell besprochen werden, welche pflegerischen Tätigkeiten sie übernehmen können und möchten. Eltern können prinzipiell nach entsprechender Anleitung einen großen Teil der Pflege ihres Kindes in der Phase der Sterbebegleitung übernehmen. Dies gilt insbesondere für pflegerische Basismaßnahmen wie Windel wechseln, Mund- und Lippenpflege, Sondieren von Nahrung, baden, eincremen oder die Durchführung einer Massage. Eltern sollten angeregt werden, mit ihrem Kind zu sprechen, ihm vorzusingen, es zu halten und zu streicheln, seinen Körper genau anzusehen. Unter Umständen können Eltern mit ihrem Kind einen kleinen Spaziergang auf dem Stationsflur oder sogar auf dem Klinikgelände machen (ggf. in Begleitung von Klinikpersonal). Ein Spaziergang im eigenen Kinderwagen hat für viele Eltern eine ganz besondere Bedeutung. Viele von ihnen berichten, dass sie sich beim Spaziergang zum ersten Mal ein wenig als „richtig normale" Eltern gefühlt haben.

> Das Behandlungsteam sollte tolerieren, dass Eltern getroffene Vereinbarungen möglicherweise wieder rückgängig machen, weil sich ihre jeweiligen Bedürfnisse und die Belastbarkeit auf Grund der Situation teilweise schnell ändern.

5.5.10 Komplementäre und alternative Therapieverfahren

In die Gruppe komplementäre und alternative Therapieverfahren (CAM) gehören Therapien aus diversen Gesundheitssystemen, die im Allgemeinen nicht als Bestandteil der konventionellen Medizin angesehen werden. Die Grenzen zwischen CAM und konventioneller Medizin sind nicht absolut und bestimmte CAM-Verfahren mögen über die Zeit als weitgehend akzeptiert gelten. Komplementäre Medizin im Speziellen meint den Einsatz von CAM zusammen mit konventioneller Medizin, wie z. B. der Einsatz von Akupunktur als ergänzende Maßnahme in der Schmerztherapie. Alternative Medizin meint „den Einsatz von CAM anstatt einer konventionellen Medizin". CAM wird bei Kindern in Deutschland seit vielen Jahren benutzt, jedoch wurde erst vor einigen Jahren begonnen, diese Anwendungen zu erforschen. Aus Umfragen aus der allgemeinen Pädiatrie ist bekannt, dass etwa 50–60 % der Eltern bei ihrem Kind Komplementärmedizin anwenden. Dabei sind Homöopathie, Phytotherapie (Pflanzenheilkunde) und anthroposophische Medizin die am häufigsten angewendeten Therapien. Oft werden diese Therapien in Selbstmedikation ohne Rücksprache mit dem ärztlichen Haupttherapeuten eingesetzt. Auch in palliativen Situationen werden bei Kindern oft CAM-Therapien angewandt.

Daraus ergeben sich folgende Empfehlungen für den Umgang in palliativen Versorgungssituationen: Das Behandlungsteam sollte akzeptieren, dass Eltern alle ihnen zur Verfügung stehenden Mittel, die die Situation ihres Kind möglicherweise erleichtern könnten, aufgreifen. Wird von Eltern der Wunsch nach CAM-Verfahren geäußert, so empfiehlt sich ein ergebnisoffenes Gespräch über diesen Wunsch. Bestehen keine medizinischen Bedenken – ist also keine schädigende Wirkung für das Kind zu erwarten –, sollte der Wunsch der Eltern nach einer zusätzlichen nicht schulmedizinischen Therapie unterstützt und begleitet werden. Eine kategorische Ablehnung additiver Therapien führt in der Regel nur dazu, dass das Vertrauensverhältnis zwischen Eltern und Behandlungsteam gestört wird. Selbst wenn der unmittelbare Nutzen der Therapie für das Kind nicht offensichtlich ist, so sollte der psychologische Nutzen für die Eltern nicht unterschätzt werde. Bei Unsicherheit über Sicherheit und Nebenwirkungen einer von Eltern gewünschten Therapie sollte eine Beratung durch eine in CAM-Verfahren versierte Ärztin bzw. Arzt erfolgen. Der Einsatz von CAM sollte in der Akte des Kindes dokumentiert werden. Es empfiehlt sich, dies exakt durchzuführen. Also nicht: „Kind erhält homöopathische Medikamente von der Mutter", sondern besser „Beginn einer additiven, homöopathischen Therapie am 12.03.18. Therapieplan erstellt durch Frau Dr. M. (betreuende Hausärztin der Eltern). Im Einzelnen werden gegeben: Nux vomica D4: 5 Globuli 3-mal/d p. o. und Echinacea/Argentum: 5 Globuli 4-mal/d.").

Die Anwendung von CAM bei Kindern und insbesondere bei Säuglingen ist nicht ungefährlich, obwohl dies oft postuliert wird. Es bestehen bei Neugeborenen prinzipiell drei Kategorien von potenziellen Risiken.

- **Nicht altersentsprechend adaptierte Anwendung:** Es kann zur Schädigung des Kindes kommen, wenn Therapeuten keine Erfahrung mit Kindern haben und die Therapien und Empfehlungen 1:1 auf diese übertragen. Meistens kommt es dann bei pflanzlichen Medikamenten zu Symptomen. Bei homöopathischen Medikamenten hängt das Risiko von der Potenz, also von der Verdünnung ab. Dabei steht der Buchstabe für das Verdünnungsverhältnis, z. B. C für 1:100 oder D für 1:10, und die Zahl dahinter für die Anzahl an Verdünnungsschritten (D1 = 10 %; D2 = 1 %; D3 = 0,1 %ige Lösung). Ab D12 oder C6 sollten keine Wechselwirkungen auftreten.
- **Nebenwirkungen und Interaktionen**: Gerade bei Medikamenten aus der Pflanzenheilkunde kann es zu Nebenwirkungen und auch Wechselwirkungen mit anderen Medikamenten kommen. Dabei ist zu berücksichtigen, dass von Eltern als „homöopathische Medikamente" erwähnte Therapien oft doch substanzielle Inhaltstoffe aufweisen.
- **Verunreinigungen und Qualitätsmängel:** Es wurden mehrere Berichte über Schwermetallverunreinigungen bei Medikamenten aus dem asiatischen Raum publiziert. Diese traten aber hauptsächlich bei importierten oder im Ausland selbst gekauften Medikamenten auf. Durch den Kauf von CAM in seriösen Apotheken sollte dies keine Gefahr darstellen.

5.5.10.1 Äußere Anwendungen aus dem Bereich der Naturheilkunde

Im Rahmen einer Palliativpflege können bei Neugeborenen naturheilkundliche Verfahren unterstützend zur Anwendung kommen. Gerade für Eltern bietet dies häufig eine weitere gute Gelegenheit, aktiv an der Pflege und Versorgung ihres Kindes beteiligt zu sein. Mögliche Verfahren, die sehr einfach auch in den Alltag einer neonatologischen Intensivstation zu integrieren sind, sind u. a. Einreibungen oder Massagen mit ätherischen Ölen oder der Einsatz von Ölauflagen. Für Neugeborenen und Säuglinge eignen sich besonders Öleinreibungen oder warme Ölauflagen mit Lavendel (Lavendula angustifolia). Diese wirken beruhigend, durchwärmend und muskelentspannend. Es sollten maximal 1 %ige Ölmischungen verwendet werden, da bei höher konzentrierten ätherischen Ölen vorübergehende Atemstillstände (Laryngospasmen) beobachtet wurden. Für die Herstellung einer 1 %-igen Lavendelölmischung wird 1 Tropfen Lavendelöl auf 10 ml Trägeröl (gut geeignet sind Oliven- oder Mandelöl) gegeben.

Öleinreibungen Öleinreibungen können z. B. an Bauch, Brustkorb oder Extremitäten durchgeführt werden. Das Öl sollte vor Auftragen auf die Haut des Kindes in den Händen des Einreibenden auf Körpertemperatur angewärmt werden. Die Einreibungen sollten in ruhiger Atmosphäre erfolgen und dürfen 10–30 min dauern. Werden größere oder mehrere Körperstellen eingerieben, sollte ggf. eine Wärmelampe eingesetzt werden, um ein unangenehmes „Auskühlen" der mit Öl benetzten Körperstellen zu verhindern. Nach Abschluss der Öleinreibung sollten die behandelten Körperpartien zusätzlich mit einem warmen Baumwolltuch bedeckt werden und dem Kind sollten mindestens 30 min Ruhephase eingeräumt werden.

Ölauflagen Für eine Ölauflage werden 40–60 Tropfen der z. B. 1 %igen Lavendelölmischung auf eine Baumwollkompresse gegeben. Die Kompresse wird anschließend z. B. im Wärmeschrank oder mit einem Fön auf Körpertemperatur erwärmt. Nach Auflegen der Kompresse (z. B. auf dem Bauch oder Brustkorb) sollte diese mit Watte als Wärmeschutz bedeckt werden und darüber noch mit einem Außentuch (z. B. ein Stoffwindel) abgedeckt werden. Die Ölauflage sollte mindestens 30 min auf der Haut verbleiben. Nach Entfernen der Ölauflage sollte eine Ruhephase von mindestens weiteren 30 min gewährleistet sein. Ölauflagen mit Lavendel sollten maximal 1-mal pro Tag angewandt werden, nach 5–7 Tagen sollte eine Anwendungspause von 2 Tagen erfolgen. Natürlich können Ölmassagen und Ölauflagen auch ohne Zusatz von Lavendelöl eingesetzt werden.

Alternativ zu Lavendelöl kann im Rahmen einer Palliativversorgung auch Solum- oder Aconitöl eingesetzt werden. Solumöl basiert auf dem namensgebende Moorextrakt (Solum uliginosum) aus Hochmoortorf, Aconitöl basiert auf einer Mischung aus Eisenhut, Kampfer und Lavendel. Beide eignen sich v. a. zum additiven Einsatz bei lokalen Schmerzzuständen.

5.5.10.2 Orale Medikamente aus dem Bereich der anthroposophischen Medizin

Folgende oral verabreichte Medikamente aus dem Bereich der anthroposophischen Medizin können bei Neugeborenen eingesetzt werden:

- Calmedoron Glob. (Weleda) bei nächtlicher Unruhe und Einschlafproblemen. Dosierung: 1–3 Globuli vor dem Einschlafen. Wirkungseintritt: 1–3 Nächte. Anwendungsdauer: als Bedarfsmedikation, in chronischen Fällen 1–2 Monate.
- Fieberzäpfchen (Weleda) bei fieberhaften Infekten mit Unruhe. Dosierung: 1- bis 4-mal tgl. 1 Supp. Wirkungseintritt: innerhalb einer Stunde. Anwendungsdauer: als Bedarfsmedikation oder fest 3–5 Tage.
- Carum carvi Supp. für Kinder (Wala) bei Meteorismus. Dosierung: 1–2 Supp. pro Tag. Wirkungseintritt: nach 30 min Anwendungsdauer: mehrere Tage fest oder als Bedarfsmedikation.

- Belladonna/Chamomilla Glob. (Wala) bei Koliken mit Spuckneigung. Dosierung: 3- bis 5-mal tgl. 3 Globuli (bis maximal halbstündlich 3 Globuli). Wirkungseintritt: 30 min Anwendungsdauer: Tage bis Wochen.
- Geum urbanum Rh D3 Dil. (Weleda) bei Säuglingen mit schleimigen Durchfällen und Erbrechen z. B. im Rahmen eines Magen-Darm-Infekts. Gute Wirkung auch bei nahrungsüberempfindlichen Säuglingen. Dosierung: 3- bis 6-mal tgl. 1–5 Tropfen in die Nahrung. Wirkungseintritt: Stunden bis Tage. Anwendungsdauer: mehrere Tage bis Wochen.
- Taraxacum Stanno cultun Rh D3 Rh Dil. (Weleda) bei Inappetenz, träger Verdauung und schwacher Lebertätigkeit. Dosierung: 1- bis 3-mal 3–5 Tropfen. Wirkungseintritt: innerhalb von 3 Tagen. Anwendungsdauer: mehrere Tage bis Wochen.
- Tartarus stibiatus comp. Trit. (Weleda) bei tiefer Bronchitis mit zähem Schleim. Dosierung: 3 × 1 Messerspitze. Wirkungseintritt: innerhalb 3 Tagen. Anwendungsdauer: mehrere Tage bis 2 Wochen.
- Euphrasia Augentropfen (Wala) bei serösen/viralen Konjunktivitiden. Dosierung: mehrmals tgl. 1–2 Tropfen in jedes Auge. Wirkungseintritt: Stunden bis Tage. Anwendungsdauer: mehrere Tage oder als Bedarfsmedikation.

5.5.11 Musiktherapeutische Möglichkeiten

Musik ist präsent bei Anlässen wie Hochzeiten und Festen, beim Sport oder bei der Religionsausübung und somit eine wesentliche Komponente des menschlichen Lebens. Die elterliche Stimme ist ein intuitives Mittel, um Trost, Sicherheit und Liebe zu vermitteln. Dabei haben Wiegenlieder einen besonderen Stellenwert. Mit ihrer einfachen Struktur, oft beschränkt auf etwa 5 Noten, einem wiegenden 6/8-Takt und Wiederholungen, werden sie über Generationen hinweg von Eltern an ihre Kinder weitergegeben. Dabei wirken die Mutterstimme, die ein Fötus bereits intrauterin wahrnimmt, und später die Vaterstimme einzigartig beruhigend.

Musiktherapeutische Fachverbände haben in den Kasseler Thesen (2018) Musiktherapie als den „gezielte(n) Einsatz von Musik im Rahmen der therapeutischen Beziehung zur Wiederherstellung, Erhaltung und Förderung seelischer, körperlicher und geistiger Gesundheit “ definiert. Dabei steht die therapeutische Beziehung im Vordergrund. In der Neonatologie ist es der Klang der Elternstimmen, der bindungs- und beziehungsstiftend wirkt. Sie sind von wesentlicher Bedeutung, da kein Instrument und keine Aufnahme die Liebe der Eltern zu ihrem Baby besser vermitteln kann als ein von den Eltern gesungenes Lied. Sie bieten, unabhängig von der Umgebung, Sicherheit, Halt und Geborgenheit.

Im Rahmen dieser therapeutischen Beziehung dient die Musik dazu, die vielen (akustischen) Reize sowohl für die Eltern als auch für die Kinder zu modulieren. Schon bei sehr kleinen und sehr kranken Neugeborenen wird durch Studien die Wirksamkeit von Live-Musik belegt. Bei der Anwendung eines „Song of Kin“ (Lied der Familie), liegt der Fokus darauf, dass das von den Eltern gewählte Lied für sie eine Bedeutung hat. Durch den Einsatz eines solchen Liedes konnten signifikante und nachhaltige Auswirkungen u. a. auf die Ernährungs- und physiologischen Parameter nachgewiesen werden (Loewy et al. 2013).

In der Neonatologie hat ein musiktherapeutisches Angebot außerdem zum Ziel, sowohl den Eltern als auch dem Kind einen Raum zu bieten, in dem sie miteinander zur Ruhe kommen können. Die Musik wird individuell nach den Vorlieben und der Familienkultur der Eltern und den Bedürfnissen des Kindes gestaltet und kann in folgenden Bereichen unterstützend eingesetzt werden:

- zur Beruhigung und Entspannung,
- bei Schmerzen: prozedural, als auch bei neonatalem Abstinenzsyndrom oder Entzug nach Opioidtherapie (z. B. postoperativ),
- zur Stabilisierung der Vitalparameter,
- zur Unterstützung des Bindungsaufbaus,
- zur Förderung der kindlichen Resilienz,
- zur Unterstützung der Regulierung und der Koregulierung,
- zur Stärkung und Befähigung der Eltern in ihrer Elternrolle und
- im Rahmen einer Palliativbegleitung (pränatal, im Sterbeprozess, und nach Versterben des Kindes).

In einem ersten Anamnese- und Beratungsgespräch werden durch den Musiktherapierenden in der Regel die möglichen Optionen, die im Rahmen einer Interventionen der musiktherapeutischen Begleitung für das Kind und für die Mutter-Kind-Dyade (bzw. Vater-Kind Dyade) eingesetzt werden können, erläutert. Dazu gehören z. B.:

- Durchführung der Musiktherapie in Anwesenheit der Eltern (mit oder ohne aktive Rolle der Eltern während der Musiktherapie) oder Durchführung der Musiktherapie in Abwesenheit der Eltern
- Stimmliche Begleitung primär durch Musiktherapeut*in: Improvisation oder Einsatz von „Song of Kin"; Begleitung der Elternstimmen
- Instrumentale Begleitung z. B. durch Monochord (ein Saiteninstrument in der Tonlage abgestimmt auf die Frequenz der Monitore), Gitarre (mit Nylonsaiten), Sansula (eine afrikanische Kalimba auf einem Trommelfell montiert); Kantele oder Lyra (Harfen-ähnliches Zupf-Instrument) oder Ocean Disc (Meerestrommel)
- Möglichkeit einer zusätzlichen vibroakustischen Begleitung z. B. durch Anlegen des Monochords an den Körper der Eltern, wobei sich die Schwingungen des Instruments über die Knochenleitung übertragen (das Monochord wird in der Regel nicht an den Körper der Kinder angelegt)

Im weiteren therapeutischen Prozess kann das Angebot erweitert und individualisiert werden. Im palliativen Bereich können Aufnahmen und Projekte entstehen, die den Trauerprozess unterstützen und als Erinnerung dienen können. Dazu gehören:

- Herzschlagaufnahmen: Pränatal kann per Sonogramm eine Herzschlagaufnahme gemacht werden. Nach der Geburt kann mit einem dafür konzipierten Stethoskop der Herzschlag des Kindes aufgenommen werden.
- HeartSong (Van Dokkum et al. 2013): Dabei handelt es sich um Aufnahmen des Herzschlags in Kombination mit dem „Song of Kin".
- Ein eigener auf das Kind oder die Situation bezogener Liedtext zu einem vorkomponierten Lied.
- Songwriting (Musik wird selbst komponiert und Text wird selbst geschrieben).
- Die Eltern singen und/oder spielen für ihr Kind (davon kann eine Aufnahme gemacht werden).
- Aufnahmen von Liedern können mit Fotos als Videomontage kombiniert werden.

Dabei ist zu beachten, dass bei all den Angeboten die Eltern immer die Kontrolle behalten und bestimmen, was wann wie für sie passend ist.

Das therapeutische Ziel wird in Absprache mit dem interprofessionellen Behandlungsteam festgelegt: Sowohl das Wohlbefinden des Kindes als auch die emotionale Situation und Stabilisierung der Eltern sind im Blick zu behalten. Dabei ist zu beachten, dass Kinder Musik anders verarbeiten als Erwachsene und dass jede Musikwahl für die Eltern im Trauerprozess hilfreich, aber auch belastend sein kann. Musiktherapie kann die Aufmerksamkeit weg von der Intensivstation lenken und einen Raum schaffen, in dem Ruhe, Nähe und Begegnung stattfinden können.

▶ Fallbeispiel

Nach einem pränatalen Beratungsgespräch wünschte sich das Ehepaar N., bei deren ungeborenem Kind eine sicher lebensverkürzende Erkrankung diagnostiziert wurde, eine Aufnahme des Herzschlags ihrer ungeborenen Tochter. Im Rahmen der Begleitung durch die Musiktherapeutin äußern sie später den Wunsch, diese „Herzton"-Aufnahme mit „ihrem" Lied zu ergänzen (HeartSong). Unterstützt durch die Musiktherapeutin wird gemeinsam mit den Eltern ein Musikstück, auf der Grundlage der Tonspur mit den Herztönen des Kindes, aufgenommen. Im Nachsorgegespräch 2 Monate nach dem Versterben des Kindes berichtete die Mutter, dass dieses Lied für sie auf dem Weg von der vorgeburtlichen Zeit bis nach dem Tod des Kindes eine sehr große Bedeutung hatte und noch immer hat. Nicht nur wurde die Aufnahme des Liedes bei der Beerdigung ihrer Tochter gespielt, es war auch das erste Mal gewesen, dass sie ihren Mann singen hörte. ◀

Die enorme Belastung, die mit einer lebensverkürzenden Diagnose einhergeht, kann zusätzlich durch unvorhersehbare, belastende klinische Verläufe beim Kind oder mangelnde Coping-Mechanismen bei den Eltern zu einer negativen Co-Regulation zwischen Eltern und Kind führen. Hier kann Musiktherapie z. B. durch Wiederholungen und rhythmische Elemente stabilisierend funktionieren und Halt bieten.

Auch nach dem Versterben ihres Kindes kann Musiktherapie ein Angebot sein, um noch einmal Halt zu bieten, Erinnerungen zu schaffen und den Trauerprozess zu begleiten.

▶ Fallbeispiel

Der kleine Max war einige Tage nach seiner Geburt auf der neonatologischen Intensivstation verstorben. Die Eltern waren überrollt von den Ereignissen und saßen „wie versteinert" bei ihrem verstorbenen Kind. Die Musiktherapeutin der Klinik, die die Familie bereits zu Lebzeiten des Kindes begleitet hatte, setzte sich zu den Eltern. Sie begann nach einigen Minuten der Stille auf ihrem Monochord zu improvisieren. Die Eltern wurden merklich ruhiger. Nach einiger Zeit kam die Bitte nach einem Lied, das sie bereits während der Schwangerschaft für ihren Sohn gesungen hatten. Nachdem die Musiktherapeutin das Lied mehrere Male gesummt hatte, äußerte die Mutter den Wunsch, es selber zu singen. Mit anfangs zittriger Stimme, die zunehmend an Kraft und (Selbst-) Vertrauen gewann, sang die Mutter, ab und zu begleitet vom Vater, ihr Lied. Mit jeder Strophe gewannen die Eltern mehr und mehr Kontrolle zurück, und es legte sich eine große Ruhe über den Raum. ◀

5.5.12 Begleitung der Eltern im Sterbeprozess ihres Kindes

Für die finale Sterbebegleitung ist die Schaffung einer ruhigen und geschützten Privatsphäre sehr wichtig. Im Vorfeld sollte in Gesprächen mit den Eltern geklärt werden, wie detailliert die Eltern über die zu erwartenden körperlichen Veränderungen ihres Kindes im Sterbeprozess aufgeklärt werden möchten. Unserer Erfahrung nach ist es für Eltern leichter, Symptomen wie z. B. veränderter Atmung (Cheyne-Stokes-Atmung oder finale Seufzeratmung), zunehmender Bewusstlosigkeit, Veränderung von Hautfarbe oder Herzschlag ohne Angst zu begegnen, wenn diese bereits im Vorfeld angesprochen und erläutert wurden. Eltern haben oft Sorge, dass ihr Kind im Sterbeprozess Schmerzen erleidet. Es sollte ihnen erklärt werden, wann, wie und warum im Rahmen der Sterbebegleitung eine medikamentöse Therapie (z. B. mit Opioiden) eingesetzt wird.

Wurden die Eltern nicht auf eine möglicherweise länger andauernde Sterbephase, verunsichernde Bilder oder Geräusche vorbereitet oder wurden widersprüchliche Ratschläge bzw. Informationen über die Sterbesituation des Kindes vermittelt, kann das Vertrauen der Eltern in das begleitende Team empfindlich gestört werden. Es besteht in diesen Fällen die große Gefahr, dass Eltern im weiteren Verlauf Schuldgefühle gegenüber ihrem verstorbenen Kind entwickeln und belastende Bilder in ihrer Erinnerung behalten. Es ist nicht möglich, den Verlauf des Sterbens für den individuellen Fall im Detail vorherzusehen, aber Eltern sollte versichert werden, dass sie lückenlos durch das Team begleitet werden und alles getan wird, damit ihr Kind in Frieden und ohne Leid versterben kann. Wie bereits weiter oben aufgeführt, spendet der direkte Körperkontakt mit ihrem sterbenden Kind vielen Eltern im weiteren Trauerprozess Trost.

Selbst im Falle einer Beendigung lebensverlängernder Maßnahmen (z. B. terminale Extubation) ist es sinnvoll, Eltern zu ermutigen, jedoch ohne sie zu drängen, bei ihrem Kind zu bleiben. Wichtig ist es, ihnen die Angst vor dieser besonderen Situation zu nehmen, indem im Vorfeld genau über den Ablauf und die zu erwartenden Veränderungen gesprochen wird.

Wenn es um den konkreten Zeitpunkt der Beendigung lebensverlängernder Maßnahmen geht, wird in neonatologischen Behandlungsteams immer wieder die Frage diskutiert, ob eine Fortführung lebenserhaltender Maßnahmen für eine gewisse Zeit gerechtfertigt sei, obwohl keine medizinische Indikation mehr besteht. Da die Begleitung in der Sterbephase unbedingt Kind und Eltern einbeziehen sollte, kann es durchaus Situationen geben, in denen dies gerechtfertigt ist. Manchmal benötigen Eltern einfach noch etwas Zeit, um den bevorstehenden Tod ihres Kindes akzeptieren zu können bzw. um Abschied zu nehmen. Unter der Voraussetzung, dass das Kind nicht darunter leidet (Stichwort: optimale Symptomkontrolle), können lebenserhaltende Maßnahme trotz fehlender Indikation für eine begrenzte Zeit fortgeführt werden (Truog 2010).

Eine gute Vorbereitung und bedarfsorientierte Begleitung vorausgesetzt, können Geschwister jeden Alters in der Terminal- und Sterbephase ihrer Schwester oder ihres Bruders anwesend sein. Auf Wunsch der Eltern sollten prinzipiell aber auch alle anderen Verwandten oder Freunde anwesend sein dürfen. Bei Bedarf werden eine Taufe oder andere rituelle Handlungen ermöglicht. In der inhaltlichen und formellen Gestaltung wird hierbei soweit möglich auf alle Wünsche der Eltern eingegangen. Eine Nottaufe (► Abschn. 8.1) sollte jederzeit durch das Personal, die Seelsorge oder auch durch die Eltern selber möglich sein.

Um genügend Zeit für die Begleitung in der Sterbephase zu gewährleisten, sollte das Kind von einer Pflegeperson gepflegt werden, der in diesem Zeitraum keine anderen Aufgaben übertragen werden.

> Die Betreuung eines sterbenden Kindes sollte für die Pflegende bzw. den Pflegenden stets freiwillig erfolgen, d. h. es besteht die Möglichkeit, die Betreuung jederzeit aus persönlichen Gründen abzugeben.

Der Umfang des Unterstützungsbedarfs für die Eltern in der Sterbesituation variiert sehr stark. Es gibt Eltern, die ganz allein mit ihrem Kind sein wollen und das Behandlungsteam komplett in den „Stand-by-Modus" entlassen. Andere Eltern wünschen sich eine lückenlose, intensive Begleitung. Unter Umständen kann trotz liebevoller, professioneller Begleitung das unmittelbare Sterben ihres Kindes für manche Eltern eine nicht aushaltbare Belastung darstellen. Dann sollte ihnen die Möglichkeit eröffnet werden, ohne schlechtes Gewissen die Station in dem Wissen zu verlassen, dass ihr sterbendes Kind auf seinem letzten Weg von einem fürsorglichen Team begleitet wird.

Unabhängig von der Begleitung der Eltern hat das Team vor allem zwingend dafür Sorge zu tragen, dass eine adäquate und lückenlose Schmerz- und Symptomkontrolle in der Sterbephase des Kindes konsequent durchgeführt wird (▶ Kap. 4).

5

In dem Wissen, dass dies von Eltern geschätzt wird, dürfen auch Pflegende und Ärzt*innen neben aller Professionalität offen mit ihren Emotionen – wie z. B. Trauer und Bedauern – umgehen. Dabei sollten sie jedoch weiterhin kontrolliert und angemessen agieren, denn Eltern brauchen unbedingt das Gefühl, dass das Personal mit der Situation nicht überfordert ist.

> Wenn der Sterbeprozess eingesetzt hat, ist es die Aufgabe des palliativ begleitenden Teams, diesen Prozess lediglich zu begleiten, ohne ihn unnötig zu stören. Ziel ist es, dem Kind ein Sterben in Würde und ohne vermeidbares Leid zu ermöglichen.

5.6 Versorgung des verstorbenen Neugeborenen

Der optische Gesamteindruck eines Kindes ändert sich oftmals in bedeutendem Maße nach dem Tod. Nach Entfernung von Tubus, Magensonde und anderen Zugängen ist dies für manche Eltern das erste Mal, dass sie ihr Kind ohne „Verkabelung" sehen. Viele verstorbene Kinder sehen nach Entfernung „der Intensivmedizin" wie friedlich schlafende Kinder aus. Aber auch Kinder mit schwersten Fehlbildungen oder stark ausgeprägten Ödemen tragen in der Regel für die Eltern eine eigene Schönheit in sich. Viele Eltern empfinden es als große Wertschätzung, wenn ihnen kleine körperliche Details (z. B. die ausgesprochen zarten Hände, die wunderschönen langen Wimpern) in ihrer Einzigartigkeit zurückgespiegelt werden und diese noch einmal von jemandem außerhalb der Familie bewundert werden. Jedes Kind ist zu Lebzeiten, im Sterben und nach dem Tod einzigartig liebenswert. Die meisten Eltern möchten unmittelbar nach dem Tod des Kindes mit dem Leichnam allein sein. Im ungestörten Kontakt mit ihrem verstorbenen Kind beginnen viele, den Tod ihres Kindes langsam zu realisieren.

5.6.1 Verbleiben von Hilfsmitteln

Bei unklarer Todesursache und einer notwendigen gerichtsmedizinischen Untersuchung müssen grundsätzlich alle medizinischen Hilfsmittel (periphere und zentralvenöse Gefäßkatheter, Blasenkatheter, Tubus, Drainagen etc.) im Kind verbleiben. Handelt es sich um eine natürliche Todesursache, ist aber eine Obduktion gewünscht, so sollte die Entscheidung über das Entfernen der Hilfsmittel durch die behandelnde Ärztin bzw. den Arzt erfolgen. In allen anderen Fällen dürfen medizinische Devices nach dem Versterben des Kindes grundsätzlich entfernt werden.

5.6.2 Waschen, Baden, Einbalsamieren und Ankleiden

Eltern sollte angeboten werden, ihr verstorbenes Kind zu baden oder es zumindest zu waschen. Dies ermöglicht die Übernahme einer elementaren elterlichen Aufgabe – die Durchführung der Körperpflege beim eigenen Kind. Wird das tote Kind noch einmal gebadet, sollte das Badewasser maximal lauwarm sein. Durch Baden in zu warmem Wasser verändert sich das Aussehen des Leichnams schneller. Dies sollte den Eltern im Vorfeld erklärt werden. Zusätzlich wird durch den bewussten Einsatz von nur lauwarmem Wasser der unwiderrufliche Tod des Kindes noch einmal „erfühlbar". Eltern reagieren oftmals überrascht, wenn sie ihr Kind nicht wie gewohnt in 37–38 °C warmem, sondern in kühlerem Wasser baden sollen, realisieren aber im Weiteren bewusst, dass ihr Kind kein warmes Wasser mehr „braucht", da es nicht mehr lebt. Einige Eltern möchten ihr Kind vielleicht in Muttermilch baden. Einige Mütter können hierbei erleben, dass sie mit ihrer abgepumpten Milch noch etwas für ihr eigenes Kind tun können. Es ist auch möglich, das Kind noch einige Tage nach dem Tod zu waschen oder baden (► Abschn. 7.3.11).

Zusätzlich kann den Eltern angeboten werden, den Leichnam ihres Kindes mit speziellen balsamierenden Ölen einzuölen. Geeignet sind hierzu z. B. Mandel- oder Jojobaöl. Die Basisöle können mit ätherischen Ölen gemischt werden, meist werden dann 2 %-ige Balsame („Totenöle") verwandt. Gebräuchliche Komponenten der Duftmischungen sind u. a.: Bergamotte, Eisenkraut, Grapefruit, Jasmin, Lavendel, Lorbeer, Mandarine, Myrte, Orange, Rose, Rosmarin, Sandelholz, Vanille, Wacholder, Weihrauch, Zeder und Zitrone. Der Einsatz von Balsamen für Leichen war im Altertum im Orient weit verbreitet, sie verlangsamen den natürlichen Zerfallsprozess und duften angenehm.

Eltern sollten ermutigt werden, für ihr verstorbenes Kind eigene Kleidung oder eine eigene Decke mitzubringen. Zur längerfristigen Aufbewahrung des Leichnams (z. B. in der Pathologie, Bestattungsinstitut) sollte dieser allerdings nur in eine dünne Baumwollwindel eingewickelt werden, dadurch wird eine bessere Luftzirkulation ermöglicht. Auf keinen Fall sollten Leichname in luftdichtes Material (z. B. eine flüssigkeitsdichte Wickelunterlage) gewickelt werden, da es dann u. U. zu einer raschen, unansehnlichen und stark riechenden Besiedlung mit Pilzen kommen kann. Kopf und Körper des verstorbenen Kindes sollten in Mittellage positioniert werden, um einer asymmetrischen Ödembildung entgegenzuwirken. Bei Berücksichtigung dieser Hinweise verändert sich der Leichnam im Verlauf der nächsten Tagen bis Wochen nur langsam und erleichtert den Eltern auf diese Weise weitere Begegnungen mit ihrem Kind, z. B. im Rahmen weiterer Verabschiedungen oder der Einbettung.

5.6.3 Erstellen von Andenken an das Kind

Das Erstellen und Aufbewahren von Andenken hat einen positiven Einfluss auf den späteren Trauerprozess von verwaisten Eltern (Thornton et al. 2020). Im Folgenden sind einige einfache Möglichkeiten aufgezeigt, Erinnerungen für früh verwaiste Familien zu schaffen. All diese Dinge lassen sich mit ein wenig Engagement auch in den geschäftigen Alltag einer Intensivstation integrieren.

5.6.3.1 Fotografieren von Neugeborenen am Lebensende und nach dem Tod

In der emotionalen Extremsituation einer Sterbebegleitung denken manche Eltern vielleicht nicht daran, Fotos von ihrem Kind zu machen, oder aber sie sind unsicher, ob man das überhaupt tun sollte. In der Sterbephase und nach dem Tod eines Kindes kann das Fotografieren des Kindes die Eltern jedoch ein wenig von der gefühlten Sprachlosigkeit erlösen und ihnen im weiteren Verlauf helfen, ihr verstorbenes Kind zu betrauern. Fotos dokumentieren genau, wie das Kind ausgesehen hat, und sorgen dafür, dass die Eltern sich später nicht ausschließlich auf ihre Erinnerungen verlassen müssen. Fotos sind Beweismaterialien dafür, dass ihr Kind tatsächlich existiert hat. Sie bieten die Möglichkeit, vom Kind zu erzählen, mit anderen Menschen ins Gespräch zu kommen, und ihnen damit zu ermöglichen, Anteil am Verlust zu nehmen. Aus diesen Gründen ist es ist sinnvoll, Eltern zum Fotografieren oder Filmen zu ermutigen. Vor allem in der Sterbephase überlassen die Eltern auf Nachfrage gerne das Fotografieren der/dem betreuenden Pflegenden. Fotografieren, und zwar auch in der Sterbephase, sollte den Eltern gegenüber stets als etwas Selbstverständliches dargestellt werden. Da die Fotos ausschließlich für die Eltern und nicht zur Dokumentation für die Krankenakte gemacht werden, reicht erfahrungsgemäß eine mündliche Einwilligung der Eltern aus. Möchten oder können die Eltern die Fotos nach dem Tod des Kindes nicht sofort mitnehmen, sollten sie darüber informiert werden, dass die Fotos in jedem Falle aufgehoben (als Ausdrucke oder digital auf z. B. einem USB-Stick gespeichert) werden. Einige Eltern haben erst nach Jahren den Wunsch, die Fotos abzuholen und sie dann zum ersten Mal anzuschauen.

In der Übersicht sind einige praktische Hinweise zusammengefasst.

Hinweise für das Fotografieren (nach Johnson et al. 1985)

- Wenn es eine Möglichkeit gibt, das Kind zu fotografieren, wenn es noch lebt, sollte dies unbedingt wahrgenommen werden. Wird mit dem Fotografieren gewartet, bis das Kind verstorben ist, fehlen den Eltern später Bilder aus der u. U. kurzen und für sie extrem wichtigen Zeit, die sie gemeinsam mit ihrem Kind vor dessen Tod erleben durften.
- Mit den Eltern sollten verschiedene Arten, wie ihr Kind fotografiert werden könnte, besprochen werden (z. B. in den Armen seiner Eltern oder in seinem Bett liegend, in eine lockere Decke eingewickelt, unbekleidet, nur mit einer Windel oder vielleicht in besonderer Kleidung angezogen, eventuell soll ein besonderes Kuscheltier oder ein anderer Gegenstand mit auf das Foto …)
- Bieten Sie den Eltern auch an, andere Familienmitglieder (Zwilling, ältere Geschwister, Großeltern) oder enge Freunde mit dem Kind zu fotografieren. Ein Gruppenfoto zusammen, z. B. die Eltern zusammen mit dem verstorbenen Kind und den Geschwistern, bestätigt noch einmal, dass das verstorbene Kind zur Familie gehört.
- Manche Eltern möchten nicht mit ihrem Kind zusammen fotografiert werde, freuen sich aber über ein Foto von ihrem Kind im Arm „seiner“ bzw. „seines“ Pflegenden. Durch geschickte Auswahl des Bildausschnitts (ohne Kopf und Namensschild), ist die/der Pflegende, falls gewünscht, später auf dem Bild nicht zu identifizieren. Ein Foto, auf dem das Kind im Arm gehalten wird, drückt noch einmal das Gefühl von Geborgenheit aus und zeigt, dass das Kind nicht „allein gewesen ist“.
- Auch einzelne Körperdetails (Auge, Nase, Mund, Hand, Fuß, Ohr etc.) sollten fotografiert werden. Eltern erinnern sich gern an Kleinigkeiten, die ihnen perfekt erscheinen (z. B. die wunderschönen Hände und Füße ihres Kindes). Dies gilt insbesondere für Kinder mit äußeren Fehlbildungen.
- Bei äußeren schweren Fehlbildungen können diese manchmal durch geschicktes Drapieren einer Baumwolldecke oder einer Mütze abgedeckt werden, oder es kann mittels einer günstigen Perspektive bei der Aufnahme des Fotos der Fokus von der

Fehlbildung genommen werden. Es sollten zusätzlich Fotos aufgenommen werden, auf denen man die Fehlbildung erkennen kann, denn oftmals ist es für Eltern im Verlauf schwieriger, mit Fantasien als mit der Wirklichkeit fertig zu werden.
- Ein weiterer wichtiger Aspekt beim Fotografieren von sterbenden oder toten Kindern liegt im Hintergrund. Es eignen sich sehr gut farbige Hintergründe (z. B. eine weiche Decke oder ein Handtuch).
- Wenn möglich, sollte ohne Blitz fotografiert werde. Unter Tageslicht aufgenommene Fotos lassen insbesondere die Hauttöne natürlich aussehen, Kunstlicht führt häufig zu unnatürlichen Farbstichen.
- Falls die Fotos ausgedruckt werden, sollten auf der Rückseite des Fotos zumindest Name des Kindes und das Datum dokumentiert werden.
- Die Fotos sind grundsätzlich für die Eltern und nicht für die Krankenakte gedacht! Die Ausdrucke oder einen USB-Stick/eine Speicherkarte in einem verschlossenen Briefumschlag aufzubewahren, ist eine Möglichkeit, die Privatsphäre der Familie zu wahren. So lange wie die Krankenunterlagen aufbewahrt werden (i. d. R. 30 Jahre), werden auch die Bilder aufbewahrt. Die Familie sollte darüber informiert werden, dass sie die Fotos in diesem Zeitraum jederzeit nach Hause geschickt bekommen können.

2013 wurde in Deutschland die Initiative „Dein Sternenkind" gegründet. Über das Internet (▶ www.dein-sternenkind.eu) können rund um die Uhr an 7 Tagen die Woche ehrenamtlich arbeitende professionelle Fotograf*innen in Deutschland, Österreich, der Schweiz und Südtirol (Stand November 2024) kontaktiert werden, die – im Notfall auch sehr kurzfristig – in die Kliniken kommen und von Stillgeborenen, Neugeborenen in palliativer Betreuung oder verstorbenen Neugeborenen professionelle Fotos anfertigen und diese den betroffenen Familien dann kostenlos überlassen.

5.6.3.2 Erstellen von Hand- und Fußabdrücken

Hand- und Fußabdrücke sind von zwei Personen leicht durchführbar. Auch die Eltern können helfen, schöne Abdrücke von Händen oder Füßen ihres verstorbenen Kindes anzufertigen. Die Abdrücke können mithilfe von Stempelfarbe auf eine schöne Karte gedruckt werden. Mittlerweile gibt es auch kommerzielle Komplettsets für das Erstellen von Gipsabdrücken von Säuglingshänden oder -füßen. Diese Sets beinhalten meist neben der notwendigen Abdruckmasse eine Box oder einen Bilderrahmen und sind ohne viel Aufwand umgehend einsetzbar. Die Gipsmasse muss im Vorfeld gut durchgeknetet sein, damit sie sehr weich ist. Insbesondere sehr kleine Füße oder Hände von Frühgeborenen lassen sich so leichter in den Gips abdrücken. Zusätzlich können z. B. der Name, das Geburtsdatum oder der Todestag des Kindes in den Gips „geschrieben" werden.

Erinnerungsbox

Für die Zusammenstellung einer Erinnerungsbox mit Dingen, die einen persönlichen Bezug zu dem verstorbenen Kind haben (Übersicht), sind unserer Erfahrung nach nahezu alle verwaisten Eltern sehr dankbar.

Erinnerungsbox

Dinge, die für die Eltern nach dem Tod ihres Kindes in einer Erinnerungsbox aufgehoben werden könnten, sind z. B.:
- das Namensbändchen und/oder Namenskärtchen vom Bett oder Inkubator,

- ein Schnuller oder Kuscheltier/Spieluhr des Kindes,
- eine Haarlocke des Kindes (kann gut in ein kleines Plastiktütchen gelegt werden). Hinweis: darf nur mit ausdrücklicher Genehmigung der Eltern entnommen werden!
- Fuß- oder Handabdrücke (mittels Stempelfarbe auf einer Karte, oder auch ein Gipsabdruck),
- die Decke/das Tuch, in die das Kind eingewickelt war (wenn die Decke Flecken hat, sollten die Eltern gefragt werden, ob sie diese gereinigt haben möchten),
- das Vorsorgeheft,
- Fotos vom Kind (falls die Familie die Bilder nicht mitnehmen möchte, sollte sie darauf hingewiesen werden, dass die Bilder zu den Akten gelegt werden und solange, wie alle Krankenhausakten aufgehoben werden, aufbewahrt werden), alternativ USB-Stick mit digitalen Fotos.

Wenn Eltern ihre „Schatztruhe" zunächst nicht mitnehmen möchten, sollte diese aufgehoben werden. Den Eltern sollten Kontaktdaten genannt werden, über die sie jederzeit an ihre Erinnerungsstücke gelangen können. Die Eltern können z. B. ein oder zwei Jahre nach dem Tod ihres Kindes erneut aktiv kontaktiert werden und ihnen noch einmal die Möglichkeit eingeräumt werden, ihre Erinnerungsstücke abzuholen.

5.6.4 Aufbahrung zu Hause oder im Hospiz

Sofern keine unklare oder nichtnatürliche Todesursache sowie keine Ansteckungsgefahr durch meldepflichtige Erkrankungen bestehen, darf jeder verstorbene Mensch laut Bestattungsgesetz (nachzulesen im Gesetzverordnungsblatt des jeweiligen Bundeslandes) zu Hause, im Hospiz oder an einem anderen Ort aufgebahrt werden. Diese Möglichkeit sollte allen verwaisenden/verwaisten Eltern eröffnet werden. Entscheiden sich Eltern für eine Aufbahrung ihres verstorbenen Kindes zu Hause, so muss im Vorfeld geklärt sein, wer die Familie dort psychosozial begleitet. Dies kann z. B. durch Mitglieder des Behandlungsteams, eines Kinderhospizes oder eine/n Bestatter*in erfolgen. Bei einer Aufbahrung zu Hause können die Eltern, Zugehörigen und Freunde in vertrauter Umgebung Abschied von dem verstorbenen Kind nehmen. Um die natürlichen Zerfallsprozesse zu verlangsamen, sollte der Leichnam des Kindes in einem kühlen Raum aufgebahrt werden.

> Der Transport eines Leichnams darf ausschließlich durch ein dafür zugelassenes Unternehmen, in der Regel ein Bestattungsinstitut, erfolgen.

Jedes Bundesland hat individuelle Bestattungsgesetze (▶ Abschn. 9.1). In den meisten Bundesländern schreibt das Bestattungsgesetz vor, dass ein Leichnam innerhalb von 36 h in eine Leichenhalle zu überführen ist. In dieser Zeit darf der Leichnam z. B. zu Hause aufgebahrt werden. Die gesetzliche Stundenfrist zur Aufbahrung beginnt unmittelbar nach dem Versterben. Entscheidend ist hier der auf dem Leichenschauschein dokumentierte Todeszeitpunkt. Es ist also sinnvoll, den Leichnam möglichst rasch aus der Klinik nach Hause oder in ein Hospiz zu transportieren, um der Familie möglichst viel Zeit für den Abschied einräumen zu können. Um einen reibungslosen, zeitnahen Transport des Leichnams zur außerklinischen Aufbahrung gewährleisten zu können, ist es für jede Klinik sinnvoll, ein Standardvorgehen zu etablieren und dieses ggf. in Form einer Verfahrensregel zu verschriftlichen. Allen Mitarbeitern sollte bekannt sein, welche konkreten Vorbereitungen und Voraussetzungen notwendig sind, wer die Eltern zu

Hause in ihrem Abschiednehmen begleiten könnte und wer über die Aufbahrung zu informieren ist.

In seltenen Fällen hat die Mutter eines früh postnatal verstorbenen Neugeborenen in einer externen Klinik entbunden, konnte noch nicht verlegt werden und muss weiterhin stationär behandelt werden. In diesem Fall kann der Leichnam des Kindes auch zur Mutter in die auswärtige Klinik gebracht werden. Es gelten hier die gleichen gesetzlichen Regelungen wie bei der Aufbahrung eines Leichnams zu Hause. Der Transport des Leichnams sollte in diesem Fall in Begleitung durch erfahrenes medizinisches Klinikpersonal, wenn möglich einer/s Ärzt*in, die bzw. der das Kind zu Lebzeiten betreut hat, erfolgen. Es ist wichtig, dass jemand vor Ort der Mutter bzw. den Eltern des Kindes einfühlsam und qualifiziert Auskunft über den Krankheitsverlauf des Kindes geben kann und für akute Rückfragen zur Verfügung steht.

Es hat sich bewährt, in der Begleitung der Eltern die Zeit vor und nach dem Tod zu unterscheiden, weil zu diesen beiden Zeiten unterschiedliche und doch aufeinander aufbauende Angebote gemacht werden. Die Sterbebegleitung liegt, wie oben dargestellt, meist ganz in der Hand der Eltern und des Personals auf der Station. Nach dem Tod des Kindes sollte eine persönliche und schriftliche Übergabe der Station mithilfe eines standardisierten Dokumentationsbogens an die Mitarbeitenden der Trauerbegleitung erfolgen (► Abschn. 7.2). Diese sollten dann die primäre Begleitung der Eltern und deren Zugehörigen in der Zeit bis zur Bestattung und darüber hinaus übernehmen. Solch ein Dokumentationsbogen (► http://extras.springer.com, Checkliste 4) vermittelt wesentliche Informationen, die für die weitere Begleitung der Familie in den nächsten Tagen und Wochen entscheidend sind.

5.6.5 Nachbereitung

Sowohl Screening- und Nachsorgeeinrichtungen (z. B. sozialpädiatrische Zentren) als auch Hausbesuchsdienste (z. B. Kinder- und Jugendgesundheitsdienst, Neugeborenenbesuchsdienst) sollten innerhalb von 24–48 h über den Tod des Kindes informiert werden. So ist gewährleistet, dass verwaiste Eltern keine Glückwunschschreiben zur Geburt, Untersuchungseinladungen oder Erinnerungsschreiben z. B. zum Hörscreening oder Hausbesuche erhalten. Bezüglich des Neugeborenenstoffwechselscreenings (Kinder-Richtlinie Stand: 13.07.2024 des Gemeinsamen Bundesausschusses über die Früherkennung von Krankheiten bei Kindern § 21) gilt: „(6) … oder der Tod des Neugeborenen vor einer möglichen ersten Blutentnahme nach § 20 sind auf leeren Filterpapierkarten zu dokumentieren und an das Screeninglabor zu senden."

5.7 Tod und Gedenken auf der Intensivstation

Es ist äußerst sinnvoll, zeitnah noch am Tag des Todes eines Kindes ein kurzes Reflexionsgespräch der pflegerischen und ärztlichen Mitarbeitenden, die unmittelbar während der Sterbebegleitung für das Kind verantwortlich waren, durchzuführen. So ist gewährleistet, dass sowohl akute Probleme umgehend angesprochen werden können, als auch eine mögliche Entlastung einzelner Mitarbeitender durch positive Rückmeldungen erfolgen kann. Unter Umständen wird in solch einem Reflexionsgespräch deutlich, dass einzelne Problempunkte noch in einem größeren Kontext gemeinsam mit dem gesamten Team besprochen werden müssen. In diesem Fall kann in einem Reflexionsgespräch festgelegt werden, dass die Sterbebegleitung des Kindes Gegenstand eines größeren Besprechungsformates (z. B. eine M&M-Konferenz, ► Abschn. 12.1) werden soll.

Der Tod eines Kindes bleibt den Eltern anderer Kinder auf den betroffenen Stationen nicht verborgen. Auch diesen Eltern sollten entlastende Gespräche angeboten werden, insbesondere wenn das verstorbene Kind zusammen mit ihrem Kind in einem Zimmer lag. Um einer Überlastung vorzubeugen, sollte im Team darauf geachtet werden, dass Mitarbeitende, die das Kind in der Sterbephase intensiv gepflegt haben, im folgenden Dienst möglichst keine akut lebensbedrohlich erkrankten oder sterbenden Patient*innen versorgen müssen.

> In belastenden Situationen kann ein Leitfaden zu organisatorischen Aspekte nach dem Tod eines Kindes für Mitarbeitende eine große Hilfe sein.

Es sinnvoll, innerhalb einer Klinik Verfahrensregeln (Standards) für die organisatorischen Aspekte nach dem Tod eines Kindes (Versorgung des Leichnams, Erstellung von Erinnerungen, Aufbahrung außerhalb der Klinik, Möglichkeiten mehrfachen Abschiednehmens der Eltern, Nachbesprechung etc.) zu entwickeln und schriftlich festzuhalten. Diese sind eine gute Grundlage dafür, dass Beratung und Betreuung der betroffenen Familien grundsätzlich in gleichem Umfang und Qualität erfolgen.

Gedenktisch Rituale spielen nach dem Tod eines Kindes eine wichtige Rolle, denn sie geben Halt und Orientierung. Das gilt sowohl für die betroffene Familie als auch für das Behandlungsteam. Ein solches Ritual kann das Platzieren eines Gedenktisches beinhalten. Wenn die Stationsbelegung es zulässt, wird der Platz eines verstorbenen Kindes für 24 h nicht neu belegt. Statt eines neuen Inkubators oder Bettes wird dort ein Gedenktisch aufgebaut. Dieser Gedenktisch lädt ein, innezuhalten. Der Tisch ist gedeckt mit individuellen Gegenständen des verstorbenen Kindes:

- Eine Gedenkkarte (z. B. beschriftet mit dem Vornamen des Kindes, Fuß- oder Handabdruck) – Hinweis: Zur Wahrung des Datenschutzes sollten weder Nachname, Geburtsdatum, Geburtsgewicht etc. auf der Karte stehen
- Eine mit Batterie betriebene Kerze
- Ein persönlicher Gegenstand (z. B. ein Stofftier, eine Spieluhr, ein gemaltes Bild von Geschwistern)
- Ggf. ein Fuß- oder Handabdruck aus Gips

Die Eltern sollten im Vorfeld um Erlaubnis gebeten werden, bevor ein Gedenktisch für ihr Kind auf der Station aufgestellt wird. Manche Eltern kommen einige Stunden nach dem Tod ihres Kindes noch einmal auf die Station, um ein letztes Mal den Platz zu sehen, an dem ihr Kind bis zum Tod betreut wurde. Der Gedenktisch am Patient*innenplatz zeigt symbolisch, dass auf der Station nicht einfach zur Routine übergegangen wird, sondern dass es möglich ist, auch im hochtechnisierten Umfeld einer Intensivstation nach dem Tod eines Kindes innezuhalten. Der offene und würdevolle Umgang mit Sterben und Tod sollte unserer Erfahrung nach ein wichtiger Bestandteil der Teamkultur sein. Dies wird auch von anderen Eltern sehr genau wahrgenommen und wertgeschätzt.

Gedenkbuch Alternativ oder zusätzlich zum Gedenktisch kann ein Gedenkbuch geführt werden. In diesem Gedenkbuch kann von den Eltern – ggf. in Zusammenarbeit mit oder unter Umständen auch allein von Teammitgliedern – für jedes verstorbene Kind eine oder mehrere Gedenkseiten gestaltet werden. Zugehörige und Mitarbeiter finden dort einen Platz, ihre Geschichte, Erinnerungen, Gedanken, Wünsche, etc. einzutragen. Vielleicht möchten Eltern sogar ein Foto ihres Kindes einkleben. Das Gestalten eigener Erinnerungsseiten und das Lesen bereits geschriebener Seiten kann für betroffenen Eltern in ihrer Trauer sehr hilfreich ein. Einige Intensivstationen haben in einem „stillen“ Raum auf der Intensivstation einen Gedenkaltar, wo u. a. das Gedenkbuch ausgelegt wird. An diesen Ort können die Eltern jederzeit zurückkehren und an ihr verstorbenes Kind denken.

Gedenk- und Trauerkarten Eine weitere Möglichkeit für das Team, auszudrücken, dass es der verstorbenen Kinder der Station und der verwaisten Eltern gedenkt, ist der Versand von Gedenk- oder Trauerkarten an die Eltern. Diese können z. B. innerhalb der ersten Tage nach dem Tod des Kindes oder auch erst ein Jahr nach dem Versterben versandt werden.

Gedenkfeier Die Erfahrung zeigt, dass auch eine von der Klinik organisierte Gedenkfeier (▶ Abschn. 10.5) eine große Hilfe für die Eltern und Zugehörigen sein kann.

5.8 Die Frage nach der Obduktion

Die Zusage zur Obduktion des eigenen Kindes zu geben ist für fast alle Mütter und Väter eine schwierige Entscheidung. Gespräche mit früh verwaisten Eltern über eine mögliche Obduktion ihres verstorbenen Kindes sind daher immer wieder eine besondere Herausforderung. Eltern können einer Obduktion in der Regel nur zustimmen, wenn sie einen weiterführenden Sinn in dieser zusätzlichen „Belastung" sehen. Es ist daher wichtig, den Eltern zu vermitteln, dass eine Obduktion im Idealfall dazu beitragen kann, eine oder mehrere der folgenden Fragen für die Eltern und das Behandlungsteam zu beantworten:

- Was genau hat zum Tod des Kindes geführt?
- Bestätigt sich die klinisch im Vorfeld gestellte (Verdachts-)Diagnose?
- Gab es andere (assoziierte) Probleme, die vor dem Tod des Kindes nicht bekannt waren?
- Ergeben sich aus der Obduktion des Kindes weiterführende Konsequenzen für Eltern, Geschwister oder andere Familienmitglieder?
- Ergeben sich aus der Obduktion neue Aspekte für eine eventuelle (humangenetische) Beratung der Eltern zu weiteren Schwangerschaften?
- Können durch die Ergebnisse der Obduktion eventuelle Schuldgefühle der Eltern aus dem Weg geräumt werden? Wenn die Eltern mit bestimmten Therapieentscheidungen hadern, können diese Zweifel aus dem Weg geräumt werden?

Unbedingt sollten die Eltern aber auch auf die Möglichkeit vorbereitet werden, dass u. U. keine neuen Erkenntnisse durch die Obduktion gewonnen werden.

> Die Totenfürsorge für das verstorbene Kind obliegt den verwaisten Eltern, es sei denn, die Todesursache ist unklar oder nicht natürlich. Das Recht der Totenfürsorge umfasst das Entscheidungsrecht über den Leichnam des Verstorbenen, über die Art und den Ort der Bestattung und eine eventuelle Umbettung, sowie die Veranlassung der ärztlichen Leichenschau. Jede invasive und nichtinvasive Untersuchung, die nach dem Tod des Kindes am Leichnam durchgeführt wird, erfordert daher die explizite schriftliche Zustimmung der Eltern.

Folgende Aspekte können im Rahmen eines Aufklärungsgesprächs angesprochen werden:

- Die Obduktion wird durch eine erfahrene Fachärztin bzw. Facharzt für Pathologie durchgeführt. Diese Ärztin bzw. dieser Arzt ist zudem spezialisiert auf die Untersuchung von Kindern und Neugeborenen, dies garantiert eine höchstmögliche Qualität der Untersuchung.
- Nach der Obduktion wird die Pathologin bzw. der Pathologe einen ausführlichen Bericht über die Ergebnisse aller Untersuchungen schreiben. Dieser Bericht wird an die in die Betreuung

des Kindes unmittelbar involvierten Ärzt*innen versandt (inklusive ggf. Geburtsmediziner*in, Pränataldiagnostiker*in, ambulant tätigen Kinderärztin/-arzt der Familie etc.).

- Auf Wunsch können die Eltern eine Kopie des Obduktionsberichts zugesandt bekommen. Die Praxis zeigt jedoch, dass es eine wesentlich bessere Lösung ist, die Befunde der Obduktion mit den Eltern in einem persönlichen Gespräch zu besprechen. So können Unklarheiten und Fragen der Eltern direkt besprochen werden.
- Die Obduktion sollte in der Regel innerhalb von 2 Werktagen erfolgen, sodass eine Beerdigung oder weitere Verabschiedungen nicht wesentlich verzögert werden.
- Ein besonderer Aspekt ist die Obduktion des Gehirns, weil es komplett entnommen und mit ihm anders verfahren wird. Das Gehirngewebe ist extrem weich und kann erst nach einer chemischen Fixierung (Dauer der Fixierung 7–14 Tage) detailliert untersucht werden. Für den Umgang mit dem Gehirn stehen den Eltern mehrere Optionen zur Verfügung, welche sehr behutsam mit ihnen besprochen werden sollten:
  - Die Eltern verweigern jegliche Untersuchung des Gehirns oder sie erlauben eine Untersuchung des Gehirns, aber lediglich im nichtfixierten Zustand. In diesen Fällen kann der Leichnam des Kindes zusammen mit dem Gehirn zeitnah beerdigt werden.
  - Die Eltern willigen ein, dass das Gehirn entnommen und fixiert wird. Der Leichnam des Kindes kann dann aufbewahrt werden, bis die Untersuchung des Gehirns nach wenigen Wochen abgeschlossen ist. Nach dessen Reposition in den Schädel kann dann der gesamte Leichnam beerdigt werden. Falls die Eltern eine zeitnahe Beerdigung des Leichnams wünschen, kann das Gehirn nach Fixierung und Untersuchung später allein nachbeerdigt werden bzw. die Eltern können auch einwilligen, dass das Gehirn nach Beendigung der Untersuchung durch die Pathologie entsorgt wird.

Wird der Leichnam ohne das Gehirn bestattet und wollen die Eltern das Kind noch einmal nach der Obduktion sehen oder es z. B. gemeinsam mit der/dem Bestatter*in einbetten, so ist es möglich, mit der Pathologie zu vereinbaren, die leere Schädelhöhle mit einem kleinen Sandsäckchen zu füllen. Nehmen die Eltern ihr Kind dann noch einmal auf den Arm, hat der Kopf weiterhin seine natürliche Schwere. Ansonsten ist es wichtig, die Eltern im Vorfeld rechtzeitig über den deutlich zu spürenden Gewichtsunterschied zu informieren.

Das Ausmaß der Aufklärung zur Obduktion sollte immer entsprechend der elterlichen Wünsche erfolgen. Es muss akzeptiert werden, dass einige Eltern nicht im Detail über die genauen Prozeduren aufgeklärt werden möchten. Möglicherweise entscheiden sich Eltern gegen eine Obduktion aus Angst, ihr Kind würde verstümmelt. Nur im Rahmen eines einfühlsamen Gespräches können diese Ängste genommen werden (Lewis C et al. 2018). Der respektvolle Umgang mit dem Leichnam ihres Kindes von Anfang an ist daher von eminenter Wichtigkeit für die verwaisten Eltern.

Es ist sinnvoll, dass zumindest die Ärztin bzw. der Arzt, die/der das Kind bis zum Tod betreut hat oder die Obduktionsaufklärung durchgeführt hat, bei der Obduktion bzw. der Präsentation der Obduktionsbefunde anwesend ist. Für viele Eltern ist es hilfreich, ihre Einwilligung zur Obduktion in dem Wissen zu geben, dass eine ihnen vertraute Ärztin bzw. Arzt bei der Obduktion bzw. Präsentation der Obduktionsbefunde persönlich anwesend ist.

Alternativ zu einer Ganzkörperobduktion kann je nach Fragestellung auch lediglich eine Teilobduktion (z. B. nur abdominelle Organe) durchgeführt werden. Dies kann für die Beantwortung bestimmten Fragestellungen vollkommen ausreichend sein. Manchmal reicht auch eine einzelne Gewebeentnahme aus einem oder mehreren Organen aus, um die entscheidenden Informationen zu erlangen (Nijkamp JW et al. 2017).

Wird von den Eltern aus persönlichen oder religiösen Gründen eine Obduktion nicht gewünscht, so sollte im Einzelfall stattdessen die Durchführung einer postmortalen MRT-Untersuchungen des Leichnams erwogen werden. Aus MRT-Untersuchungen können sich u. U. (insbesondere bei Fragestellungen zum zentralen Nervensystem) auch nach dem Tod des Kindes noch wegweisende Informationen ergeben (Leadbetter KZ et al. 2017). Je nach Fragestellung können auch gezielte postmortale Röntgenuntersuchungen oder eine Computertomographie eingesetzt werden. In allen Fällen einer postmortalen Bildgebung ist eine vorherige genaue Absprache mit den Kolleg*innen der Radiologie essenziell. Wie bei der Obduktion, so ist auch bei allen postmortalen Bildgebungsverfahren die vorherige schriftliche Einwilligung der Eltern obligat. Unbedingt sollte allen Eltern angeboten werden, dass ihnen alle nach dem Tod erhobenen Befunde nochmals in einem persönlichen Gespräch mit einer Fachärztin oder einem Facharzt mitgeteilt und erklärt werden.

> Die Fürsorge für das Kind endet nicht mit dem Tod. Für einen würdevollen Umgang auch mit dem Leichnam trägt das involvierte Klinikpersonal die Verantwortung.

5.9 Ärztliche Nachsorgegespräche

Alle Eltern sollten das Angebot erhalten, nach dem Tod ihres Kindes jederzeit ein erneutes persönliches Nachsorgegespräch mit einer Fachärztin bzw. einem Facharzt, die/der wesentlich in die Betreuung des Kindes involviert war, zu führen. In diesen Gesprächen können z. B. ausstehende Befunde (z. B. genetische Untersuchungen, Obduktionsbefund oder Befunde postmortaler Bildgebung) oder Fragen, die sich für die Eltern erst mit etwas Abstand ergeben haben (z. B. zum Krankheitsverlauf oder der Sterbesituation des Kindes), besprochen werden. Bei Bedarf sollten diese Gespräche gemeinsam mit einer/m geburtshilflich involvierten Ärztin bzw. Arzt geführt werden, vor allem wenn es Fragen und vielleicht auch Zweifel zum Ablauf der Geburt oder der Zeit davor gibt. Unabhängig von diesen neonatologisch-geburtshilflichen Nachsorgegesprächen sollten alle Eltern, deren Kinder von einer genetisch bedingten Erkrankung betroffen waren, ein Terminangebot für eine humangenetische Beratung erhalten. Ein derartiges ärztliches Nachsorgegespräch stellt für alle Eltern einen Meilenstein in ihrem Trauerprozess dar. Erfahrungsgemäß ist es hilfreich, diese Gespräche in Anwesenheit einer/s Mitarbeitenden der psychosozialen Trauerbegleitung zu führen.

Literatur

Alt-Epping B, Bausewein C, Voltz R, Simon S, Pralong A, Simon A (2020) Therapiezielfindung und Kriterien der Entscheidungsfindung. Zeitschrift für Palliativmedizin 21(02):81–93

Aschenbrenner AP, Winters JM, Belknap RA (2012) Integrative review: parent perspectives on care of their child at the end of life. J Pediatr Nurs 27:514–522

Borasio GD (2012) Medizinische Übertherapie. In: Über das Sterben, 12. Auflage. Verlag C.H. Beck, München

Bundesärztekammer (2011) Grundsätze der Bundesärztekammer zur ärztlichen Sterbebegleitung. Deutsches Ärzteblatt 108:A 346–A348

Butler A, Hall H, Willetts G, Copnell B (2015) Parents' experiences of healthcare provider actions when their child dies: an integrative review of the literature. J Spec Pediatr Nurs 20(1):5–20

Caeymaex L, Speranza M, Vasilescu C, Danan C, Bourrat MM, Garel M, Jousselme C (2011) Living with a crucial decision: a qualitative study of parental narratives three years after the loss of their newborn in the NICU. PLoS ONE 6:e28633

Chin WL, Jaaniste T, Trethewie S (2018) The Role of Resilience in the Sibling Experience of Pediatric Palliative Care: what Is the Theory and Evidence? Children (Basel) 16;5(7)

Chiswick M (2001) Parents and end of life decisions in neonatal practice. Arch Dis Child Fetal Neonatal Ed 85:F1–3

Craig JW, Glick C, Phillips R, Hall SL, Smith J, Browne J (2015) Recommendations for involving the family in developmental care of the NICU baby. J Perinatol 35(Suppl 1):S5-8

Davies B, Contro N, Larson J, Widger K (2010) Culturally-sensitive information-sharing in pediatric palliative care. Pediatrics 125:e859–865

Del Gaudio F, Zaider TI, Brier M, Kissane DW (2012) Challenges in providing family-centered support to families in palliative care. Palliat Med 26:1025–1033

Doorenbos A, Lindhorst T, Starks H, Aisenberg E, Curtis JR, Hays R (2012) Palliative care in the pediatric ICU: challenges and opportunities for family-centered practice. J Soc Work End Life Palliat Care 8:297–315

Eilertsen M-EB, Lövgren M, Wallin AE, Kreicbergs U (2018) Cancer-bereaved siblings' positive and negative memories and experiences of illness and death: A nationwide follow-up. Palliat Support Care 16(4):406–413

Garten L, von der Hude K, Rösner B, Klapp C, Bührer C (2013) Familienzentrierte Sterbe- und individuelle Trauerbegleitung an einem Perinatalzentrum. Z Geburtsh Neonatol 217:95–102

Gillis J (2008) We want everything done. Arch Dis Child 93:192–193

Johnson J, Johnson SM, Cunningham JH, Weinfeld IJ (1985) A most important picture: a very tender manual for taking pictures of stillborn babies and infants who die. Centering Corp., Omaha, USA

Jox RJ (2013) In: Sterben lassen: Über Entscheidungen am Ende des Lebens, 1. Aufl. Rowohlt Taschenbuch, Reinbek

Kasseler Thesen zur Musiktherapie (2018) Musiktherapeutische Umschau 39(2), 163–166

Kenner C, Press J, Ryan D (2015) Recommendations for palliative and bereavement care in the NICU: a family-centered integrative approach. J Perinatol 35(Suppl 1):19–23

Kirov U (2013) Kinaesthetic Infant Handling – Optimal Handling auf der Neonatologie. Lebensqualität – Die Zeitschrift für Kinaesthetics 2:14–19

Laing IA (2013) Conflict resolution in end-of-life decisions in the neonatal unit. Semin Fetal Neonatal Med 18:83–87

Leadbetter KZ, Vesoulis ZA, White FV, Schmidt RE, Khanna G, Shimony JS et al (2017) The role of post-mortem MRI in the neonatal intensive care unit. J Perinatol 37(1):98–103

Lean RE, Rogers CE, Paul RA, Gerstein ED (2018) NICU Hospitalization: Long-Term Implications on Parenting and Child Behaviors. Curr Treat Options Pediatr 4(1):49–69

Lewis C, Hill M, Arthurs OJ, Hutchinson C, Chitty LS, Sebire NJ (2018) Factors affecting uptake of postmortem examination in the prenatal, perinatal and paediatric setting. BJOG 125(2):172–181

Lövgren M, Bylund-Grenklo T, Jalmsell L, Wallin AE, Kreicbergs U (2016) Bereaved Siblings' Advice to Health Care Professionals Working With Children With Cancer and Their Families. J Pediatr Oncol Nurs 33(4):297–305

Loewy J, Stewart K, Dassler AM, Telsey A, Homel P (2013) The Effects of Music Therapy on Vital Signs, Feeding, and Sleep in Premature Infants. Pediatrics 131(5):902–918

Marc-Aurele KL, English NK (2017) Primary palliative care in neonatal intensive care. Semin Perinatol 41(2):133–139

Marsac ML, Kindler C, Weiss D, Ragsdale L (2018) Let's Talk About It: Supporting Family Communication during End-of-Life Care of Pediatric Patients. J Palliat Med 21(6):862–878

Michelson KN, Emanuel L, Carter A, Brinkman P, Clayman ML, Frader J (2011) Pediatric intensive care unit family conferences: one mode of communication for discussing end-of-life care decisions. Pediatr Crit Care Med 12:e336–343

Nijkamp JW, Sebire NJ, Bouman K, Korteweg FJ, Erwich JJHM, Gordijn SJ (2017) Perinatal death investigations: What is current practice? Semin Fetal Neonatal Med 22(3):167–175

PaluTiN Arbeitsgruppe: Garten L, Globisch M, von der Hude K, Jäkel K, Knochel K, Krones T, Nicin T, Offermann F, Schindler M, Schneider U, Schubert B, Strahleck, T (2018) Leitsätze für Palliativversorgung und Trauerbegleitung in der Peri- und Neonatologie. 1. Aufl. Bundesverband „Das frühgeborene Kind" e. V., Frankfurt a. M.

Panagiotaki G, Hopkins M, Nobes G, Ward E, Griffiths D (2018) Children's and adults' understanding of death: Cognitive, parental, and experiential influences. J Exp Child Psychol 166:96–115

Parravicini E (2017) Neonatal palliative care. Curr Opin Pediatr 29(2):135–140

Pector EA (2004) Views of bereaved multiple-birth parents on life support decisions, the dying process, and discussions surrounding death. J Perinatol 24:4–10

Quinn M, Gephart S (2016) Evidence for Implementation Strategies to Provide Palliative Care in the Neonatal Intensive Care Unit. Adv Neonatal Care 16(6):430–438

Shaw C, Stokoe E, Gallagher K, Aladangady N, Marlow N (2016) Parental involvement in neonatal critical care decision-making. Sociol Health Illn 38(8):1217–1242

Snaman JM, Torres C, Duffy B, Levine DR, Gibson DV, Baker JN (2016) Parental Perspectives of Communication at the End of Life at a Pediatric Oncology Institution. J Palliat Med 19(3):326–332

Thornton R, Nicholson P, Harms L (2020) Creating Evidence: Findings from a Grounded Theory of Memory-Making in Neonatal Bereavement Care in Australia. J Pediatr Nurs 53:29–35

Truog RD (2010) Is it always wrong to perform futile CPR? N Engl J Med 362:477–479

Van Dokkum NH, Fagan LJ, Cullen M, Loewy JV (2013) Assessing HeartSong as a Neonatal Music Therapy Intervention: a Qualitative Study on Personal and Professional Caregivers' Perspectives. Adv Neonatal Care 23(3):264–271

Warrick C, Perera L, Murdoch E, Nicholl RM (2011) Guidance for withdrawal and withholding of intensive care as part of neonatal end-of-life care. Br Med Bull 98:99–113

Youngblut JM, Brooten D (2013) Parents' report of child's response to sibling's death in a neonatal or pediatric intensive care unit. Am J Crit Care 22(6):474–481

Trauerbegleitung in der Neonatologie

Grundlagen der Trauerbegleitung

Kerstin von der Hude

Inhaltsverzeichnis

L. Garten und K. von der Hude (Hrsg.), *Palliativversorgung und Trauerbegleitung in der Neonatologie*,
https://doi.org/10.1007/978-3-662-71982-4_6

Trauer ist die natürliche und zutiefst menschliche Reaktion auf einen persönlichen Verlust. Zu trauern heißt jedoch nicht ausschließlich traurig zu sein. Trauer bedeutet vor allem eine intensive Konfrontation mit den unterschiedlichsten Gefühlen wie Wut, Verzweiflung, Schuld, Scham und Angst. Die Intensität, die Dauer und der Rhythmus sind nicht vorhersehbar und verunsichern die Trauernden mitunter sehr, weil etwas mit ihnen geschieht, das sie nicht kontrollieren können.

Trauerbegleitung in der Neonatologie ist nicht auf die Begleitung der Familie in der unmittelbaren Sterbephase oder nach dem Tod des Kindes begrenzt. Eltern von Neugeborenen mit lebenslimitierenden oder -bedrohlichen Erkrankungen müssen häufig bereits vorher von Vorstellungen oder Lebensentwürfen Abschied nehmen und um diese trauern können und dürfen.

Eltern trauern u. a. um …

- die vorzeitig beendete Schwangerschaft,
- das entgangene Geburtserlebnis,
- einen erträumten Lebensentwurf,
- ihre subjektiv empfundene Inkompetenz in ihrer Elternrolle und ambivalente Elterngefühle.

Abschiednehmen bedeutet nicht, sich vom Verlorenen völlig zu lösen, sondern vielmehr den Verlust anzuerkennen, individuell zu betrauern und ihm einen Platz im weiterführenden Leben zuzuweisen.

6.1 Besonderheiten der Frühtodsituation

Früh verwaiste Eltern sind in ihrer Trauer und der Auseinandersetzung über den Verlust ihres Kindes in besonderer Weise betroffen, denn mit dem Tod des Kindes sterben auch sämtliche Hoffnungen und Zukunftsperspektiven. Der sog. „Tod zur Unzeit" (H. Hesse) stellt alle Vorstellungen vom Leben, von Wachstum, Reifen und Vergehen infrage und wirft die natürliche Reihenfolge durcheinander. Eltern erwarten, dass sie vor ihren Kindern sterben. Stirbt ihr Kind zuerst, so stirbt ein Teil von ihnen (Lothrop 2016).

Die gemeinsame Zeit mit dem neugeborenen Kind ist oft nur kurz und geprägt von großer Angst und Unsicherheit um dessen Gesundheit. Mütter reagieren meist sehr irritiert darauf, wenn sie ihr krankes und gefährdetes Kind vielleicht nicht sofort liebevoll annehmen können. Das Fehlen von intensiven mütterlichen Emotionen bewirkt oft noch zusätzliche Gefühle von Schuld und Inkompetenz. Gefühle von Angst und Hoffnung, Zuneigung und Abwehr, Mitleid und Wut, Freude und Trauer wechseln sich in schneller Folge ab, bedrängen die Eltern und sorgen für eine emotionale und kognitive Überforderung. Diese Ambivalenz kann zu einem zunächst eher zögerlichen Bindungsaufbau führen. Früh verwaiste Eltern haben nur wenig Zeit, in ihre Elternrolle hineinzuwachsen und diese zu gestalten. Dies gilt für Eltern mit einem reifgeborenen Kind ebenso wie für jene, die ein frühgeborenes Kind zur Welt gebracht haben.

Allerdings gibt es einen bedeutsamen Unterschied: Bei einer Frühgeburt kann die Dauer der Schwangerschaft unter Umständen um bis zu 18 Wochen kürzer sein als bei der Geburt eines reifgeborenen Kindes. Im Gegensatz zu Müttern von frühgeborenen Kindern können Mütter von reifgeborenen Kindern oft in der Rückschau die Wochen der Schwangerschaft als geschenkte gemeinsame Zeit erleben. Dieses Bewusstsein kann eine wichtige Ressource für den Trauerprozess darstellen.

Eltern, deren Kind um die Geburt herum verstirbt, sind in ihrer Trauer oft sehr allein. Meist verbrachte das Baby seine kurze Lebenszeit in der Klinik und nur wenige Menschen konnten es kennenlernen. Dies hat zur Folge, dass auch nur wenige Menschen wissen und verstehen, um wen die Eltern trauern. Da das Kind noch keinen festen Platz im Leben der Familie und des Freundeskreises einnehmen konnte, hinterlässt es für andere Menschen meist keine sichtbare Lücke. Dementsprechend wird dieses Kind auch nur von wenigen Menschen schmerzlich vermisst. Dies trifft früh verwaiste Eltern besonders hart. Angehörigen fällt es oft schwer, sowohl die Intensität als auch die Dauer der elterlichen Trauer zu verstehen, da sie die Größe des Verlustes nur schlecht nachvollziehen können. In Folge stehen Angehörige den Trauernden häufig sehr hilflos gegenüber. Ihre gut gemeinten aber mitunter ungeschickten Handlungen entspringen dem Wunsch zu trösten und sorgen bei den Eltern jedoch eher für Rückzug oder Wut.

„Ich war fassungslos, als meine Schwester, die ich bis dahin immer als sehr liebevoll empfunden hatte, mich mit den Worten in den Arm nahm ‚Ihr seid doch noch so jung und könnt bald wieder schwanger werden'" (Mutter eines am 2. Lebenstag verstorbenen Kindes).

Außergewöhnliche Todesumstände können den Trauerprozess für früh verwaiste Eltern noch zusätzlich erschweren und einen besonderen Unterstützungsbedarf zur Folge haben.

6.1.1 Mehrlinge

Teilverwaiste Mehrlingseltern befinden sich in einer für sie kaum lösbaren Ambivalenz durch das gleichzeitige Erleben widersprüchlicher Gefühle. Zum einen hoffen und bangen sie für und um ihr überlebendes Kind und zum anderen trauern sie gleichzeitig um den verstorbenen Zwilling. Aus der Sorge heraus, jeweils einem der beiden Kinder nicht gerecht zu werden, sind sie nur schwer in der Lage, sich einem Gefühl ganz hinzugeben. Freuen sie sich einerseits über die kleinen Fortschritte des überlebenden Geschwisters, so plagt sie gleichzeitig das schlechte Gewissen, vielleicht nicht genug um das verstorbene Kind zu trauern. Andererseits gestatten sie sich nur selten, ihrer Trauer Raum zu geben aus Angst, dies könnte dem überlebenden Kind schaden, weil sie als Eltern nicht stark genug sind. Diese Eltern leben in einem emotionalen Chaos und fühlen sich in der Regel maßlos überfordert. In ihrer inneren und äußeren Zerrissenheit fällt es diesen Eltern oft schwer, eigenständig stützende und entlastende Strukturen für sich zu entwickeln. Viele neigen in ihrer Hilflosigkeit zunächst dazu, sich eher dem überlebenden Kind zuzuwenden und die Trauer um das verstorbene Kind zu verdrängen. Solange das verstorbene Kind jedoch nicht die notwendige Beachtung erhält, wird es nur schwer möglich sein, eine Bindung zu ihm zu entwickeln und ihm seinen Platz in der Familie zu geben.

6.1.2 Hausgeburt

Es besteht ein hohes Risiko, dass Eltern, deren Kind im Rahmen einer Hausgeburt in eine gesundheitliche Notlage gerät, starke Schuldzuweisungen gegen sich selbst entwickeln und sich dafür verurteilen, dass sie ihr Baby nicht in einer Klinik zur Welt gebracht haben. „Ich hatte die ganze Zeit das Gefühl, ich wäre nicht gut für mein Kind, denn immerhin war ich daran schuld, dass es ihm nun so schlecht ging und die Möglichkeit bestand, dass es sterben könnte." (Mutter eines nach schwerer Asphyxie verstorbenen Kindes).

In der Zeit des Sterbens steht vor allem der Beziehungsaufbau zum Kind im Vordergrund. Die Eltern sollen sich zu einem späteren Zeitpunkt immer wieder in Erinnerung rufen können, dass sie an der Seite ihres Kindes waren, es ihre Nähe spüren konnte und nicht alleine war. In den begleitenden Gesprächen steht hier immer die gute Absicht der Eltern im Mittelpunkt. Folglich benötigen diese einen einfühlsamen Umgang und eine wertfreie Gesprächshaltung. So kann ihnen das Gefühl vermittelt werden, dass sie stets nach bestem Wissen und Gewissen gehandelt haben.

6.2 Bindungsaufbau und Beziehung

Sterbe- und Trauerbegleitung in der Neonatologie bedeutet nicht nur, den Abschied vom Kind zu begleiten. Eltern, die das Gefühl haben, ihr Kind weder retten noch schützen zu können, benötigen häufig auch für den Beziehungs- und Bindungsaufbau zum Kind Unterstützung und Ermutigung. Dies bedeutet manchmal sogar noch im Sterbeprozess die Eltern-Kind-Beziehung zu fördern und den Eltern damit zu ermöglichen, um das tote Kind und nicht um die verpasste Chance auf eine Beziehung zu ihm trauern zu können. Eltern, deren Baby stirbt, haben oft mit größeren inneren und äußeren Widerständen zu kämpfen, bevor sie sich auf ihr sterbendes Kind einlassen und sich später auch ihrem toten Kind zuwenden können. Sie wiegen sich zum einen in der Hoffnung, dass der Schmerz und die Trauer um ihr Baby geringer sein werden, wenn sie der Situation des Sterbens und der Begegnung mit ihrem gestorbenen Kind ausweichen. Zum anderen glauben manche Eltern, noch die Wahl zu haben, ob sie eine Bindung zu ihrem sterbenden oder gestorbenen Kind aufbauen wollen oder nicht. Dies ist einer der Aspekte, die den situativen Unterschied zu Eltern verdeutlichen, deren Kind zu einem späteren Zeitpunkt verstirbt.

Durch ein frühzeitiges, verlässliches und kontinuierliches Begleitangebot können sich die Eltern mit ihren ambivalenten Gefühlen und Ängsten auseinandersetzen und eine Haltung entwickeln, die es ihnen ermöglicht, kommende Situationen aktiv mitzugestalten.

Voraussetzung ist dafür, dass sie ihr Kind angenommen haben, auch wenn es eine ungewisse oder sogar infauste Prognose hat.

Viele Eltern fühlen sich schuldig aufgrund ihrer ambivalenten Gefühle und Fantasien in Bezug auf das Kind und die Situation und wagen es nicht offen darüber zu sprechen. Folglich ist es notwendig, schon so frühzeitig wie möglich den Eltern die Gelegenheit zu geben, ihre persönlichen Umstände zu betrachten und zu betrauern. Es muss ihnen jederzeit erlaubt sein, über Tod, Behinderung oder andere, sie ängstigende Dinge sprechen zu dürfen. Aus einer offen formulierten Ambivalenz und gelebten Trauer heraus erwächst die Fähigkeit, individuelle Bewältigungsmöglichkeiten zu entwickeln und die eigenen Ressourcen sinnvoll zu nutzen. Wenn Eltern die Möglichkeit haben, sich offen über ihre Ängste, Enttäuschungen und Sehnsüchte mitzuteilen, können sie folgende Erfahrungen machen:

- Es ist gut, die Last zu teilen und nicht mit den Ängsten allein zu bleiben.
- Es ist normal, ambivalente Gedanken und Gefühle zu haben, denn andere Eltern haben sie auch.
- Es gibt keine schlechten, falschen oder schädlichen Gedanken.
- Sie sind deshalb keine schlechten Eltern, sondern Eltern in einer besonderen Situation.

Es ist gut, bereits einen Lebensumstand, wie z. B. die Frühgeburt, betrauert zu haben. Damit wird die Gefahr einer Trauerkumulation, also die Anhäufung von unterschiedlichen Trauerfaktoren, reduziert und die damit einhergehenden Trauerrisiken im Falle des Todes möglichst geringgehalten. Um dies zu erreichen, brauchen Eltern starkes Vertrauen zu ihren wichtigen Ansprechpartner*innen. Dies können neben den behandelnden Ärzt*innen und dem versorgenden Pflegepersonal auch andere Personen sein. Eltern verhalten sich in Gesprächen mit diesen Berufsgruppen oft anders als im vertrauten Gespräch mit einer Person, die nicht unmittelbar in die Pflege und Behandlung ihres Kindes eingebunden ist. Dies sollte bei Gesprächsangeboten stets bedacht werden. Die Profession des Gesprächspartners bzw. der Gesprächspartnerin spielt dabei weniger eine Rolle als vielmehr dessen bzw. deren Gesprächshaltung den Eltern gegenüber.

Allein die Tatsache, dass Gesprächspartner*innen nicht unmittelbar an der Behandlung und Versorgung des Kindes beteiligt sind, kann den Eltern schon helfen sich zu öffnen und über ihre Gefühle und Gedanken zu sprechen. Eltern haben oft das Bedürfnis und den Anspruch, sehr optimistisch und tapfer zu wirken, wenn sie am Platz ihres Kindes sitzen oder im Verwandten- und Bekanntenkreis vom Zustand ihres Kindes erzählen. Diese Haltung erfordert viel Energie und spiegelt nicht immer den tatsächlichen Gefühlszustand wider. Individuelle Beratungs- und Entlastungsgespräche, die sich weniger um den Zustand des Kindes drehen, sondern vielmehr die Befindlichkeit der Eltern und deren Ressourcen im Fokus haben, können wie kleine Oasen wirken, in denen sie für einen kleinen Moment innehalten und Kraft schöpfen können.

▶ Fallbeispiel

„Besonders gut haben mir in der ganz schweren Zeit, bevor Dawn starb, die Gespräche mit den unterschiedlichen Menschen getan. Mit jedem konnte ich über andere Sachen reden. Die Schwestern machten mir mit ihrer liebevollen Art immer wieder Mut und holten mich an Bord, wenn ich mich nicht mehr traute, Dawn zu versorgen. Mit einer großen Selbstverständlichkeit sprachen sie mit mir über ihren Zustand und machten es mir leicht Fragen zu stellen. In den Arztgesprächen fühlte ich mich immer sehr ernst genommen, und ich hatte das Gefühl, dass sie mit mir ehrlich sind. Als der eine Oberarzt eines Tages zu mir sagte, „Wir stehen mit dem Rücken zur Wand“, da wusste ich, dass sie alles getan haben, was möglich war, und nun ging nichts mehr. Mit der Elternberatung habe ich regelmäßig einen Termin gehabt. Da gab es so einen Sessel und in den ließ ich mich immer fallen und fing dann meistens auch gleich an zu weinen. Die Elternberaterin sagte dann erst einmal gar nicht viel, sondern machte mir einen Tee und schob mir die Taschentücher rüber. Manchmal musste ich dann schon darüber wieder ein bisschen lachen. In diesem Sessel habe ich eigentlich nur von mir erzählt und wie es mir geht. Es hat nichts an der Situation verändert, aber ich war irgendwie leichter danach.“ (Mutter eines extrem frühgeborenen Kindes, das 4 Wochen nach der Geburt verstarb) ◀

6.3 (Gesprächs-)Haltungen in der Sterbe- und Trauerbegleitung

Jede Person ist Expert*in für sich selbst und verfügt über sämtliche Ressourcen, die benötigt werden, um die individuelle Lebenssituation zu bewältigen. Diese Grundannahme entspricht dem Konzept der personzentrierten Beratung . Mithilfe der Beratervariablen Akzeptanz, Empathie und Kongruenz (Krämer 2004) soll es den Klient*innen und in unserem Falle den betroffenen Eltern ermöglicht werden, ihre Ressourcen zu erkennen und diese im Rahmen ihrer Krisensituation für sich zu nutzen. Folglich sind neben der grundsätzlichen Bereitschaft zur Trauerbegleitung die spezifischen Beratungstechniken und nachstehenden Gesprächshaltungen von Rogers (Weinberger 2013) sowie Fragetechniken von Schulz v. Thun (2010) sehr hilfreich.

6.3.1 Akzeptanz/unbedingte Wertschätzung

Eltern müssen darauf vertrauen können, dass sie alles sagen dürfen, was ihnen durch den Kopf geht. Es ist wichtig, dass sie in ihrem Verhalten angenommen und in ihrer Ambivalenz akzeptiert und respektiert werden. Dies hört sich manchmal leichter an, als es tatsächlich ist, gerade wenn uns die gezeigten Reaktionen eher fremd sind. Jede Person besitzt individuelle Werte und Einstellungen. Wichtig ist eine Haltung, die akzeptiert, dass unterschiedliche Personen unterschiedliche Werte und Haltungen haben, und dass es nicht die eine richtige Einstellung gibt. Eine starke Reflexionsfähigkeit des Personals ermöglicht eine geduldige Annahme der Eltern in ihrer individuellen Situation.

6.3.2 Kongruenz/Echtheit

Professionalität spiegelt sich auch im Echtsein der Begleitenden wider. Im Kontakt zu den Eltern ist Authentizität, Ehrlichkeit und Transparenz eine wichtige Basis für ein vertrauensvolles Miteinander. Dies setzt einen reflektierten Umgang der Beratenden mit den eigenen Gefühlen und Haltungen zu den Themen Sterben, Tod, Abschied und Trauer voraus.

6.3.3 Empathie/einfühlsames Verstehen

Eine einfühlsame Begleitung zeichnet sich durch ein mitfühlendes Verhalten aus. Die Trauer von verwaisten Eltern wirklich zu verstehen, ist nur Personen möglich, denen selbst Ähnliches widerfahren ist. Das Mitgefühl der Begleitenden hingegen signalisiert den Eltern, dass sie nicht alleine sind, sondern dass es jemanden gibt, der bereit ist, sie und ihren Schmerz auszuhalten und sie auf ihrem individuellen Trauerweg ein Stück zu begleiten. Die begleitende Person versucht sich in die Situation der Eltern, deren Emotionen und deren individuellen Erleben anteilnehmend einzufühlen und bei Bedarf eigene Wahrnehmungen wertfrei zu verbalisieren. Eltern fühlen sich dadurch besser verstanden und sind eher in der Lage, die eigenen Bedürfnisse wahrzunehmen, sich mit ihnen auseinanderzusetzen und mögliche Bewältigungsstrategien zu entwickeln. Empathie bedeutet also mitzufühlen und nicht mitzuleiden.

6.3.4 Aktives Zuhören

Manchmal gibt es einen Unterschied zwischen dem, was Eltern sagen, und dem, was sie tatsächlich meinen. Aktives Zuhören bedeutet nicht, nur auf die verbale Aussage zu achten, sondern ebenso auf die emotionale Botschaft. Es bedeutet „zwischen den Zeilen zu lesen“ und dies den Eltern gegenüber auch, in einer fragenden Gesprächshaltung anzusprechen. „Ich habe das Gefühl, das macht sie gerade sehr traurig/ärgerlich/hilflos/… ist mein Eindruck richtig?“ Eltern fühlen sich dadurch meist sehr wahr- und ernst genommen, und es kann ihnen helfen, sich dem Gesprächspartner bzw. der Gesprächspartnerin für weiterführende Gespräche zu öffnen und anzuvertrauen.

6.3.5 Ressourcenorientierte Gesprächsführung

Die Gedanken trauernder Eltern drehen sich u. a. oft um Schuldgefühle, Hilflosigkeit und mögliche Versäumnisse. Eltern und besonders Mütter stellen sich immer die Frage, was sie vielleicht falsch gemacht haben könnten. Es nützt wenig, dies mit einer beruhigenden Worthülse vom Tisch wischen zu wollen. Viele Eltern beginnen einen Satz mit: „Hätte ich doch …“. Der Satz würde eine andere Qualität erhalten, wenn er beginnen könnte mit: „Es tut mir leid, dass …“ Eltern diesen Vorschlag zu machen, kann ihnen helfen, eine andere Sichtweise auf ihre Rolle erlangen.

Trauernde Eltern neigen zum inneren und äußeren Rückzug. Es sollte immer wieder hinterfragt werden, welche Personen und Situationen hilfreich sind, um kleine Momente der Entlastung zu schaffen. Weiterhin kann es hilfreich sein, die Eltern zu Handlungen zu ermutigen, die in Zukunft wertvolle Erinnerungen darstellen werden.

- Es ist wichtig und gut, die Zeit mit ihrem Kind zu nutzen, egal wie es weitergeht.

- Es gibt die Möglichkeit, den Prozess mitzugestalten.
- Es ist wichtig, gemeinsame Erinnerungen zu schaffen.

Bei aller Theorie sollte niemals übersehen werden, dass es vor allem die Begleitenden in ihrer Mitmenschlichkeit sind, die an der Seite der Trauernden stehen und ihre Begleitung anbieten. „Der geschickte Einsatz bestimmter Gesprächstechniken und anderer Interventionen alleine garantiert nicht den Erfolg einer Beratung" (Krämer 2004).

6.4 Prozessbegleitung

Eltern setzen sich mit dem bevorstehenden Tod ihres Kindes sehr unterschiedlich und manchmal nur schwer nachvollziehbar auseinander. Sie benötigen Zeit, um die Tatsachen, die für Außenstehende vielleicht schon eindeutig sind, auch für sich akzeptieren zu können. Die Eltern leiden unter ihrer tiefen Macht- und Hilflosigkeit und erleben ein schmerzhaftes Ringen mit den eigenen Wünschen und den gegebenen Umständen. Sie hoffen und bangen, sie sehen die Verschlechterung und klammern sich dennoch an jede vermeintliche Verbesserung. Sie reagieren kämpferisch und fühlen sich unendlich machtlos. Sie wollen ausschließlich positiv sein und denken dennoch an die bevorstehende Beerdigung. Sie hoffen auf positive Veränderung der Beatmungsparameter und fantasieren gleichzeitig, wie es ist, wenn ihr Baby seine letzten Atemzüge tut. Mitunter kann es auch genau umgekehrt zugehen. Ein Elternteil resigniert früher und möchte die kurative Therapie zu einem Zeitpunkt beenden, an dem das behandelnde Team noch keine Indikation für eine Therapiezieländerung sieht. Dies muss nicht bedeuten, dass das Elternteil „aufgegeben" hat. Vielmehr kann die Angst vor unnötigem Leiden in einer für die Eltern vermeintlich hoffnungslosen Situation sowohl für das Kind als auch für sich selbst stecken. Vielleicht gab es in der Vergangenheit dahingehende Erfahrungen mit geliebten Menschen, die sich nicht wiederholen sollen.

▶ Fallbeispiel

„Dann soll er jetzt schnell sterben und sein Tod nicht unnötig herausgezögert werden. Ich will so schnell wie möglich zurück nach Hause zu meinen anderen Kindern. Die brauchen mich jetzt besonders. Da will ich meine Kraft hineinstecken. Ich halte das hier nicht mehr aus." Teilverwaiste Zwillingsmutter bei unklarer Diagnose des überlebenden 3 Tage alten frühgeborenen Zwillingsbruders. ◀

Die Eltern befinden sich in einem Chaos von Gedanken und Gefühlen und spüren dennoch den Druck und die Notwendigkeit, die Realität zu akzeptieren oder anstehende Entscheidungen mitzutragen. Für die meisten Eltern ist diese Situation neu und fremd. Sie haben sich selbst so noch nie erlebt, daher stehen ihnen zunächst keine Bewältigungsstrategien zur Verfügung. Sie verurteilen sich für ihre Gedanken und sind überfordert von der Flut an Emotionen, die ungeordnet und ungefiltert auf sie einstürmen. Die Voraussetzung einer gelungenen individuellen Prozessbegleitung ist ein kontinuierliches und zuverlässiges Angebot von Beratungs- und Entlastungsgesprächen mit folgenden Schwerpunkten:

- Strukturentwicklung im Chaos
- Kulturentwicklung bei der Abschiednahme
- Verhaltensentwicklung in der individuellen Trauer

Dadurch werden die Eltern unterstützt,

- das Sterben und den Tod ihres Kindes als Realität anzuerkennen,
- die letzte unwiederbringliche Zeit mit ihrem Kind zu nutzen und individuell zu gestalten,
- persönliche Trauerreaktionen zu fördern, ohne sie zu fordern (Lammer 2010).

Prozessbegleitung kann mitunter bedeuten, dass die Begleitenden kurzfristig, punktuell und zeitlich begrenzt die Führung übernehmen müssen, um Strukturen anzubieten und herzustellen. Im Wort „Begleitung“ ist auch das Wort „Leitung“ enthalten (Müller-Busch 2012).

Der einfühlsam distanzierte und professionelle Blick von außen kann durchaus hilfreich sein, um einen Rahmen zu schaffen, damit Eltern die Ruhe finden, ganz bei ihrem Kind zu sein.

Eltern können sich besser auf die Situation einstellen, wenn sie sich ausschließlich auf ihr sterbendes Kind konzentrieren können. Neben dem inneren existiert oft noch das äußere Chaos im ganz normalen Alltag. Gerade dies überfordert Eltern häufig, weil sie sich auch dort zerrissen fühlen zwischen ihrem sterbenskranken Kind und den Alltagsanforderungen. Es hilft Eltern, darüber sprechen zu können und einen Plan zu erstellen, was alles getan werden muss. Viele Eltern trauen sich in einer lebensbedrohlichen Situation nicht, über solche Alltäglichkeiten zu sprechen. Oft schämen sie sich, dass sie sich mit so etwas scheinbar Banalem beschäftigen. Deshalb ist es gut, betroffene Eltern auf folgende Aspekte aktiv anzusprechen:

- Unterbringungsmöglichkeiten in der Klinik oder zumindest in der Nähe ihres kranken Kindes
- Verpflegungsmöglichkeiten in der Klinik
- Fahrtkostenunterstützung
- Betreuung von Geschwistern
- Kindertagesstätte oder Schule der Geschwister über die aktuelle familiäre Situation informieren
- Versorgung von Haustieren
- Angehörige, Freund*innen sowie möglicherweise Arbeitgeber*innen über die aktuelle familiäre Situation informieren
- Möglichkeit einer Krankschreibung des Vaters bzw. der Co- Mutter.

6.5 Trauerreaktionen

Trauer benötigt Raum, Zeit und Ort, um gelebt und gefühlt werden zu können und ist ein gesunder und normaler Prozess, der mit vielfältigen und sehr unterschiedlichen Veränderungen im Körper- und Sozialverhalten und den Gefühlen von Trauernden einhergeht. Heutzutage wird nicht mehr zwischen „normaler“ und „pathologischer“ Trauer unterschieden. Vielmehr spricht man zunächst von einer „Diversität“ der Trauer (Lammer 2010) und trägt damit der großen Bandbreite von unterschiedlichen Trauerreaktionen Rechnung.

Jeder Mensch trauert anders und entwickelt ganz persönliche Bewältigungsmechanismen. Trauerreaktionen lassen sich in 4 große Kategorien unterteilen (Worden 2010)

- Gefühle
- Körperliche Reaktionen
- Verhaltensweisen
- Kognitive Veränderungen

Bei manchen Menschen beginnt die Trauer sofort mit dem schmerzlichen Verlust, bei anderen kommt sie eher später in Form einer verzögerten Trauerreaktion. Manche Menschen trauern sehr lange, manche eher kürzer. Bei einigen Menschen ist die Trauer deutlich sichtbar und manche Menschen ziehen sich eher zurück und wollen sich nicht mitteilen (Worden 2010).

Die Erfahrung mit früh verwaisten Eltern macht deutlich, dass Trauer auch hier ein individueller Prozess ist, der vor allem von Nichtbetroffenen häufig nur schwer nachvollzogen werden kann.

In einer dänischen Studie wurden im Zeitraum von 1980 bis 1996 die Daten von allen Kindern, die in diesen Jahren starben, gesammelt und analysiert. Diese Daten wurden in Bezug zur Mortalität der verwaisten Eltern nach dem Versterben ihrer Kinder gesetzt. Von insgesamt 12.072 Kindern verstarben mehr als ein Drittel, also 37 % Neugeborene. Besonders erwähnenswert für den hiesigen Kontext sind 2 Ergebnisse

1. Für verwaiste Mütter besteht in den ersten 3 Jahren nach dem Verlust ihres Kindes ein um 40 % erhöhtes Sterblichkeitsrisiko, bedingt durch die Zunahme von Todesfällen infolge einer unnatürlichen Todesursache.
2. Die Erhöhung der maternalen Mortalität war unabhängig vom Alter des verstorbenen Kindes.
   „Der Tod eines Neugeborenen wiegt also genauso schwer wie der Tod eines älteren Kindes. Er ist nicht als Momentereignis zu sehen und sollte ebenso bedarfsorientiert weiter begleitet werden, wie bei jedem anderen Verlust auch.“ (Li et al. 2003)

▶ Fallbeispiel

„Im Laufe der Zeit habe ich die Erfahrung gemacht, dass die Trauer wie eine Welle kommt. Es ist, als wäre ich in einem Meer und manchmal kann ich sogar schon das Ufer sehen. Wenn so eine hohe Welle kommt, hilft es mir gar nichts, mich gegen sie zu wehren, gegen sie anzuschwimmen oder unter ihr hinweg zu tauchen. Das raubt mir nur die Kraft, mich über Wasser zu halten. Nein, ich habe im Laufe der Zeit gelernt, mit einer solchen Welle zu schwimmen und mich von ihr tragen zu lassen. So komme ich dem Ufer Stück für Stück ein wenig näher. Wenn mich eine solche Welle ergreift, muss ich mich ganz auf sie konzentrieren und bin zu kaum etwas anderem fähig, und es fällt mir schwer, den Kontakt zu anderen Menschen zu halten.“ (Mutter eines Sohnes, der 2 Jahre zuvor kurz nach der Geburt verstarb) ◀

6.6 Risikofaktoren der Trauer

Bis heute gibt es keine Definition für die „normale“ Trauer, vielmehr wird, unter Berücksichtigung möglicher Risikofaktoren eher von „nicht erschwerter Trauer“ gesprochen.

Es ist erfahrungsgemäß wenig hilfreich, in den ersten Monaten nach einem Verlust eine Grenze hin zu pathologischer Trauer zu definieren, denn wann ist Trauer „pathologisch“? Der Bundesverband Trauerbegleitung schlägt vielmehr vor, unter Beachtung möglicher Risikofaktoren von einer „erschwerten“, „komplizierten“ oder „traumatischen“ Trauer zu sprechen (Paul et al. 2011). Die Trauer an sich wird gar nicht als das Problem angesehen, denn jeder Mensch macht seine individuellen Trauererfahrungen. Vielmehr liegt die Schwierigkeit im Trauerprozess, der durch unterschiedliche Faktoren möglicherweise behindert, verzögert oder erschwert werden kann (Worden 2010). Mit der erwarteten Einführung der 11. Version der „Internationalen statistischen Klassifikation der Krankheiten und verwandter Gesundheitsprobleme“ (ICD 11) wird es die Definition einer „verlängerten Trauerstörung“ geben, um damit psychotherapeutische Behandlung zu ermöglichen.

Im Folgenden sind, in Anlehnung an Lammer, Worden und Lothrop, die wichtigsten Risikofaktoren aufgelistet, die zu einer erschwerten Trauer führen können. Dabei ist zu beachten, dass das Risiko einer erschwerten Trauer mit der Summe einzelner Faktoren steigt. Ein oder 2 Faktoren haben demnach nicht automatisch eine erschwerte Trauer zur Folge.

- Besonders ambivalente Beziehung zum Verstorbenen
- Besonders traumatische Todesumstände (z. B. spät prä- oder früh postnataler Tod)
- Weitere unbewältigte Verluste oder Krisen (z. B. vorhergehende Totgeburten)
- Fehlendes unterstützendes soziales oder familiäres Umfeld
- Fehlender Zugang zu Hilfesystemen (keine weiterführende Unterstützung)
- Fehlende persönliche Ressourcen (z. B. Finanzen, Fähigkeit Gefühle wahrzunehmen und auszudrücken)

- Unterdrückung und Vermeidung von Trauer
- Zugehörigkeit zu unteren sozialen Schichten
- Weitere jüngere Kinder im Haus
- Arbeitslosigkeit oder geringfügige Beschäftigung
- Vier Wochen nach dem Tod noch immer große Wut oder große Traurigkeit oder große Selbstvorwürfe
- Gleichzeitig auftretende Belastungen (Beziehungskrise, persönliche gesundheitliche Beeinträchtigung)

Trauer ist keine Krankheit, aber sie kann krank machen (Lammer 2010). Trauernde sind einem erhöhten Risiko für Depressionen und andere psychische und somatische, Erkrankungen ausgesetzt (Lammer 2010). Umso notwendiger ist eine präventive Trauerbegleitung, die frühzeitig mögliche Risiken für einen erschwerten Trauerprozess erkennt und den Betroffenen hilft, ihre vorhandenen Ressourcen für dessen Bewältigung zu aktivieren. „Trauer ist die normale Reaktion auf einen bedeutenden Verlust und dient somit der Bewältigung von Verlusterfahrungen“ (Lammer 2010).

Trauernde tragen die notwendigen Kompetenzen zur Bewältigung ihres Verlustes in sich. Trauerbegleitung will sie darin unterstützen, diese Kompetenzen zu entdecken und zu nutzen.

6.7 Schuldzuweisungen

Das Sterben des eigenen Kindes zu erleben, löst bei vielen betroffenen Eltern ein tiefes Gefühl der Ohnmacht und des Ausgeliefertseins aus, welches auch über dessen Tod hinaus erhalten bleibt. Mitunter machen sich Eltern ihre eigene Handlungsunfähigkeit selbst zum Vorwurf und versuchen auf diese Weise ihre passive Leidenssituation umzudeuten, in dem sie sich vom ausgelieferten Opfer zum handelnden und verursachenden Täter machen (Paul 2010).

Für den Umgang mit Schuldzuweisungen, die Eltern gegen sich selbst richten, haben sich in der Sterbe- und Trauerbegleitung folgende Interventionen als hilfreich erwiesen:

- Empathie, Akzeptanz, respektvolle und wertschätzende Grundhaltung gegenüber der elterlichen Leidenssituation
- Kontaktangebote auf verbaler, nonverbaler und schriftlicher Ebene entlasten die Eltern und geben ihnen das Gefühl, jederzeit Unterstützung zu erhalten, wenn sie das wollen
- Stabilisierung durch ressourcenaktivierende Gespräche, die Kraftquellen aufspüren, aus denen die Eltern ab und zu schöpfen und sich immer wieder daran erinnern können
- Positive Erinnerungen oder Erlebnisse beschreiben lassen, die trotz aller Dramatik Glücksmomente für die Eltern darstellen
- Kontakt halten. In Zeiten, in denen nichts mehr verlässlich ist, brauchen die Eltern die Sicherheit, dass die Begleitung nicht wegbricht, zumindest bis etwas Neues beginnt

„Menschen, die eine tiefe Ohnmachtserfahrung gemacht haben und diese mit einer Schuldzuweisung gegen sich selbst kompensieren, brauchen weder Besserwisserei noch zusätzliche Schuldzuweisungen wegen ihrer angeblichen Unvernunft. Sie profitieren von bedingungslosem Respekt, von Geduld und von Freiräumen, die sie mit ihren Entscheidungen, Wünschen und Impulsen füllen können …. Erst wenn einzelne, manchmal winzige Handlungs- und Entscheidungsräume geöffnet sind, kann das Ausgeliefertsein an einer anderen Stelle ertragen werden“ (Paul 2010).

Aufgrund der starken elterlichen Belastung kann es erfahrungsgemäß früher oder später auch zu Schuldzuweisungen dem behandelnden Team gegenüber kommen. Es ist hilfreich unterscheiden zu können, welche hintergründige Botschaft diese Schuldvorwürfe beinhalten können:

- Eltern haben Informationsdefizite oder können das vorhandene Wissen nicht umsetzen.
- Emotional geäußerte Schuldvorwürfe können den unbenannten Wunsch der Eltern nach mehr Kontakt zum Personal beinhalten, weil sie sich selbst einsam und überfordert fühlen.
- Schuldvorwürfe können als Ventil oder Platzhalter für andere verzweifelte Gefühle fungieren und haben nichts mit der jeweiligen Person oder deren Handlungen zu tun, sondern dienen in erster Linie der Entlastung.

Auch Schuldzuweisungen, die sich gegen das Personal richten, sollte in erster Linie mit Empathie, Wertschätzung und Offenheit begegnet werden. Für Mitarbeitende bedeutet dies, dass sie die Rolle als Blitzableiter annehmen und die schwankenden Emotionen der Eltern aushalten und nicht abwehren. Diese Herausforderung erfordert vom Team eine große Reflexionsfähigkeit und ein hohes Maß an Kommunikation und regelmäßiger Schulung (Paul 2010).

Dramatische Todesumstände und massive Ohnmachtsgefühle können den Trauerprozess maßgeblich beeinflussen (▶ Abschn. 6.7) und eine Verfestigung der Schuldgefühle zur Folge haben, die in einer normalen Trauerbegleitung nicht gelöst werden können. Weiterführende Beratungs- oder Therapieangebote sind in diesen Fällen geeignete Interventionen.

6.8 Trauer(begleit)modelle für die Neonatologie

Im Laufe der vergangenen Jahrzehnte wurden weltweit die unterschiedlichsten Trauermodelle und damit verbundene Empfehlungen für Begleitende entwickelt, etabliert und zum Teil auch wieder verworfen. Sie stellen eine wichtige Wissensgrundlage dar und ergänzen somit sinnvoll eine wertschätzende, aufmerksame, reflektierte und individuelle Sterbe- und Trauerbegleitung.

Im Folgenden werden beispielhaft die Grundzüge des Gezeitenmodells „Trauer erschliessen (sic)" nach R.M. Smeding (Smeding R et al. 2008) und des „BE-TRAUER-N"-Modells nach K. von der Hude (von der Hude 2021) vorgestellt. Für die detaillierte Auseinandersetzung mit den Modellen verweisen wir an dieser Stelle auf die Primärliteratur. Beide Modelle legen den Fokus auf die Situation trauernder Menschen und bieten Impulse für Begleitende an. Sie können als besonders geeignetes Handwerkszeug für die spezielle Situation der Trauerbegleitung früh verwaister Eltern innerhalb der Klinik dienen. Ihnen ist zudem gemein, dass sie keine allgemeingültigen Aussagen darüber treffen, wann ein Trauerprozess beendet ist oder sein sollte. Man bewertet heute den Umstand als günstig, wenn die Trauernden irgendwann wieder in der Lage sind, ihr Leben selbst positiv zu gestalten (s. Abschn. 6.7).

6.8.1 Gezeitenmodell Trauer erschließen nach R.M. Smeding

Smeding et al. (2008) geht davon aus, dass die für einen gesunden Trauerprozess notwendigen Ressourcen jedem trauernden Menschen zur Verfügung stehen. Die Aufgabe in der Begleitung besteht darin, Trauernde in der (Wieder-)Entdeckung dieser Ressourcen zu unterstützen. Das Gezeitenmodell basiert auf der Vorstellung, dass die Trauer ähnlich wie Ebbe und Flut in einem stets wiederkehrenden Kommen und Gehen die Trauernden begleitet. Im Unterschied zu den Gezeiten jedoch unterliegt die Trauer keinem festen Rhythmus und damit keiner vorhersehbaren Regelmäßigkeit, auf die man sich einstellen könnte. Die Rhythmen werden unterschieden in

- Schleusenzeit (Zeit zwischen Tod und Beisetzung),
- Januszeit (Verlust macht sich in voller Tragweite bemerkbar),
- Labyrinthzeit (intensive Auseinandersetzung mit dem erlittenen Verlust; Irrgartengefühl),
- Regenbogenzeit (Hinwendung zum eigenen Leben).

Da das Gezeitenmodell eine spiralförmige Anordnung hat, können die verschiedenen Trauergezeiten bis auf die sog. Schleusenzeit immer wieder durchlaufen werden. „Das Drehen der Spirale versinnbildlicht, dass es im Verlauf der Trauer mal aufwärts und mal abwärts geht“ (Smeding et al. 2008). Die Trauer der nahen Angehörigen ist nie zu Ende. Aber sie verändert sich im Laufe der Zeit, und es ist möglich, einen Umgang mit ihr zu finden und sie so in das fortlaufende Leben zu integrieren. Dieses Modell bietet sich, aufgrund seiner Bildhaftigkeit als eine gute Möglichkeit für elterliches Empowerment an. Die Vorstellung, dass Trauer wie Ebbe und Flut funktioniert, kann helfen, den oft unvorhersehbaren Wechsel zwischen Gefühlsüberflutungen und temporärer emotionaler Stabilität besser zu verstehen. Im Folgenden werden ausschließlich die Schleusenzeit und die Januszeit in ihrer Anwendungsmöglichkeit in der Neonatologie beschrieben, da diese beiden Zeiten die unmittelbare Begleitung früh verwaister Eltern durch das Klinikpersonal bzw. deren Kooperationspartner besonders betreffen.

6.8.1.1 Schleusenzeit

Die Schleusenzeit wird allgemein als diejenige Zeit beschrieben, die zwischen Tod und Beerdigung liegt. Sie endet unumkehrbar mit der Bestattung. In der Neonatologie wird sie um den Zeitraum vor Eintritt des Todes erweitert, weil dieser Zeitraum für die Eltern von großer Bedeutung für den Beziehungsaufbau zu ihrem sterbenden Kind ist. Mit dem Tod ist das Kind für die Eltern und Angehörigen noch greifbar und körperlich erreichbar. Für die Trauernden ist der Leichnam noch kein Toter, sondern ihr Kind. Die Eltern sind noch nicht angekommen in ihrer Trauer, sondern befinden sich in einem oft unwirklich erscheinenden Zwischenstadium, einer Art Schleuse.

Diese einzigartige Zeit wird vom multiprofessionellen Team der Neonatologie sowie möglichen externen Kooperationspartner*innen, wie Hebamme oder Bestatter*in, begleitet und moderiert. Die Schleusenzeit ist für den Trauerprozess enorm wichtig, da sie die unwiederbringliche Gelegenheit des Abschiednehmens mit all seinen Gestaltungsmöglichkeiten bietet. Alles, was in dieser Zeit geschieht oder auch nicht geschieht, wird Auswirkungen auf den weiteren Trauerprozess haben. Somit tragen die Begleitenden innerhalb und außerhalb der Klinik eine große Verantwortung.

Die sog. Schleusenwächter*innen sind die an der Begleitung beteiligten klinikinternen bzw. -externen Personen.

- Pflegepersonal
- Ärztliches Personal
- Psychosoziales Personal (Seelsorge, Elternberatung, Hebamme, Ehrenamt, Sozialdienst, Psychologischer Dienst, Bestattungsinstitut, …)

Ihre Aufgabe ist es, die Familie am Beginn ihres Trauerweges noch in der Klinik zu begleiten und sie darin zu unterstützen, in ihren individuellen Trauerprozess außerhalb der Klinik finden. Diese multiprofessionelle Form der Begleitung setzt ein strukturiertes Kommunikations- und Interaktionskonzept voraus, um Informations- oder Interventionsverluste zu vermeiden.

6.8.1.2 Januszeit

Damit wird die Zeit beschrieben, die auf die Beerdigung folgt. Benannt wurde sie nach dem doppelgesichtigen römischen Gott Janus. Die trauernde Person ist teils rückblickend (da war alles noch in Ordnung), teils nach vorne blickend (dort herrscht das Chaos). Alltägliche Handlungen, Tagesabläufe fallen schwer oder sind nicht durchführbar. Den Trauernden fehlt fast jegliche Orientierung. Die Tragweite des Verlustes wird nun deutlich spürbar, da nach der Organisation der Beerdigung nichts mehr zu tun bleibt und der Verlust des ursprünglichen Lebensentwurfes intensiv erlebt wird.

Aufgrund der speziellen Frühtodsituation ist es notwendig, den Eltern über die Beerdigung hinaus Gesprächsangebote zu machen. Da in der Regel nur wenige Angehörige und Freunde das Baby kennenlernen konnten, besteht die Gefahr, dass die Eltern nicht ausreichend Unterstützung aus dem privaten Umfeld erfahren. Die kontinuierliche Begleitung aus der Klinik heraus erfolgt mit dem Ziel, dass sich die Eltern entweder an einer externen Institution oder Person verorten oder aber in gemeinsamer Absprache die Begleitung beenden. In der Regel erfolgt dieser Zeitpunkt wenige Wochen nach der Beerdigung, wenn die Eltern langsam in der häuslichen Situation angekommen sind.

Eltern, die ihr totes Kind nicht gesehen haben, fällt es oft schwerer, die Realität nicht nur intellektuell, sondern auch emotional anzuerkennen. Dies kann den Trauerprozess erschweren und zusätzliches Leid erzeugen. Der selbstverständliche Umgang des Teams mit der Verabschiedung verstorbener Kinder ist für die Eltern eine hilfreiche Orientierung in der Entscheidung, sich darauf einzulassen und hilft ihnen, den Tod ihres Kindes mit allen Sinnen und besonders den Händen zu begreifen.

6.8.2 „BE-TRAUER-N"-Modell nach K. von der Hude

Das „BE-TRAUER-N"-Modell (von der Hude 2021) lehnt sich an das TRAUER-Modell von K. Lammer (Lammer 2010) an. Es wurde erweitert und adaptiert, um sich an die besondere Situation frühverwaisender und -verwaister Familien anzupassen und ihr im Rahmen der Trauerbegleitung gerecht zu werden. Es kann sowohl für die elterliche psychosoziale Begleitung ab Diagnosestellung als auch nach dem Versterben des Kindes angewandt werden.

Anders als die klassischen Modelle zur Trauerbewältigung kann das „BE-TRAUER-N"-Modell weder den vielfach angewandten *Phasenmodellen* der Trauer (wie z. B. das Gezeitenmodell nach R.M. Smeding, s. ▶ Abschn. 6.8.1) noch den klassischen *Aufgabenmodellen für Trauernde* (wie z. B. das TRAUER-Modell von K. Lammer) zugeordnet werden. Vielmehr fokussiert sich das „BE-TRAUER-N"-Modell auf Impulse, die von den Trauerbegleitenden gegeben, bzw. Aufgaben, die von den Trauerbegleitenden abgearbeitet werden können. Die im „BE-TRAUER-N"-Modell benannten Impulse/Aufgaben, können Familien in ihrem Trauerprozess unterstützen, Optionen aufzeigen und Handlungsspielräume eröffnen. In ◘ Tab. 6.1. findet sich eine übersichtliche Auflistung der Impulse/Aufgaben inklusive einer kurzen Erläuterung. Das Akronym „BE-TRAUER-N" soll dabei der besseren Merkfähigkeit und als Leitfaden für Begleitende dienen.

6

Tab 6.1 Die 9 Impulse/Aufgaben des BE-TRAUER-N-Modells (adaptiert nach K. von der Hude 2021)

Akronym	Inhalte	
B	Begleitung aktiv und zuverlässig anbieten	Die meisten Familien melden sich, besonders in der Akutsituation, nicht von allein. Melden Sie sich proaktiv bei der betroffenen Familie (persönlich, schriftlich oder telefonisch). Es ist nicht wichtig, ob Sie die Familie bereits kennen oder nicht.
E	Einfühlsame Impulse geben	Fragen Sie die Eltern, ob Sie ihnen die Erfahrungen anderer Familien und ihre eigenen Gedanken zur Verfügung stellen dürfen. Gemeinsames Nachdenken – orientiert an individuellen Bedürfnissen – kann helfen, Gedanken zu sortieren, in der Situation anzukommen und Handlungsspielräume zu erweitern.
T	Tod mit den Sinnen begreifen helfen	Eltern hilft, besonders am Anfang, die Gewissheit, bei der Begegnung mit ihrem verstorbenen Kind nicht alleingelassen zu werden. Ermutigen Sie zur Begegnung, ohne zu bedrängen. Geben Sie den Eltern die Gelegenheit, ihrem sterbenden/verstorbenen Kind immer wieder zu begegnen.
R	Raum für Bindung ermöglichen	Ermöglichen Sie den Eltern, ihr Kind zu begrüßen und es kennenzulernen, damit sie sich wirklich verabschieden können. Bindung zum Kind verstärkt nicht die Trauer, sondern unterstützt den gesunden Trauerprozess. Geben Sie den Eltern Zeit, wichtige Elterndinge zu tun, die die Bindung auch nach dem Tod noch unterstützen.
A	Anerkennung der neuen Lebenssituation	Dem Kind einen Platz in der Familie zu geben, bedeutet die Lücke zu spüren, die es hinterlässt, bevor es manche Familienmitglieder und Freunde überhaupt kennengelernt haben. Ermutigen Sie die Eltern, wichtige Menschen einzuladen, ihr sterbendes/verstorbenes Kind kennenzulernen, damit diese wissen, um wen die Eltern trauern. Wer das Kind kennengelernt hat, weiß mehr über das Kind, um das die Eltern trauern, und zeigt erfahrungsgemäß mehr Verständnis für das elterliche Verlusterleben.
U	Uebergänge begleiten	Informieren Sie die Eltern ausreichend über die individuellen Verläufe von Trauerprozessen. Bieten Sie Informationen behutsam wiederholt an, denn Eltern erinnern sich in der Regel nicht vollständig an nur einmalig übermittelte Informationen. Sorgen Sie für Sicherheit dadurch, dass Eltern bei Bedarf Zugriff auf Informationen bzw. Unterstützungsangebote haben, wenn für sie wichtige Veränderungen anstehen.
E	Erinnerungen sammeln	Erinnerungen und Erinnerungsstücke sind das Beweismaterial für das Leben und die Existenz des sterbenden/verstorbenen Kindes. Bestärken und unterstützen Sie die Familie (und deren Kreativität) in der unwiederbringlichen (Lebens-)Zeit bis zur Bestattung, Erinnerungen zu sammeln.
R	Risiken einschätzen und Ressourcen nutzen	Das Vertrauen der Eltern zu gewinnen braucht Zeit. Bieten Sie so früh wie möglich Ihre Unterstützung an. Frühzeitige ressourcenorientierte Begleitangebote können mögliche Risikofaktoren für eine erschwerte Trauer reduzieren.
N	Nachsorge und Netzwerke organisieren	Die individuellen Bedürfnisse der Eltern ändern sich im Laufe des Trauerprozesses. Sie bedürfen unterschiedlicher Begleitender mit offener Haltung und der Bereitschaft zu multiprofessioneller Unterstützung und interprofessioneller Zusammenarbeit. Multiprofessionell Begleitende erweitern den Handlungsspielraum für die Eltern und achten gleichzeitig im Sinne der Selbstsorge auf ihre eigenen Kapazitäten.

Literatur

Krämer M (2004) Professionelle Beratung zur Alltagsbewältigung, 1. Aufl. Vandenhoeck & Rupprecht, Göttingen

Lammer K (2010) Trauer verstehen. Formen, Erklärungen, Hilfen, 3. Aufl. Neukirchener Verlagshaus, Neukirchen-Vluyn

Li J, Precht DH, Mortensen PB et al. (2003) Mortality in parents after death of a child in Denmark: a nationwide followup study

Lothrop H (2016) Gute Hoffnung – jähes Ende, 12.x Aufl. Kösel, München

Müller- Busch HC (2012) Abschied braucht Zeit (Palliativmedizin und Ethik des Sterbens), 4. Aufl. Suhrkamp, Berlin

Paul C (2010) Schuld Macht Sinn, 1. Aufl. Gütersloher Verlagshaus, Gütersloh

Paul C et al (2011) Neue Wege in der Trauer- und Sterbebegleitung, vollständig überarbeitete Neuausgabe 2011 Gütersloher Verlagshaus, Gütersloh

Schulz v. Thun S (2010) Miteinander reden, 1 Störungen und Klärungen, 48. Aufl. rororo Sachbuch, Reinbek/Berlin

Smeding R, Heitkönig-Wilp M, Schrudde H (2008) Trauer erschließen: Eine Tafel der Gezeiten, 2. Aufl. Der Hospiz, Wuppertal

von der Hude K (2021) Psychosoziale Begleitung im Kontext perinataler Palliativversorgung: Das Modell „BE-TRAUER-N“. Zeitschrift für Palliativmedizin 22(03):155–169

Weinberger S (2011) Klientenzentrierte Gesprächsführung: Lern- und Praxisanleitung für psychosoziale Berufe (Edition Sozial), 13.x Aufl. Beltz Juventa, Weinheim

Weinberger S (2013) Beratung und Therapie in Trauerfällen, 5. Aufl. Huber, Bern

Worden WJ (2010) Beratung und Therapie in Trauerfällen, 4. Aufl. Huber, Bern

Familienzentrierte Trauerbegleitung

Kerstin von der Hude und Marion Glückselig

Inhaltsverzeichnis

unter Mitarbeit von Ines Schwager-Engelbrecht: Abschn. 7.5.15

L. Garten und K. von der Hude (Hrsg.), *Palliativversorgung und Trauerbegleitung in der Neonatologie*,
https://doi.org/10.1007/978-3-662-71982-4_7

Die familienzentrierte Trauerbegleitung möchte den unterschiedlichen Bedürfnissen der betroffenen Angehörigen gerecht werden und gemeinsam mit ihnen den Weg in ihren individuellen Trauerprozess entdecken. Diese unterschiedlichen Bedürfnisse machen eine interdisziplinäre Zusammenarbeit über die Klinikgrenzen und den Tod hinaus notwendig. Folglich ist zum einen die multiprofessionelle Trauerbegleitung durch geschultes Klinikpersonal notwendig, die nicht automatisch mit dem Tod des Kindes endet. Zum anderen wird ein schnittstellenübergreifendes Unterstützungsnetz benötigt, das es den Eltern ermöglicht, sich einer neuen Person oder Institution außerhalb der Klinik anzuvertrauen, wenn für sie der richtige Zeitpunkt gekommen ist. Eine solche Begleitung allen früh verwaisten Eltern verlässlich anbieten zu können, stellt das Team einer Neonatologie sowohl aus personellen und räumlichen als auch aus organisatorischen Gründen mitunter vor große Herausforderungen.

Das hier vorgestellte Interventions- und Begleitkonzept wurde in den vergangenen 30 Jahren von den Mitarbeiterinnen der Elternberatung unserer Klinik kontinuierlich weiterentwickelt, implementiert (Christ-Steckhahn 2005) und schließlich 2016 im psychosozialen Begleitmodell BE TRAUER N zusammengefasst (s. ▶ Abschn. 6.8.2).

Das Modell ist jedoch nicht zwingend an die Institution Elternberatung gebunden. Je nach den vorhandenen Ressourcen einer Klinik können die Aufgaben der Trauerbegleitung auch in der Hand z. B. der Pflege oder der Seelsorge liegen.

Im hier vorgestellten Modell wird den betroffenen Eltern zunächst proaktiv eine Trauerbegleitung durch klinikinterne Mitarbeitende angeboten. Im weiteren Verlauf werden bei Bedarf externe Begleitende hinzugezogen. Der oder die Trauerbegleitende übernimmt damit eine Art Brückenfunktion, um den Weg aus der Klinik heraus in ein Leben zu Hause ohne Kind zu bahnen und zu begleiten. Den Autorinnen ist bewusst, dass dieses Konzept nicht in Form einer Eins-zu-eins-Umsetzung auf jede Klinik übertragbar ist. Die folgenden Kapitel wollen vielmehr Impulse für die individuelle Gestaltung notwendiger Angebote institutionsübergreifender Trauerbegleitung geben. Manchmal können einige wenige Veränderungen schon viel bewirken.

7.1 Kontaktaufnahme durch die Trauerbegleiterin oder den Trauerbegleiter

Mit einer frühzeitigen Kontaktaufnahme nach dem Tod des Kindes wird den Eltern das Angebot gemacht, ihre schmerzliche Lebenssituation nicht unbegleitet bewältigen zu müssen. Selbstverständlich steht es ihnen aber auch frei, das Angebot abzulehnen oder sich zu einem späteren Zeitpunkt selbst zu melden.

7.1.1 Persönliche Kontaktaufnahme

Wenn Eltern die Klinik nach dem Tod ihres Kindes noch nicht verlassen haben, ist eine schnelle Kontaktaufnahme möglich. Die erste Begegnung mit verwaisten Eltern wird oft nur von wenigen Worten begleitet. Allein die Tatsache, dass man sich ihnen bewusst zuwendet und damit signalisiert, dass jemand an ihrer Seite ist, reicht oftmals aus, um eine Atmosphäre zu schaffen, in der sich zuallererst einmal die Traurigkeit ausbreiten darf. Hinzu kommt, dass es zunächst auch nur wenig zu sagen gibt. Eltern sind in ihrer Trauer oft nur schwer in der Lage, ihre Gefühle in Worte zu fassen. Und so kann es durchaus sein, dass die ersten Minuten gar nichts gesagt wird. Die Eltern dürfen einfach nur weinen oder auch schweigen. Es fällt nicht immer leicht, dieses Schweigen auszuhalten, und es gehört durchaus Mut dazu, schweigend zusammenzusitzen. Als sehr hilfreich hat es sich erwiesen, dieses Schweigen zu benennen oder auch die eigene Befindlichkeit in Worte zu fassen. Oft kann dies der Türöffner für ein erstes Gespräch sein. Folgende Sätze können vielleicht als Beispiel dienen:

- „Es tut mir so leid."
- „Ich kann gar nichts sagen, außer, dass es mir so leid tut."
- „Ich weiß, dass ich nicht wirklich helfen kann, aber ich würde mich trotzdem gerne einen Moment zu Ihnen setzen, wenn ich darf."
- „Möchten Sie mir ein wenig erzählen, wie die vergangenen Stunden waren?"
- „Ich habe gehört, dass … verstorben ist, das tut mir sehr leid."

7.1.2 Telefonische Kontaktaufnahme

Manche Eltern verlassen nach dem Tod des Kindes sofort die Klinik. In solchen Fällen ist es wichtig, die Eltern zu Hause anzurufen, selbst wenn es im Vorfeld keinen persönlichen Kontakt zwischen dem Trauerbegleiter bzw. der Trauerbegleiterin und den Eltern gab. Viele Eltern fühlen sich nicht in der Lage, selbst aktiv Kontakt aufzunehmen. Die Erfahrung zeigt, dass die Eltern dankbar für die Kontaktaufnahme sind, weil ihnen damit die Gelegenheit gegeben wird, Fragen zu stellen und das Erlebte zu erzählen. Floskeln, wie „Herzliches Beileid" sollten möglichst vermieden werden. Es ist besser, sich um Authentizität zu bemühen, in klaren Sätzen zu sprechen und die Situation zu benennen. Eine Einleitung für ein solches Gespräch könnte folgendermaßen aussehen: „Guten Tag, Frau Sch., mein Name ist Martina D. und ich gehöre zum Team der Station, auf der Ihr Sohn gelegen hat. Ich habe heute erfahren, dass Benjamin gestern gestorben ist und auch wenn wir uns bisher noch gar nicht kennengelernt haben, ist es mir ein Bedürfnis, Ihnen zu sagen, wie leid mir das tut. Ich fühle sehr mit Ihnen und frage mich, wie es Ihnen jetzt wohl geht, wo sie wieder zu Hause sind."

Meist reichen diese wenigen Sätze aus, um den Eltern zu verdeutlichen, dass da jemand ist, der sich zur Verfügung stellt und wirklich wissen möchte, wie sie sich gerade fühlen. Eltern fühlen sich dadurch in der Regel sehr wahrgenommen in ihrer verzweifelten Situation und sind eher bereit, den Kontakt zuzulassen, um gemeinsam herauszufinden, wie es nun weitergehen könnte.

7.1.3 Schriftliche Kontaktaufnahme

Ein Brief bietet einen Kontakt an und wahrt dennoch eine gewisse Distanz. In bestimmten Situationen kann es besser sein, zuerst einen schriftlichen Kontakt herzustellen. Dies trifft in besonderem Maße auf Eltern zu, die beim Verlassen der Klinik signalisieren, dass sie keinen Kontakt wünschen oder selbst entscheiden möchten, wann sie Kontakt zu Mitarbeitenden der Trauerbegleitung aufnehmen. Diese Haltung kann sich im Laufe der Zeit ändern, und es ist hilfreich für diese Eltern, wenn sie durch einen Brief erfahren, an wen sie sich dann wenden können und dass eine Kontaktaufnahme ihrerseits unproblematisch ist. Auch für Begleitende kann das schriftliche Kontaktangebot eine gute Alternative zu einem Telefonat darstellen. Ein Telefonat mit einer unbekannten trauernden Familie kann eine unüberwindbare Hürde darstellen, die eine mögliche Nichtbetreuung zur Folge hat. Neben dem schriftlichen Kontaktangebot und mitfühlenden Worten bietet ein Brief die Gelegenheit, relevantes Informationsmaterial zu versenden. Dabei ist stets zu bedenken, dass spezielle Dinge, wie z. B. Fotos des Kindes oder andere Erinnerungsstücke, in einem verschlossenen und beschrifteten Extraumschlag mitgeschickt werden. Auch hier sollen die Eltern selbst bestimmen können, wann sie sich welche Gegenstände ansehen. Es ist empfehlenswert, diese nur per Einschreiben zu verschicken.

Das Fallbeispiel dient als Vorschlag für einen Text für eine erste schriftliche Kontaktaufnahme.

▶ Fallbeispiel

„Sehr geehrte Familie Sch.,
ich habe heute erfahren, dass Ihr Sohn Benjamin verstorben ist. Ich möchte Ihnen gerne, auch im Namen des gesamten Teams sagen, wie leid mir das tut. Ich weiß, dass es keine Worte gibt, die Sie trösten können, aber ich möchte Ihnen sagen, wie sehr ich mit Ihnen fühle. Aus unserer Erfahrung in der Begleitung anderer verwaister Eltern wissen wir, dass man oft gar nicht weiß, wie es nun weitergehen soll. Wir möchten, dass Sie wissen, dass Sie sich jederzeit an uns wenden können. Wir können miteinander telefonieren, schreiben oder aber einen persönlichen Gesprächstermin vereinbaren. Dies ist auch möglich, wenn Sie dieses Angebot erst deutlich später in Anspruch nehmen möchten. Andere Eltern erzählen immer wieder, dass es guttun kann, mit einem Menschen zu sprechen, der nicht zum persönlichen Umfeld gehört und der Sie mit all Ihren Fragen und Traurigkeit begleitet, ohne dass Sie das Gefühl haben, denjenigen auch noch trösten zu müssen.
Ich wünsche Ihnen nun vor allem Kraft und Mut und Menschen, die in dieser schweren Zeit an Ihrer Seite sind.
Ganz herzliche Grüße von
Martina D.“ ◀

Für viele Eltern ist es hilfreich, schon bei dieser ersten Kontaktaufnahme von den Erfahrungen anderer betroffener Eltern zu hören. Selbst wenn Eltern sich nicht sofort melden, kann allein die Existenz dieses Briefes hilfreich sein. Er gibt ihnen das Gefühl, nicht allein zu sein und bei Bedarf Unterstützung in Anspruch nehmen zu können.

Wir können nicht trösten. Eltern, die ihr Kind verloren haben, sind untröstlich. Wir können nicht helfen, denn es gibt keine Möglichkeit, das Geschehene ungeschehen zu machen. Aber: Wir können mitfühlen und unser Mitgefühl ausdrücken. Wir können uns zuwenden und unsere Begleitung anbieten.

7.2 Vernetzung

Um eine bestmögliche, individuelle und qualitativ hochwertige Trauerbegleitung anbieten zu können, ist es notwendig, mit allen weiteren beteiligten klinikinternen sowie ambulanten Akteur*innen regelmäßig im Austausch zu sein.

7.2.1 Neonatologisches Team

Der Austausch über vollzogene oder geplante Interventionen im Rahmen der Sterbe- und Trauerbegleitung sollte einem standardisierten Konzept folgen und in schriftlicher Form niedergelegt werden, da u. a. durch das Arbeiten in einem Drei-Schicht-System auf einer neonatologischen Intensivstation wichtige Informationen verlorengehen könnten. Es hat sich als hilfreich erwiesen, alle Interventionen im Rahmen einer Sterbe- und Trauerbegleitung zu dokumentieren. Diese Dokumentation sollte für alle Beteiligten des betreuenden Teams einsehbar sein. Auf diese Weise wird verhindert, dass bestimmte Interventionen entweder doppelt oder gar nicht angeboten werden.

Ein Beispiel eines derartigen Dokumentationsbogens für den Übergang von der Sterbebegleitung in die Trauerbegleitung finden Sie unter ▶ http://extras.springer.com, Checkliste 4. Ein derartiger

Dokumentationsbogen kann als Instrument zur Information und Überprüfung durchgeführter Maßnahmen genutzt werden und unerfahrenen Mitarbeitenden als Manual für mögliche Impulse in der Begleitung dienen. Ein derartiger Dokumentationsbogen kann nach dem Tod eines Kindes von der versorgenden Pflegekraft angelegt, ausgefüllt und an die Mitarbeitenden der Trauerbegleitung ausgehändigt werden. Mit Beendigung der Trauerbegleitung verbleibt das Original in der Akte des Kindes. Um dem pflegerischen und ärztlichen Team zu jeder Zeit die Möglichkeit zu geben, sich einen Überblick über die durchgeführten Interventionen und die Dauer der Trauerbegleitung bei den von ihnen betreuten Familien zu verschaffen, ist es hilfreich, eine Kopie des abgeschlossenen Dokumentationsbogens auf der Station – z. B. in einem Ordner „Trauerbegleitung verwaister Familien" – zu hinterlegen.

7.2.2 Pathologie

- Wo befindet sich die Pathologie und wie sieht es da aus?
- Gibt es einen angemessenen Verabschiedungsraum?
- Wie werden die Verstorbenen dort gelagert?
- Wie werden sie dorthin transportiert?
- Ist die Lagerung kostenpflichtig?
- Gibt es Öffnungszeiten?
- Wer ist Ansprechpartner*in?

In der üblichen Stationsroutine stellt man sich solche Fragen nur selten. In der Trauerbegleitung sind sie unumgänglich. Solange sich das verstorbene Kind in der Klinik befindet, besteht dem Leichnam gegenüber die Verantwortung für einen respektvollen Umgang. Es muss sichergestellt sein, dass der Körper des Kindes adäquat versorgt und respektvoll behandelt wird, um den Eltern bedenkenlos Verabschiedungen anbieten zu können. Oft wissen die Mitarbeitenden in der Pathologie gar nicht, dass viele Eltern ihr Kind noch einmal sehen wollen. Darum ist es gut, in wiederkehrenden Gesprächen von solchen Verabschiedungen zu berichten. Dies trifft in besonderem Maße auf den Umgang mit obduzierten Kindern zu. Während einer Obduktion wird der verstorbene Mensch vom Pathologen geöffnet und untersucht, aber i. d. R. nicht wieder zugenäht. Dies übernimmt in den meisten Pathologien ein Sektionsassistent oder eine Sektionsassistentin. Dieser Person obliegt also die Verantwortung, den Leichnam wieder so herzurichten, dass die Eltern ihr Kind ohne Weiteres auch nach der Obduktion noch weiterhin betrachten können. Hier können rechtzeitige Informationen über weitere Verabschiedungen nach der Obduktion für alle Beteiligten hilfreich sein.

Soll ein verstorbenes Kind obduziert werden, ist es sinnvoll, dem Leichnam einen Zettel beizulegen mit folgendem Vermerk: „Liebe Kolleginnen und Kollegen, die Eltern dieses Kindes möchten evtl. noch weitere Male von ihrem Kind Abschied nehmen. Vielen Dank! Mit freundlichen Grüßen, …"

7.2.3 Bestattungsinstitut

Mit der Abholung des verstorbenen Kindes durch das beauftragte Bestattungsinstitut liegt die Verantwortung für einen fürsorglichen Umgang mit ihm und der gesamten Familie in dessen Hände. Ohne in den unlauteren Wettbewerb eintreten zu wollen, erscheint es für das betreuende Klinikteam dennoch sinnvoll, sich einen Überblick über die Angebote der regionalen Bestattungsinstitute zu verschaffen. Für die Eltern können detaillierte Vorinformationen hilfreich sein, um sich auf das Gespräch mit den Mitarbeitenden der jeweiligen Bestattungsinstitute vorzubereiten und wichtige Fragen schon im Vorfeld zu formulieren (▶ Abschn. 7.5).

7.2.4 Ambulante Institutionen

Regionale Angebote für die ambulante Begleitung in der Trauer können vielfältig sein und unterliegen immer wieder Veränderungsprozessen. Eine regelmäßige Aktualisierung bestehender Angebote erhöht die Flexibilität, um bei Bedarf einen schnellen Kontakt zu einer adäquaten Institution herstellen zu können.

7.2.5 Anteilnahme anderer Eltern

Alle Eltern auf einer Station spüren, wenn ein Kind stirbt. Mit dem Tod eines anderen Kindes verlieren die zurückbleibenden Mütter mitunter auch eine vertraut gewordene Gesprächspartnerin, eine Mitbetroffene in einer Art Schicksalsgemeinschaft. Stützende Gemeinsamkeiten im Stationsalltag finden ein abruptes Ende. Das gemeinsame Abpumpen der Muttermilch, das gemeinschaftliche Mittagessen und der Austausch über die Alltäglichkeiten auf einer Intensivstation. Der Tod eines anderen Kindes konfrontiert sie mit der Tatsache, dass es keine Garantie und keine Sicherheit gibt und kann die Angst um das Leben und die Gesundheit ihres eigenen Kindes vertiefen. Eltern nehmen auf unterschiedliche Art und Weise am Tod eines anderen Kindes Anteil. Es ist wichtig, auch für ihre Bedürfnisse, Ängste und Traurigkeit sensibel zu sein und ihnen Möglichkeiten aufzuzeigen, diesen Gefühlen Ausdruck zu verleihen. Unter anderem können Eltern Unterstützung in diesem Prozess erfahren durch:

- Gesprächsangebote, Elterngruppe
- Weiterleitung einer Beileidskarte
- Ausrichten von Grüßen an die verwaisten Eltern
- Innehalten am Gedenktisch
- Entzünden einer Kerze in der Kapelle

Häufig entwickeln Eltern in einem solchen Gespräch eigene Ideen, wie sie mit dieser Situation umgehen können. Auch hier steht im Mittelpunkt, dass die Eltern im Grunde selbst sehr genau wissen, was sie zum Bewältigen der Situation benötigen. Sie tragen jegliche Kompetenzen in sich. Auch hier geht es wieder darum, ihnen zu helfen, ihre Kompetenzen zu entdecken, auf sie zu vertrauen und sie einzusetzen, um eine individuelle Bewältigungsstrategie zu entwickeln.

7.3 Begrüßung und Abschied – die letzte Gelegenheit

Wenn Eltern nach dem Tod ihres Kindes die Klinik verlassen, endet ein bestimmter Lebensabschnitt und im ersten Impuls sind viele von ihnen davon überzeugt, nie mehr zurückkehren zu wollen oder zu können. Es ist entscheidend für den Verlauf des Trauerprozesses, dass die Eltern mit dem Verlassen der Klinik wissen, wie es nun weitergehen könnte.

In jedem Fall sollten Eltern darüber informiert werden, dass sie ihr Kind noch weitere Male sehen und bei sich haben können und dass sie dabei nicht allein gelassen werden. Eine entsprechende Broschüre mit kurzen und relevanten Informationen kann hilfreich sein, den Eltern die nächsten möglichen Schritte aufzuzeigen und zu versichern, dass sich eine Mitarbeiterin bzw. ein Mitarbeiter der Trauerbegleitung am nächsten Werktag bei Ihnen telefonisch melden wird. Eltern sind in dieser Ausnahmesituation in der Regel nicht in der Lage, sich solche Informationen zu merken und froh über schriftliche Informationen.

Oft wissen Eltern nicht, dass es die Möglichkeit weiterer Begegnungen mit ihrem verstorbenen Kind gibt. Die Zeit zwischen Tod und Bestattung ist eine unwiederbringliche Gelegenheit, den Verlust des Kindes immer deutlicher zu begreifen und damit langsam in den individuellen Trauerprozess hineinwachsen zu können (von der Hude 2016).

Diese sog. Schleusenzeit (Smeding et al. 2008) gibt den Eltern Möglichkeiten der Gestaltung. Hier ist die Gelegenheit, Eltern aus der hilflosen und erduldenden Rolle herauszuhelfen und einen kreativen und schöpferischen Prozess anzubahnen, der ihnen hilft, sich ihre „Trauer zu erschließen" (Smeding et al. 2008) und auf ihren persönlichen Trauerweg zu finden.

Wie in ► Kap. 6 schon näher erläutert, ist die Zeit zwischen dem Versterben eines Neugeborenen und dessen Bestattung auch von großer Bedeutung für die Fortsetzung des Beziehungsaufbaus und der Bindungsförderung zwischen Eltern und Kind. Diese Zeit ist unwiederbringlich und es ist wichtig, dies den Eltern auch deutlich mitzuteilen. Nur in dieser Zeit haben sie die Möglichkeit, den Tod ihres Kindes mit allen Sinnen zu begreifen. Dies gilt vor allem für Eltern, die ihr lebendiges Kind nur für einen kurzen Zeitraum erleben durften. Manche Eltern haben bis zu diesem Zeitpunkt ihr Kind noch nie ohne Schläuche gesehen oder im Arm gehalten. In dieser Zeitspanne eröffnen sich noch einmal viele Möglichkeiten, Erinnerungen zu sammeln, die ein ganzes Leben reichen müssen. Auch nach dem Tod eines Neugeborenen ist es möglich und notwendig, weiter in die Elternrolle hineinzuwachsen und dem Kind damit einen Platz im Leben der Eltern geben zu können. Wenn Eltern diese Gelegenheit erhalten und sich dafür entscheiden, können sie auch noch viele Jahre später stolz und froh auf diese Zeit zurückblicken und sagen, dass sie auch in dieser schweren Situation alles für ihr Kind getan haben.

Es kann für Eltern deutlich leichter sein, um ihr neugeborenes Kind zu trauern, es zu verabschieden und loszulassen, wenn sie die Zeit und die Möglichkeiten hatten, es als das ihrige zu begrüßen und anzunehmen, um es dann zu verabschieden und loslassen zu können.

7.3.1 Orientierung und Aufklärung

„Wie geht es denn jetzt weiter?" Dies ist oft der erste Satz, den Begleitende hören, wenn sie nach dem Tod des Kindes zum ersten Mal mit den Eltern sprechen. Die meisten Eltern sind zunächst völlig überfordert und wissen nicht einmal, was sie für Fragen stellen sollten. Ziel eines ersten Gespräches ist die gemeinsame Erkundung, was den Eltern nun wichtig ist und wie der weitere Verlauf aussehen könnte. Um dies tun zu können, müssen die Eltern zunächst erfahren, was alles möglich ist. Es ist notwendig, dass Begleitende sich im Vorfeld genau überlegen, welche Angebote realistisch umzusetzen sind. Manchmal scheitern gut gemeinte Angebote schon am Personal- oder Raummangel. Die Offenlegung der vorhandenen Möglichkeiten und das gemeinsame Überlegen, was die Eltern sich im vorhandenen Rahmen vorstellen können, ist schon der erste Schritt in einen individuellen Trauerprozess.

Wir, die Begleitenden wissen nicht, was den Eltern guttut. Wir können es nur vermuten. Deshalb ist es wichtig, immer wieder Fragen zu stellen, Dinge anzusprechen und zu (er-)klären. Eine fragende Haltung signalisiert den Eltern, dass es um sie geht und dass sie für sich und ihr verstorbenes Kind entscheiden dürfen.

Eine gute Trauerbegleitung orientiert sich an den Bedürfnissen der Eltern und den Möglichkeiten der Klinik. Nicht alle Vorstellungen lassen sich umsetzen, und nicht alle Möglichkeiten sind immer passend. Die Erfahrung zeigt, dass das wiederkehrende Angebot von weiteren Begegnungen und Verabschiedungen vom verstorbenen Baby an erster Stelle stehen sollte. Es ist wichtig, offen mit den Eltern über alle Möglichkeiten zu sprechen. Sie sollen das Gefühl haben, wählen zu können, ohne sich zu überfordern. Dafür benötigen alle Beteiligten Zeit. Die Begleitenden, weil sie nicht sofort alles Machbare den Eltern präsentieren sollten, um sie nicht zu überfordern, und die früh verwaisten Eltern, weil sie erst langsam in der Situation ankommen und hineinwachsen müssen. Der Tod ihres Kindes erscheint ihnen am Anfang noch so unwirklich, dass sie vielleicht nicht von Beginn an zu allen Vorschlägen ja sagen werden. Dies ändert sich meist im Laufe der Begleitung.

In einem vorbereitenden Gespräch sollten zunächst schwierige Themen offen angesprochen werden. Oft fällt es den Eltern dann leichter, selbst Dinge zu erfragen, die ihnen Angst machen und die dazu führen könnten, ihr Kind nicht mehr anschauen zu wollen. Folgende Punkte sollten aktiv angesprochen werden:

- Haben die Eltern schon darüber nachgedacht, ihr Kind noch einmal wiederzusehen?
- Soll der Trauerbegleiter bzw. die Trauerbegleiterin zuerst das Kind anschauen und den Eltern von seinen bzw. ihren Eindrücken berichten?
- Wie soll das Kind gekleidet sein?
- Welche konkreten Aufgaben soll der Trauerbegleiter bzw. die Trauerbegleite rinübernehmen?
- Wie viel Zeit haben Eltern und Kind miteinander?
- Gibt es die Möglichkeit weiterer Verabschiedungen?
- Möchten die Eltern das verstorbene Kind noch einmal fotografieren bzw. filmen?
- Wissen die Eltern, dass der Trauerbegleiter bzw. die Trauerbegleiterin kontinuierlich mit ihnen im Gespräch bleibt?
- Wissen die Eltern um die Möglichkeit, die Verabschiedung jederzeit beenden zu können?
- Wissen die Eltern um die Möglichkeit, weitere Angehörige und wichtige Menschen in die Verabschiedung einbeziehen zu können?

Die Entscheidung, ihrem toten Kind wieder zu begegnen, kann den Eltern erleichtert werden, wenn diese die Sicherheit haben, dass zuvor die begleitende Person ihr Kind betrachtet, um ihnen dann einfühlsam zu schildern, wie ihr Kind aussieht. Die Eltern erhalten die Möglichkeit, gemeinsam mit ihm bzw. ihr die Begegnung nach ihren Vorstellungen zu planen. Hier erhalten sie bereits zu einem frühen Zeitpunkt die Chance, ihre Situation aktiv mitzugestalten und zu überlegen, was ihnen guttun könnte und was sie sich wünschen. Dadurch treten sie wieder ein wenig in den Kontakt mit sich selbst und mit dem Partner oder der Partnerin. Beide hören voneinander, was sie sich wünschen, spüren die gegenseitige Traurigkeit und nehmen aneinander Anteil. Dies ist wertvoll für die Partner*innenschaft, weil sie hier gemeinsam als Eltern fungieren können und sich in einer bisher unbekannten Situation kennenlernen. Bereits zu diesem Zeitpunkt entstehen auf diese Weise wertvolle und tragende Erinnerungen für die Zukunft und das Gefühl, alles für ihr Kind getan zu haben, was in dieser Situation möglich war.

7.3.2 Der Faktor Zeit

Viele Eltern spüren noch immer den Druck, irgendetwas tun zu müssen und halten den Zustand des Nichts-mehr-tun-Könnens nur schwer aus. Das scheinbar Nächstliegende ist dann die Organisation der Bestattung. Erfahrungsgemäß ist es für den weiteren Trauerprozess hilfreich, den Eltern zu diesem Zeitpunkt zu verdeutlichen, dass nach dem Tod ihres Kindes zunächst kein akuter Zeitdruck besteht.

In den meisten Bundesländern gibt es vorgegebene Zeiträume, in denen die Bestattung durchgeführt werden muss. Es ist gut zu wissen, wie lang der Zeitraum im eigenen Bundesland ist. Damit ergeben sich bereits äußere Rahmenbedingungen für die Verabschiedung, die man einzuhalten hat (▶ Kap. 10).

Für die Eltern ist es meist sehr entlastend, wenn sie erfahren, dass sie nicht sofort wieder funktionieren und die Beerdigung ihres Kindes organisieren müssen. Auch wenn die Eltern den Tod ihres Kindes begleitet haben, brauchen sie Zeit, um in dieser neuen Phase des Abschiednehmens anzukommen. Wenn der Druck, funktionieren und entscheiden zu müssen, genommen ist, eröffnet sich ein kreativer Raum, der den Eltern die Möglichkeit gibt, sich ihren Gefühlen und Stimmungen hinzugeben und in ihrem persönlichen Rhythmus zu handeln und zu entscheiden. In dieser Atmosphäre wachsen Eltern oft über sich hinaus und in die neue Situation hinein. Sie spüren im Verlauf immer deutlicher, was ihnen guttut und vor allem, was sie nun noch für ihr Kind tun können und wollen. Selbstbestimmt und individuell stellen sie sich unmittelbar ihrer Traurigkeit und machen unbewusst die Erfahrung, dass sie sich von den Wellen der Trauer tragen lassen können. Sie erleben, dass tiefe Traurigkeit sie nicht auf Dauer komplett handlungsunfähig machen muss, sondern, dass sie dennoch in der Lage sind, gestalterisch zu wirken. Diese Erfahrung schon früh nach dem Tod des Kindes kann ihnen helfen, im weiteren Trauerverlauf nicht den Mut zu verlieren. Und genau aus diesen Gründen ist es besonders wichtig, den Eltern von Anfang nach dem Tod des Kindes zu signalisieren, dass der äußere Zeitfaktor zunächst keine Rolle spielt.

In manchen Kliniken ist das Verbleiben der Verstorbenen in der Pathologie kostenpflichtig. Dies ist eine wichtige Vorinformation für die Begleitenden und die Eltern zur Planung der weiteren Trauerbegleitung in der Klinik.

7.3.3 Widerstände

Viele Eltern können sich anfangs nicht vorstellen, ihr verstorbenes Kind noch ein weiteres Mal zu sehen. Zuweilen sind es auch die Angehörigen, die spontan davon abraten. Oft sind solche Erstreaktionen Folgen unausgesprochener oder unbewusster Ängste. Grundsätzlich ist es richtig, die individuellen Entscheidungen der Eltern zu respektieren. Dennoch zeigt die Erfahrung, dass es hilfreich ist, spontane Reaktionen oder Entscheidungen zu hinterfragen. Folgende Aussagen:

- „Ich will mein Kind so in Erinnerung behalten, wie es war."
- „Das kann ich nicht ertragen."
- „Dazu fehlt mir die Kraft."
- „Es soll jetzt seine Ruhe haben."

können auch bedeuten:

- „Ich habe Angst vor möglichen körperlichen Veränderungen des verstorbenen Kindes."
- „Ich habe Angst, dass je mehr Nähe ich zum Kind zulasse, desto größer ist mein Schmerz."
- „Ich habe Angst davor, dass ich mein Kind dann nicht mehr hergeben will."
- „Ich habe Angst, einen Toten zu sehen und zu berühren."
- „Ich habe Angst vor Erinnerungen aus meiner Kindheit."
- „Ich habe Angst vor Leichengift."
- „Ich möchte nicht gegen moralische Konventionen verstoßen."

Eltern lassen sich durch unbewusste Ängste oder Glaubenssätze in ihren Entscheidungen beeinflussen und erlauben sich oft nicht, auf ihr Gefühl und ihre innere Stimme zu hören. Es ist wichtig, den Eltern in dieser Situation aktiv zuzuhören und das Gehörte auf den emotionalen Inhalt zu überprüfen und dies den Eltern zu spiegeln. Ist das, was die Eltern sagen, auch tatsächlich das, was sie meinen?

► Fallbeispiel

Mutter: „Nein, nein. Es ist jetzt gut so. Ich war dabei, als sie starb und das war schön. Da war sie noch ganz warm und lag in mei-

nem Arm; endlich zum 1. Mal und sah so friedlich und entspannt aus. So möchte ich sie in Erinnerung behalten." Begleiterin: „Ja, das war wirklich wunderbar, dass Sie Ihre Tochter begleitet haben und die ganze Zeit bei ihr waren. Im Aussehen hat sich Ihre Tochter übrigens wahrscheinlich seitdem nicht verändert. Die Hautfarbe ist vielleicht ein wenig blasser geworden, aber ansonsten sieht sie noch genauso aus, wie gestern/vorgestern."
Dies könnte der Anfang eines Gesprächs sein, in dem es darum geht, herauszufinden, was die Mutter tatsächlich möchte. Eltern brauchen oft konkrete Informationen, um authentische Entscheidungen treffen zu können. Unausgesprochene Ängste lösen Fantasien aus, die meist nichts mit der Realität zu tun haben. Viele Eltern haben bisher noch nie einen toten Menschen gesehen. Sie kennen die Begegnung mit einem Verstorbenen nur aus dem Fernsehen und dort meist unter schrecklichen Bedingungen (Stahltisch oder Schubfach in der Pathologie etc.). Dies ist vor allem der Grund, warum sich viele scheuen, konkrete Fragen zu stellen und Angst haben, gegen vermeintliche Konventionen zu verstoßen. Deshalb ist es wichtig, bestimmte Aspekte anzusprechen und beim Namen zu nennen. So ist es leichter herauszufinden, was die Eltern eventuell davon abhalten könnte, eine für sie stimmige Entscheidung zu treffen. ◀

Damit Eltern es wagen, Widerstände zu überwinden, brauchen sie manchmal konkrete Vorschläge, um sich besser vorstellen zu können, was auf sie zukommen könnte. Folgende Vorschläge können Eltern helfen, mögliche Widerstände zu überwinden:

- Darf ich Ihnen von den Erfahrungen anderer Eltern erzählen?
- Wenn Sie wollen, schaue ich mir Ihr Baby im Vorfeld an und beschreibe Ihnen dann ganz ehrlich, wie es aussieht.
- Ich werde Sie nicht allein lassen mit Ihrem Baby, es sei denn Sie möchten es gerne.
- Die Ablehnung weiterer Verabschiedungen kann aber auch andere Ursachen haben:
- Vorhergehende traumatische Ereignisse
- Unverarbeitete Abschiede
- Kulturelle Hintergründe

Dies gilt es, im Gespräch zu klären, um dann einen anderen individuellen Weg des Abschieds zu gestalten.

Eltern bringen alle Voraussetzungen mit, um die für sie richtigen Entscheidungen treffen zu können. Diese Entscheidungen müssen unbedingt respektiert werden, auch wenn sie für die Begleitenden nicht immer nachvollziehbar sind.

Eltern haben das Recht, eine weitere Begegnung mit ihrem verstorbenen Kind abzulehnen. Die Aufgabe der Begleitenden besteht darin, den Eltern Mut zu machen, Entscheidungen zu treffen, die sie auch noch in 10 oder 20 Jahren nachvollziehen und für sich begründen können.

Eltern sollten erfahrungsgemäß maximal dreimal zu unterschiedlichen Zeitpunkten gefragt werden, ob sie sich eine Verabschiedung vorstellen könnten. Wenn sie dies auch beim dritten Mal ablehnen, sollten die Bemühungen an diesem Punkt eingestellt und die elterliche Entscheidung respektiert werden.

7.3.4 Vom Anschauen eines toten Babys

Am Beginn einer Begleitung steht meist die Frage nach einer weiteren Begegnung mit dem verstorbenen Kind. Allein die Tatsache, dass die Trauerbegleitende bzw. der Trauerbegleiter dieses Angebot ganz selbstverständlich macht, kann die Eltern dazu ermutigen, den ersten Schritt zu wagen und es dem bzw. der Trauerbegleitenden zu gestatten, ihr verstorbenes Kind anzusehen, um ihnen anschließend berichten zu können, wie es aussieht.

In manchen geburtsmedizinischen Abteilungen gibt es spezielle Kühlschränke, die zur Aufbewahrung verstorbener Neugeborener in den ersten 24 h nach dem Tod dienen (Kühlzellen). Befindet sich das verstorbene Kind noch dort, ist es möglich, kurzfristig und ohne größeren organisatorischen Aufwand das verstorbene Kind vor Ort anzusehen. Liegt der Tod schon längere Zeit zurück, so befindet sich der Leichnam in der Regel bereits in einem größeren Kühlraum in der Pathologie. Es ist nicht immer notwendig, selbst in die Pathologie zu gehen, um das Kind anzuschauen. In manchen Klinken existieren spezielle Transportunternehmen, die beauftragt werden können, das verstorbene Kind von der Pathologie in die Klinik zu transportieren und es später wieder zurückbringen zu lassen.

Ein verstorbenes Kind zu betrachten, ist auch für Begleitende nicht immer leicht. Vor allem die Frage, ob und wie sich das Kind vielleicht bereits verändert hat, spielt hier durchaus eine Rolle. Es ist sehr professionell, wenn auch Begleitende gut für sich sorgen. Es ist wichtig, auf die innere Stimme zu hören und Grenzen zu akzeptieren. Für viele Begleitende ist es leichter, ein verstorbenes Kind zunächst gemeinsam mit einem Kollegen oder einer Kollegin zu betrachten. Das kann von Kind zu Kind und von Begleitung zu Begleitung unterschiedlich sein.

Das gemeinsame Betrachten eines toten Kindes kann leichter sein, wenn Eindrücke und Gedanken miteinander geteilt werden können.

Ein totes Kind zu betrachten, bedeutet auch währenddessen daran zu denken, dass Eltern ihre Kinder anders sehen als Außenstehende. Eltern schauen mit dem Herzen. Das bedeutet, sie nehmen andere Details wahr. Dies zu wissen ist sehr wichtig, wenn es darum geht, Eltern das Aussehen ihres toten Kindes zu beschreiben. Die einfühlsamen Beschreibungen können auch nicht durch ein Foto ersetzt werden. Dies gilt vor allem für Eltern, die ihr verstorbenes Kind noch gar nicht gesehen haben. Fotos schaffen in dieser Situation eine Distanz, die in dieser frühen Phase des Trauerprozesses Berührungsängste auslösen und Gefühle der Ambivalenz verstärken könnte.

Es ist sehr wichtig, sich in die Eltern hineinzuversetzen und mit ihrem Blick auf ihr Kind zu schauen und Schönes zu entdecken: die perfekten Finger oder Fußnägel, der schön geformte Mund, die vielen Haare, der entspannte Gesichtsausdruck, die großen Füße, ….

Eltern empfinden eine veränderte Hautfarbe, Hämatome, Verletzungen durch Pflaster, einen etwas unangenehmen Geruch oder Ödeme als weniger erschreckend, wenn sie darauf vorbereitet sind. Selbst ein Kind, dessen Körper sich schon in einer beginnenden Auflösung befindet, ist vorzeigbar, wenn mit den Eltern ehrlich und einfühlsam darüber gesprochen und das Kind dementsprechend vorbereitet wird. Hilfreich sind hier:

- Lagerung des Leichnams auf die weniger versehrte Seite
- Aufsetzen einer Mütze
- Einhüllen in ein Tuch und Offenlegung eines unverletzten Körperteils (Hand oder Fuß)
- Raumduft zum Überdecken unangenehmer Gerüche
- Gedämpftes Licht

Es gibt nur wenige Gründe, warum ein totes Kind seinen Eltern vorenthalten werden sollte. In diesem Stadium der Begleitung sind die meisten Eltern noch sehr angewiesen auf den Eindruck und die Impulse der Begleitenden, weil sie sich noch unsicher in dieser neuen Situation fühlen. Umso wichtiger ist es, sehr genau zu überprüfen, warum den Eltern empfohlen wird, das Kind lieber nicht anzuschauen. Sprechen tatsächlich objektive Gründe dagegen oder sind es eher persönliche Zweifel oder ein gewisser persönlicher Widerwille? Es ist wichtig, sich dieser Unterscheidung und der damit verbundenen Beeinflussungsgefahr auf die

Eltern bewusst zu sein. Wenn die persönliche Unsicherheit dennoch groß ist, kann es sinnvoll sein, einen erfahrenen Kollegen oder Kollegin hinzuzuziehen und gemeinsam zu überlegen, welche Empfehlung gegeben werden könnte.

▶ **Fallbeispiel**

Ein Elternpaar erwartete Drillinge. Mit 22 bzw. 23 SSW verstarb jeweils ein Kind intrauterin. Mit 24 SSW wurden alle 3 Kinder geboren. Die Mutter war sich – im Gegensatz zum Vater – sehr unsicher, ob sie die beiden intrauterin verstorbenen Kinder noch einmal sehen wollte. Die Begleitende machte den Eltern das Angebot, dass zunächst sie sich die Kinder ansehen würde, um ihnen dann ehrlich zu berichten, wie ihr Eindruck wäre. Sie bat eine Kollegin um Unterstützung und zu zweit sahen sie sich die beiden verstorbenen Kinder an und erschraken. Durch den intrauterinen Tod befanden sich beide Kinder an verschiedenen Stellen bereits in einem beginnenden Auflösungsprozess. Die Haut löste sich an manchen Stellen, es ging ein leicht unangenehmer Geruch von ihnen aus und die kleinen Gesichter waren kaum noch zu erkennen.

Beide Kolleginnen waren sehr verunsichert und überlegten zunächst ernsthaft, den Eltern zu empfehlen, von einer Verabschiedung abzusehen. Um sicher zu gehen, baten sie einen weiteren erfahrenen Kollegen, mit ihnen gemeinsam zu überlegen, was zu tun sei. Dieser betrachtete die Kinder sehr gelassen und sachlich, und zu dritt machten sie sich auf die Suche nach einem unversehrten Körperteil. Mithilfe der ruhigen Gelassenheit des dritten Kollegen waren alle in der Lage, ihre persönliche Betroffenheit zurückzunehmen und mit den Augen der Mutter auf diese beiden Kinder zu schauen. Bei Leon, dem 2. Drilling entdeckten sie, dass eine seiner Hände noch unversehrt war. Bei seinem Bruder Fabio, dem 1. Drilling fand sich keine unversehrte Stelle mehr. Es wurde beschlossen, den Eltern die Wahl zu lassen, und die Begleiterin berichtete ihnen wahrheitsgemäß und einfühlsam vom Zustand ihrer Kinder.

In dieser Zeitspanne verstarb auch der 3. Drilling Manuel. Nach mehreren Beratungsgesprächen entschlossen sich die Eltern schließlich, von allen 3 Kindern Abschied zu nehmen. Im Vorfeld hatte die Begleiterin Folgendes mit den Eltern besprochen: Manuel würde locker in ein Tuch einschlagen werden. Von Leon würde ausschließlich die kleine Hand zu sehen sein und Fabio würde vollständig in ein Tuch eingehüllt werden, sodass er zwar nicht zu sehen, aber zu fühlen und ertasten wäre.

Zur Vorbereitung des Raumes gehörten neben einem Duftöl, um evtl. unangenehme Gerüche ein wenig zu überdecken, ebenso eine gedämpfte Beleuchtung und Kerzen, die die eingehüllten Kinder in ein warmes Licht tauchten. Die Eltern nutzten die gemeinsame Zeit mit ihren Kindern sehr intensiv und wünschten sich auch Momente, in denen sie ganz allein mit ihnen sein wollten. In einem solchen Moment lüfteten sie die Tücher von Fabio und Leon komplett und betrachteten sie für einen Augenblick. In einem der nachfolgenden Trauergespräche erzählten die Eltern, wie gut ihnen diese Verabschiedung getan hätte. Sie empfanden es als wohltuend, die 3 Brüder wieder vereint gesehen und selbst entschieden zu haben, ob und wann sie sich in der Lage fühlten, ihre Kinder ganz zu betrachten. Auch Jahre nach dieser Verabschiedung blieb bei den Eltern nicht ein albtraumhaftes Bild ihrer Kinder zurück, sondern der Anblick der 3 Brüder, die nun wiedervereint vor ihnen im Körbchen lagen, und das Gefühl, dass keiner von den dreien alleine blieb. ◀

7.3.5 Verabschieden nach der Obduktion

Wenn Eltern einer Obduktion zustimmen, verkürzt sich in der Regel die Zeitspanne des Verabschiedens nach dem Tod. Dennoch ist es möglich, weitere Verabschiedungen auch nach der Obduktion anzubieten. Auch hier ist wieder wichtig, ehrlich mit den Eltern zu sein.

Selbst wenn es für die Begleitenden persönlich nicht vorstellbar ist, kann es für manche Eltern sehr wichtig sein, das verstorbene Kind nach der Obduktion noch einmal zu sehen. Manche Eltern trauen sich nicht, diesen Wunsch zu äußern, und wissen auch nicht, dass dies überhaupt möglich ist. Oft werden sie (und vielleicht auch die Begleitenden) von Fantasien daran gehindert, sich eine solche Verabschiedung vorzustellen. Um Eltern eine Verabschiedung nach der Obduktion anzubieten, ist es wichtig, ihnen zu erklären, wie ihr Kind aussehen wird. Sehr hilfreich können hier Zeichnungen sein, die zeigen, wie die Nähte aussehen und wo sie entlangführen. Dies gilt für den Körper ebenso wie für den Kopf.

Für Trauerbegleitende kann es hilfreich sein, einmal mit ärztlichen Kolleg*innen zusammen ein Kind nach der Obduktion zu betrachten. Ein Gespräch mit Patholog*innen kann verdeutlichen, wie respektvoll diese mit den Körpern während der Obduktion umgehen. In dem Wissen, dass es nichts zu befürchten gibt, kann es in Folge deutlich leichter fallen, eine Verabschiedung nach der Obduktion anzubieten.

Bei einer Obduktion werden mitunter alle Organe und auch das Gehirn entnommen. Dadurch verändert sich das Gewicht des Kindes. Es ist wichtig dies den Eltern im Vorfeld mitzuteilen, sodass sie sich darauf einstellen können. Nach der Gehirnentnahme sollte darauf geachtet werden, die Schädelhöhle mit anderen Materialien zu füllen. Eine leere Schädelhöhle kann dazu führen, dass die Augäpfel tief in die Augenhöhle einsinken und damit den Gesichtsausdruck des Kindes entfremden.

In der Vorbereitung der Verabschiedung wird mit den Eltern besprochen, wie sie ihr Kind betrachten wollen. Manche Eltern möchten gerne, dass ihr Kind einen Body und eine Mütze trägt, damit die Nähte nicht zu sehen sind. Andere Eltern möchten, dass ihr Kind komplett angezogen ist, oder aber, dass der Leichnam ausschließlich in ein Tuch gehüllt wird, damit sie vielleicht doch leichter einen Blick unter das Tuch wagen können, falls sie im Lauf der Verabschiedung den Wunsch dazu verspüren. Manche Eltern entscheiden sich nach einem vorbereitenden Gespräch dennoch gegen eine Verabschiedung. Auch das ist absolut wertfrei zu akzeptieren. Wichtig ist die Tatsache, dass die Eltern überhaupt die Möglichkeit hatten eine Entscheidung zu treffen, weil ihnen alle Optionen vorgestellt wurden. Eine begründete Entscheidung an dieser Stelle treffen zu können, egal wie sie ausfällt, ist notwendig für den weiteren elterlichen Trauerprozess. Die individuelle Begründung, warum man sich zum damaligen Zeitpunkt gegen eine weitere Verabschiedung entschieden hat, ist auch nach Jahren noch abrufbar. Dies kann wichtig werden in Phasen des Zweifels, wenn sich die früh verwaisten Eltern fragen, ob sie wirklich alles getan haben, was sie hätten tun können.

Allem, was in vorausgehenden Gesprächen mit den Eltern angesprochen wird, wird der Schrecken des Unaussprechlichen genommen.

7.3.6 Orte des Abschieds

Wie soll ein Ort gestaltet sein, damit die Eltern sich in Ruhe von ihrem Kind verabschieden können? Die Gestaltung dieses Raumes ist für die Eltern eher zweitrangig. Viel wichtiger ist es, dass die Eltern sich geschützt und geborgen fühlen. Die Atmosphäre während einer Verabschiedung wird vor allem von den Menschen geprägt, die sich in diesem Raum aufhalten. Es gibt auch heute noch viele Kliniken, die verstorbene Patient*innen und Angehörigen gar keine separaten Verabschiedungsräume zur Verfügung stellen können. Gerade in solchen Situationen gilt es kreativ

7

zu sein und die vorhandenen Möglichkeiten so gut es geht zu nutzen. Manchmal ist es eben nur das Untersuchungszimmer, das als Verabschiedungsraum fungieren kann. Dies muss kein Hindernis für eine liebevolle und individuelle Verabschiedung sein. Es ist gut, den Eltern im Vorfeld den Verabschiedungsraum zu beschreiben. Aus diesem Grund kann es sinnvoll sein, vielleicht gemeinsam mit anderen Kolleg*innen, den klinikeigenen Verabschiedungsraum einmal in Ruhe anzuschauen und sich ein eigenes Bild von den räumlichen Verhältnissen zu machen. Viele Eltern und manchmal auch das Personal haben schreckliche Fantasien von dunklen, kalten lichtlosen und kahlen Zimmern. In manchen Verabschiedungsräumen ist es mitunter sogar gestattet, Kerzen anzuzünden. Aber selbst der indirekte Lichtschein einer Bürotischlampe oder elektrische Teelichter können einen Raum wärmer und anheimelnder erscheinen lassen.

Im Verlauf einer Trauerbegleitung kann es sinnvoll sein, unterschiedliche Räume nutzen und diese bewusst in ihrer Reihenfolge so wählen, dass sie sich immer weiter von dem Ort entfernen, an dem das Kind gelebt hat. Für die Eltern wird der Tod auch auf diese Weise zunehmend (be-)greifbarer.

7.3.6.1 Wochenbettstation/ Gynäkologie

Die Möglichkeit, sich von dem verstorbenen Kind auf der Wochenbettstation zu verabschieden, bietet sich dann an, wenn die Mutter noch in der Klinik liegt. Viele Mütter empfinden dieses Angebot als sehr entlastend, weil sie selbst vielleicht körperlich noch geschwächt sind oder aber in der Intimität ihres Patient*innenzimmers, gemeinsam mit dem Partner oder der Partnerin, ihr Kind näher kennenlernen und genießen wollen. In vielen Kliniken sind geburtshilfliche und gynäkologische Stationen voneinander getrennt, und immer wieder ergibt sich die Frage: „Wohin soll die früh verwaiste Mutter nach der Geburt verlegt werden?"

Früh verwaiste Mütter empfinden ihren Aufenthalt auf einer gynäkologischen oder geburtshilflichen Station sehr unterschiedlich. Manchen Müttern tut es gut, wie alle anderen Frauen auch nach der Geburt auf einer Wochenbettstation zu liegen. Schließlich sind sie ebenso Mutter geworden, und dies wird mit diesem Aufenthalt auch dokumentiert. Selbstverständlich empfinden sie das Weinen der anderen Babys als belastend, aber dieser Konfrontation werden sie sich spätestens nach der Entlassung immer wieder stellen müssen. In der Klinik können sie dies begleitet und geschützt schon ein wenig „üben" und sich damit auseinandersetzen. Zusätzlich benötigt eine früh verwaiste Mutter die gleiche Versorgung wie jede andere Wöchnerin. Neben der Wochenbettpflege kommt auch noch das Thema des Abstillens hinzu (▶ Abschn. 10.4.1).

Andere Mütter wiederum wünschen sich, nicht auf einer Wochenbettstation zu liegen, um sich nicht der frühen Konfrontation mit anderen Müttern und ihren gesunden Neugeborenen aussetzen zu müssen. In diesem Fall sollte ihnen im Vorfeld mitgeteilt werden, dass sie auf einer solchen Station unter Umständen von Personal versorgt werden, das vielleicht nur wenig Erfahrung in der Versorgung von Wöchnerinnen hat. Wenn es sich bei der Betreuung einer Wöchnerin dann auch noch zusätzlich um eine früh verwaiste Mutter handelt, kann dies die Situation noch erschweren. Aus Unsicherheit scheuen Pflegekräfte und Ärzt*innen gynäkologischer Stationen häufig den Umgang mit früh verwaisten Müttern. So werden die Frauen noch zusätzlich allein gelassen mit ihrem Schmerz und ihrer Einsamkeit.

Es ist wichtig, die Mutter rechtzeitig über vorhandene räumliche Möglichkeiten zu informieren und sie nach ihren Bedürfnissen zu fragen. Diese Klärung kann schon im Geburtsraum vor der Verlegung erfolgen.

Dennoch sollte man auch eine Verabschiedung in einem Zweibettzimmer nicht von vornherein ausschließen. Es gibt viele Mütter, deren Babys leben und die voller Mitgefühl für die früh verwaiste Mutter sind und einer Verabschiedung im gemeinsamen Patient*innenzimmer durchaus zustimmen. Wenn gewünscht, sollte ein Sichtschutz aufgebaut werden, sodass eine gewisse Privatsphäre für beide Familien gegeben ist.

Im Vorfeld der Verabschiedung ist es sinnvoll, zunächst mit dem Team der Station zu sprechen und sie über den geplanten Ablauf zu informieren. Meist zeigen Kolleginnen und Kollegen auf der Wochenbettstation große Anteilnahme und Verständnis für den elterlichen Wunsch, ihrem verstorbenen Kind wiederholt zu begegnen. Manchmal begegnet man aber auch Widerständen oder Angst vor den Reaktionen und Folgen einer solchen Trauerbegleitung. Es könnten z. B. folgende Bedenken formuliert werden:

- „Es ist unhygienisch, ein totes Kind auf die Station zu bringen."
- „Die Trauer der Mutter wird dadurch doch nur noch vergrößert."
- „Ich will aber nichts mit dem toten Kind zu tun haben. Was ist, wenn ich plötzlich in das Zimmer muss oder jemand anders das Zimmer unvermittelt betritt?"
- „Was ist, wenn andere Mütter das tote Kind sehen?"

Es kann eine längere Zeit dauern, bis sich diese Bedenken legen. Eine offene und wertschätzende Kommunikation untereinander, die es ermöglicht, persönliche Vorbehalte wertfrei zu formulieren, kann hilfreich sein, einen teamgestützten Umgang mit solch schwierigen Situationen zu entwickeln. Vor allem aber tragen positive Rückmeldungen von früh verwaisten Eltern dazu bei, dass das Team einer Wochenbettstation im Laufe der Zeit gelassener und einfühlsamer mit einer solchen Situation umgehen kann. Es ist wichtig, die Widerstände der Kolleg*innen ernst zu nehmen. Sie erwachsen oft aus der eigenen Unsicherheit heraus.

Die Erfahrung zeigt, dass die Teams der Wochenbettstationen verstorbene Kinder auch noch einmal gerne betrachten und oft auch bewundern möchten. Das Personal erfährt auf diese Weise, um wen die Eltern trauern. Kolleginnen und Kollegen, die das tote Kind gesehen haben, begegnen den trauernden Eltern oft viel einfühlsamer und deutlich weniger verunsichert. Vielen Eltern tut es gut, zu hören, dass pflegerische und ärztliche Mitarbeitende der Wochenbettstation ihr verstorbenes Kind in seiner Einzigartigkeit ebenfalls bewundert haben. Vielen Kolleg*innen fällt es dann leichter, auch während einer Verabschiedung das Zimmer zu betreten und das Baby für einen Moment zu betrachten. Diese Momente sind für die Eltern sehr wichtig, weil sie ihnen zeigen, dass sie als Eltern wertgeschätzt werden und ihr Kind wahrgenommen wird.

In der Intimität des Zimmers entwickelt sich ein sehr persönlicher Prozess, der mit der Zeit immer mehr von den Eltern bestimmt wird. Vielleicht …

- … bleibt das Kind in seinem Körbchen zunächst im Kinderwagen, damit die Eltern es aus der Distanz betrachten können,
- … liegt das Kind in seinem Körbchen auf der Bettdecke oder dem Bett der Eltern, damit sie sich langsam annähern können,
- … liegt das Kind gleich in den Armen der Eltern,
- … hält die begleitende Person zunächst das Kind,
- … liegen die Eltern gemeinsam mit ihrem Baby im Bett,
- … waschen oder baden die Eltern das Baby, ölen es ein und/oder kleiden es an.
- … wünschen sich die Eltern auch ihr Kind für einen längeren Zeitraum bei sich zu behalten. Dies ist im Rahmen des „postmortalen Rooming-in" eine unwiederbringliche Möglichkeit, ein

wenig Familienzeit erleben zu können. Zu beachten sind hierbei die gesetzlichen Regelungen der sog. „Aufbahrungszeit", die in den jeweiligen Bundesländern individuell geregelt sind. In den meisten Bundesländern variieren die Zeiträume vom Eintritt des Todes bis zur Überführung in eine Kühlzelle zwischen 24 und 36 h. Nach Ablauf dieser Frist muss das Kind zunächst gekühlt werden und kann dann aber immer wieder zu den Eltern zurückgebracht werden, bis die Mutter von der Station entlassen wird. Es handelt sich also über einen begrenzten und überschaubaren Zeitraum, der den Eltern aber eine Fülle von Erinnerungen für ihr weiteres Leben beschert.

Die Erfahrung zeigt, dass die Eltern mit Sicherheit spüren, wann der richtige Augenblick gekommen ist, sich von ihrem verstorbenen Kind für diesen Tag oder in diesem Setting zu lösen bis zur nächstmöglichen Begegnung.

Es gibt also unendlich viele Variationen dieser Momente. Vorhersehbar sind sie nicht. Trauerbegleitung bedeutet auch, sich auf die Situation einzulassen und auf die eigene Intuition zu vertrauen. Oft ist schon an bestimmten Körperbewegungen der Mutter deutlich zu sehen, was sie sich wünscht. So kann es sein, dass sie bereits die Arme öffnet, wenn die Begleitende oder der Begleitende das Körbchen aus dem Kinderwagen hebt. Wir können sicher sein, dass Eltern, die auf diesem ersten Teil ihres Trauerweges begleitet werden, ein zunehmend sicheres Gespür dafür entwickeln, wie sie die Situation für sich gestalten wollen. Auch hier sollten wir stets bedenken, dass wir nur das anbieten können, was auch tatsächlich strukturell und personell umsetzbar ist.

▶ Fallbeispiel

Die kleine Selina verstarb am 1. Lebenstag auf der neonatologischen Intensivstation. Die Mutter hatte per Sectio entbunden, war körperlich noch sehr beeinträchtigt und lag gemeinsam mit ihrem Ehemann in einem Familienzimmer auf der Wochenbettstation. Die Eltern hatten den Wunsch, wie in ihrem Kulturkreis üblich, ihre verstorbene Tochter möglichst 12 h täglich bei sich zu haben. Da es Hochsommer war und Selina sehr zart, waren die Bedenken der Mitarbeiter anfangs groß, dass sich Selina aufgrund der hohen Außentemperatur zu schnell verändern könnte. Die Selbstverständlichkeit, mit der die Eltern ihrer verstorbenen Tochter begegneten, ließen jedoch schnell alle Zweifel verschwinden. Auf Wunsch der Eltern wurde Selina auf einem großen Kühlakku (ca. 30 × 40 cm) gelagert. Zusätzlich legten sie ein Kissen wie einen Tunnel über sie, und es entstand eine Art Kühlkammer. So konnten die Eltern 5 Tage lang mit ihrer Tochter für 12 h zusammen sein. Nachdem die Mutter aus der Klinik entlassen war, begegneten sie ihrer Tochter noch zweimal in einem Verabschiedungsraum der Pathologie, um im Anschluss ein großes Zusammensein mit der Familie und Freunden zu begehen. ◀

7.3.6.2 Verabschiedungsraum

In manchen Kliniken kann verwaisten Eltern ein spezieller Verabschiedungsraum, der nicht für andere Zwecke genutzt wird, angeboten werden. Dies hat folgende Vorteile:

- Die Verabschiedungen können zeitlich flexibel geplant werden.
- Es ist gewährleistet, dass die Eltern während der Verabschiedung vollkommen ungestört sind.
- Die Eltern können den Raum individuell für ihre Bedürfnisse nutzen.

- Unter Umständen ist das Anzünden von Kerzen gestattet.
- Unter Umständen ist die Raumtemperatur separat zu regulieren.

Für das Personal können aber durchaus auch zusätzliche Belastungen entstehen:
- Je nach Entfernung von der Station werden personelle Ressourcen gebunden
- Klärung von Verantwortlichkeiten zur Pflege des Raumes und das Auffüllen von Utensilien

Es gibt keinen perfekten Verabschiedungsraum, jedoch sollte die Einrichtung möglichst situationsgerecht sein. Dazu gehören erfahrungsgemäß:
- Mehrere Stühle, ein kleines Bettsofa und/oder ein bequemer Sessel
- Bett für Eltern und Kind
- Mobiler Tisch und/oder Bahre
- Feuerfeste Stoffe, falls der Gebrauch von Kerzen geplant bzw. gestattet ist
- Mehrere Lichtquellen, die düstere Ecken vermeiden
- Ausreichend Kerzen und/oder (batteriebetriebene) Teelichter sowie passende Kerzen- und Teelichthalter
- Streichhölzer, Feuerzeug
- Taschentücher
- Getränke
- Telefon, damit Eltern Außenkontakte halten können
- Tücher und Stoffe in unterschiedlichen Größen und Farben
- Waschlappen und Handtücher
- Einwegwindeln
- Waschschüssel
- Mülleimer
- Abnehmbare spirituelle Symbole (z. B. Kreuz)
- Raumduft
- Einbalsamierungsöle
- Haarbürste
- Badezusatz
- Schere
- Durchsichtiges Klebeband/verschließbare Röhrchen für Haarlocke
- Stempelkissen
- Papier, Buntstifte für Geschwister des verstorbenen Kindes
- Desinfektionsmittel
- Einmalhandschuhe in unterschiedlichen Größen

Bei wiederholten Verabschiedungen wird der Verabschiedungsraum den Eltern mit der Zeit immer vertrauter. Manchmal erwecken Eltern den Anschein von Gastgeber*innen, die für sie wichtige Menschen hierher einladen, um ihr Kind kennenzulernen und mit ihnen zu trauern. Wenn die Eltern an diesem Punkt angelangt sind, kann es sinnvoll sein, ihnen den Schlüssel des Verabschiedungsraumes auszuhändigen, um sie somit vollständig selbstbestimmt agieren zu lassen. Ein vereinbarter Zeitpunkt für die Schlüsselübergabe beendet die Verabschiedung an diesen Tag.

7.3.6.3 Pathologie

Wenn die Pathologie über einen Raum verfügt, in dem Angehörige angemessen Abschied nehmen können, spricht nichts dagegen, diesen auch zu nutzen. Erfahrungsgemäß enden viele begleitete Verabschiedungen oft in der Pathologie mit der letzten schmerzlichen und zugleich wohltuenden Handlung des Einbettens in den Sarg oder eines Bestattungskörbchens im Beisein eines Mitarbeitenden des beauftragten Bestattungsunternehmens (▶ Abschn. 9.3.3). Die Eltern sollten im Vorfeld durch ein Gespräch darauf vorbereitet sein, was auf sie zukommt und wie der Raum aussieht. Sie sollten sich sicher sein können, dass sie auch in der Pathologie nicht allein sein werden. Die Pathologie ist der offensichtliche Ort für verstorbene Menschen und die dort herrschende Atmosphäre ängstigt gut vorbereitete Eltern nicht. Vielmehr fühlen sie sich unterstützt und bestätigt in ihrer wachsenden elterlichen Wahrnehmung, dass ihr Kind nun an einen anderen Ort gehört. Sie sind in den meisten Fällen zu diesem Zeitpunkt bereits so weit in ihre (früh verwaiste) Elternrolle hineingewachsen, dass sie bereit sind, auch diesen Schritt des Abschieds zu gehen. Hier hilft ihnen das Bewusstsein, dass sie den individuellen Zeitpunkt mitbestimmen durften.

7.3.6.4 Zu Hause

Eltern haben das Recht, ihr verstorbenes Kind von der Klinik nach Hause bringen zu lassen (▶ Abschn. 5.6.4). Eltern, deren Kind um die Geburt herum verstorben ist, äußern dennoch nur selten den Wunsch, ihr totes Kind mit nach Hause zu nehmen. Woran liegt das? Unserer Erfahrung zufolge hat dies unterschiedliche Gründe. Möglicherweise kommen Eltern von allein gar nicht auf die Idee, ihr verstorbenes Kind mit nach Hause zu nehmen, und sie sind auf die entsprechenden Impulse des Personals angewiesen. Allerdings haben früh verwaiste Eltern mit ihrem Kind meist keine gemeinsame Zeit zu Hause verbracht. Ihr Kind hat noch nie in seinem Bett geschlafen. Das Zuhause der Eltern ist noch nicht das Zuhause ihres Kindes. Viele Eltern empfinden in dieser speziellen Lebenssituation die Station ihres Kindes und das dazugehörige Team, ja sogar das Krankenhaus mehr als ihre Heimat und ihre „Familie". Aus Sicht der Eltern ist dies auch sehr schlüssig, denn oft sind es die Menschen auf der Station, die ihr Kind länger und besser kennen als die tatsächlichen Familienangehörigen. Die Eltern selbst sind mit dem Stationspersonal durch Höhen und Tiefen gegangen; das verbindet und schafft ein Zugehörigkeitsgefühl und eine so spezielle Form der Intimität, die sie meist nicht auf den Gedanken kommen lässt, mit dem toten Kind nach Hause gehen zu wollen.

Wird den Eltern die Überführung des Leichnams nach Hause angeboten, müssen sie zum einen über die zeitlich begrenzte Verweildauer in der Häuslichkeit informiert werden. Die Gesetzgebung verlangt, je nach Region, 24 bis 36 h nach dem Tod eine adäquate Kühlmöglichkeit des Leichnams, die in der Häuslichkeit nicht möglich ist. Zum anderen muss eine verlässliche häusliche Begleitung sichergestellt sein, damit den Eltern jederzeit Ansprechpartner*innen zur Verfügung stehen.

Es ist nicht die Regel, dass Angehörige verständnisvoll und stützend den Verabschiedungsprozess zu Hause begleiten, zumal wenn es sich um ein Kind handelt, das nur kurz gelebt hat und das von kaum jemandem gekannt wurde. Da vielen Eltern besonders in der ersten Zeit nach dem Tod des Babys Orientierung, Kreativität und Struktur fehlen, muss im Falle einer Überführung dafür gesorgt werden, dass die Eltern auch dort eine verlässliche und erfahrene Unterstützung zur Verfügung steht. Optimalerweise sollte diese Aufgabe von einer erfahrenen Hebamme bzw. einer ambulanten, vielleicht ehrenamtlichen Hospizbegleitung wahrgenommen werden. Diese unterstützenden Personen könnten dann auch die weitere Begleitung übernehmen. Weiterhin kann sich ein Blick auf die Angebote der regionalen Bestattungsunternehmen lohnen, da es zunehmend mehr Bestatter*innen gibt, die Wert auf eine individuelle Begleitung legen. Wenn Eltern sich die Überführung ihres Kindes nach Hause wünschen, benötigen sie in jedem Falle ein Bestattungsunternehmen, umso besser, wenn sich dieses dann auch noch durch eine einfühlsame und kompetente Trauerbegleitung auszeichnet.

7.3.6.5 Hospiz

Eine mögliche Alternative zur Häuslichkeit stellt das Hospiz dar. Jedes Hospiz verfügt über einen angemessenen Verabschiedungsraum. In der Regel können in einem Hospiz nur die Menschen aufgebahrt und verabschiedet werden, die auch dort verstorben sind. Dennoch gibt es vielleicht die

Möglichkeit, in bestimmten Fällen mit einem nahegelegenen Hospiz eine spezielle Vereinbarung zu treffen.

7.3.6.6 Bestattungsunternehmen

Viele Bestattungsunternehmen eröffnen in ihren Räumlichkeiten ebenfalls die Möglichkeit der Verabschiedung. Wünschenswert ist die Auswahl eines Institutes, das den Angehörigen während dieser Zeit bei Bedarf Beistand anbieten kann (► Kap. 9). Hier wäre es im Vorfeld wichtig, sich darüber zu informieren, in welcher Form Verabschiedungen möglich sind und ob diese zusätzlichen Kosten verursachen. In der Regel müssen Angehörige für jeden Tag bis zur Beerdigung eine sog. Kühlgebühr bezahlen.

7.3.7 Impulse

Eltern wissen zu Beginn einer Trauerbegleitung nicht, was sie tun sollen oder was vielleicht von ihnen erwartet werden könnte. Um den Eltern die Kontaktaufnahme anfangs zu erleichtern, kann es hilfreich sein, ein paar Anstöße zu geben, konstruktive Fragen zu stellen und die Eltern zu ermutigen, sich mit ihren Wünschen und Möglichkeiten auseinanderzusetzen. Dabei kann es durchaus geschehen, dass Eltern Angebote ablehnen oder darum bitten, Dinge nicht zu tun. Eine solche Ablehnung ist eine wertvolle Information und keine persönliche Kritik, denn sie signalisiert, dass die Eltern beginnen, die Situation mitzugestalten, weil sie spüren, was sie möchten und was nicht.

Impulse sind Anregungen, die den Handlungs- und Gestaltungsspielraum erweitern und dafür sorgen können, den Erinnerungsschatz an das Kind zu vergrößern.

Eltern, deren Kind viel früher als erwartet oder unvorhergesehen krank geboren wurde und dann bald wieder verstirbt, hatten nur wenig Zeit, mit ihm vertraut zu werden. Hieraus ergibt sich manchmal die Notwendigkeit, dass die ersten Impulse für einen Kontakt von den Begleitenden ausgehen. Dies kann eine sanfte Berührung der Wangen, ein vorsichtiges Streicheln über die Haare oder eine Bemerkung über die schönen Hände sein.

7.3.8 Bewundern

Auch früh verwaiste Eltern sind stolz auf ihr Kind und genießen die Bewunderung seiner Einzigartigkeit durch andere Menschen. Es tut den Eltern gut, andere Menschen von ihrem Kind sprechen zu hören und zu sehen, wie es liebevoll und freundlich betrachtet wird. Auch dieses Betrachten kann zu einer Brücke werden, auf der die Eltern sich ihrem Kind annähern können. Unterschiedliche Menschen sehen mit unterschiedlichen Perspektiven. Dies kann das Bild des Kindes sehr vielfältig werden lassen und gibt den Eltern das sichere Gefühl, kein Detail übersehen zu haben.

7.3.9 Einfühlsame Offenheit

Damit Eltern die Gelegenheit haben, die Verabschiedung vom Kind nach ihren Bedürfnissen zu gestalten, ist eine einfühlsame, offene und klare Kommunikation auch zu schwierigen Themen wichtig. Eltern sind dankbar für den offenen Umgang mit Themen, die ihnen bewusst oder unbewusst im Kopf herumgehen und die sie nicht selbst anzusprechen wagen. Angstbesetzte Fragen und Themen, die häufig im Rahmen von Verabschiedungen zur Sprache kommen, sind im Folgenden kurz dargestellt.

„Mein Baby fühlt sich ganz steif und kalt an.“

Die Totenstarre beginnt bei Zimmertemperatur nach etwa 1–2 h und ist nach 6–12 h voll ausgeprägt. Durch Zersetzungsvorgänge beginnt sich die Starre 24 bis spätestens 48 Stunden nach dem Tod wieder zu lösen und setzt danach nicht wieder ein. Auf diese Frage könnte also z. B. wie folgt geantwortet werden: „Ja, das stimmt, Ihr Baby fühlt sich ganz fest an. Das liegt daran, dass es sich in der Leichenstarre befindet. Möchten Sie, dass ich dazu noch etwas erzähle? Die hängt zusammen mit …. und wird sich im Verlauf wieder lösen.“ Oder „Ja, das stimmt, Ihr Baby fühlt sich ganz fest an. Das liegt daran, dass es in der Pathologie ganz kalt ist, dadurch wird der Körper fester. Sie werden merken, dass sich das nach einer Weile wieder verändert.“

„Mein Baby fühlt sich jetzt wieder deutlich wärmer an.“

Wird das Kind lange im Arm gehalten und mit ihm gekuschelt, wärmt sich der Körper wieder auf. Deshalb ist es notwendig, im Verlauf einer längerdauernden Verabschiedungssequenz das Kind zwischendurch wieder etwas zu kühlen. Hierzu kann dem Leichnam z. B. ein Coolpack untergelegt werden. „Ich habe den Eindruck, dass Ihr Kind nicht mehr ganz so kalt ist, spüren Sie das auch? Ich kann mir vorstellen, dass es für Sie so nun angenehmer ist, dennoch würde ich Ihrem Sohn gerne ein Coolpack unterlegen, damit er wieder ein wenig gekühlt wird. Vielleicht möchten Sie ihn ja noch einmal sehen in den kommenden Tagen. Eine gewisse Kühle ist wichtig, damit er in den nächsten Tagen weiterhin so aussieht, wie jetzt.“

Wie oft ist es denn möglich, dass ich mein Kind noch sehen kann? Wird es sich denn nicht bald verändern?

„Je unreifer die verstorbenen Kinder sind, desto eher verändern sie sich. Dennoch sind mehrere Verabschiedungen in den ersten Tagen nach dem Tod meist unproblematisch. Sie können Ihr Baby in den kommenden Tagen gerne noch mehrmals sehen. Wir werden darauf achten, dass sein Körper gekühlt wird, damit er sich nur wenig verändert. Sie werden selbst spüren, wann sie die Verabschiedungsmöglichkeit nicht mehr in Anspruch nehmen möchten. Das geht allen Eltern so. Bis dahin wird sich der Körper ihres Kindes nicht sehr verändern.“

Wohin kommt mein Baby nach der Verabschiedung?

Eltern sollten eine Vorstellung von einem Kühlraum haben. Es sollte ihnen einfühlsam erklärt werden, wie die Räumlichkeiten aussehen, wo und wie der Leichnam gelagert wird. Auch der Umstand, dass der Leichnam ihres Kindes mit anderen Verstorbenen gemeinsam liegt, kann durchaus eine tröstliche Vorstellung sein.

Sehr bewusst sollte in den Gesprächen mit den Eltern an dieser Stelle vom Körper oder Leichnam des Kindes gesprochen werden. Mithilfe einer genauen Sprache wird den Eltern im Gespräch so immer wieder deutlich gemacht, dass es sich lediglich um die äußere, vergängliche Hülle ihres Kindes handelt. Dies gibt den Eltern einmal mehr die Möglichkeit, den Tod ihres Kindes als Realität wahrzunehmen und zu beginnen, diese Realität anzunehmen.

Sachliche Informationen können entlastend wirken, weil sie früh verwaisten Eltern die Möglichkeit bieten, für einen Moment die emotionale Ebene zu verlassen, um sich beim Denken ein wenig vom Fühlen ausruhen zu können.

7.3.10 Begreifen

Auch wenn vielen Eltern rational gesehen klar ist, dass ihr Kind gestorben ist, heißt das nicht, dass sie dies auch fühlen können. Dieser Prozess ist vielschichtig und benötigt unterschiedlich viel Zeit. Viele Eltern beschreiben diesen Zustand wie ein Hinterherhinken hinter den Tatsachen.

„Ich wusste, dass mein Kind tot war, schließlich habe ich es ja beim Sterben begleitet. Und dennoch hatte ich am Anfang immer das Gefühl, dass ich träume. Ich würde gleich wieder aufwachen und alles wäre so wie immer. Alles fühlte sich so unwirklich an. Als ich mein totes Baby ansah, sah es so aus, als würde es schlafen. Erst als ich es im Arm hielt und spürte, welche Kälte von seinem kleinen Körper ausging, spürte ich auch körperlich, dass kein Leben mehr in ihm war."

Manche Eltern brauchen mehrere Verabschiedungen, um immer wieder die Bestätigung zu erhalten, dass ihr Kind wirklich tot ist. Beim 1. Mal versuchen sie vielleicht noch, es mit dem eigenen Körper zu wärmen und machen die Erfahrung, dass dies unmöglich ist. Jede Verabschiedung verändert den Blick auf das Kind und damit die elterliche Haltung.

„Anfangs bildete ich mir immer ein, dass sich der Brustkorb bewegen würde und dass die Augenlider flattern würden. Das veränderte sich mit der Zeit, weil ich deutlicher zu sehen begann, dass es tot aussah und sich leblos anfühlte."

Die Erkenntnis der Leblosigkeit ist ein wichtiger Wendepunkt im Verabschiedungsprozess. Mit der Anerkennung des Todes werden Ressourcen freigesetzt, die nun nicht mehr benötigt werden, um Widerstände und Hoffnungen aufrechtzuerhalten. Vielmehr können diese genutzt werden, um die unwiederbringliche Zeit mit ihrem Kind auszukosten und jedes noch so winzige Detail in sich aufzunehmen.

Dies mindert nicht die Trauer, sondern gestattet dieser vielmehr, sich nun ausbreiten zu dürfen.

Den Tod des eigenen Kindes als Realität anzuerkennen, heißt ihn mit allen Sinnen zu erfassen.

7.3.11 Waschen und Baden

Manche Eltern möchten ihr Kind auch nach dem Tod noch einmal waschen oder baden. Dies ist ohne Weiteres möglich und kann ebenfalls dazu beitragen, sich noch einmal als Eltern zu spüren und elterliche Aufgaben zu übernehmen. Die Durchführung und weiterführende Zielsetzung werden in ▶ Abschn. 5.6.2. näher erläutert.

7.3.12 Ankleiden

Eltern dürfen selbst entscheiden, wie ihr verstorbenes Kind angekleidet wird. Es empfiehlt sich auch hier, die Bedürfnisse der Eltern zu erfragen. Viele Eltern können sich initial nicht vorstellen, ihrem verstorbenen Kind richtige Kleidung anzuziehen, weil es zu Lebzeiten vielleicht immer im Inkubator gelegen und niemals Kleidung getragen hat. Manche Eltern von verstorbenen Frühgeborenen empfinden es als unangenehm, dass mitunter ausschließlich Puppenkleidung für ihr Kind zur Verfügung steht. Alternativ gibt es zunehmend ehrenamtliche Initiativen, die individuelle Kleidung für verstorbene Neugeborene nähen.

Viele Eltern sind immer wieder erstaunt, wie sehr sich ihre Wünsche im Verlauf der Verabschiedungszeit wandeln können. Es kann sinnvoll sein, ein totes Neugeborenes zunächst nur mit einer Windel zu bekleiden und es in ein Tuch zu hüllen. Viele Mütter, Väter oder Co-Mütter brauchen Zeit, um sich zu überlegen, was sie ihm anziehen wollen. Für Eltern kann es im weiteren Trauerprozess wichtig werden, gemeinsam diese besondere Kleidung einzukaufen.

„Mein Mann und ich gingen los, um die Kleidung zu kaufen, die unsere Tochter bei ihrer Beerdigung tragen sollte. Es war ganz unwirklich und skurril, aber auch sehr schön. Ich dachte immer, `wenn die wüssten, für welchen Zweck wir die Sachen kaufen`. Aber es hat uns auch Freude gemacht, denn wir hatten das Gefühl etwas zu tun, was man als normale Eltern ebenso tut fürs Kind. Ich habe möglichst versucht, nicht daran zu denken, dass die Kleidung mit ins Grab und unter die Erde kommt. Aber sie sollte schön warm sein, damit sie nicht friert, wenn sie da so alleine liegt." (Mutter eines am 9. Tag verstorbenen Frühgeborenen)

So unwirklich eine solche Situation auch erscheint, so hilft sie den Eltern, doch wieder einen Schritt weiter auf ihrem Weg mit dem Tod des eigenen Kindes einen Umgang zu finden und diesen individuell zu gestalten.

Verwaiste Eltern sollten stets gefragt werden, ob und welche Kleidung ihr verstorbenes Kind tragen soll.

7.3.13 Intimität

Zu Beginn einer Begleitung steht immer die verbindliche Zusage an die Eltern, sie nicht allein zu lassen. Erst im Wissen um diese Zusage können sich viele auf eine Verabschiedung einzulassen. Meist agieren die Eltern dann im Verlauf der Verabschiedung immer selbstverständlicher. Dennoch kommen zu Beginn nur wenige von ihnen auf den Gedanken, die Begleitenden auch einmal aus dem Zimmer zu bitten. Dies gilt besonders für Mütter und Väter, die allein bei ihrem toten Kind sitzen. Daher ist es wichtig, den Eltern irgendwann im Verlauf der Verabschiedung aktiv das Angebot zu machen, sie mit ihrem Kind allein zu lassen. Initial ist es wichtig, die Dauer des Alleinlassens zu begrenzen und in Rufweite zu bleiben. Auf diese Weise haben die Eltern und besonders alleinstehende Elternteile, nicht das Gefühl, komplett auf sich allein gestellt zu sein. Die Zeiträume können dann im Verlauf nach Absprache mit den Eltern ausgedehnt werden.

Viele Eltern lehnen dieses Angebot oft aus dem ersten Impuls heraus ab. Vielleicht, weil sie der begleitenden Person nicht das Gefühl geben wollen, zu stören oder weil sie Angst vor der fremden Situation haben. Darum ist es wichtig, dieses Thema mit den Eltern offen zu klären. Sie sollen frei entscheiden dürfen, was sie gerne möchten. Ein solches Angebot an die Eltern könnte folgendermaßen formuliert werden:

„Ich habe den Eindruck, dass Sie vielleicht gerne mal ein wenig mit Ihrem Kind allein sein möchten, was denken Sie? Was halten Sie davon, wenn ich Sie jetzt mal ein paar Minuten allein lasse? Mein Vorschlag wäre, dass ich in 10 min wieder zu Ihnen reinkomme, und dann schauen wir weiter. Vielleicht ist es ja ganz schön für Sie, einfach Zeit alleine mit Ihrem Baby zu verbringen? Ich bin in Rufweite und komme sofort, wenn Sie mich rufen."

Die Versicherung, dass sich der bzw. die Begleitende in Rufweite befindet, erleichtert es den Eltern, dem Vorschlag zuzustimmen. Alternativ kann man auch per Telefon erreichbar bleiben, sodass die Eltern auf diese Weise die Möglichkeit haben, jederzeit schnell Kontakt aufzunehmen. Es ist wichtig, nach der vereinbarten Zeit verlässlich wieder im Verabschiedungszimmer zu erscheinen. Die Eltern sind oft ganz erstaunt, wie schnell 10 min vergehen können und nehmen das Angebot gerne an, weitere Zeit mit ihrem Kind alleine zu verbringen. Auf diese Weise entsteht eine sehr intime Situation, die nur dieser Familie gehört und die sie nach ihren Bedürfnissen gestalten können. Oft beginnen die Eltern, ihr Kind noch einmal sehr intensiv zu betrachten und zu berühren, weil sie sich unbeobachtet fühlen. Sie sprechen miteinander, so wie sie es vor anderen nicht tun würden. Vielleicht erzählen sie ihrem Kind wichtige Dinge, die nicht für fremde Ohren bestimmt sind, oder einigen sich darauf, dass jeweils einer von ihnen ein paar Minuten allein mit dem Kind verbringen darf. So beginnt der bzw. die Begleitende, sich langsam aus der aktiven und Impuls gebenden Rolle in der Verabschiedung zurückzuziehen und dennoch verlässlich zur Verfügung zu stehen.

7.3.14 Verwaiste Geschwister

Eltern, die bereits Kinder haben, stehen oft vor der Frage, wie weit sie diese in die Verabschiedung mit einbeziehen sollen. Besonders an diesem Punkt sind Eltern oft auf klare Aussagen angewiesen. Es macht ihnen große Sorge, dass der Anblick des toten Kindes den Geschwistern Schaden zufügen könnte. Diese Sorge ist unberechtigt, solange die Geschwister eine individuelle

Begleitung durch eine vertraute Bezugsperson erhalten. Geschwister von einem solchen einschneidenden krisenhaften Ereignis auszuschließen bedeutet, ihnen das Recht auf einen persönlichen Umgang damit zu verweigern. Auch Geschwister müssen die Möglichkeit haben, das neue Familienmitglied kennenzulernen und zu verabschieden. Es braucht einen Platz auch in ihrem Leben, damit es nicht zu einer unaussprechlichen Bedrohung wird. Wenn sie von den Ereignissen ausgeschlossen werden, bleibt ihnen nur ihre Fantasie, mit deren Hilfe sie Erklärungsversuche unternehmen, warum sie nicht miteinbezogen werden. Meist kommen sie zu dem Schluss, dass das Ereignis so schrecklich sein muss, dass man es ihnen deshalb ersparen wollte. Vielleicht durften sie das tote Geschwister deshalb nicht anschauen, weil es ganz entstellt ist? Diese Vorstellung macht Geschwistern große Angst, über die sie aber meist nicht sprechen. Viele Eltern erfahren daher nichts von den Nöten und Ängsten ihrer Kinder.

Eltern müssen diese Dinge wissen, um entsprechend mit ihren lebenden Kindern reden zu können und vor allem, um ihnen zu gestatten, dass sie ihrem toten Geschwister begegnen dürfen. Für alle Beteiligten ist es eine bewegende Erfahrung, zu erleben wie entspannt und meist angstfrei die Kinder mit ihrem verstorbenen Geschwister umgehen. Kinder reagieren oft auf Stimmungen in einem Raum und so kann es sein, dass sie sich zunächst scheu dem Kind nähern, weil sie die Anspannung der Erwachsenen spüren. Es ist gut, im Vorfeld eine solche Situation zu besprechen und gemeinsam zu überlegen, wer ausschließlich für das Geschwister oder die Geschwister zuständig sein könnte. Es empfiehlt sich, die Eltern zu bitten, eine Vertrauensperson auszuwählen und diese mit der Begleitung zu beauftragen. Die Eltern selbst sind meist nur schwer in der Lage, die notwendige Aufmerksamkeit zu erbringen, und werden durch diese Absprache eher entlastet. Kinder haben meist keine Angst vor dem Tod und reagieren eher auf die Stimmung ihrer Eltern. Aus diesem Grund haben sie auch seltener Berührungsängste und nähern sich ihrem toten Geschwister mit einer großen Selbstverständlichkeit. Kinder können wie ein Türöffner und Spannungslöser wirken und für eine fast gelöste Atmosphäre sorgen, weil sie mit einer großen Natürlichkeit Dinge benennen:

- „Er ist ja ganz kalt."
- „Kann ich ihm was Warmes anziehen, damit er nicht mehr friert?"
- „Er macht die Augen gar nicht auf."
- „Darf ich ihn auf den Schoß nehmen?"
- „Ich möchte ihm ein Küsschen geben."
- „Warum bewegt er sich denn gar nicht?"
- „Kann ich auch sterben? "

Kinder sprechen oft aus, was Erwachsene denken und geben damit den Anstoß für Gespräche. Professionell Begleitende können dieses Angebot nutzen, indem sie altersentsprechend darauf eingehen und ihre Antworten sehr klar formulieren. Sie fungieren damit als eine Art Vorlage für die Eltern, die nun erleben können, dass man die Fragen der Kinder mit einfachen Sätzen beantworten kann, ohne Ängste auszulösen.

- „Ja, du hast Recht, dein kleiner Bruder ist gestorben und deshalb ist er ganz kalt und bewegt sich nicht mehr. Weißt du, Menschen, die gestorben sind, frieren gar nicht mehr und spüren die Kälte gar nicht mehr."
- „Dein kleiner Bruder ist gestorben, weil er sehr krank war. Aber man stirbt nicht immer gleich, nur weil man mal krank ist. Du bist schon viel größer und ganz gesund."
- „Dein kleiner Bruder bewegt sich nicht, weil er gestorben ist. Tote Menschen können sich nicht mehr bewegen."
- „Natürlich darfst du ihm ein Küsschen geben, soll ich Dich zu ihm hochheben?"
- „Willst du deinen kleinen Bruder zuerst einmal mit deiner Mama zusammen auf den Schoß nehmen? Komm ich helfe Euch dabei, in Ordnung?"

In ihrem Umgang mit dem toten Kind können Geschwister, je nach Alter, auch manchmal etwas unbeholfen sein. Den Eltern fällt es dann unter Umständen schwer, das leicht grobmotorische Handling ihres Kindes auszuhalten. Aus Sorge vor möglichem Schaden am verstorbenen Kind verbieten sie dem Geschwister dann eine weitere Annäherung. An dieser Stelle sollte der bzw. die Begleitende leicht korrigierend eingreifen. Es gilt, die Handlungen des Kindes zu begleiten, ohne es auszubremsen und gleichzeitig für einen respektvollen Umgang mit dem toten Körper im Sinne der Eltern zu sorgen. Meist verlieren die Geschwister nach einer gewissen Zeit das Interesse und möchten den Raum vorerst verlassen. Begleitet von einer Bezugsperson, erholen sie sich vom Erlebten und wenden sich anderen Dingen zu. Nach einer gewissen Zeit ist es durchaus möglich, dass sie wieder zurück möchten, und dies sollte ihnen auch zugestanden werden. Manche Kinder verlassen den Raum nur ungern, weil sie ihre Eltern nicht verlassen möchten. Damit die Kinder dennoch die Möglichkeit haben, ein wenig abzuschalten, sollten vielleicht ein paar Malutensilien vorhanden sein. Die Kinder können sich, vielleicht mit der Bezugsperson oder der bzw. dem Begleitenden in eine Ecke des Raumes zurückziehen und malen. Oft entstehen wunderbare und aussagekräftige Bilder, die mitunter als Geschenk für das verstorbene Geschwister dienen und später mit in den Sarg gelegt werden können.

7.3.15 Wichtige Menschen

Trauernde Eltern stehen oft vor folgenden Fragestellungen:

- Wer tut mir in meiner Trauer gut?
- Wem kann ich mich in meiner Trauer zumuten?
- Wer soll mein Kind sehen?

Hier können die Begleitenden unterstützen, indem sie die Eltern dazu ermuntern, über diese Fragen nachzudenken. Viele Eltern hindert vor allem das Gefühl, niemandem den Anblick eines toten Kindes und die eigene tiefe Traurigkeit zumuten zu können, bestimmte Menschen um deren Beistand zu bitten. Diese Menschen erfüllen jedoch 2 wichtige Aufgaben im elterlichen Trauerprozess. Zum einen teilen sie in Zukunft die Erinnerung an das verstorbene Kind und verstehen somit, um wen die Eltern trauern. Zum anderen wird eine Grundlage geschaffen, miteinander sprechen zu können. Angehörige, die mit einbezogen werden, erleben sich nicht weniger hilflos, halten diese Hilflosigkeit aber besser aus und ziehen sich seltener von den trauernden Eltern zurück.

Selbst in ihrer Trauer haben die Eltern noch das Bedürfnis, für sie wichtige Menschen scheinbar schützen zu wollen. „Ich konnte mir anfangs gar nicht vorstellen, meine Mutter zu fragen, ob sie meine Tochter denn auch sehen wollte. Ich hatte große Sorge, dass ihr ohnehin schwaches Herz das nicht aushalten würde. Im Nachhinein bin ich so froh, dass ich sie gefragt habe, denn sie wollte unbedingt ihre kleine Enkeltochter sehen und sie brachte ihr eine Kette mit einem Schutzengel mit, den sie mit ins Grab nehmen sollte. Von selbst hätte sie mich nie gefragt, weil sie dachte, das stünde ihr nicht zu. Jetzt gibt es ein Foto von ihr und der Kleinen. Das steht auf ihrer Kommode im Schlafzimmer. Das macht mich sehr froh und dankbar."

Wenn Eltern die Gelegenheit haben, über für sie wichtige Menschen nachzudenken, können sie durchaus auch zu dem Schluss kommen, dass es ihnen überhaupt nicht guttun würde, bestimmte Menschen bei sich zu haben.

„Bei der Vorstellung, meine Schwester neben mir zu haben, wurde mir ganz schlecht. Schon immer hatte sie einen Hang zu lautem und heftigem Leiden. Ich hätte einfach nicht die Kraft gehabt, in dieser Situation auch noch sie trösten und stützen zu müssen, wo ich doch diejenige war, die Trost und Unterstützung brauchte."

Die Entscheidung, welche wichtigen Menschen an der Seite der Eltern sein sollen, braucht Zeit. In vielen Fällen wächst die Anzahl der Beteiligten mit der Anzahl der Verabschiedungen. Können Eltern sich beim Erstgespräch noch nicht einmal vorstellen selbst ihr Kind zu sehen, so sind es zum Ende dieser Zeit oft viele Angehörige, die im Verlauf dazu gebeten wurden. Zu Beginn ist es manchmal sinnvoll ein paar Vorschläge zu machen, wer zu den wichtigen Menschen gehören könnte.

- Familienangehörige
- Freund*innen
- Geschwister des verstorbenen Kindes
- Geistlicher Beistand (Seelsorge, Gemeindepfarrer*in, Imam, Rabbi, ….)
- Potenzielle Taufpat*innen
- Ehrenamtliche Begleitung
- Klinikpersonal
- …

Je mehr die Eltern die Gelegenheit haben, einen persönlichen Unterstützer*innenkreis zu schaffen, desto größer ist die Chance, dass sie auf ihrem Trauerweg begleitet werden.

7.3.16 Mementos

Das Wort Mementos steht hier als Synonym für die Erinnerungen an das verstorbene Kind. Im ursprünglichen Sinne bedeutet es aber auch „Mahnzeichen", als Mahnung daran, dieses Kind nicht zu vergessen und damit die größte Sorge vieler Eltern nicht wahr werden zu lassen. In der Zeit bis zur Bestattung bietet sich die unwiederbringliche Gelegenheit, so viele gemeinsame Erinnerungen wie möglich mit dem Kind und an das Kind zu schaffen. Viele dieser Möglichkeiten werden in ▶ Abschn. 5.1 beschrieben. Im Folgenden werden einige weitere Anregungen hinzugefügt, die als Beispiele individueller Kreativität dienen sowie zu persönlicher Toleranz ermutigen wollen. Es ist gut, die Eltern im Verlauf der Begleitung immer wieder zur Umsetzung eigener Ideen zu ermutigen und zu unterstützen.

7.3.17 Fotografieren

Das Fotografieren von toten Kindern ist in den vergangenen Jahren zu einer Selbstverständlichkeit geworden. Die Qualität eines Fotos ist von unterschiedlichen Faktoren abhängig. In ▶ Abschn. 5.6.3 sind Empfehlungen zum Fotografieren verstorbener Kinder aufgeführt. Sehr empfehlenswert sind weiterhin die ehrenamtlichen Sternenkindfotograf*innen (▶ www.dein-sternenkind.eu), die verstorbene Kinder und deren Familien professionell fotografieren und die Fotos den Eltern kostenlos zur Verfügung stellen.

7.3.18 Zeichnungen

Das Zeichnen eines verstorbenen Kindes ist ein deutlich langsamerer Prozess als das Fotografieren und bedarf einer Umgebung, die den zeitlichen Rahmen und die angemessenen Lichtverhältnisse ermöglichen kann. Während des Zeichnens entsteht eine sehr besondere Atmosphäre, diese ermöglicht den Eltern in diesen unwiederbringlichen Moment intensiv einzutauchen. Die Zeichnung eines verstorbenen Kindes kann auch eine besondere Form der Annäherung darstellen. Manchmal ist es vielleicht sogar die einzige Möglichkeit, eine individuelle Erinnerung zu schaffen, wenn das Fotografieren keine Option mehr darstellt.

„Erst als ich die Zeichnung von Lena sah, die die Künstlerin angefertigt hatte, konnte ich den Schritt wagen, unter das Tuch zu schauen, das meine kleine Tochter bis zu diesem Zeitpunkt umhüllt hatte.

Die Elternberaterin beschrieb mir den Prozess, in dem die Zeichnungen entstanden waren und wie sich der Blick der Künstlerin auf Lena immer mehr verändert hatte. Auch sie war zuerst ein wenig erschrocken gewesen, aber je mehr sie Lena ansah, desto mehr trat das Kind in den Vordergrund und die körperlichen Veränderungen verloren ihren Schrecken. Und so entstanden liebevolle Bilder, die mir Mut machten, meine Tochter doch wenigstens einmal anzuschauen und damit meine erschreckenden Fantasien durch die deutlich weniger erschreckende Realität zu ersetzen" (Mutter von Lena, die mit 22 SSW intrauterin verstarb und gemeinsam mit ihrer Zwillingsschwester Leontine in SSW 26 still geboren wurde). Lenas Mutter ließ sich Zeit beim Betrachten ihrer kleinen Tochter und entdeckte sie nach und nach in einem für sie angemessenen Zeitrahmen. Ihre liebevolle Beschreibung am Ende der Begegnung mit ihrer Tochter lautete: „Sie sieht ganz schön durcheinander aus." Eine der Zeichnungen von Lena steht nun neben einem Foto von Leontine und bezeugt damit ihre Existenz und ihren festen Platz in der Familie. Eine weitere Variante ist das Zeichnen des verstorbenen Kindes anhand einer Fotografie. Dies kann auch zu einem späteren Zeitpunkt geschehen.

7.3.19 Ultraschallaufnahmen

Audioaufnahmen bzw. Videosequenzen während einer präpartalen Ultraschalluntersuchung können wertvolle Erinnerungen für Eltern sein, die nicht wissen, wie viel Lebenszeit ihr krankes oder frühgeborenes Kind nach der Geburt mitbringt.

7.3.20 Individuelle Bedürfnisse

Auch nach vielen Jahren in der Trauerbegleitung wird man immer wieder aufs Neue von elterlichen Wünschen überrascht werden. Als Begleiter*in von früh verwaisten Eltern ist es wichtig, erst einmal unvoreingenommen und ergebnisoffen mit den Eltern über deren individuelle Bedürfnisse zu reden. Im Folgenden sind einige Beispiele für elterliche Bedürfnisse aufgeführt:

- Für eine Mutter kann es sehr wichtig sein, die Geräuschkulisse auf der Station aufzunehmen. Der Monitoralarm, das Piepen von Infusionspumpen und der Rhythmus des Beatmungsgerätes; all das sind Töne, die sie mit ihrem Kind verbindet und die ihr an manchen Tagen helfen, die Stille in ihrer Wohnung zu ertragen.
- Manche Eltern möchten ihr Kind zwar nicht zu sich nach Hause holen, aber es dennoch einmal in die vorbereitete Wiege oder das Babybett legen. Vielleicht ist es möglich, die Wiege oder die Matratze des Babybettes mit dem Auto in die Klinik zu transportieren und so den Eltern diesen Wunsch zu ermöglichen.
- Manche Eltern möchten mit ihrem Kind noch einmal ins Freie gehen. Sie genießen das Gefühl, gemeinsam mit ihrem Kind an der frischen Luft zu sein und sich nur für einen kurzen Augenblick als „normale" Eltern zu fühlen. Auch hier bietet sich eine gute Gelegenheit, schöne Fotos oder eine kleine Videoaufnahme zu machen.

▶ Fallbeispiel

Der kleine David starb 5 Monate nach seiner Geburt auf der neonatologischen Intensivstation. Bis zu diesem Zeitpunkt hatte er die Station noch nie verlassen. Im Rahmen einer Verabschiedung am Tag nach dem Tod des Kindes äußerten die Eltern den Wunsch, noch einmal David „den Himmel zeigen" zu können. Am Folgetag wurde das verstorbene Kind mithilfe eines Tragetuchs vor den Bauch der Mutter eingebunden. Neben seiner Funktion als Tragehilfe bot das Tragetuch so gleichzeitig einen Sichtschutz. Die

Begleiterin erinnerte daran, die Kamera mitzunehmen, und gemeinsam machten sie sich auf den Weg nach draußen. Der Moment, als die kleine Familie in die Sonne trat, war für alle sehr bewegend, und die Normalität des Tages außerhalb der Station wirkte zunächst sehr unwirklich. Mit jedem Schritt wurden die Eltern sicherer und verloren ihre Angst, dass jemand das tote Kind entdecken könnte. Die Begleiterin machte viele Fotos und bot den Eltern irgendwann an sie nun allein weiter gehen zu lassen. Sie sollten zu einem selbst gewählten Zeitpunkt zurückkehren können. Die Eltern machten Fotos und liefen zum Schluss zur Kapelle der Klinik, um eine Kerze anzuzünden. Nach einer Stunde kehrte die Familie zurück und verbrachte noch mehrere Stunden mit ihrem Sohn in einem separaten Zimmer auf der Station. ◄

7.4 Loslassen

Loslassen bedeutet zum einen, sich endgültig vom Körper des eigenen Kindes zu verabschieden und damit die Möglichkeit der physischen Nähe zu beenden. Zum anderen bedeutet es aber auch, sich von dem Ort zu lösen, an dem das Kind seine Lebenszeit verbrachte. Für die Eltern sind dies schwere und notwendige Schritte auf ihrem Trauerweg mit dem Ziel, ihr Kind in ihr weiterführendes Leben zu integrieren und ihm darin einen festen Platz zu geben. Die sogenannte Schleusenzeit nach Smeding geht mit der Entscheidung, den Körper des Kindes herzugeben, unwiderruflich zu Ende. Der letzte Schritt auf diesem Weg ist die Einbettung des Leichnams in den Sarg oder das Bestattungskörbchen. Die Eltern haben hier noch einmal die Gelegenheit zur Mitbestimmung und aktiven Gestaltung. Die Vorstellung, ihr Kind nun selbst in das unter Umständen individuell gestaltete „letzte Bettchen" zu legen, erscheint vielen Eltern zu diesem Zeitpunkt nicht mehr fremd und beängstigend, sondern eher selbstverständlich und folgerichtig. Allen Eltern, die in der Schleusenzeit begleitet werden, sollte dieses Angebot gemacht werden, sodass sie die Möglichkeit haben, sich mögliche Elemente zu einem authentischen Weg zusammenzustellen. Hierbei bietet sich noch einmal die Gelegenheit, Angehörige und Freund*innen mit einzubeziehen. Diese letzten Handlungen stärken die Eltern für die vor ihnen liegende Zeit.

7.4.1 Vom richtigen Zeitpunkt

Eltern, Angehörige aber auch Personal äußern am Beginn einer Begleitung immer wieder die Sorge, dass die Eltern vielleicht nie oder nur sehr schwer bereit sein werden, ihr Kind loszulassen, wenn sie ihm nach seinem Tod im Rahmen einer oder mehrere Verabschiedungen weiter begegnen können. Mangelnde Erfahrungen können vielfältige erschreckende Fantasien hervorrufen:

- Der Trauer wird noch verstärkt.
- Die Gefahr einer Depression vergrößert sich.
- Die Eltern geben ihr totes Baby nicht mehr aus dem Arm.
- Die Eltern holen ihr totes Kind heimlich aus der Klinik.
- Die natürlichen Zerfallsprozesse des Leichnams haben bereits eingesetzt und die Eltern wollen es dennoch nicht hergeben.

Unsere Erfahrung ist, dass der richtige Zeitpunkt des Loslassens von den Eltern bestimmt werden sollte. Eltern, die selbstbestimmt Zeit mit ihrem verstorbenen Kind verbringen und diese individuell gestalten dürfen, fühlen sehr genau, wann diese Zeit zu Ende geht. Sie spüren, trotz der überwältigenden Trauer, ihre eigenen Bedürfnisse und handeln danach. Die Begleitenden benötigen neben Geduld vor allem Zutrauen zum Expert*innentum der Eltern,

7

die sämtliche Ressourcen in sich tragen, um selbstbestimmt über den richtigen Zeitpunkt des Loslassens zu entscheiden.

Eine Mutter berichtet: „Die letzten 3 Tage über redete ich immer mit ihr und wiegte sie in meinen Armen, wie man eben ein Baby wiegt, um es zu beruhigen und zu bekuscheln. An diesem Tag aber hatte ich plötzlich das Gefühl, dass es nicht mehr passte, nicht mehr stimmig war. Sie sah nicht aus wie ein Baby, das schlief, sondern sie sah tot aus, und plötzlich hatte ich das Gefühl, dass sie hier nicht mehr hingehört. Ich wollte ihrem Körper plötzlich Ruhe geben und ihr keine Hin- und Hertransporte mehr zumuten. Es ergab sich ganz selbstverständlich und ich hatte das tiefe Gefühl, dass es richtig so ist. Ich war unendlich traurig, als mir klar wurde, dass ich sie nun nicht mehr sehen könnte, aber gleichzeitig wusste ich auch, dass es richtig ist und spürte plötzlich eine Klarheit und Ruhe in mir, als ich meine Entscheidung getroffen hatte."

Die Begleitenden sollten ebenfalls auf ihre eigenen Ressourcen achten. Manchmal dauert der Zeitraum der Verabschiedungen länger, als es der bzw. die Begleitende selbst aushalten kann. Es gilt, dies rechtzeitig zu erkennen und dementsprechend zu handeln.

Die notwendige individuelle Verabschiedungszeit für die Eltern sollte nicht deshalb abgekürzt werden, weil die begleitende Person keine Kraft mehr hat. Erfahrungsgemäß ist es für die Eltern unproblematisch, von einem anderen Kollegen bzw. einer anderen Kollegin weiter begleitet zu werden, wenn sie frühzeitig darüber informiert werden.

7.4.2 Sargbeigaben

Viele Eltern machen sich schon während der Verabschiedungen Gedanken darüber, was sie ihrem Kind mit in den Sarg legen möchten. Es ist gut, die Zeit bis zu diesem Moment zu nutzen, um Ideen wachsen zu lassen und auch anderen Familienmitgliedern zu ermöglichen, dem Kind etwas mitzugeben. Manche Eltern sind dankbar für Impulse, weil sie vielleicht nicht wissen, was alles möglich ist. Einige Beispiele sind:

- Talisman, Kuscheltier
- Getragenes Kleidungsstück der Eltern
- Hülle der Spieluhr; die Spieluhr selbst behalten die Eltern
- Briefe, Fotos
- Selbstgemalte Bilder
- Muttermilch
- Selbstgestrickte Decke

Erfahrungsgemäß folgen Angehörige und Freund*innen gerne der Einladung, etwas für den Sarg auszusuchen, vor allem dann, wenn sie sich selbst nicht vom Kind verabschiedet haben.

7.4.3 Einbettung in der Klinik

Die Einbettung des eigenen Kindes ist ein schwerer Moment, weil er so endgültig ist. Dennoch empfinden Eltern, die sich zu diesem Schritt entschließen, diese letzte Handlung an ihrem Kind im Nachhinein häufig als großes Geschenk. Hier findet für viele Kliniken der Schnittpunkt im Aufgabenbereich des Klinikpersonals und des weiter betreuenden Bestattungsunternehmens statt. Die einfühlsame Einbettung außerhalb der Klinik gemeinsam mit den Eltern wird in ▶ Abschn. 9.3.3, 9.3.4 und 9.3.5 beschrieben. Findet die Einbettung in der Klinik statt, so kann sie von der begleitenden Person, den Eltern und dem Bestatter bzw. der Bestatterin gemeinsam vorbereitet und durchgeführt werden. Für die Eltern kann dies sehr entlastend sein, weil sie eine vertraute Person an ihrer Seite wissen, die es ihnen erleichtert, viele Fragen schon im Vorfeld zu stellen. Idealerweise kann das erste Treffen mit dem ausgewählten Bestattungsunternehmen bereits in der Klinik im Beisein der begleitenden Person stattfinden.

In dieser Vorbereitung können viele Fragen angesprochen und beantwortet werden:

- Welche Kleidung darf und soll das Baby tragen?
- Wer soll das Baby anziehen?
- Wie ist der Ablauf einer Einbettung, wie sieht der Raum aus?
- Wer bettet das Baby in den Sarg?
- Soll fotografiert werden?
- Wer soll noch dabei sein?
- Wer verschließt den Sarg?
- Ist es möglich, den Sarg noch einmal zu öffnen?
- Ist es möglich, auch draußen zu warten, wenn es unerträglich wird?

Viele dieser Fragen dienen dazu, durch eine Art ersten Entwurf die fremde und beängstigende Situation für die Eltern zu konkretisieren. Es ist wichtig, ihnen zu signalisieren, dass auch in der Situation selbst noch jede vorherige Absprache wieder rückgängig gemacht und verändert werden kann. Eine einfühlsam begleitete Einbettung bildet einen wichtigen Schlusspunkt in der klinikinternen Trauerbegleitung.

„Ich hätte nie gedacht, dass ich dazu in der Lage wäre, mein eigenes Kind in den Sarg zu legen. Heute bin ich so froh und dankbar, dass mir das ermöglicht wurde. Meine Mutter hatte eine kleine Decke gehäkelt und in diese wickelte ich Mia ein. Ich hatte ihr einen Strampler und einen dicken Pulli angezogen und es war schön zu wissen, dass niemand sie mehr ausziehen würde. Als sie so in ihrem kleinen Sarg lag, sah sie sehr friedlich aus und ich streichelte sie lange, während mein Mann noch viele Fotos machte. Frau G. von der Elternberatung hatte die ganze Zeit gefilmt, während mein Mann und ich Mia anzogen. Dann kam der Moment, wo der Sarg geschlossen werden sollte, und da nahm mein Mann den Deckel und legte ihn auf den Sarg. Er verschloss jeden einzelnen Riegel und weinte sehr. Ich war so unendlich stolz auf ihn in diesem Augenblick und spürte eine große Stärke in mir. Wir standen noch eine Weile an Mias Sarg und streichelten ihn. Ich musste die ganze Zeit daran denken, dass nun keiner mehr mein Kind anfassen würde und niemand ihm mehr wehtun würde. Wir waren die letzten, die sie gesehen hatten und das war ein gutes Gefühl.“

Wenn Eltern die Gelegenheit haben, sich davon zu überzeugen, dass es wirklich ihr Kind ist, welches im Sarg liegt und sie wissen, wie ihr Kind in diesem Sarg aussieht, ist dies für den weiteren Trauerverlauf sehr hilfreich. Fantasien vom überlebenden Kind, das sie vielleicht in einem anderen Kinderwagen entdecken oder von ihrem nackten Kind im kahlen Sarg, bleiben ihnen erspart. Dafür haben sie ihrem Erinnerungsschatz noch einmal weitere Bilder und Erlebnisse hinzugefügt, der ihnen die Bestätigung gibt, dass sie als Eltern alles getan haben, was ihnen möglich war.

7.5 Das Trauerinformationsgespräch

Marion Glückselig

Das Trauerinformationsgespräch wurde an unserer Klinik von den Mitarbeiterinnen der Elternberatung konzipiert und steht für eine Bündelung von Informationen, die den Eltern nach dem Tod und der Verabschiedung ihres Kindes Unterstützung, Orientierung und Antworten auf die Frage geben sollen „Wie geht es jetzt weiter?“. In den Gesprächen wird die Orientierungslosigkeit der Eltern wahrgenommen, Ängste angesprochen und Schwierigkeiten formuliert. Sachfragen werden beantwortet und Themenbereiche aufgegriffen, die sich erfahrungsgemäß als wichtig erwiesen haben. Ziel des Trauerinformationsgesprächs ist es, die Eltern auch hier durch die Eröffnung unterschiedlicher Möglichkeiten in die Lage zu versetzen, individuelle Entscheidungen zu treffen. Der Zeitpunkt für ein solches Gespräch und die Dosierung der Informationen sind ganz unterschiedlich. Der Gesprächs- und Informationsbedarf der Eltern ist sehr individuell und insbesondere abhängig von der Ausgangssituation: Handelt es sich um einen plötzlichen Tod? Eine stille Geburt? Oder wurde das Kind schon einige Wochen oder Monate in der Klinik behandelt? Eine offene und ehrliche Thematisierung des Geschehenen, verbunden mit einer empathischen und wertschätzenden Gesprächshaltung und das Angebot zum Innehalten machen die Eltern emotional berührbar und dadurch ihre Bedürfnisse sichtbar. Es gibt Eltern, die schon vor dem Tod ihres Kindes Informationen zur Beerdigung benötigen, andere können noch Tage nach dem Versterben nicht über die Beerdigung sprechen. Einige möchten möglichst alle Informationen auf einmal, andere können nur ganz wenige Informationen aufnehmen und benötigen viele Gespräche. Hier zeigt sich deutlich, wie unterschiedlich Menschen in Krisensituationen reagieren und wie wichtig es ist, sich ihrem Tempo anzupassen. Die Bedürfnisse der Eltern bestimmen den Ablauf und die Intensität der Gespräche.

Die Erfahrung zeigt, dass viele Eltern aus Scheu und Unsicherheit wichtige Themenbereiche nicht ansprechen oder vergessen und folglich nicht wissen, welche Möglichkeiten sie haben. Rechtliche und organisatorische Hinweise, die früh verwaisten Eltern gegenüber unserer Erfahrung nach unbedingt angesprochen werden sollten sind:

7.5.1 Standesamt

Das Personenstandgesetz legt fest, dass bei lebendgeborenen Kindern, unabhängig vom Geburtsgewicht, ein Eintrag mit Namen in das Geburtenregister stattfindet. Sie erhalten eine Geburts- und eine Sterbeurkunde und es besteht eine Bestattungspflicht. Bei totgeborenen Kindern mit einem Geburtsgewicht über 500 g verhält es sich ebenso. Die totgeborenen Kinder mit einem Geburtsgewicht unter 500 g können seit Mai 2013 von den Eltern beim Standesamt, in dessen Zuständigkeitsbereich die Geburt erfolgte, angezeigt werden. Das Standesamt stellt den Eltern eine Bescheinigung aus, in der das Kind mit vorgesehenem Vor- und Familiennamen, Geschlecht, Geburtstag und Geburtsort erfasst wird. Die vom Standesamt ausgestellte Bescheinigung umfasst damit alle wesentlichen Daten, die auch die Geburtsurkunde enthalten hätte. Auf Wunsch der Eltern ist eine individuelle Bestattung dieser Kinder möglich und muss nicht zwingend auf einem Friedhof oder Friedwald etc. erfolgen. Möchten die Eltern ihr Kind nicht individuell bestatten, erfolgt eine Bestattung durch die Klinik. Die amtliche Meldung der Geburt bei dem zuständigen Standesamt zum Eintrag in das Personenstandsregister muss von den Eltern selbst durchgeführt werden. Totgeborene Kinder unter 500 g, die Teil einer Mehrlingsgeburt sind, bei der mindestens ein Kind lebte oder mit mindestens 500 g geboren wurde, sind wie diese zu beurkunden. Die Eltern dieser Kinder erhalten eine offizielle Geburts- und Sterbeurkunde für das Familienstammbuch (§ 31 Personenstandsverordnung).

7.5.2 Mutterschutzfristen

Die Mutterschutzfrist bleibt einer Mutter auch nach dem Tod ihres Kindes erhalten. Mütter haben gesetzlichen Anspruch auf Mutterschutz, wenn der Arzt eine Lebendgeburt bescheinigt, oder wenn es sich um eine Totgeburt mit einem Geburtsgewicht von über 500 g handelt. Bei einem Reifgeborenen beträgt der Mutterschutz 8 Wochen, bei Frühgeburten und Mehrlingen 12 Wochen nach der Entbindung. Bei vorzeitigen Entbindungen verlängert sich diese Frist zusätzlich um die Tage, die vor der Entbindung nicht in Anspruch genommen werden konnten. Wenn das Kind während der Elternzeit stirbt, endet die Elternzeit spätestens 3 Wochen nach dem Tod des Kindes. Dies bedeutet auch, dass ein Vater, dessen Kind lebend geboren, aber direkt nach der Geburt verstorben ist und der im 1. Monat Elternzeit beantragt hat, noch für 3 Wochen in Elternzeit bleiben kann.

7.5.3 Mutterschaftsgeld

Für die Zeit der Mutterschutzfristen erhalten die Frauen Mutterschaftsgeld. Der Antrag wird bei der gesetzlichen Krankenkasse gestellt. Diese setzt sich mit dem Arbeitgeber bzw. der Arbeitgeberin wegen der Zuzahlung des Arbeitgeber*innenanteils in Verbindung.

7.5.4 Kindergeld

Ein Anspruch auf Kindergeld besteht grundsätzlich für jeden Monat, in dem wenigstens an einem Tag die Anspruchsvoraussetzungen vorgelegen haben (Bundesagentur für Arbeit). Die Eltern können für einen Monat Kindergeld bei der Familienkasse der Agentur für Arbeit beantragen, auch wenn das Kind nur einen Tag gelebt hat.

7.5.5 Finanzen

Durch den Tod und die Bestattung des Kindes entstehen für einige Eltern finanzielle Probleme. Vielen ist es in dieser Situation jedoch unangenehm, über Geld zu sprechen, umso wichtiger kann es sein, diesen Punkt aktiv anzusprechen. Bei finanziellen Sorgen ist die Kontaktvermittlung zu einem Sozialdienst notwendig. Er kann z. B. bei einer Kostenübernahme durch das Sozialamt oder das Jobcenter unterstützen, da die Eltern für das Bestattungsinstitut einen Antrag auf Kostenübernahme benötigen. Auch besteht die Möglichkeit, bei gemeinnützigen Vereinen oder kirchlichen Institutionen eine finanzielle Unterstützung zu beantragen.

7.5.6 Hebammenbetreuung

Früh verwaiste Mütter haben Anspruch auf eine Hebammenbetreuung. Das Abstillen der Muttermilch und eine Rückbildungsgymnastik müssen begleitet werden. Manchmal ist es sehr hilfreich, eine Hebamme zu vermitteln, da die Frauen in ihrer Situation nicht die Kraft haben, sich selbstständig darum zu kümmern. Eine zusammengestellte, regionale Liste mit entsprechenden Hebammen erleichtert die Suche. In manchen Städten werden Kurse zur Rückbildungsgymnastik, speziell für verwaiste Mütter, angeboten. Weitere Informationen zur Hebammenbetreuung verwaister Eltern sind in ► Abschn. 10.4 aufgeführt.

7.5.7 Muttermilch und Abstillen

Ein besonders sensibles Thema ist die Muttermilch und das Abstillen. Je nachdem, wie lange das Kind gelebt hat, war es für die Mütter oft das Einzige, was sie für ihr Kind tun konnten. Sie haben sehr viel Energie und Zeit mit dem Abpumpen der Muttermilch verbracht. Manchmal haben sie schon Vorräte angelegt, um vorzusorgen. Auch hier ist es wichtig, verschiedene Möglichkeiten des Abstillens aufzuzeigen.

Einige Mütter möchten schnell abstillen, andere brauchen Zeit, um sich von der Muttermilchgewinnung zu verabschieden. Das Aufzeigen verschiedener Möglichkeiten führt auch hier wieder dazu, dass Mütter ihren ganz individuellen Weg finden. Beispiele: Eine Mutter, deren Sohn nach 2 Wochen stationärem Aufenthalt auf der neonatologischen Intensivstation verstarb, berichtete, dass sie sich durch das Abpumpen der Muttermilch ihrem Sohn noch sehr nahe fühlte. Es stellte für sie eine Verbindung zu ihrem verstorbenen Kind dar und sie war noch nicht bereit, diese zu beenden. Eine andere Mutter berichtete, dass sie in der abgepumpten Muttermilch baden wollte, da dies für sie eine Verbindung zu ihrem Kind darstellte. Es gibt auch Mütter, die den Wunsch haben, ihrem Kind eine Flasche ihrer Muttermilch mit in den Sarg zu geben. Weitere Hinweise zum Abstillen siehe ▶ Abschn. 10.6.1.

7.5.8 Bestattung

Viele Unsicherheiten bestehen bei dem Thema Bestattung. Hier ist es besonders wichtig, den Eltern zuerst den Zeitdruck zu nehmen. Viele denken, dass sie ihr Kind kurz nach dem Tod beerdigen müssen. Meist sind sie sehr erleichtert zu hören, dass sie Zeit haben, dieses wichtige Ritual in Ruhe zu planen. Die Bestattungsrichtlinien und -fristen sind in den einzelnen Bundesländern unterschiedlich. Sich hierüber zu informieren, um den Eltern entsprechende Hinweise zu geben, ist sehr hilfreich. Die persönlichen Gestaltungsmöglichkeiten einer Bestattung sind vielfältig und bieten den Eltern bei guter Beratung die Möglichkeit, eigene Vorstellungen kreativ umzusetzen. Folgende Fragen sind für die Eltern in aller Regel wichtig:

- **Wann** muss mein Kind bestattet werden? Die höchstmögliche Verweildauer des Kindes in der Pathologie sollte bekannt sein sowie die damit evtl. verbundenen Kühlgebühren.
- **Wie** soll mein Kind bestattet werden? Informationen über unterschiedliche Bestattungsmöglichkeiten wie beispielsweise ein Reihengrab, eine anonyme Bestattung, sowie die Entscheidung zwischen Erd- oder Feuerbestattung.
- **Wo** soll mein Kind bestattet werden? Gibt es einen Friedhof in der Nähe, vielleicht sogar mit einem Kindergrabfeld, existiert ein Familiengrab, beabsichtigen die Eltern einen Umzug in eine andere Stadt?
- **Wer** soll mein Kind bestatten? Informationen über spezialisierte Kinderbestattungsunternehmen bzw. weniger konservative Bestattungsinstitute, Erfahrungen aus dem elterlichen Familien- und Freundeskreis mit Bestatter*innen.

Die Erfahrung zeigt, je mehr Möglichkeiten aufgezeigt werden und je mehr Zeit die Eltern haben, desto mehr Ideen entwickeln sie und fangen somit an, den Prozess selbst zu gestalten. Mit der Entwicklung von Eigeninitiative sind sie nicht mehr nur passiv, sondern gewinnen Kontrolle über das Geschehen.

Weitere Informationen zum Thema Bestattung sind in ▶ Kap. 9 aufgeführt.

7.5.9 Geschwister

Eltern sind oft sehr unsicher, wie sie sich den Geschwistern gegenüber verhalten sollten, und versuchen, aus dem ersten Impuls heraus, diese so weit wie möglich zu schützen. Doch besonders Kinder haben eine sehr sensible Wahrnehmung für die Empfindungen und Stimmungen ihrer Eltern. Mit dem Tod eines Neugeborenen erleben die Geschwister einen Stabilitätsverlust innerhalb der Familie aufgrund ihrer trauernden Eltern. Manchmal fühlen sich Kinder auch schuldig am Tod ihres Geschwisters, weil sie dieses neue Familienmitglied gar nicht wollten oder ihm im Geheimen aus Eifersucht etwas Böses gewünscht hatten. Oftmals vermögen es diese Kinder nicht, sich jemandem mit ihrem Kummer anzuvertrauen. In dieser Zeit benötigen sie viel Geduld, Sicherheit, Zuwendung und körperliche Nähe. Häufig sind die trauernden Eltern dazu nicht in der Lage.

Wichtige Bezugspersonen für das Kind mit einzubeziehen, erweist sich oft als hilfreich und kann sehr zur Entlastung beitragen. Es ist wichtig, sie an den Vorbereitungen zur Beerdigung teilhaben zu lassen und ihre Fragen offen, ehrlich und altersgerecht zu beantworten. Gut ist es für die Eltern und Bezugspersonen auch zu wissen, dass es bei Geschwistern zu Rückschritten in ihrer persönlichen Entwicklung kommen kann (Durchschlafprobleme, Daumenlutschen, Einnässen). Weitere Trauerreaktionen können u. a. Wut, Traurigkeit, Rückzug, Unruhe, Apathie, Appetitlosigkeit sein. Eine Information an die Einrichtungen (Kindergarten, Schule), in der sich die Geschwister bewegen, hilft den Erzieher*innen und Lehrer*innen, veränderte Verhaltensweisen der Kinder besser zu verstehen und einen stützenden Umgang mit ihnen zu finden.

7.5.10 Großeltern

Durch den Tod eines Kindes wird die Generationsfolge jäh zerstört. Den Verlust erleben Großeltern doppelt schmerzlich, denn sie trauern nicht nur um den Verlust ihres Enkelkindes, sondern machen sich auch Sorgen um ihre Kinder. Oft wissen sie nicht, wie sie unterstützen können, und es ist hilfreich, sie konkret mit einzubeziehen. Sie können wichtige Aufgaben im Rahmen ihrer Möglichkeiten übernehmen und viel zur Entlastung beitragen, indem sie z. B. Geschwister betreuen, kochen oder Alltagsstrukturen aufrechterhalten. Das erfordert sehr viel Kraft und lastet schwer auf ihnen, denn sie nehmen sich in ihrer eigenen Trauer zurück und versuchen die am direktesten Betroffenen, ihre eigenen Kinder, zu unterstützen und zu trösten. In ihrem Freundes- und Bekanntenkreis erfahren sie selten Entlastung durch Zuwendung oder Gespräche, da sie ja nicht die Eltern des verstorbenen Kindes sind. Doch auch Großeltern zeigen unterschiedliche Trauerreaktionen und sind in ihrem Alltag sehr beeinträchtigt. Erfahrungsgemäß ist es notwendig, auch den Großeltern Raum für ihre Trauer zu bieten. Dies können ein Gesprächsangebot oder die Vermittlung einer Selbsthilfegruppe sein. In einigen Städten gibt es Gruppen für trauernde Großeltern oder trauernde Angehörige. Auch Internetforen bieten einen Austausch mit anderen Betroffenen an.

7.5.11 Lesbische Elternpaare

Verstirbt das Kind eines lesbischen Paares um die Geburt herum, befindet sich die nichtleibliche Mutter in einer zusätzlich belastenden Situation durch die fehlende rechtliche Anerkennung ihrer Mutterschaft. Erst 8 Wochen nach der Geburt kann die leibliche Mutter in ihrer Eigenschaft als rechtliches Elternteil in die Adoption durch die nichtleibliche Mutter einwilligen, soweit keine Vaterschaftsanerkennung durch den leiblichen Vater vorliegt (§ 1747 Abs. 2 Satz1 BGB). Stirbt das Kind vor Ablauf dieser Frist, bleibt der früh verwaisten nichtleiblichen Mutter die rechtliche, offizielle und gesellschaftliche Anerkennung ihrer Mutterschaft versagt. Umso notwendiger ist hier die Anerkennung und Wertschätzung des Verlustes und der damit verbundenen Trauer beider betroffenen Mütter. Innerhalb der Beziehung kann der Tod des Babys zu Schuldzuweisungen an sich selbst bzw. an die Partnerin führen, sobald der Gedanke aufkommt, dass es vielleicht besser gewesen wäre, wenn die Partnerin schwanger geworden wäre. Im Rahmen einer individuellen Trauerbegleitung können möglicherweise auftretende Konflikte frühzeitig erkannt und benannt werden.

7.5.12 Reaktionen des sozialen Umfeldes

Die Reaktionen aus dem sozialen Umfeld stellen für die Eltern eine zusätzliche Belastung dar. Selten wissen die Menschen um sie herum, wie sie nach dem Verlust eines Kindes mit den Eltern umgehen sollen (Lothrop 2016). Diese Unsicherheit führt zu Sprachlosigkeit, Ignoranz, aber auch zu kränkenden Äußerungen, die die Eltern zusätzlich tief verletzen können. Eine Mutter berichtet: „Als ich einige Tage nach dem Tod unseres Sohnes gemeinsam mit meinem Partner einen kurzen Spaziergang machte, kam uns eine Nachbarin mit ihren Kindern entgegen. Kurz bevor wir uns trafen, wechselte sie die Straßenseite und tat so, als hätte sie uns nicht gesehen. Wahrscheinlich dachte sie, der Anblick ihrer Kinder würde unseren Schmerz vergrößern."

Eine andere Mutter erzählt: „Einige Wochen nach dem Tod unserer Tochter ging ich zum Bäcker, um ein Brot zu kaufen. Die Verkäuferin fragte mich nach dem Verbleib meines Kindes, da sie mich längere Zeit nicht gesehen hatte und nun den fehlenden Bauch bemerkte. Diese Frage traf mich ganz unverhofft. Darauf war ich nicht vorbereitet und verließ fluchtartig das Geschäft."

Wiederum ein anderes Elternpaar war 3 Wochen nach dem Tod ihres Sohnes auf dem 80. Geburtstag eines nahen Angehörigen eingeladen. Sie berichten: „Nach langen Überlegungen hatten wir uns dazu entschlossen, für einen begrenzten Zeitraum an diesem Fest teilzunehmen. Es war von Anfang an eine sehr angespannte Atmosphäre. Alle haben versucht, das Thema unseres Verlustes zu meiden. Es wurde den ganzen Nachmittag kein Wort darüber gesprochen. Besonders im Kreise der Familie war dies eine sehr kränkende Erfahrung."

Diese Beispiele zeigen deutlich, wie sensibel und destabilisiert die Eltern in dieser Zeit und wie verunsichert die Menschen in ihrem Umfeld sind. Hilfreich ist es in dieser Phase, den Mitmenschen mitzuteilen, was einem guttut und was man braucht. Das Versenden einer Geburts- und Todesanzeige kann ein Zeichen eines offensiven Umganges mit dem Verlust sein. Ein Zeichen setzt auch das Versenden eines Rundbriefes oder einer E-Mail mit einer Art „Gebrauchsanweisung", also einer Auflistung von Dingen, die hilfreich sind und die man sich wünscht. Freund*innen und Verwandte werden diese Anregungen gerne aufnehmen, da sie ihnen aus ihrer Hilflosigkeit heraushelfen und ihrem Wunsch zu unterstüzen wertvolle Impulse bieten können. Nach wenigen Wochen wird jedoch häufig von den Eltern erwartet, wieder in ihren gewohnten Alltag zurückzufinden, und die Bereitschaft zu unterstützen und zuzuhören lässt langsam nach. Den subjektiven Tiefpunkt in ihrer Trauer erfahren Eltern jedoch oft erst nach 4–6 Monaten, zu einem Zeitpunkt, da die Mitmenschen meinen, jetzt sei die Trauer wohl überwunden.

„Nie ist die Diskrepanz zwischen dem eigenen Erleben und dem, was die anderen an Trauer erwarten und zugestehen, größer als beim Tod eines kleinen Kindes, das ja in den Augen der anderen noch gar nicht richtig gelebt hat" (Smeding et al. 2010).

7.5.13 Rückkehr nach Hause

Manche Eltern haben Zuhause bereits vieles für die Ankunft ihres Kindes vorbereitet, und nun kommen sie ohne ihr Kind nach Hause. Es hat sich als hilfreich erwiesen, diesen (Rück-)Weg im Vorfeld einmal durchdacht zu haben. Durch diese mentale Vorbereitung entwickeln Eltern eine erste Idee, wie sie dieser Situation begegnen möchten. Manche Eltern wohnen die ersten Tage bei Familienangehörigen oder Freund*innen, um die Konfrontation hinauszuzögern oder lassen sich von ihnen nach Hause begleiten. Andere bitten Freund*innen oder die Familie, die Dinge wegzuräumen, die sie an ihr Kind erinnern, andere möchten alles so belassen, wie es ist, um ihrem Kind nahe zu sein. Eine Mutter erzählte: „Ich wollte, dass alles so bleibt wie es ist. Nach meiner Ankunft zu Hause habe ich die Tür vom Kinderzimmer geschlossen und nicht einmal hineingesehen. Erst nach einigen Wochen habe ich sie geöffnet und angefangen, Sachen zu sortieren. Es war sehr schwer für mich und ich habe viel geweint. Und dennoch war es für mich wichtig, dies selbst zu tun." Auch hier zeigt sich deutlich, dass durch das Aufzeigen verschiedener Möglichkeiten die Eltern ihren individuellen Weg finden.

7.5.14 Individueller Trauerverlauf

Trauerprozesse sind so unterschiedlich wie die Menschen, die sie gehen müssen. Es ist ehrlich, die Trauer als einen offenen, natürlichen und lebenslangen Prozess mit vielen Höhen und Tiefen zu beschreiben. Die Eltern sollten wissen, welche typischen Trauerreaktionen in der ersten Zeit nach dem Verlust auftreten können, damit sie ihr Verhalten nicht als unnormal empfinden:

- Körperliche Reaktionen: Schlafstörungen, Appetitlosigkeit, erhöhter Blutdruck, Kopfschmerzen, Übelkeit, Herzschmerzen, Atemlosigkeit, Kloß im Hals
- Reizbarkeit, depressive Verstimmungen, Unkonzentriertheit, Niedergeschlagenheit, Schuldgefühle, Wut, Zorn
- Besetzung aller Gedanken mit dem Verstorbenen
- Verlust üblicher Verhaltensmuster

Mütter und Väter reagieren häufig sehr unterschiedlich auf den Verlust ihres Kindes. Sind sie anfangs meist gestärkt durch das gemeinsam Erlebte und fühlen sich einander nahe, so gehen sie dennoch in ihrem Trauerprozess im weiteren Verlauf fast immer verschiedene Wege. Die Unwissenheit über die individuellen Trauerwege kann in der Paarbeziehung häufig zu Differenzen und zu Unverständnis zwischen den Partner*innen führen. Viele Beziehungen leiden schwer darunter oder drohen zu zerbrechen.

„Ihr jeweiliges Bedürfnis nach Ausdruck ihrer Trauer oder Schutz des momentan möglichen Lebensmutes, ihr Bedürfnis nach Gesprächen miteinander oder Alleinsein sind oft unterschiedlich und oft immer wieder anders. Dies zu wissen und als gleichberechtigt anzuerkennen, könnte eine Hilfe sein für die Überwindung der Entfremdung" (Smeding et al. 2010).

Für die Eltern ist es daher wichtig zu hören, dass jeder Mensch anders trauert und vieles erlaubt und richtig ist. Viele Väter scheinen nach außen weniger betroffen als Mütter. Der Ausspruch eines Vaters „Ich würde mir jetzt auch einen Vaterschutz wünschen" zeigt, dass diese sehr schnell wieder in ihren Alltag zurückmüssen. Die Menschen in seinem sozialen Umfeld beachten häufig nur die Trauer der Mutter, die Väter werden oft vergessen. „Unsere Verwandten, Freunde und Nachbarn fragten immer nur nach dem Befinden meiner Frau, wie es mir geht, wollte keiner wissen." Dabei tragen Väter oft die doppelte Last. Sie spüren ihre eigene Trauer und leiden gleichzeitig an dem Schmerz ihrer Frau. Sie versuchen stark zu sein, um ihre Frau nicht zusätzlich mit ihrer Traurigkeit zu belasten und bemühen sich, den Alltag aufrecht zu erhalten. Durch berufliches Engagement versuchen sie sich von ihrer Trauer abzulenken. Dies kann häufig als Gleichgültigkeit missverstanden werden. Die Mütter zeigen ihre Trauer meist viel offener. Sie weinen häufiger und haben ein starkes Bedürfnis, über den Verlust zu sprechen. Viele Väter dagegen würden gerne mehr Sport treiben, sich häufiger mit Freunden in der Kneipe treffen und sehnen sich nach Sexualität mit ihrer Partnerin (Rihm und Rihm 2008). Viele dieser Wünsche bleiben jedoch häufig ungenannt, aus der Angst heraus, dass sie unangemessen seien und zudem auf Unverständnis des Umfeldes stoßen und die Partnerin kränken könnten. Das Wissen darum, dass Frauen mehr emotionszentriert verarbeiten und Männer handeln wollen, ist wichtig für das gegenseitige Verständnis (Christ-Steckhan 2005).

7.5.15 Teilverwaiste Mehrlingseltern

„Der Weg zum Grab mit Kinderwagen und Sarg war der einzige Weg, den wir als Familie zusammen gegangen sind." Dieser

Satz beschreibt eindrücklich die Situation von Familien nach perinatalem Verlust eines Mehrlings.

Wenn ein Mehrlingskind intrauterin, bei der Geburt oder nach der Geburt verstirbt, hinterlässt dies bei den Eltern tiefe Spuren. Einerseits wollen sie ihre Rolle als Eltern aktiv übernehmen und fühlen sich – absolut gleichzeitig – ohnmächtig im Schmerz über den Tod ihres ebenso geliebten und ersehnten toten Kindes. Sie können sich weder vorbehaltlos freuen noch vorbehaltlos trauern. Es ist für sie unendlich schwer, einerseits die Freude über das überlebende Kind zuzulassen und eine Bindung einzugehen, und andererseits sich Zeit und Raum für die Trauer um das verstorbene Kind zu nehmen. Nie liegen Leben und Tod so dicht beieinander, wie in dieser Situation. Leben und Sterben finden mitunter zeitgleich statt und stellen die Eltern emotional und praktisch vor große Schwierigkeiten. Sie fühlen sich wie zerrissen, sind hilflos und haben starke Schuldgefühle. Häufig kämpfen sie noch um das Überleben des Geschwisterkindes auf der Intensivstation, was eine zusätzliche Belastung darstellt. Diese emotionale Verwirrung kann sowohl den Trauerprozess um das verstorbene Kind beeinflussen als sich auch auf die Beziehungsgestaltung zum lebenden Neugeborenen auswirken Die meisten Eltern sind in einer solch hochbelastenden Situation nicht in der Lage, Informationen ausreichend zu verarbeiten. Aber gerade im Fall eines lebenden, vielleicht frühgeborenen oder kranken Mehrlings ist es besonders wichtig zu verstehen, wie es diesem Kind geht, was mit ihm passiert und was getan werden muss. Auch geringste Irritationen lösen bei den Eltern Ängste aus, noch ein weiteres Kind zu verlieren. Erfahrungsgemäß brauchen diese Eltern eine besonders einfühlsame und aufmerksame Begleitung. Sie benötigen Zeit, Raum und Hilfestellung, damit zunächst eine heilsame und liebevolle Bindung und anschließend der Abschied vom verstorbenen Kind gelingen können. Dies ist eine wichtige Voraussetzung für eine gesunde Bewältigung der Trauer und für den Beziehungsaufbau zum überlebenden Kind. Der Kontakt mit Eltern in einer solchen Situation ist für Begleitende besonders herausfordernd. Zum einen spüren viele der betroffenen Eltern eine extreme Verletzlichkeit, die schnell zu Wut werden kann und ihnen damit den Kontakt zur Umwelt erschwert. Sich selbst mit diesen Emotionen aushalten und sich zu regulieren, fällt ihnen oft schwer. Umso wichtiger ist es, dass die Wegbegleitenden um diese Schwierigkeiten zu wissen. Menschen im direkten Umfeld – in der ersten Zeit oft die Mitarbeitenden der Neonatologie – müssen hier folglich in einem doppelten Sinn als Modell für die Eltern fungieren: Zum einen ist es wichtig, den Eltern Halt zu bieten durch Offenheit für all ihre schwer auszuhaltenden Stimmungslagen und ihre widerstrebenden Gefühle als berechtigt anzusehen. Gemeinsam kann versucht werden, diese Gefühle in Worte fassen und damit eine Möglichkeit zu schaffen, ihre Affekte allmählich besser zu bewältigen.

Zum anderen benötigen viele Eltern Ermutigung zu wachsender Fürsorge um ihr lebendes Kind, damit sie zu ihren intuitiven Kompetenzen allmählich Zugang finden, sich selbst mehr vertrauen und schließlich ihrem lebenden Neugeborenen eine konstant-verlässliche, sichere emotionale Basis sein können.

Im Folgenden einige Anregungen für die Begleitung früh verwaister Mehrlingseltern:

- Die Eltern im Bindungsprozess an das verstorbene Kind unterstützen, damit der Abschied gelingen kann (▶ Abschn. 6.2).
- Anbieten, die Todesursache zu klären: Langfristig ist das evtl. bedeutsam für das lebende Kind, um zu verstehen, was geschah, statt Schuldgefühle zu entwickeln.
- Alle Veränderungen bzgl. des lebenden Kindes unbedingt mit den Eltern besprechen, **bevor** sie stattfinden (Pflege-

plan, Verlegung, med. Interventionen etc.).
- Möglichst Kontinuität des Teams: Eltern brauchen Halt und Vertrauen – vertraute Gesichter. Menschen, die den verstorbenen Zwilling kannten, sind den Eltern besonders wichtig.
- Korrekte Dokumentation des Verlustes eines Mehrlings mit dessen Namen, auch bei IUFT.
- Familienangehörige, Geschwister und andere wichtige Menschen mit einbeziehen, damit die Eltern in ihrem Trauerprozess mehr Unterstützung und Verständnis finden. Dies ist bei dem Tod eines Mehrlings besonders wichtig, da der Fokus sich auf das überlebende Kind richtet und häufig der Verlust nicht wahrgenommen wird. Das verstorbene Kind muss als Mensch anerkannt werden und damit auch der Schmerz der Eltern als berechtigt.
- Erinnerungen schaffen, die auch für das Geschwister reichen und die dafür sorgen, dass das verstorbene Kind als Teil der Familie erhalten bleibt. Familienfotos, Hand- und Fußabdrücke, Bettkarte mit Mehrlingsvermerk sind etwas Einzigartiges und Unwiederbringliches. Wenn möglich, ein gemeinsames Foto des verstorbenen Kindes mit dem überlebenden Kind machen. Ebenso sollte daran gedacht werden, mögliche pränatale Ultraschallfotos vom verstorbenen Kind auszudrucken und den Eltern zu übergeben.
- Eltern zu einer individuellen Gestaltung der Beerdigung ermutigen. Ein Ort der Erinnerung kann auch für das überlebende Geschwister sehr wichtig sein.
- Den Verlust anerkennen und die Eltern ermutigen, auch über das verstorbene Kind zu sprechen.
- Das verstorbene Kind beim Namen nennen. Das hilft, die Realität zu akzeptieren und ist eine Würdigung seiner Existenz.
- Im Stationsalltag den Verlust nicht ignorieren.
- Den Eltern offen, einfühlsam und mit viel Respekt vor deren Situation begegnen.
- Bei der Verlegung des Geschwisterkindes auf eine andere Station sein Mitgefühl bekunden. Beispiel: „Mein Name ist Schwester Clara und ich bin heute für Ihre Tochter zuständig. Ich habe vom Tod Ihres Sohnes Carl erfahren und es tut mir sehr leid. Ich könnte mir vorstellen, dass alles gerade ganz schwer für Sie ist. Uns ist bewusst, dass Sie 2 Kinder geboren haben, und wenn Sie über Ihren Sohn sprechen möchten, höre ich Ihnen gerne zu."
- Den Mehrlingsvermerk auf der Bettkarte belassen und damit den Verlust anerkennen. Eltern berichten immer wieder, dass nach der Verlegung ihres Kindes auf eine andere Station die Bettkarte verändert wird. Dies erleben sie als sehr schmerzlich.
- Sich nach dem Termin der Beerdigung erkundigen und die Eltern für diese Zeit entlasten, indem man ihnen versichert, gut für das Geschwisterkind zu sorgen.
- Andere Mehrlingskinder möglichst nicht in das gleiche Zimmer des überlebenden Kindes legen oder notfalls die Eltern im Vorfeld darüber informieren.

Die oben genannten Anregungen tragen dazu bei, verwaiste Mehrlingseltern in ihrem Trauerprozess zu unterstützen und dem verstorbenen Kind einen Platz zu geben. Eltern berichten immer wieder, wie schwer es für sie ist, in ihren Alltag zurückzukehren. Sie sind psychisch und physisch sehr erschöpft und die Versorgung des überlebenden Mehrlings fordert ihre letzten Kräfte. Die Menschen in ihrem sozialen und familiären Umfeld gehen schnell dazu über, den Verlust zu ignorieren und nicht mehr darüber zu sprechen. Oftmals widmen sie nun ihre gesamte Aufmerksamkeit dem überlebenden Kind. Für Eltern und Geschwister ist es hilfreich, Rituale und Orte zu finden, um ihrer Trauer Raum und Zeit geben können. Der Status als „Mehrlingseltern ist für die Umwelt oft „unsichtbar" und bedeutet für die Eltern einen schmerzlichen Verlust. In der Begleitung betroffener Familien ist es daher wichtig, ihre Elternschaft von Mehrlingen anzuerkennen und zu bestätigen, Raum zu geben, auch über das verstorbene Kind zu sprechen, seinen Namen zu nennen. Dankbar sind Betroffene auch über kleine Geschenke nicht nur für das lebende Kind, sondern auch symbolisch für das verstorbene Geschwisterkind.

7.5.16 Informationsmappe

Menschen in einer emotionalen Ausnahmesituation sind nicht in der Lage, mehr als ca. 20 % eines Gesprächsinhaltes aufzunehmen.

Am Ende eines Trauerinformationsgesprächs kann den Eltern zusätzlich eine Mappe mit weiterführenden Informationen überreicht werden. Die Eltern können sich somit auch zu einem späteren Zeitpunkt über unterstützende Angebote informieren. Um den Eltern die Entscheidung zu überlassen, wann sie den Umschlag öffnen möchten, ist es ratsam, das Informationsmaterial in einem verschlossenen Umschlag zu übergeben. Folgende Informationen können unserer Erfahrung nach hilfreich sein:

- Broschüre „Für immer in unseren Herzen…", Erstinformation für Mütter und Väter, die ihr Kind vor, während oder kurz nach der Geburt verloren haben (Bezug über die Initiative REGENBOGEN „Glücklose Schwangerschaft" e. V.)
- Informationsblatt der Initiative Regenbogen
- Regionale Adressenliste von Hebammen für verwaiste Mütter
- Regionale Adressen zur Rückbildungsgymnastik für frühverwaiste Mütter
- „Mit Trauer leben" – ein Merkblatt mit 15 Punkten, die helfen können, mit der Trauer zu leben (Bezug über „Verwaiste Eltern", Hamburg)
- Regionale und überregionale Adressen von Selbsthilfegruppen
- Literaturliste (für verwaiste Eltern und Geschwister)
- Broschüre „Gute Hoffnung – jähes Ende", eine erste Hilfe für Eltern, die ihr Baby verlieren, und alle, die sie unterstützen wollen (herausgegeben von der Vereinigten Evangelisch-Lutherischen Kirche Deutschlands)
- Broschüre „Informationen zur Bestattung" (Bezug über die Initiative REGENBOGEN „Glücklose Schwangerschaft" e. V.)
- Ggf. „Unterstützung von Geschwistern in ihrer Trauer" und „Was Kinder brauchen, um rechtzeitig mit dem Tode leben zu lernen", Merkblätter des Bundesverbandes Verwaiste Eltern in Deutschland e. V.

Eine Zusammenfassung zum Trauerinformationsgespräch findet sich unter ► http://extras.springer.com, Checkliste 5.

Literatur

Bundesministerium für Familie, Senioren, Frauen und Jugend ► https://www.bmfsfj.de/bmfsfj/themen/familienleistungen.de

Christ-Steckhan C (2005) Elternberatung in der Neonatologie, 1. Aufl. Reinhardt

Lammer K (2014) Trauer verstehen. Formen, Erklärungen, Hilfen, 4. Aufl. Neukirchener, Neukirchen-Vluyn

Lothrop H (2016) Gute Hoffnung – jähes Ende, 4. Aufl. Kösel, München

Rihm M, Rihm D (2008) Die vergessene Trauer der Väter, 1. Aufl. Books on Demand GmbH, Norderstedt

Schwager-Engelbrecht I (2024) Teilverwaiste Mehrlingseltern, Vortrag

Smeding R, Heitkönig-Wilp M, Schrudde H (2010) Trauer erschließen: Eine Tafel der Gezeiten, 2. Aufl. Der Hospiz, Wuppertal

Seelsorgerliche Begleitung auf der neonatologischen Intensivstation

Martina Graewe

Inhaltsverzeichnis

Ergänzende Information Die elektronische Version dieses Kapitels enthält Zusatzmaterial, auf das über folgenden Link zugegriffen werden kann ▶ https://doi.org/10.1007/978-3-662-71982-4_8.

L. Garten und K. von der Hude (Hrsg.), *Palliativversorgung und Trauerbegleitung in der Neonatologie,* https://doi.org/10.1007/978-3-662-71982-4_8

Seelsorge hat viele Gesichter. Sie ist wesentlich orientiert an den Bedürfnissen und Bedürftigkeiten des Gegenübers: den Patient*innen, Zugehörigen und auch Mitarbeitenden.

Mitunter kann es sinnvoll sein, zwischen der weiteren seelsorgerischen und der engeren pastoralen Tätigkeit zu unterscheiden. Zu letzterer gehören Gebet, Segen, Abendmahl, Taufe, Gottesdienst, Andacht, Beerdigung. Zur weiteren seelsorgerlichen Arbeit gehören vor allem Gespräche, deren Inhalte überwiegend von den Patient*innen und deren Zugehörigen bestimmt werden.

Seelsorge basiert auf einer doppelten Beauftragung: zum einen durch die Kirche, die damit ihren Auftrag Jesu ernst nimmt, der Zuwendung Gottes zu allen Menschen Ausdruck zu verleihen. Zum anderen durch die Kranken, ihre Zugehörigen und Mitarbeitenden, etwa durch die Aufforderung „Ja, bitte setzen Sie sich." oder „Ja, kommen Sie wieder!" oder einfach nur durch das Signal „Schön, dass Sie da sind!"

Seelsorger und Seelsorgerinnen sind angewiesen auf die Hinweise aus den Stationsteams, lassen sich aber dennoch von ihnen nicht gerne Arbeitsaufträge erteilen. Sie sind in erster Linie denen verpflichtet, zu denen sie geschickt bzw. von denen sie gerufen wurden. Überdies machen sie immer wieder die Erfahrung, dass das Gelingen eines wirklich stützenden Beistands nur begrenzt „machbar" ist, ein wesentlicher Teil der Begegnung ist unverfügbar.

Zur Seelsorge gehört elementar die seelsorgerliche Verschwiegenheit. Im Einzelfall holen sich Mitarbeitende der Seelsorge die Erlaubnis, Inhalte des Gesprächs an Mitarbeitende der Station weiterzugeben.

8.1 Taufen

Mitarbeitende der Station sollten mit allen Eltern, deren Kind sich in einem kritischen Zustand befindet, klären, ob sie eine Taufe für ihr Kind wünschen. Sehr oft sind dies dann Nottaufen. Die Nottaufe kann nach evangelischem Verständnis von jedem Christen bzw. jeder Christin, nach katholischem Verständnis von jedem Menschen, egal welcher Religion, durchgeführt werden. So können auch pflegerische oder ärztliche Mitarbeitende ein Kind taufen. Es ist wichtig, mit allen potenziell Taufenden in regelmäßigen Abständen über das Procedere der Taufe auf ihrer Station zu sprechen. Die Seelsorge sollte sich auch dafür zuständig sehen, dass die entsprechenden Utensilien auf der Station vorhanden sind.

Erfahrungsgemäß kann es für Eltern wichtig und passend sein, ihr Kind von einem pflegerischen oder ärztlichen Mitglied des Teams taufen zu lassen, zu dem sie ein enges Verhältnis aufgebaut haben. Es kann aber auch sein, dass es gerade wichtig ist, die Taufe von einem Vertreter oder einer Vertreterin der katholischen oder evangelischen Kirche durchführen zu lassen und nicht von den Mitarbeitenden der Station, von denen sie gerade erfahren haben, dass ihr Kind sterben wird. Mitunter ist es für Eltern in dieser Ausnahmesituation auch unwichtig, ob es eine evangelische oder katholische Taufe ist. Manchmal nehmen selbst Eltern, die nur eine lose oder gar keine Bindung an eine Kirche haben, das Angebot der Taufe für ihr Kind gerne an.

8.1.1 Bedeutung der Taufe

In der Geschichte der Kirche wurden in verschiedenen Regionen zu verschiedenen Zeiten unterschiedliche Aspekte der Taufe betont. Auch im Gespräch mit den Eltern wird man feststellen, dass es unterschiedliche Beweggründe gibt, ihr Kind taufen zu lassen.

Im Folgenden sind einige Gründe aufgeführt:

Die Taufe ist die Eintrittstür in die christliche Gemeinschaft. Für manche Eltern ist es wichtig, dass ihr Kind, auch wenn es nur kurze Zeit lebt, in diese Raum und Zeit übergreifende Gemeinschaft gehört und dort seinen Platz hat. Dies wird noch auf andere Weise betont, wenn die Taufe des Kindes in der zugehörigen Ortsgemeinde am Sonntag im Gottesdienst abgekündigt wird und die Eltern dies wissen.

Die Taufe ist immer auch der Ort, an dem für das Leben eines Kindes gedankt wird und die Freude über seine Geburt einen Platz hat. Auch bei stark gefährdeten oder sogar sterbenden Kindern gibt es bei den Eltern neben der Trauer über die Lebensgefährdung diese Freude, denn oft haben sie das Kind schon lange erwartet. Eine Taufe bietet die Möglichkeit, diese gegensätzlichen Gefühle zusammenzuhalten. Die Taufe vergewissert darin, dass dieser kleine Mensch sein von Gott gesehenes Leben hat: Er ist einmalig, hat einen Namen und ist bei Gott unvergessen.

Die Ohnmacht, die Eltern aushalten müssen, wenn sie erkennen, dass sie für ihr Kind nichts tun können, was dessen Versterben verhindern kann, ist sehr groß. Aber zumindest können sie es noch taufen lassen. Und damit versichern sie sich, dass ihr Kind nicht nur ihres, sondern auch ein Kind Gottes ist und einen himmlischen Vater hat. Dieser hat versprochen, sein Heil im umfassenden Sinn zu schenken. Und auch, wenn es sich für manches Kind in dieser Situation nicht in Leben und Gesundheit äußert, kann es doch, wenn es geglaubt wird, für Eltern etwas Tröstliches haben. Eng verbunden damit ist die Vorstellung, dass der Täufling durch die Taufe in den Herrschaftsbereich Gottes gehört, in die „andere Welt". Bei Kindern, die dem Tod sehr nahe sind, ist die Taufe für Eltern manchmal auch so etwas wie ein Übergangsritual und hilft ihnen beim Loslassen. Sie geben ihr Kind aus ihren Händen in die Hände Gottes.

Die Taufe kann für Eltern der „Ort" sein, an dem verdeutlicht wird, dass das Leben ein Geschenk ist und unsere Macht darüber begrenzt. Mit dem nahenden Tod des Kindes bricht das Nichtverfügbare in das elterliche Leben und weckt oft das Bedürfnis des Beistands „von oben". Mit der Taufe bringt die Pfarrerin oder der Pfarrer die Kirche und damit Gott auf die Intensivstation.

Eine Taufe auf der Intensivstation bedeutet die Herstellung von einem Stück Öffentlichkeit. Oft werden Familienangehörige, Patient*innen und auch Mitarbeitende dazu eingeladen. Das Kind steht in besonderer Weise im Mittelpunkt – nicht als Patient*in, nicht als Baby, um dessen Leben sich Eltern und Mitarbeitende sorgen, sondern als kleiner Mensch mit unverwechselbarer Geschichte und eigenem Weg. Alle, die dabei sind, bezeugen dies. Für viele Eltern ist es deshalb wichtig, dass Paten oder Patinnen in die Taufurkunde eingetragen werden. Allerdings haben diese hier eine andere Aufgabe als bei Kindern, die ins Leben getauft werden: Sie sind Zeug*innen dafür, dass dieses Kind gelebt hat. Ein Elternpaar, das Drillinge verloren hatte, formulierte es so: „Wir erwarten von den Paten, dass sie uns helfen, die Erinnerung an die Kinder zu bewahren."

Auch die Seelsorge kann auf besondere Weise die Rolle der Zeugenschaft bekommen. Ganz deutlich wird dies, wenn es von den Eltern die Bitte gibt, auch das nachgeborene Geschwisterkind zu taufen – mit der Präsenz derer, die das verstorbene Kind getauft hat, ist dieses selbst präsent.

8.1.2 Taufhandlung

Zur Taufe gehören ganz wesentlich, neben dem Wunsch der Eltern, dass ihr Kind getauft wird, folgende Dinge:

- **Taufwasser:** normales lauwarmes Leitungswasser
- Dazugehörige **Worte:** „Ich taufe dich, im Namen Gottes, des Vaters, des Sohnes und des Heiligen Geistes"
- **Taufkerze:** gekauft oder selbst hergestellt
- **Taufformular:** für die Kirchgemeinde

- **Taufurkunde und Patenurkunde:** Bei der Auswahl von Taufurkunde und Patenurkunde sollte darauf geachtet werden, dass die darauf abgedruckten Texte die Eltern nicht jedes Mal daran erinnern, dass eigentlich ins Leben getauft wird.
- **Taufutensilien:** eine Schale für das Taufwasser, ein kleines Tischtuch, ein kleines Kreuz
- **Taufspruch:** Im Folgenden werden Beispiele, nach der Lutherbibel in revidierter Fassung von 1984, zitiert:
  - Psalm 27,1: „Der Herr ist mein Licht und mein Heil, vor wem sollte ich mich fürchten? Der Herr ist meines Lebens Kraft; vor wem sollte mir grauen?"
  - Psalm 91,11: „Denn er hat seinen Engeln befohlen, dass sie dich behüten auf allen deinen Wegen."
  - Römerbrief 8,38 f.: „Denn ich bin gewiss, dass weder Tod noch Leben, weder Engel noch Mächte noch Gewalten, weder Gegenwärtiges noch Zukünftiges, weder Hohes noch Tiefes noch eine andere Kreatur uns scheiden kann von der Liebe Gottes, die in Christus Jesus ist, unserem Herren."
  - Psalm 139,5: „Von allen Seiten umgibst du mich und hältst deine Hand über mir."
  - Psalm 139, 17.18: „Aber wie schwer sind für mich, Gott, deine Gedanken! Wie ist ihre Summe so groß! Wollte ich sie zählen, so wären sie mehr als der Sand: Am Ende bin ich noch immer bei dir."
  - 1. Korintherbrief 13,13: „Nun aber bleiben Glaube, Hoffnung, Liebe, diese drei; aber die Liebe ist die Größte unter ihnen."
  - Prophet Jesaja 43, 4.5: „Weil du in meinen Augen so wert geachtet und auch herrlich bist und weil ich dich lieb habe, … so fürchte dich nun nicht, denn ich bin bei dir…"
  - Psalm 4,9: „Ich liege und schlafe ganz mit Frieden, denn allein du Herr hilfst mir, dass ich sicher wohne."
  - Psalm 17, 8: „Behüte mich wie einen Augapfel im Auge, beschirme mich unter dem Schatten deiner Flügel."
  - Psalm 36,10: „Denn bei dir, Gott, ist die Quelle des Lebens und in deinem Licht sehen wir das Licht."

Ein möglicher Ablauf der Taufe

- „Mit der Taufe wollen wir das Kind xxx jetzt in Gottes Hand legen und bitten deshalb: ‚Der Friede Gottes sei mit uns allen'. Amen"
- „(Name des Kindes) ich taufe dich im Namen Gottes, des Vaters und des Sohnes und des Heiligen Geistes." Dabei dreimal Wasser über die Stirn des Kindes laufen lassen
- „Nimm hin das Zeichen des Kreuzes, es zeigt, dass du für immer ein Kind Gottes bist." Dabei Kreuzeszeichen auf Stirn und Brust
- „Dein Taufspruch, den Deine Eltern für Dich ausgesucht haben, lautet…"
- Freies Gebet oder folgendes Gebet für ein sterbendes Kind: „Gott unser Vater, sieh uns an in unserer Zerrissenheit. Wir freuen uns über (Name des Kindes) und müssen ihm/ihr schon wieder leb wohl sagen. Wir bitten dich, lass (Name des Kindes) als dein Kind bei dir geborgen sein und schenk ihm deine ganze Liebe. Gib den Eltern Kraft in dem, was vor ihnen liegt und schenke Ihnen die Gewissheit, dass ihr Kind bei dir gut aufgehoben ist."
- Vater-unser-Gebet: „Vater unser im Himmel. Geheiligt werde dein Name. Dein Reich komme. Dein Wille geschehe, wie im Himmel, so auf Erden. Unser tägliches Brot gib uns heute. Und vergib uns unsere Schuld, wie auch wir vergeben unseren Schuldigern. Und führe uns nicht in Versuchung, sondern

erlöse uns von dem Bösen. Denn dein ist das Reich und die Kraft und die Herrlichkeit in Ewigkeit Amen."

- Oder: Freies Gebet oder folgendes Gebet für ein Kind, bei dem noch Hoffnung besteht: „Gott wir danken dir für dieses Kind und bitten dich, sei mit ihm auf seinem Weg. Du kennst unsere Hoffnung und unsere Befürchtung, hilf uns, seinen Weg in deine Hand zu geben."
- „Gott segne euch: Und sei bei euch in Angst und Ohnmacht. Gott schenke euch Licht in der Dunkelheit. Amen"

Merke Gebete dürfen nicht zur medizinischen Aufklärung benutzt werden.

8.1.3 Besonderheiten

Beim Taufen von Kindern, die sich in akuter Lebensgefahr oder sogar im Sterben befinden, sollte der seelsorgerliche Anlass über der kirchenrechtlichen Korrektheit stehen. Das heißt, dass im Gespräch mit den Eltern aufmerksam gehört werden muss, was diese befürchten, wünschen oder brauchen. So kann es vielleicht nur möglich sein, den Inkubator mit dem Taufwasser zu befeuchten, weil die Eltern Angst haben, dass sich der Zustand ihres Kindes verschlechtern könnte, wenn es während der Taufe berührt würde. Gleichermaßen wurden auch schon Kinder getauft, deren Eltern keiner christlichen Kirche angehörten. Ebenso kann es passend sein, Kinder zu taufen, die noch im Mutterleib sind, weil sie nicht lebend auf die Welt kommen werden. Wir glauben, dass in der Taufe Gott wirkt, was dabei im Einzelnen geschieht, das entzieht sich unserem Wissen und unserer Einflussnahme. Die Seelsorgerin und der Seelsorger können nur das Ihre tun, und das ist in einer außergewöhnlichen Situation auch manchmal eine außergewöhnliche Taufe.

8.2 Segnen

Der Segen kommt von Gott und wird durch ein Wort und die Geste eines Menschen vermittelt. „Sein Grundinhalt ist Zusprechen von heilender Kraft."

Für verstorbene Kinder hat die Seelsorge in der Charité ein Segensritual entwickelt. Es ist ein Ritual für die Eltern und andere Familienangehörige, das ihnen beim Loslassen helfen kann und sie darin vergewissern will, dass dieses Kind, auch wenn es gestorben ist, ihr Kind bleibt und sie die Eltern dieses Kindes bleiben. Segnen können prinzipiell alle, die den entsprechenden Ernst und Glauben mitbringen. Anders als bei einer Nottaufe steht für eine Segnung meistens eine längere Zeitspanne zur Verfügung. Folglich kann sie langfristiger geplant werden und an einem Ort außerhalb der Intensivstation stattfinden. Manchmal ist eine Segnung der Abschluss einer längeren, mehrtägigen Verabschiedung der Eltern von ihrem verstorbenen Kind (► Kap. 7). Ein guter Ort kann ein Abschiedsraum in der Klinik oder die Krankenhauskapelle sein, weil dort Kerzen angezündet werden können und die Atmosphäre nicht mehr von medizinischem und pflegerischem Tun bestimmt ist.

Eltern aus anderen Kulturen nehmen mitunter die Anregung, ihr Kind in ihrer Muttersprache zu segnen, gerne auf.

Erfahrungsgemäß bietet ein kurzes Ritual die Möglichkeit, die Gefühle zu fokussieren und mindert die Gefahr, sich in ihnen zu verlieren.

8.2.1 Segenshandlung

Segenskerze Sie kann mit einer Taufkerze identisch sein, jedoch ohne das Wort „Taufe".

Segensurkunde Sie ist entsprechend der Taufurkunde selbst gestaltet.

Im Folgenden ist ein möglicher Ablauf einer Segnung dargestellt:

- „Wir sind zusammengekommen im Namen Gottes um Ihr Kind (Name des Kindes) zu segnen.“
- Gebet, das die Situation aufnimmt
- Segnung des Kindes: (Handauflegung) „Gott, der Vater, der dir das Leben geschenkt hat, (für X Monate im Mutterleib und Y Tage/Wochen/Monate auf dieser Welt) und der dich wieder zu sich gerufen hat, er segne dich. Er schenke dir all seine Liebe und lasse dich für immer das Kind deiner Eltern (das Enkelkind deiner Großeltern, …) sein. Es segne dich der dreieinige Gott, der Vater, der Sohn und der Heilige Geist.“
- Segensspruch, den die Eltern ausgewählt haben dem Kind vorlesen
- Vater-Unser-Gebet beten
- „Segen über den Eltern: (Hände auf die Köpfe der Eltern), (Name der Mutter) und (Name des Vaters) Gott segne Sie als Eltern von (Name des Kindes). Er stehe Ihnen bei in Ihrem Schmerz um (Name des Kindes), er verbinde Sie in Liebe und schenke Ihnen Hoffnung. Amen“

Die Taufsprüche unter ► Abschn. 8.1.2. eignen sich auch als Segenssprüche.

8.3 Mehrlingsschwangerschaften – Seelsorge beim Tod eines Kindes

Teilverwaiste Mehrlingseltern sind in emotionaler Hinsicht besonders gefordert. In manchen Fällen hat es sich als hilfreich erwiesen, wenn die Mitarbeitenden der Station oder der psychosozialen Elternberatung den Umgang mit dem lebenden Kind auf der neonatologischen Station begleiten und ein Seelsorger oder eine Seelsorgerin für das verstorbene Kind da ist. An dieser Stelle erweist sich die multiprofessionelle Begleitung und interdisziplinäre Kommunikation als besonders vorteilhaft.

Im Zusammenhang mit der Betreuung verwaister Mehrlingseltern ist die Bestattung von still geborenen Kindern ein besonders wichtiges Thema. Die Gewichtsgrenze für die Bestattungspflicht dieser Kinder ist im Bestattungsgesetz der einzelnen Länder geregelt und variiert. Für diejenigen Kinder, die sich unterhalb dieser Gewichtsgrenzen befinden und damit nicht einer Bestattungspflicht unterliegen, bieten viele Kliniken bereits gemeinschaftliche Bestattungen an. Die Eltern sollten entscheiden können, ob sie zu der Bestattung eingeladen werden möchten oder nicht. Diese Bestattungen sind in der Verantwortung der Seelsorge und es gibt, wie bei allen Bestattungen, eine Feier. Erfahrungsgemäß ist dies ein wichtiger Termin für die Eltern. Einerseits ist es eine Zeit, die nur ihrem Kind gehört und andererseits ein wesentlicher Schritt auf dem Weg der Trauer und der Abschluss einer unwiederbringlichen Zeitspanne. Die Gemeinschaft mit anderen Eltern in ähnlicher Situation kann tröstlich sein. Als tröstlich wird ebenfalls erlebt, dass es eine Grabstelle gibt, zu der sie jederzeit kommen können. Darüber hinaus gibt es selbstverständlich auch die Möglichkeit, das still geborene Kind individuell zu bestatten.

8.4 Erfahrungen aus der seelsorgerlichen Begleitung

8.4.1 Die Zweifel an der Hochleistungsmedizin

Ein Thema in seelsorgerlichen Gesprächen ist die Sinnhaftigkeit der Hochleistungsmedizin und Lebenserhaltung von Neugeborenen mit lebensbedrohlichen oder -limitierenden Erkrankungen. Als Beispiel sei hier ein Ehepaar genannt, mit dem es im

Gespräch darum ging, ob sie ihr Kind nicht lieber mit einem Kissen ersticken als es den Tortouren von Intensivmedizin und Chirurgie auszusetzen. Eltern brauchen einen geschützten Raum, in dem auch solche Gedanken und Gefühle unzensiert ausgesprochen werden können, und wünschen sich auch dafür Verständnis. Sie haben oftmals ein tiefes Empfinden für das seelische Leiden ihres Kindes inmitten aller medizinischen Maßnahmen und Möglichkeiten.

8.4.2 Seelsorge als Anwältin von Hoffnung und Realität

Eltern von sterbenden Kindern oder von Kindern mit infausten Prognosen haben manchmal Schwierigkeiten, diese Realität gleichermaßen emotional als auch rational zu erfassen.

Hier sollte auch die Seelsorge wahrhaftig sein und keine Hoffnung machen, wo keine Hoffnung ist. Aus diesem Grunde ist es für die Seelsorge wichtig, die ärztliche Prognoseeinschätzung zu kennen. Die medizinische Sicht den Eltern nahezubringen, ist dennoch nicht ihre Aufgabe.

Die Aufgabe der Seelsorge ist es, Anwältin von Realität und Hoffnung zu sein. Die Hoffnung im Angesicht eines sterbenden Kindes ist nicht mehr auf Gesundung ausgerichtet, sondern meint die Zuversicht, dass das Kind an einem anderen Ort gut aufgehoben ist, dass es nicht mehr leiden muss und dass das Leben der Eltern mit dem Tod ihres Kindes nicht sinnlos geworden ist.

8.4.3 Kulturelle und religiöse Besonderheiten

Es gibt immer wieder Eltern, deren Verhalten, auch bei viel Einfühlungsvermögen, nicht nachvollziehbar ist. Oftmals stehen dabei für uns fremde kulturelle oder religiöse Vorstellungen im Hintergrund. Eine Auflistung von Religionen und Religionsgemeinschaften mit deren spezifischen Gepflogenheiten des Trauerns, Abschiednehmens und den Vorstellungen über den Tod ist für die praktische Arbeit auf der Station erfahrungsgemäß nur wenig nützlich. Alle Menschen besitzen eine persönliche Einstellung zu Tod und Sterben, die sich aus verschiedenen Quellen speist und auch bei Zugehörigkeit zu einer Religionsgemeinschaft sehr individuelle Züge tragen kann. Wichtig ist, einen Kontakt aufzubauen, der es ermöglicht, dieser Individualität einen Raum zu geben und u. U. auch ein Gespräch darüber zu führen. Erfahrungsgemäß sollten Haltungen oder Verhaltensweisen von Eltern dann respektvoll hinterfragt werden, wenn eine offensichtliche Gefahr besteht, dass sie bei ihnen oder dem Kind Schaden anrichten könnten. Für Familien muslimischen Glaubens, ohne Einbindung in eine Großfamilie, kann es hilfreich sein, in Absprache mit den Eltern schon frühzeitig ein islamisches Bestattungsinstitut hinzuzuziehen. Die dort arbeitenden Mitarbeitenden kennen sich mit den rituellen Handlungen aus und leiten sehr oft auch das traditionelle Totengebet. Mitunter sind auch muslimische Eltern aus unterschiedlichen Gründen offen für ein Gespräch mit der christlichen Seelsorge. Ebenso kann es möglich sein, dass sehr christliche Eltern keine Seelsorge wünschen, weil für sie alles klar ist oder sie auch in der Klinik weiterhin engen Kontakt zu ihrer Kirchgemeinde haben. Das Angebot der Seelsorge sollte für alle Menschen gelten, unabhängig von ihrer konfessionellen Zugehörigkeit oder religiösen Orientierung.

8.5 Zusammenfassung

Die Erfahrung zeigt, dass es sinnvoll ist, im Gespräch mit den Eltern herauszufinden, welche Vorstellungen sie vom Sterben ihres

Kindes haben. Oftmals finden sie Ressourcen des Trostes und der Trauerbewältigung, und das Aussprechen ist eine Art Vergewisserung. So beispielsweise, wenn sie sagen „Unsere Tochter geht zu ihrer Oma". Ein geliebter schon länger verstorbener Mensch ist manchmal wie jemand, an den sie ihr Kind abgeben können.

So individuell die Geschichten, Umstände und Bewältigungsstrategien der Eltern sind, so individuell sind auch ihre Vorstellungen vom Sterben ihres Kindes. Eltern tut es gut, Angebote zu bekommen, die sich auf den eigenen Glauben, die Entwicklung persönlicher Vorstellungen sowie die Gestaltung individueller Rituale beziehen. Raum geben zum Reden und Hören und gemeinsamen Suchen nach dem, was für sie stimmt, ist deshalb oft sehr wichtig und auch bereits ein Teil des Trauerprozesses.

Das Angebot der Seelsorge hat einen wichtigen Platz in der multiprofessionellen Begleitung von Eltern schwerstkranker, sterbender und verstorbener Kinder. Sie bietet einerseits einen, auch durch das Seelsorgegeheimnis geschützten Raum für die Gedanken und Gefühle der Eltern. Andererseits vergewissert sie mit dem Angebot christlicher Rituale, dass Gott auch in Trauer und Verzweiflung da ist, und weist damit über die momentane Situation der Eltern hinaus.

Literatur

Lutherbibel (1984) Bibeltext in der revidierten Fassung von, Deutsche Bibelgesellschaft, Stuttgart 1985

Religion in Geschichte und Gegenwart (RGG) Tübingen 1961, 3. Aufl.

Religion in Geschichte und Gegenwart Band V, S. 1650 Spalte 2, Tübingen 1961, 3. Aufl.

Begleitung durch Bestattungsunternehmen

Ulrich Gscheidel

Inhaltsverzeichnis

L. Garten und K. von der Hude (Hrsg.), *Palliativversorgung und Trauerbegleitung in der Neonatologie,* https://doi.org/10.1007/978-3-662-71982-4_9

Die Aufgabe von Bestatter*innen beginnt nach Eintritt des Todes. Vorsorgende Kontakte und klärende Gespräche im Vorfeld kommen eher selten vor, könnten jedoch sehr hilfreich sein, um schon frühzeitig ein gewisses Vertrauensverhältnis anzubahnen. In solchen vorsorgenden Gesprächen gibt es aber auch einen Loyalitätskonflikt zu der Hoffnung, dass sich doch noch alles zum Guten wenden könnte. Mit dem Tod werden Patienten und Patientinnen zu Verstorbenen, die keinen Anspruch auf Leistungen der Krankenkasse mehr haben und nicht mehr Teil des Gesundheitssystems sind. Dies gilt insbesondere, seitdem die Krankenkassen kein Sterbegeld mehr bezahlen. Insofern markiert der Tod eines Menschen auch den Übergang aus dem Gesundheitssystem in einen Wirtschaftsbetrieb, da das Bestattungswesen nicht dem öffentlichen Gesundheitswesen angehört.

> Bezuschussung zu den Beerdigungskosten: Gemäß § 74 SGB XII sind die erforderlichen Kosten einer Beerdigung zu übernehmen, soweit den verpflichteten Personen nicht zugemutet werden kann, diese selbst zu tragen. Zuständig ist das zuständige Sozialamt des Sterbeortes.

Um emotionale Belastungen durch unsensible Begleitung und Verweigerung von Herzenswünschen der Eltern zu vermeiden, sollte die wertvolle Zeit zwischen Tod und Bestattung genutzt werden, um mit Hilfe der bestattenden Person mögliche Trittsteine zu legen. Sie können als Basis dienen für die spätere Bewältigung des Verlustes.

9.1 Rechtliche Grundlagen

Im Wesentlichen sind es zwei Gesetze, die im Umfeld von Tod und Bestattung zum Tragen kommen:

- Das Standesrecht gilt in allen Bundesländern und regelt, dass ein Sterbefall beurkundet werden muss. Das Ergebnis ist eine Sterbeurkunde. Dafür muss jedoch zuvor die Geburt beurkundet sein. Im Allgemeinen kümmert sich das Bestattungsunternehmen um die Erlangung der Sterbeurkunde, da sie auch vom Unternehmen zur Durchführung der Bestattung benötigt wird. Diese Dienstleistung eines Bestattungsunternehmens ist meist sehr unterstützend, denn die wenigsten Angehörigen wünschen sich in ihrer emotional schwierigen Situation den Kontakt zu Behörden.
- Das Bestattungsgesetz ist Länderrecht und unterscheidet sich in den einzelnen Bundesländern in einigen Details. Es definiert immer, was eine Leiche ist und wie mit einer Leiche zu verfahren ist. Da alle Patient*innen einer neonatologischen Station gelebt haben, werden sie in den Gesetzen nach Eintritt des Todes zu einer Leiche und fallen damit in den Geltungsbereich des jeweiligen Bestattungsgesetzes. Es regelt u. a. die Verfahrensweise bei der Todesfeststellung, den Transport einer Leiche, Fristen für die Überführung in eine Kühlung, Art und Beschaffenheit des Fahrzeugs, in dem Verstorbene transportiert werden dürfen, und Fristen eines frühesten oder spätesten Beerdigungstermins.

Das Bestattungsgesetz versucht der Tatsache Rechnung zu tragen, dass die Würde eines Menschen nicht mit dem Tod endet, sondern über den Tod hinaus reicht. Insofern wird ein würdevoller Umgang mit dem Leichnam in allen Gesetzen gefordert. Große Teile der Bestattungsgesetze wurden in den vergangenen 150 Jahren immer nur geringfügig angepasst und fortgeschrieben. Sie spiegeln in einigen Passagen eher die Hygienevorstellungen und technischen Möglichkeiten des vergangenen Jahrhunderts wider. Im Vordergrund steht der hygienisch, sittlich und moralisch einwandfreie Umgang mit der Leiche. Dies beruht auf der Haltung, dass dem Leichnam auch weiterhin noch Persönlichkeitsrechte zugeschrieben werden und er nicht zu einer „Sache" gemacht wird. Es tauchen deshalb Begriffe wie „würdevoll" oder „pietätvoll" in den Texten auf. Von Verabschiedungskultur oder Trauerbewältigung ist in den Gesetzestexten allerdings nicht die Rede.

Zu beachten ist bei Kindern, die ggf. zuhause palliativ betreut werden oder nach dem Tod in der Klinik noch einmal nach Hause transportiert werden sollen, dass in allen Bundesländern eine Frist definiert ist, wann eine verstorbene Person in eine Kühlung überführt werden muss. Aus diesem Grund ist es empfehlenswert, in jeder Neonatologie einen Ausdruck des jeweiligen regionalen Bestattungsrechts verfügbar zu haben. Die „Bestattungsgesetze" jedes Bundeslandes sind bei Wikipedia als PDF hinterlegt.

9.2 Aufgaben des Bestattungsunternehmens

Alle Toten müssen bestattet werden, und letztendlich ist es die Aufgabe des Bestattungsunternehmens, alle Details so zu organisieren, dass diese den Wünschen der Angehörigen entsprechen und konform gehen mit dem Bestattungsrecht des jeweiligen Bundeslandes. Dazu muss die Familie eine Reihe von Entscheidungen treffen. In welcher Form die bestattende Person diese Entscheidungsprozesse anstößt, begleitet und letztendlich umsetzt, ist sehr unterschiedlich und von der eigenen Haltung und der des jeweiligen Unternehmens abhängig.

Folgende Entscheidungen müssen Eltern immer treffen:

- Soll unser Kind erd- oder feuerbestattet werden?
- Welche Art des Sarges, der Kleidung, sowie der Sargbeigaben wünschen wir uns?
- Wo wollen wir unser Kind begraben?
- Wie wollen wir die Trauerfeier und die Beisetzung gestalten?

Das Bestattungsunternehmen trägt die organisatorische Gesamtverantwortung für sämtliche notwendigen Absprachen sowie die Umsetzung derselben und die termingerechte Durchführung der Bestattung. Für die Organisation dieser notwendigen Arbeitsschritte wäre es für das Unternehmen einfacher, wenn bereits im ersten Gespräch alle Details der gewünschten Abläufe bis hin zur Gestaltung der Beisetzung geklärt werden könnten. Dies widerspricht jedoch völlig einer Orientierung am Trauer- und Verabschiedungsprozess der Angehörigen und erweist sich für diese erfahrungsgemäß als wenig hilfreich. Die Angehörigen befinden sich in einer emotionalen Ausnahmesituation, die es ihnen erschwert, so viele Entscheidungen auf einmal zu treffen, insbesondere vor dem Hintergrund, dass fast alle getroffenen Entscheidungen irreversibel sind.

Viele Tätigkeiten, die heute zum Berufsbild von Bestattern und Bestatterinnen gehören, sind früher von den Familien selbst oder der dörflichen Gemeinschaft übernommen worden. Der Beruf hat seine Wurzeln bei der Sargherstellung durch Tischler*innen oder im Fuhrgewerbe und ist heute noch ein Handwerksberuf. Es gibt große Unterschiede, wie sich Bestattungsunternehmen heute positionieren. Es gibt „Discountbestattungsunternehmen", „Traditionsbestattungsunternehmen", Familienunternehmen, Bestattungsunternehmen mit vielen Filialen, Bestatter*innen im ländlichen Raum und Idealist*innen aus den unterschiedlichsten Gründen. Ein Unternehmen, das sich durch niedrige Preise auf dem Markt behaupten möchte, kann sich eine zeitaufwändige Begleitung der hinterbliebenen Eltern aus wirtschaftlichen Gründen meist nicht leisten. Letztlich hängt jedoch die Art der Begleitung neben der Firmenphilosophie vor allem von den Menschen ab, denen die Hinterbliebenen im jeweiligen Unternehmen begegnen. Menschen sind eben sehr unterschiedlich und passen nicht immer gut zusammen.

9.3 Stationen auf dem Weg zur Beisetzung

9.3.1 Erstgespräch – Entscheidung für ein Bestattungsunternehmen

Das Erstgespräch ist meist auch die erste Begegnung der Eltern mit einer Person des Bestattungsunternehmens. Hier geht es in erster Linie um den Aufbau von Vertrauen, denn man wird in den nächsten Tagen und Wochen sehr eng miteinander kooperieren müssen. Neben fachlicher und regionaler Kompetenz von Bestatter*innen kommt es dabei natürlich auch darauf an, dass die Eltern sich vorstellen können, mit diesem Gegenüber die Bestattung nach ihren Vorstellungen zu gestalten. Die Eltern können sich immer für das Unternehmen ihrer Wahl entscheiden und haben das Recht, ihre Entscheidung auch erst nach Vorgesprächen mit verschiedenen Unternehmen zu treffen. Das Erstgespräch kann sowohl in der Klinik als auch bei den Eltern zuhause oder im Bestattungsunternehmen stattfinden. Im Sinne einer Übergabe ist es sehr hilfreich, wenn das Gespräch unter Einbeziehung z. B. einer Bezugsperson aus dem psychosozialen Betreuungsteam der Klinik als eine Unterstützung bei der Vertrauensbildung bereits in der Klinik stattfinden kann.

Die für den weiteren Weg entscheidenden Fragen müssen gestellt, aber von den Eltern nicht direkt beantwortet werden. Dennoch sind bestimmte Entscheidungen zeitnah zu treffen. Da diese Entscheidungen letztendlich unwiderruflich sind, müssen sich die Eltern für einen bestimmten Weg entscheiden. Dies sind oft „Entweder-oder-Entscheidungen". Es gibt oft kein „sowohl als auch", keinen wirklichen Kompromiss. Da die Eltern verstorbener Kinder eher jung sind, haben sie zumeist auch wenig bis gar keine eigene Erfahrung mit Beerdigungen. Zudem kommen sie aus unterschiedlichen Familien, in denen möglicherweise sehr unterschiedliche Familientraditionen im Zusammenhang mit Beerdigungen gepflegt wurden. Dies erschwert oft die Entscheidungsfindung.

Im Erstgespräch geht es erfahrungsgemäß darum, Eltern darin zu bestärken, ihren eigenen Weg als Elternpaar zu finden und zu gemeinsamen Entscheidungen in Bezug auf die Beerdigung zu kommen. Dies kann mitunter ein paar Tage in Anspruch nehmen. Vor dem Hintergrund der Tatsache, dass die Eltern eigentlich damit überfordert sind, diese Entscheidungen überhaupt treffen zu müssen, ist es erfahrungsgemäß hilfreich, die Eltern zwar mit den nötigen Entscheidungen zu konfrontieren, ihnen die Konsequenzen der jeweiligen Entscheidungen auch zu erklären, sie jedoch zeitlich nicht unter Druck zu setzen. Bundesländer, die jedoch in ihrem Bestattungsgesetz eine Frist zur Bestattung vorgeben, setzen dadurch die Eltern möglicherweise unter einen Zeitdruck, der nicht immer hilfreich ist. Die Entscheidung für ein Unternehmen, für einen bestimmten Menschen, ist eine wichtige Weichenstellung für den weiteren Weg. Nicht alle passen zueinander, und es wäre eine falsche Annahme, dass ein Unternehmen – so gut es auch für viele Familien schon gearbeitet hat – deshalb auch für diese Familie das Richtige sein müsse.

9.3.2 Der Sarg

In den meisten Bundesländern besteht eine Sargpflicht. Für die Beisetzung muslimischer Menschen gibt es mittlerweile Ausnahmen, da religiöse Vorgaben ausschließlich eine Beisetzung in einem Tuch verlangen. Die technischen Anforderungen an einen Sarg, auch an einen ganz kleinen, sind eher ökologischer und hygienischer Natur: Das Material muss biologisch abbaubar sein und seine Konstruktion muss ein Austreten von Flüssigkeiten und Gerüchen verhindern. Besonders der Sarg für Neugeborene und Säuglinge ist so etwas wie ein letztes Bettchen. Er wahrt die Intimsphäre und schützt vor dem direkten Kontakt mit der Erde. Als Symbol steht der Sarg für den Tod, für Endgültigkeit und Trennung. Für die meisten Eltern ist es dennoch tröstliches Wissen, dass ihr Kind behütet und weich gebettet im Sarg liegt und dass es von Dingen begleitet wird, die sie ihm mitgegeben haben. Für viele Eltern ist es tröstlich, den Sarg für ihr Kind selbst gestaltet zu haben. Sie sollten ermutigt werden, darüber nachzudenken, ob sie den Sarg bemalen, bekleben oder beschriften wollen. Dies ist auch für die verwaisten Geschwister eine Möglichkeit, sich einzubringen und aktiv zu werden.

Prinzipiell besteht die Möglichkeit, eine gewisse handwerkliche Geschicklichkeit vorausgesetzt, dass die Familie den Sarg für ihr Kind auch selbst baut. Da der Sarg für den nächsten Schritt – die Einbettung – aber benötigt wird, gibt es hier leider oft nur ein kurzes Zeitfenster. Die Gestaltung des Sarges, außen wie innen, ist für die Familie eine Möglichkeit, ins Handeln zu kommen und sich dadurch nicht nur dem Schicksal ausgeliefert zu fühlen. Auch in diesem Punkt geht es darum, Eltern zu ermutigen, zu unterstützen und darin zu bestärken, dass sie in der Lage sind, ihren individuellen Weg zu gehen, um mit dem Tod ihres Kindes umzugehen.

9.3.3 Einbettung

Ein totes Kind muss irgendwann in einen Sarg gelegt werden. Dies ist eine Zäsur, die verdeutlicht, dass es kein Zurück mehr gibt. Keine Chance, dass alles nur ein „böser Traum“ war, sondern dass der Tod wirklich eingetreten ist und dass die nächste Station der Friedhof sein wird. Die Erfahrung zeigt, dass es gut ist, die Eltern zu ermutigen, auch bei diesem Schritt dabei zu sein bzw. es selbst zu tun. Es sind die letzten möglichen Liebesdienste, das letzte Anfassen, der letzte Blick und die Erfahrung, dass sich der tote Körper immer weiter von dem entfernt, was ihr Kind gewesen war. Die Eltern haben dies noch nie gemacht, natürlich sind sie verunsichert und schauen mit bangem Herzen auf diesen Termin hin. Wenn sie dann bei der Einbettung dabei waren, vielleicht sogar den Deckel selbst verschlossen haben, ihre letzte Zeit mit ihrem Kind selbst gestaltet haben, dann sind sie auch bereit für die nächsten Schritte. Nicht für alle Eltern ist dies ein zwingend nötiger Schritt. Für manche war es vielleicht ausreichend, das Sterben ihres Kindes zu begleiten und dies als Abschluss zu betrachten. Auch diese Eltern kann man dennoch respektvoll zu einer gemeinsamen Einbettung ermutigen. Es ist ein so wesentlicher Schritt des Hergebens, der verdeutlicht, dass sie als Eltern das Unvermeidbare aktiv mitgestalten. Auch dies ist ein Trittstein für den Weg durch die Trauer.

9.3.4 Terminvereinbarung zur Einbettung

Wegbegleitung bedeutet an dieser Stelle, auch Impulse zu setzen für die individuelle Gestaltung dieser Situation: Neben der Ermutigung der Eltern, bei diesem letzten Schritt dabei zu sein, kann ebenso die Möglichkeit angesprochen werden, die Großeltern, Geschwister oder andere wichtige Menschen mit einzubeziehen. Die Eltern können sich im Vorfeld Gedanken machen, was sie ihrem Kind mit in den Sarg geben möchten. Viele nutzen die Gelegenheit noch, einen Brief zu schreiben, ein Familienfoto oder ein Kuscheltier auszusuchen. Sie überlegen sich, ob sie ihrem Baby noch einmal andere Kleidung anziehen oder in welches Tuch sie es vielleicht wickeln möchten. Die Terminierung ermöglicht den Eltern, sich vorzubereiten. Gleichzeitig ist ihnen bewusst, dass sich ihre Bedürfnisse und Handlungen im Augenblick der Einbettung vielleicht auch noch einmal verändern können, da sie meist keine Referenzerfahrung haben und im Vorfeld nicht wissen können, wie sie sich dann tatsächlich fühlen werden und was sie sich zutrauen können.

Die Eltern können vor Ort jederzeit ihren Bedürfnissen entsprechend entscheiden. Sie können in den vorbereiteten Raum mit hineingehen oder auch nicht. Sie können nur kurz aus der Entfernung schauen und dann den Profis alles Weitere überlassen, um dann später wieder dazuzukommen, wenn der Sarg bereits geschlossen ist oder aber dann beim Schließen des Sarges anwesend zu sein. Die Eltern können ihr Kind noch einmal von Kopf bis Fuß sehen, anfassen und anziehen, es auf den Arm nehmen, es selbst in den Sarg legen und den Sarg schließen.

9.3.5 Vorbereitungen zur Einbettung

Wegbegleitung heißt an dieser Stelle, einen Raum vorzubereiten, in dem die Eltern ungestört ein letztes Mal mit ihrem Kind zusammen sein können, vielleicht kann mit Kerzen und Blumen eine besondere Atmosphäre geschaffen werden.

Das tote Kind sollte so vorbereitet sein, dass es den Eltern möglichst vertraut erscheint und sie es leichter haben, sich ihm zu nähern. Dies gilt vor allem, wenn eine Obduktion stattgefunden hat (▶ Abschn. 4.8).

Fast alle Eltern fürchten sich vor den Veränderungen des toten Körpers und stellen sich die nachtodlichen Veränderungen meist gravierender vor, als sie tatsächlich sind. Dennoch sollten sich Bestatter*innen das Kind immer zuvor anschauen. Sie sind dann „Zeug*in" und können den Eltern direkt vor der Begegnung das Aussehen ihres Kindes beschreiben. Es geht dabei weniger um Details als um den Eindruck, den der tote Körper gemacht hat. Als Zeichen des Endpunktes dieses Termins sollte im Raum der Sarg auch schon sichtbar sein, ohne im Vordergrund zu stehen.

9.3.6 Die letzte Begegnung

Wegbegleitung heißt an dieser Stelle, dass eine Begleitung offen sein sollte für alles, was die Eltern jetzt tun möchten, ohne das Ziel aus dem Auge zu verlieren, dass am Ende dieses Termins das Kind im Sarg liegt und der Sarg geschlossen ist. Niemand weiß im Vorfeld genau, was bei dieser letzten Begegnung passieren wird. Für manche Eltern scheint die Situation trotz aller Umstände wie selbstverständlich, manchmal auch nur für einen von beiden. Andere Eltern sind sehr zögerlich. Jede Art der Annäherung ist in Ordnung. Manche brauchen viel Zeit, um die letzten Schritte bis hin zu ihrem Kind zu gehen, es anzuschauen oder anzufassen. Andere stürmen hinein und nehmen es wie selbstverständlich sofort in die Arme.

Im Vordergrund steht immer die Frage, was die Eltern auf ihrem Weg unterstützen kann. Manchmal ist es gut, sie für eine Weile allein zu lassen, manchmal brauchen sie die Sicherheit, die die Anwesenheit eines erfahrenen Menschen vermitteln kann, manchmal beides im Wechsel. Erfahrungsgemäß ist es gut, dies mit den Eltern zu kommunizieren. Oft ist es ein Wechselspiel zwischen Ergriffenheit, sich einlassen auf die eigene Trauer, sich wieder distanzieren, handeln, sich wieder hinsetzen, weil man es kaum aushält. Hier ist es vor allem wichtig, den Angehörigen Zeit zu geben und sie einfühlsam zu begleiten. Für begleitende Bestatter*innen bedeutet dies zum einen, sich immer wieder zu fragen, wo gerade der eigene Platz ist und wie viel Nähe oder Distanz oder auch Abwesenheit gerade angemessen ist. Zum anderen sollte die Person zwar offen sein für das, was geschehen mag und dennoch die Orientierung behalten, wo der Prozess am Ende hinführen muss. Am Ende ist der Sarg verschlossen und verbleibt im Raum. Die Eltern verabschieden sich mit einem eigenen Bild vom Sarg und wie ihr Kind darin gebettet wurde.

9.3.7 Die Kremation

Falls die Eltern sich für eine Feuerbestattung entschieden haben, führt der nächste Weg ins Krematorium. Dort findet dann eine im Bestattungsgesetz vorgeschriebene zweite Leichenschau durch einen Arzt bzw. eine Ärztin statt. Das Kind muss dafür noch einmal aus dem Sarg genommen, komplett entkleidet und untersucht werden. Wenn die nötigen amtlichen Papiere von Meldebehörde und Standesamt vorliegen, kann im Anschluss die Kremation stattfinden. Da Krematorien nicht speziell für die Verbrennung von Neugeborenen konzipiert sind, sondern auch große Menschen mit über 200 kg Körpergewicht kremieren müssen, ist die Kremation eines Neugeborenen, technisch betrachtet, nicht so einfach. Bei einem so kleinen Körper, in dessen Knochen zudem nur wenig Mineralstoff eingelagert wurde, verbleibt fast keine Totenasche (Kremationsrückstand). Es sind nur wenige „Krümel“, die zudem noch sehr sorgfältig in der Mineralisierungskammer zusammengesucht werden müssen. Bei einem reifen Neugeborenen verbleibt etwa „ein halbes Schnapsglas“ Totenasche. Es gibt Krematorien, die darauf eingerichtet sind, dass die Familie die Übergabe des Sarges an das Feuer begleiten kann. Viele sind jedoch eher für einen Massenbetrieb ausgelegt und bieten keine Räumlichkeiten, die für eine Abschiednahme durch die Eltern geeignet wären.

9.3.8 Die Beisetzung

Wegbegleitung heißt an dieser Stelle, sich auf die Familie und ihre Wünsche und Vorstellungen einzulassen und sie bei der Umsetzung zu unterstützen. Dieser letzte und endgültige Akt des Hergebens wird von vielen Faktoren bestimmt. Die Familie kann im Rahmen ihrer Möglichkeiten und im Rahmen der Friedhofsordnung fast alles selbst gestalten. Es bedeutet nicht, dass begleitende Bestatter*innen die Vorstellungen der Familie teilen müssen. Jede Verabschiedungsfeier ist ein Unikat, bedingt durch die Unterschiedlichkeit der jeweiligen Hinterbliebenen. Was der einen Familie Trost und Stärkung bietet, ist für eine andere Familie unvorstellbar. Wenn die Familie sich im Prozess bis zur Einbettung vom bestattenden Menschen gut begleitet und unterstützt gefühlt hat, ist daraus ein Vertrauensverhältnis erwachsen, das den Eltern hilft, die Planung der Verabschiedungsfeier und Beisetzung als einen weiteren notwendigen Schritt zu betrachten. In diesem Falle braucht die Familie vielleicht nur noch, neben ein paar Impulsen, die sie verwerfen, aufnehmen und abwandeln können, eine Beratung, wie sie ihre Ideen im Rahmen der Friedhofsordnung umsetzen können.

9.3.9 Nachsorgendes Gespräch

Prinzipiell endet die Dienstleistung von Bestatter*innen nach der Beerdigung. Für die Eltern beginnt jetzt ein neuer Abschnitt in der Zeit der Trauer. So sehr die Trauer auch schmerzt, so notwendig ist sie dennoch. Trauer ist keine Krankheit, sondern ein sich immer weiter wandelndes Lebensgefühl. In einem nachsorgenden Gespräch geht es darum, die Eltern auf diese Zeit vorzubereiten und ihnen zu verdeutlichen, dass das, was sie in den kommenden Monaten und Jahren erfahrungsgemäß innerlich und äußerlich erleben werden, normaler Teil ihrer Verlusterfahrung ist. Dazu gehören die Entwicklung eigener Bewältigungsstrategien, oft Veränderungen im Freundschaftskreis, schwierige Situationen in ihrer Paarbeziehung, die manchmal zu der Entscheidung führen zu heiraten, öfter aber auch zur Trennung.

Oft verändern sich persönliche Wertesysteme, die Frage nach einem „Was ist wirklich wichtig im Leben?“ wird neu beantwortet werden.

In diesem meist letzten persönlichen Gespräch sollten auch mögliche Anlaufpunkte für die jetzt kommende Zeit benannt werden. Dazu können spezielle Internetforen, Selbsthilfeorganisationen Trauerbegleiter*innen und möglicherweise auch therapeutische Hilfsangebote gehören (▶ http://extras.springer.com, Checkliste 6).

9.4 Schnittstelle Neonatologie – Bestattungsunternehmen

Die Aufgaben von Ärzt*innen und pflegenden Personen endet formal mit dem Tod der Patient*innen. Es gibt auch keinen Kostenträger mehr, der für die Betreuung der Eltern eines toten Kindes in Anspruch genommen werden könnte. Die Klinik sorgt noch für die ärztliche Todesfeststellung und organisiert die Überführung des toten Körpers in eine Kühlung. Dort übernimmt dann das beauftragte Bestattungsinstitut den Leichnam und kümmert sich zumeist auch um die Erledigung der notwendigen Behördengänge.

Wie in den vorhergehenden Kapiteln beschrieben, gibt es viele Möglichkeiten, die wertvolle Zeit zwischen dem Eintritt des Todes und der Bestattung im Verabschiedungsprozess innerhalb der Klinik zu gestalten. Überall dort jedoch, wo es keine institutionalisierte Elternbegleitung gibt, fallen alle diese Schritte meist in den Gestaltungsbereich des Bestattungsunternehmens und werden dort, je nach Unternehmen und Persönlichkeit von betreuenden Bestatter*innen, sehr unterschiedlich angeboten und umgesetzt. Umso wichtiger scheint es hier, den Eltern so viele Vorinformationen wie möglich noch in der Klinik mit auf den Weg zu geben, damit sie ein wenig vorbereiteter in das Erstgespräch mit einem Bestattungsunternehmen gehen können. Es kann hilfreich sein, wenn Mitarbeitende der Neonatologie einige Bestattungsunternehmen und die dort arbeitenden Menschen kennen und deshalb vielleicht persönliche Hinweise geben könnten. Prinzipiell steht die bestattende Person für das Trennende, das Endgültige des Todes, und niemand sucht ohne Anlass den Kontakt zu einem Bestattungsunternehmen.

Nachsorge früh verwaister Eltern

Silke Germer und Clarissa Schwarz

Inhaltsverzeichnis

Ergänzende Information Die elektronische Version dieses Kapitels enthält Zusatzmaterial, auf das über folgenden Link zugegriffen werden kann ▶ https://doi.org/10.1007/978-3-662-71982-4_10.

L. Garten und K. von der Hude (Hrsg.), *Palliativversorgung und Trauerbegleitung in der Neonatologie*,
https://doi.org/10.1007/978-3-662-71982-4_10

Nach der Beerdigung, wenn „alles getan" ist, endet für die verwaisten Eltern die aktive Phase ihrer Elternrolle, in deren Rahmen sie noch etwas für ihr Kind tun konnten. Übergangslos finden sich die Eltern in einem Alltag wieder, der den Verlust deutlich spür- und sichtbar werden lässt. Die Trauer um das verlorene Kind und den damit verbundenen Lebensentwurf nimmt nun deutlichen Raum ein und sorgt dafür, dass sich viele Eltern fremd in ihrem eigenen Leben fühlen. Erschwerend kommt hinzu, dass viele Väter bzw. Co-Mütter schon bald nach der Beerdigung wieder in ihr berufliches Umfeld zurückkehren. Die Mütter bleiben zurück in einem Alltag, der eigentlich vom Leben mit dem Kind bestimmt sein sollte. Viele beschreiben in dieser Lebenssituation, dass sie das Gefühl haben, in ihrem Kopf würde ständig eine Art Parallelfilm zu ihrem aktuellen Alltag ablaufen.

„Eigentlich sollte ich jetzt diesen Weg mit meinem Kind im Kinderwagen gehen; eigentlich sollte ich jetzt das erste Weihnachtsgeschenk für unser Kind kaufen. Aber mein Kind ist nicht mehr da, ich bin allein, ich habe keine Aufgabe, unser Kind ist tot." (Mutter des zu früh geborenen Joshua, der 3 Tage nach seiner Geburt in der Klinik verstarb)

Erfahrungsgemäß werden ab diesem Zeitpunkt die individuellen Trauerwege innerhalb der Partner*innenschaft zunehmend deutlicher. Diese unterliegen einem jeweils anderen Rhythmus und Tempo und können bei beiden Elternteilen ein starkes Gefühl der Isolation und Einsamkeit hervorrufen. Die Sprachlosigkeit und Verständnislosigkeit für die Situation des bzw. der jeweils anderen sind zwar adäquate Verhaltensweisen im Trauerprozess, dennoch sorgen sie durch zunehmende Konflikte für eine zusätzlich erhöhte Belastung.

Als weiterer Belastungsfaktor kommt der langsame Rückzug der Angehörigen aus dem familiären und sozialen Umfeld hinzu, die nach und nach beginnen, ihren eigenen Alltag wieder aufzunehmen. Viele Eltern befürchten zu diesem Zeitpunkt, dass ihr Kind in Vergessenheit geraten könnte und stürzen damit noch tiefer in ihre Trauer.

Die Praxis zeigt, dass es sehr hilfreich ist, zu diesem Zeitpunkt den Eltern auch über den Klinikaufenthalt hinaus als Ansprechpartner*in zur Verfügung zu stehen. Viele Eltern sind zu diesem Zeitpunkt noch nicht in der Lage, neue Kontakte einzugehen und sich fremden Menschen anzuvertrauen. Hier dient der fortbestehende Kontakt zum Klinikpersonal als sanfter Übergang, um sich langsam lösen und einer ambulanten Begleitung anvertrauen zu können.

10.1 Ziele der Nachsorge: weiterführende Trauerbegleitung

Eltern auf ihrem individuellen Trauerweg so zu stärken, dass sie ihn selbstständig bewältigen können, ist eines der wichtigsten Ziele in der Nachsorge früh verwaister Eltern. Dabei müssen psychische, soziale und medizinische Aspekte berücksichtigt werden. Der Prozess der Nachsorge beginnt bereits in der Klinik. Hier soll für die Eltern eine schützende, mitfühlende Atmosphäre geschaffen werden und sie sollen alle für sie relevanten Informationen erhalten (▶ Abschn. 6.5). Die Eltern sollen professionell unterstützt werden, ihr durch den Tod ihres Kindes ins Wanken geratene psychisches Gleichgewicht wiederzuerlangen. So sollten sie – innerhalb eines ganz individuellen Zeitraums – fähig sein, „qualifizierte Entscheidungen im Hinblick auf die Gestaltung ihrer Trauerarbeit zu treffen" (Christ-Steckhan 2005). Im Rahmen der weiterführenden Trauerbegleitung über den Tod des Kindes hinaus ist es möglich, die Dynamik des Trauerprozesses zu verfolgen. Wichtige Kriterien sind u. a. die Beobachtung darüber, ob und wann die Trauer „fließt" oder ob es zu Stau und Stillstand kommt. Dementsprechend können passgenaue und bedarfsgerechte ambulante Unterstützungsangebote unterbreitet und angebahnt werden.

Die Nachsorge in der Trauerbegleitung aus der Klinik heraus ist ein Qualitätsmerkmal im Sinne einer ganzheitlichen Sichtweise auf das „System Familie" und lässt sich im weitesten Sinne mit einer speziellen Form des Entlassungsmanagements vergleichen. Es beinhaltet folgende Schwerpunkte:

10.1.1 Sicherstellung des fortlaufenden Trauerprozesses

Die Sicherstellung des Trauerprozesses ist ein sehr hoch gestecktes Ziel. „Die Frage, wann Trauer gelungen ist, ist schwierig zu beantworten. Der Trauerprozess hat kein Ende. Es handelt sich um einen offenen Prozess, er bleibt in Bewegung, solange wir leben" (Christ-Steckhan 2005). Das Gelingen von Trauer wird von der niederländischen Trauerforscherin Ruthmarijke Smeding in ein aussagekräftiges Bild gebracht: „Das Loch, in das ich fiel, wurde zur Quelle, aus der ich lebe." (Smeding, zitiert aus Nijs 2003)

Die Trauerbegleitung möchte die Eltern dabei unterstützen, ihren persönlichen Trauerprozess zu finden und ihn als eine Notwendigkeit anzunehmen.

10.1.2 Versorgungsbrüche beim Übergang in die Häuslichkeit vermeiden

Während die Eltern in der Sterbephase und nach dem Tod ihres Kindes in der Klinik von vielen Menschen unterstützt und begleitet werden, stehen ihnen zu Hause selten ein ausreichendes Versorgungsnetz und professionelle Ansprechpartner*innen zur Verfügung. Oftmals benötigen sie jedoch neben vertrauten Bezugspersonen auch verlässliche Ansprechpartner*innen, die zum einen ihren Schmerz und ihre Trauer über einen längeren Zeitraum hinweg aushalten und begleiten und zum anderen Unterstützung bei der Orientierung im Alltag anbieten können. Mithilfe kontinuierlicher und ressourcenorientierter Nachsorgegespräche entwickeln die Eltern ein Gefühl dafür, was ihnen guttun könnte und welche Unterstützung sie für sich in Anspruch nehmen möchten. Zusätzlich bieten diese verabredeten Gespräche eine Gelegenheit, ungehemmt über ihre vielfältigen Gefühle sprechen zu können, die im Verlauf des häuslichen Alltags immer weniger Raum einnehmen.

10.1.3 Integration des verstorbenen Kindes in die Familie

Meist kennen nur wenige Menschen das verstorbene Kind, und viele Eltern fürchten in ihrer Trauer allein zu bleiben, weil das Kind in Vergessenheit geraten könnte. Um dieser Gefahr vorzubeugen, ist es wichtig, das Kind und die damit verbundenen Erlebnisse in die Familie und in den Freundeskreis zu integrieren und nicht zu tabuisieren. Manche Eltern brauchen die Ermutigung, sich wichtigen Menschen anzuvertrauen. Mitunter bedarf es nur eines kleinen Impulses, damit sie den Mut entwickeln, ein Bild ihres Kindes oder bestimmte Erinnerungsstücke offen hinzustellen. Auf diese Weise können die Andenken immer wieder Anstoß geben, mit Besuchenden über das verstorbene Kind ins Gespräch zu kommen. Gerade für die Angehörigen kann dies eine gute Gelegenheit sein, zu erfahren, wie sie mit den trauernden Eltern umgehen sollen. Auch die verwaisten Eltern sollten wissen, wie schwierig es oft für Angehörige ist, sich angemessen und unterstützend zu verhalten. Ein offenes Wort kann für beide Seiten sehr entlastend sein.

10.1.4 Kontinuierliche Ansprechpartner*innen

In den folgenden Wochen treten vermehrt Fragen zum weiteren Verlauf der Trauer auf. Besonders die Mütter werden zunehmend verunsichert durch die unerwartete Intensität des Schmerzes, der sie teilweise auch körperlich erfasst. Die Wucht der Trauer ruft häufig Gefühle der Hilflosigkeit hervor, verbunden mit der Angst, dass dieser Zustand sich niemals mehr ändern wird. Besorgte Reaktionen aus dem persönlichen Umfeld lassen bei vielen Müttern die Frage nach der Normalität ihrer Trauer aufkommen. Sie bereiten besonders den verwaisten Müttern noch zusätzlichen Druck und rufen mitunter Angst hervor, verrückt zu werden. Individuelle Trauerreaktionen, wie beispielsweise die Zwiesprache mit dem toten Kind oder das Gefühl, die Anwesenheit des verstorbenen Kindes noch zu spüren, sind jedoch normal und kein Anlass zur Sorge (Lammer 2010). Daher bedarf es in dieser Phase immer wieder der Bestätigung durch eine erfahrene Begleitung, dass die erlebte Trauer nicht krankhaft ist und die individuellen Trauerreaktionen sehr vielfältig sein können.

10.1.5 Den eigenen Trauerweg finden und gehen können

Früh verwaiste Eltern werden oft unvorbereitet mit den unterschiedlichsten Reaktionen und Situationen aus ihrem persönlichen Umfeld konfrontiert. Häufig erhalten sie zum einen unerwartete Zuwendung von entfernten Bekannten und fühlen sich überraschend gut aufgehoben und angenommen. Zum anderen fühlen sie sich von vertrauten Menschen aus ihrem nahen Umfeld gekränkt und missverstanden. Verwaiste Eltern verfügen in der Regel über sämtliche Ressourcen, ihre persönlichen Bewältigungsstrategien zu entwickeln. Da diese individuellen Wege mitunter irritierend auf das persönliche Umfeld wirken können, benötigen die Trauernden Toleranz, Unterstützung, Ermutigung und Bestätigung.

▶ Fallbeispiel

Eine verwaiste Mutter berichtet: „Mein Bruder und dessen Frau hatten 4 Wochen vor Josephines Geburt ihren kleinen Sohn zur Welt gebracht. Am Geburtstag meines Mannes, das war 10 Wochen nach Josephines Tod, kamen sie uns gemeinsam besuchen. Sie hatten uns vorher gefragt, ob das für uns in Ordnung wäre und wir hatten gesagt ‚ja klar'. Es waren ja noch so viele andere Gäste da und ich dachte, dass ich ja einfach ausweichen kann, wenn es mir zu viel wird. Ich fühlte mich die letzten 2 Tage ganz gut und hatte das Gefühl, dass ich das schon hinkriegen würde. Als sie dann da waren, war ich noch ganz entspannt und nahm den Kleinen spontan auf meinen Arm. In diesem Augenblick traf mich das Gefühl wie ein Blitzschlag. ‚So müsste ich jetzt Josephine in meinen Armen halten. So würde es sich anfühlen, wenn sie noch da wäre.' Ich musste meinen kleinen Neffen ganz schnell abgeben, weil ich Angst hatte, ihn fallen zu lassen. Danach ging es mir tagelang schlecht. Ich spürte die ganze Zeit dieses Gefühl des Kindes in meinen Armen und gleichzeitig fühlte ich die tatsächliche Leere in meinen Armen. Es war schrecklich. Ich fühlte mich in meiner Trauer unendlich zurückgeworfen, war frustriert und entsetzt darüber, wie wenig ich mich auf mein Gespür für mich selbst verlassen konnte.“ ◀

10.1.6 Entwicklung individueller Rituale

„Rituale können seelische Kraftquellen in schwierigen Zeiten oder Umbruchsituationen darstellen. Sie unterscheiden sich von

Bräuchen und bloßen Gewohnheiten durch ihre Verwendung von Symbolen. Rituale zeichnen sich durch Wiederholungen aus. Durch das Wiederholen wird ein Gefühl von Sicherheit geschaffen, das gebraucht wird, um die Trauer oder das „schreckliche Erlebnis" positiv zu bewältigen." (Specht-Tomann und Tropper 2011)

Die Eltern eröffnen sich durch das Einführen von Ritualen die Möglichkeit, ihrem Kind zu bestimmten Zeiten bewusst ganz nahe sein zu können, indem sie vielleicht am Abend eine Kerze anzünden oder zu bestimmten Zeiten auf den Friedhof gehen. Besonders im Alltag erfüllen Rituale eine wichtige Funktion, die den Eltern die Sorge nimmt, ihr Kind zu vergessen, auch wenn es im täglichen Getriebe immer wieder in den Hintergrund treten muss. Für Angehörige eröffnet sich zusätzlich die Möglichkeit, durch die Teilnahme an einem Ritual den Eltern ihre Anteilnahme zu signalisieren.

10.1.7 Suche nach ambulanten Unterstützungsangeboten

Erfahrungsgemäß ist der Wunsch nach ambulanter Unterstützung bei allen Eltern sehr unterschiedlich ausgeprägt. Einige wünschen sich irgendwann Kontakt zu anderen früh verwaisten Eltern. Andere benötigen eher eine psychologische Begleitung, und wieder andere möchten eine Kur antreten. Nicht zuletzt gibt es auch Eltern, die sich für nichts dergleichen entscheiden, weil sie entweder adäquate Unterstützung in ihrem persönlichen Umfeld erfahren oder sich entschieden haben, ihren Trauerweg alleine zu gehen. Wie, ob und wann sich die elterlichen Bedürfnisse auf dem weiteren Trauerweg entwickeln, unterliegt keiner Regel. Dennoch sollten alle Eltern Informationen über mögliche Unterstützungsangebote erhalten. Mitunter ist schon die Tatsache, die Angebote in der Schublade zu wissen, ein entlastender und tröstlicher Gedanke.

10.2 Psychosoziale Nachsorgegespräche

Erfahrungsgemäß haben die Eltern nach dem Verlassen der Klinik weiterhin einen hohen Gesprächsbedarf zu den unterschiedlichsten Themen. Es ist notwendig und für den ungestörten Trauerprozess förderlich, ihnen Möglichkeiten für weiterführende Gespräche anzubieten. Die Angebote sollten so flexibel gestaltet sein, dass die Eltern je nach ihren Bedürfnissen entscheiden können, welches sie in Anspruch nehmen möchten. Die Koordination und Terminierung eines Gesprächstermins sollte in der Hand einer Person liegen, die dafür Sorge trägt, dass dies im gewünschten Rahmen stattfinden kann. Nachsorgegespräche dienen zum einen dazu, offene medizinische Fragen der Eltern zu klären (► Abschn. 5.9). Zum anderen eröffnen sie die Möglichkeit, das eigene Handeln zu reflektieren. Hier ergibt sich die Möglichkeit, in einer vertrauensvollen Atmosphäre gemeinsam aus unterschiedlichen Perspektiven auf die vergangene Zeit zu schauen.

10.2.1 Nachsorgetelefonate

In der Praxis der Trauerbegleitung von früh verwaisten Eltern hat sich das Format der „Nachsorgetelefonate" bewährt. Diese aufsuchende Intervention durch die Trauerbegleitung der Klinik ermöglicht eine Aufrechterhaltung des Kontaktes mit den Eltern über den Klinikaufenthalt hinaus. Über die Möglichkeit wiederholter Nachsorgetelefonate sollten die Eltern unbedingt vor Verlassen der Klinik informiert werden. Es sollte ein fester Termin für jedes Nachsorgetelefonat mit den Eltern vereinbart werden, dies gilt insbesondere für den ersten aufsuchenden Anruf. Für die Eltern stellen diese vereinbarten Gesprächstermine oft eine verlässliche Struktur in ihrem sonst eher unstrukturierten Alltag dar. Die Erfahrung zeigt, dass besonders die Mütter oft bereits schon am Telefon sitzen, auf den Anruf warten und sich schon nach dem ersten Klingelton melden.

Besonders im Rahmen von Nachsorgetelefonaten ist eine klientenzentrierte Gesprächsführung nach Carl Rogers, die von Empathie, Wertschätzung und Echtheit/Kongruenz gekennzeichnet ist, wichtig. Aktives Zuhören stellt in diesem Fall die Basis für eine gute Beratung und Begleitung der Eltern dar. Besonders am Telefon ist es wichtig, immer wieder Zeichen der einfühlenden Aufmerksamkeit zu setzen. Dies kann ein einfaches „Mhh" oder ein zustimmendes „Ja" sein. Der Gesprächspartner bzw. die Gesprächspartnerin muss vor allem die Sicherheit haben, dass ihm bzw. ihr die gesamte Aufmerksamkeit gehört und die beratende Person nebenbei nicht noch andere Tätigkeiten ausführt. Deshalb sollte für ein solches Telefonat, neben einer angemessenen Gesprächshaltung, ebenso genügend Zeit eingeplant werden. Trauergespräche benötigen höchste Konzentration und sind für den Berater bzw. die Beraterin gleichermaßen anstrengend wie für die trauernde Person, sie sollten daher zeitlich begrenzt sein. Über die zur Verfügung stehende Zeit müssen die Eltern im Vorfeld oder spätestens zu Beginn jedes Gespräches informiert werden.

„Eine der großen Gefahren in der Beratungsbeziehung ist die Meinung, man hätte schon verstanden und sei dem anderen ganz nahe. Verstehen ist aber ein sehr schwieriger und langwieriger Prozess. Das Weiterhelfende steckt in der Enthaltung von Hilfe und der Einnahme einer Haltung von einfühlendem Verstehen. So entsteht eine Atmosphäre, in der es möglich ist, angstfrei und ohne Abwehrmechanismen über Gefühle und Ängste zu sprechen." (Weinberger 2011)

In Anlehnung an die Ziele der Nachsorge sollten sich die Nachsorgetelefonate an folgenden Schwerpunkten orientieren: Entlastung, Orientierung, Bestärkung, Umgang mit Reaktionen aus dem Umfeld und Überleitung in ambulante Unterstützungsangebote.

Am Ende eines jeden Telefonats sollte das weitere Procedere besprochen werden. Dazu gehören obligat folgende Punkte:

- Wird ein weiteres Telefonat gewünscht?
- Möchten die Eltern wieder angerufen werden oder wollen sie sich selbst melden?
- Wollen beide Eltern zusammen sprechen oder möchte jedes Elternteil einzeln angerufen werden?
- Was liegen in den nächsten Tagen für Ereignisse an, zu denen die Eltern Beistand, Reflexion und Unterstützung benötigen?
- Gibt es organisatorische Dinge für die Eltern zu erledigen?
- Benötigen die Eltern bestimmte Informationen?

In der Regel werden die zeitlichen Abstände zwischen den Telefonaten allmählich verlängert, sobald die Eltern beginnen, sich in ihrer persönlichen Umgebung zu orientieren und ihren Umgang mit der Trauer selbstsicherer gestalten. Dennoch sollte es allen Eltern freistehen, sich jederzeit wieder melden zu können. Erfahrungsgemäß nehmen manche Eltern dieses Angebot auch nach längerer Kontaktpause aus unterschiedlichen Gründen in Anspruch. Weil sie vielleicht eine erneute Schwangerschaft planen oder der erste Geburtstag bzw. Todestag naht.

10.2.2 Nachsorgegespräche in der Klinik

Die Rückkehr in die Klinik ist für viele Eltern ein schwerer Gang und kostet sie oftmals viel Überwindung und Kraft. Dennoch wünschen sich manche Eltern ein persönliches Gespräch von Angesicht zu Angesicht mit den Personen, die sie während des Krankenhausaufenthaltes betreuten. Viele Eltern empfinden beim Betreten der Klinik nicht nur unendliche Trauer, sondern durchaus auch ein vertrautes Gefühl. Vor allem Eltern, die lange Zeit in der Klinik verbracht haben, erleben die Klinik eher als einen tröstlichen Ort, an dem sie ihrem Kind noch einmal näher sein können. Manche Eltern nutzen die Möglichkeit auch, um noch einmal durch die Räume zu gehen und den Platz zu betrachten, auf dem ihr Kind gelegen hat. Sie verspüren das Bedürfnis, den Geburtsraum und den Erstversorgungsraum zu sehen, um noch einmal den Weg ihres Kindes nach der Geburt gehen zu können. Mitunter nutzen Eltern einen solchen Termin auch, um über ihren Alltag und die damit verbundenen Schwierigkeiten im Umgang miteinander zu sprechen. Ein solches Gespräch kann helfen, mehr Verständnis füreinander zu entwickeln und Sprachlosigkeiten zu reduzieren. Besondere Ereignisse, wie der erste Geburtstag oder Todestag oder aber eine erneute Schwangerschaft, können ebenso Auslöser für eine Verabredung zum persönlichen Gespräch in der Klinik sein. Manchmal markieren diese Momente eine Art Wendepunkt in der Trauer und dienen dazu, Bilanz über den bereits zurückgelegten Trauerweg zu ziehen.

10.3 Ambulante Unterstützungsangebote und Netzwerke

Selbsthilfegruppen

Der Austausch in Selbsthilfegruppen wird von den Eltern immer wieder als ein entscheidendes, wertvolles und sehr hilfreiches Unterstützungsforum bewertet. Das Gespräch mit gleichsam Betroffenen hilft, aus der eventuellen Isolation herauszutreten. Menschen, denen Ähnliches widerfahren ist, haben Verständnis füreinander, hören sich zu, können Hilfestellung bei Problemen aufzeigen. Vor allem aber sind sie als Einzige in der Lage, tatsächlich nachfühlen zu können, was den Trauernden bewegt. Für viele Betroffene ist allein die Tatsache tröstlich, dass sie mit ihrem Schicksal nicht alleine sind.

Moderierte Trauergruppen

Früh verwaiste Eltern tauschen sich über einen begrenzten Zeitraum in einer geschlossenen und geleiteten Gruppe aus. In der Regel gehen solche Gruppenprozesse über einen Zeitraum von 8–10 Wochen und formieren sich dann neu. Der Vorteil ist die Beständigkeit und die Entwicklung eines gemeinsamen Prozesses. Voraussetzung für die Teilnahme ist häufig ein Vorgespräch mit der Gruppenleitung. Der Tod des Kindes sollte schon eine gewisse Zeit zurückliegen.

Trauerberatungen für Einzelpersonen, Paare und verwaiste Geschwister

Viele ambulante Einrichtungen, aber auch Praxen bieten spezielle Beratungen durch geschulte Trauerberater*innen an. Für manche Mütter und Väter bzw. Co-Mütter ist dies zu Beginn hilfreicher als die Konfrontation mit dem Verlust von vielen Menschen in einer Selbsthilfegruppe.

Psychologische Beratung/Psychotherapie

Der Wunsch nach einer Psychotherapie entspringt oftmals der Unwissenheit über andere Unterstützungsangebote. Trauer ist keine grundsätzliche Indikation für eine Psychotherapie, da sie an sich keine Erkrankung darstellt. Da bei einem erschwerten Trauerverlauf bzw. bei bestimmten Faktoren das Risiko einer Depression ansteigt, kann eine psychotherapeutische Begleitung sinnvoll sein. Bei der Auswahl sollte darauf geachtet werden, dass der Therapeut bzw. die Therapeutin im Bereich der Trauerarbeit erfahren ist.

Internetforen

Das Angebot ist vielfältig und unübersichtlich. Die wenigsten Foren werden in irgendeiner Form moderiert. Der virtuelle

Austausch kann erfahrungsgemäß nur teilweise persönliche Gespräche ersetzen.

Überregionale Netzwerke
Eine Liste überregionaler Institutionen und Netzwerke zur Unterstützung früh verwaister Eltern finden sie unter ▶ http://extras.springer.com, Checkliste 6.

Literatur für früh verwaiste Eltern
Trauerliteratur wird zu den unterschiedlichsten Verlusten angeboten. Die großen Verbände sowie viele Internetforen bieten Literaturlisten zu den verschiedenen Themen an.

10.3.1 Teilverwaiste Mehrlingseltern

Eltern, die vor, während oder nach der Geburt ein Mehrlingskind verloren haben, befinden sich in einer besonderen Trauersituation. Sie müssen trotz der Trauer einen Alltag aufrechterhalten, der viel Kraft und Zeit kostet und der mit vielen weiteren emotionalen Herausforderungen gespickt ist. Es gibt noch mindestens ein lebendes Kind, zu dem eine Bindung aufgebaut werden muss und welches die Versorgung und Betreuung der Eltern benötigt. Für Trauer gibt es nur wenig Raum. Hinzu kommen die Verabschiedung und Bestattung ihres verstorbenen Kindes, die zum einen eine hohe psychische Belastung darstellen und zum anderen eine Menge zeitlicher Kapazitäten binden. Zum Zeitpunkt der Entlassung des überlebenden Kindes sind diese Eltern in der Regel maximal erschöpft, dünnhäutig und empfindlich.

Neben der Freude und dem Stolz, das lebende Kind endlich mit nach Hause nehmen zu können, werden die Eltern zu Hause oftmals überwältigt von dem nun so konkreten Verlust und dem Vermissen des verstorbenen Kindes. Sie erfahren das erste Mal sehr deutlich, dass ein Kind fehlt. Bisher konnten die Eltern ihre Trauer separieren: zu Hause Trauer über den Verlust des verstorbenen Kindes – in der Klinik Freude über das zunehmend stabilere und größer werdende Kind. Nun befinden sich Trauer und Freude im gleichen Raum.

> *„Wenn das überlebende Kind aus der Klinik entlassen wird, ist der Schmerz um den Verlust des toten Kindes besonders groß." (M. Gottschalk, Case- Managerin Sozialmedizinische Nachsorge, Berlin)*

Im Entlassungsmanagement der Klinik sollten die Eltern in offenen Gesprächen auf die anstehende Situation zu Hause vorbereitet werden, damit sie sich auf die Wucht der überwältigenden Gefühle vorbereiten können. Des Weiteren gilt es zu ermitteln, ob und was sie für einen Unterstützungsbedarf zu Hause benötigen. Bei teilverwaisten Mehrlingseltern geht es nicht nur um den Unterstützungsbedarf für das lebende Kind, sondern auch um die Bedürfnisse im Trauerprozess.

10.3.2 Unterstützungsangebote für die Zeit nach der Entlassung

Nachsorgetelefonate (siehe ▶ Abschn. 10.2.1)

In den Nachsorgetelefonaten bei teilverwaisten Mehrlingseltern sollten folgende Themen besonders bedacht werden:

- Die stark ambivalenten Gefühle der Eltern: Freunde und Angehörige freuen sich auf die Entlassung und das überlebende Kind zu Hause. Die Trauer um den Verlust des verstorbenen Kindes hat wenig Raum und wird oftmals nicht mehr thematisiert: „Nun ist doch alles gut, ihr habt es geschafft!" Für die Eltern aber ist der Verlust in der anstehenden Zeit besonders deutlich spürbar, denn es fehlt ein Kind im Alltag. Einige Familien planen erst jetzt die Bestattung des verstorbenen Kindes, damit das Geschwisterkind dabei sein kann. Sie werden nun das erste Mal mit dem Geschwisterkind zum Friedhof fahren und wieder treffen Freude und Trauer hart aufeinander.

- Die Integration des verstorbenen Kindes ist besonders für das überlebende Kind wichtig. Mehrlinge haben eine besondere Bindung zueinander und spüren den Verlust des Geschwisters ein Leben lang. Es ist wichtig, dass das verstorbene Kind kein Tabu ist, damit auch das lebende Kind eine Bindung zu seinem Geschwister aufbauen und darum trauern kann. Ein offener Umgang mit dem Verlust sorgt dafür, dass Fragen gefragt werden dürfen, dass Gefühle eingeordnet werden können und dass Schuldgefühle seitens der Geschwister gar nicht erst entstehen.
- Die Trauerwege eines Elternpaares sind häufig in dieser Zeit sehr unterschiedlich, da die Freude über das lebende und die Trauer über das verstorbene Kind verschieden große Ausmaße annehmen können.
- Hinzu kommt neben der tiefen Erschöpfung nach der langen Krankenhauszeit eine besonders große Angst um das überlebende Kind. Das Leben hat seine Selbstverständlichkeit verloren und erhöht den Wert des lebenden Kindes besonders. Das lebende Kind lebt das Leben des verstorbenen Geschwisters mit.
- Evaluation der implementierten Unterstützung: Oftmals merken die Eltern erst nach einiger Zeit zu Hause, ob und welche Unterstützung passend ist, um gut durch den anstehenden Alltag zu kommen.

Hebammenbetreuung

Eine Hebammenbetreuung steht den Müttern auch nach der Entlassung ihres überlebenden Kindes zu. Falls das Betreuungskontingent nach der Geburt aufgebraucht sein sollte, können durch eine ärztliche Anordnung weitere Wochenbettleistungen einer Hebamme von der Krankenkasse übernommen werden.

Familienhebammen oder Familiengesundheits- und Kinderkrankenpflegende dagegen unterstützen die Familien das ganze erste Lebensjahr lang und haben nicht nur das überlebende Kind, sondern auch die gesamte Familie im Blick. Sie werden im Rahmen der „Frühen Hilfen“ über das Jugendamt bzw. den Kinder- und Jugendgesundheitsdienst vermittelt und finanziert. Diese Unterstützung kann bereits in der Klinik vom Sozialdienst organisiert werden.

Sozialmedizinische Nachsorge § 43 Abs. 2 SGBV (SMN)

In der Regel handelt es sich bei der Entlassung des lebenden Kindes um ein Kind mit dem häuslichen Unterstützungsanspruch auf sozialmedizinische Nachsorge (Krankenkassenleistung). Somit haben die Eltern die Möglichkeit, zu Hause psychosozial und medizinisch betreut zu werden, in den Belangen des überlebenden Kindes (SMN kann mit 20 h für 3 Monate bewilligt werden).

Die Trauerbegleitung zählt leider nicht zu den Leistungen der Krankenkasse, obwohl in solchen Fällen auch das Wohl der Eltern Berücksichtigung finden müsste. Das Team der sozialmedizinischen Nachsorge hat aber die Möglichkeit, das Stundenkontingent zur häuslichen Betreuung durch eine Finanzierung über das Jugendamt aufzustocken. Das Jugendamt hat im Sinne des Kindeswohls einen ganzheitlichen Blick auf die Familien. Somit kann die sozialmedizinische Nachsorge den Eltern als Unterstützer im Trauerprozess zur Seite stehen, Gespräche anbieten und ein ambulantes Netzwerk aufbauen.

» *„Teilverwaiste Zwillingseltern stecken in das überlebende Kind doppelt so viel Kraft, haben doppelt so viele Ängste und doppelt so viel Hoffnungen.“ (M. Gottschalk, Case-Managerin Sozialmedizinische Nachsorge, Berlin)*

10.4 Häusliche Betreuung durch eine Hebamme

Die Hebamme ist traditionell eine Vertrauensperson für die Zeit rund um die Geburt. Hebammen sind Spezialist*innen dafür, die Gesundheit von Mutter und Kind zu erhalten und zu fördern. Ihr Ziel ist es, dazu beizutragen, dass nicht nur Mutter und Kind, sondern die gesamte Familie aus dem Prozess der Familienbildung möglichst gesund und gestärkt hervorgehen. Aufgrund ihres ganzheitlichen Verständnisses von Gesundheit behalten sie neben der körperlichen Gesundheit auch das psychische Wohlergehen und die sozialen Bindungen im Blick. Hierfür verfügen Hebammen über viel Erfahrungswissen, das traditionelle Erfahrungswerte wie auch evidenzbasiertes Wissen umfasst.

Es ist von großem Vorteil, wenn sich Frauen bereits frühzeitig in der Schwangerschaft eine Hebamme gesucht haben. Wenn sich im Verlauf herausstellt, dass das Kind verstorben ist oder nicht mehr lange leben wird, hat sich dann vielleicht schon eine vertrauensvolle Beziehung entwickelt, die eine gute Basis für die Betreuung bildet. Mütter von frühgeborenen Kindern haben häufig zum Zeitpunkt der Geburt noch keine betreuende Hebamme. In Deutschland steht aber jeder Frau, auch nach dem Versterben des Neugeborenen, die Betreuung durch eine Hebamme als Leistung der Krankenkasse zu.

Die betreuende Hebamme kann helfen, gute Voraussetzungen für den Abschied und die erste Zeit der Trauer zu schaffen, damit die Mutter und die gesamte Familie auch aus diesem Prozess möglichst gesund und gestärkt hervorgehen können.

Ob ein Mensch gestärkt oder geschwächt aus einer Lebenskrise hervorgeht, hängt nicht nur von seinen inneren Ressourcen ab, die ihm zur Verfügung stehen, sondern auch wesentlich von der Art der Begleitung und Unterstützung, die er in der Krisenzeit erfährt.

Aufgrund der sehr niedrigen Säuglingssterblichkeit kommt es hierzulande nur noch selten vor, dass Geburt und Tod zusammenfallen. Dies hat zur Folge, dass viele Hebammen nur wenig Erfahrung im Umgang mit toten Kindern und früh verwaisten Müttern haben. Es gibt jedoch speziell geschulte Hebammen, die sich für die Betreuung von früh verwaisten Müttern qualifiziert haben und über Hebammenvermittlungen der Hebammenverbände und entsprechende Online-Portale zu erreichen sind. Es geht vordringlich darum, nicht nur in der stationären, sondern auch in der ambulanten Versorgung und der damit häufig verbundenen Schnittstellenproblematik dafür zu sorgen, dass die betroffenen Mütter mit ihren Familien in einem salutogenen Sinne behandelt werden. Dies bedeutet, dass sie sich ihre körperliche, psychische und soziale Gesundheit in einem umfassenden Sinne erhalten können und somit eine gute Chance haben, langfristig gestärkt aus dieser schweren Erfahrung hervorzugehen. Hier liegt ein Aufgabenfeld für freiberuflich tätige Hebammen, die klinische Betreuung kompetent weiterzuführen und sich nicht nur um die früh verwaiste Mutter zu kümmern, sondern auch das tote Kind und die familiären Beziehungen im Blick zu halten.

10.4.1 Betreuung im Wochenbett

Hebammenbetreuung als Leistung der Krankenkassen ist in einer Vergütungsvereinbarung geregelt und gilt ebenso für früh verwaiste Mütter. Es ist auch möglich, eine weitere Hebamme hinzuzuziehen und die Betreuung im Wechsel durchzuführen. In den ersten 10 Tagen nach der Geburt sind tägliche Wochenbettbesuche vorgesehen. Bis zu 12 Wochen nach der Geburt können weitere Wochenbettbesuche erfolgen sowie darüber hinaus Beratungen im Zusammenhang mit dem Abstillen. Zusätzliche Beratung und Wochenbettbesuche sind nach ärztlicher Anordnung möglich, die jede

Ärztin und jeder Arzt ausstellen kann. Die Hebamme besucht die Frau dort, wo sie sich aufhält. Wenn die Mutter bereits entlassen ist, macht die Hebamme Hausbesuche. Verbringt die Mutter jedoch viel Zeit bei ihrem Kind in der Neonatologie und erhält dort selbst keine medizinische Versorgung, besucht die Hebamme die Wöchnerin auch dort auf der Station.

In den ersten Tagen nach der Geburt bedürfen die körperlichen Prozesse besonderer Aufmerksamkeit. In einer Situation, in der die Frau sich nach dem Tod ihres Kindes vielleicht noch in einem Schockzustand befindet, sich lieber zurückziehen möchte und unter Umständen Hemmungen hat, sich anderen Menschen zuzumuten, hat der tägliche Wochenbettbesuch eine besondere Bedeutung (Schwarz 2020). Die Hebamme kümmert sich um das Abstillen, die Rückbildung und evtl. die Heilung von Geburtsverletzungen oder die Naht nach einem Kaiserschnitt. Diese körperlichen Vorgänge sind Anlass, sich regelmäßig und anfangs sogar täglich, um das körperliche Wohlbefinden zu kümmern. Dies gibt den Hebammen eine besondere Rolle, sie sind diejenigen, die bei jedem Wochenbettbesuch fragen können: „Wie geht es Ihnen heute? Wie war die Nacht?" und die Frau ernst nimmt in ihrem Zustand. Hebammen erkundigen sich nach ihrer Verdauung, interessieren sich für ihren Appetit, auch wenn die Frau die Tendenz hat, ihre körperlichen Bedürfnisse nicht wahrzunehmen und demzufolge zu vernachlässigen, da sie ihr im Moment als völlig unwesentlich und nebensächlich erscheinen.

10.4.1.1 Unterstützung des Abstillens

Manche Frauen ziehen es vor, ohne Medikamente abzustillen, um insbesondere psychische Nebenwirkungen zu vermeiden. Aber auch nach primärem Abstillen mit Medikamenten kann es noch zu Schmerzen und Beschwerden kommen. Die Milchproduktion kann durch den Kontakt zum toten Kind angeregt werden, auch durch das Einbetten des Kindes in den Sarg. Hier kann es zu Reaktionen der Brust kommen, die einer Brustdrüsenschwellung ähneln, wie sie normalerweise am dritten Tag nach der Geburt zu erwarten ist. Auch der Kontakt zu anderen Babys kann dazu führen, dass der Körper reagiert. Für manche Frauen ist es fast unerträglich zu erleben, dass ihr Körper Milch bildet für ein Kind, das nicht mehr lebt, andere wiederum erleben dies als eine natürliche Reaktion ihres Körpers und als Bestätigung, dass ihr Körper dazu in der Lage ist. Für manche hat es etwas Tröstliches, wenn Milch aus der Brust tropft und „auch der Körper weint".

Wenn die Brüste anschwellen, prall sind und sich heiß anfühlen, dienen physikalische und naturheilkundliche Maßnahmen zur Linderung (Harder 2022):

- Eng anliegenden BH mit kurzen Trägern tragen
- Kühlende Umschläge mit Coolpacks oder feuchten Einmalwindeln aus dem Kühlschrank
- Umschläge mit Quark oder Kohlblättern aus dem Kühlschrank
- Ausstreichen der Brust von Hand, wenn nötig

Das Abstillen auf natürlichem Wege ist dem Abstillen durch Laktationshemmer vorzuziehen, da die Nebenwirkungen die Psyche zusätzlich negativ beeinflussen können.

Einsatz und Dosierung komplementärmedizinischer Mittel sollten der Hebamme überlassen werden. Das Trinken von Salbei- oder Pfefferminztee ist weit verbreitet und entspricht dem Erfahrungswissen von Hebammen, wissenschaftliche Studien für die Wirksamkeit liegen jedoch nicht vor (Europäisches Institut für Stillen und Laktation).

Es ist darauf hinzuweisen, dass die Muttermilch noch einige Wochen in geringen Mengen fließen kann.

10.4.1.2 Förderung der Rückbildungsprozesse

Die Rückbildung der Gebärmutter läuft bei früh verwaisten Müttern häufig verzögert ab. Erschwert wird der Prozess zusätzlich durch das fehlende Stillen. Der schrittweise Abschiedsprozess der Frau von ihrem toten Kind spiegelt sich häufig in der Geschwindigkeit der Rückbildung wider. Es kommt vor, dass die Rückbildungsvorgänge tagelang stagnieren und erst nach der Beisetzung des Kindes wieder merklich einsetzen. Durch komplementärmedizinische Maßnahmen kann die Rückbildung unterstützt werden. Bei jedem Wochenbettbesuch kann die Hebamme den Bauch mit kontraktionsförderndem Massageöl (Stadelmann 2024) massieren. Dies fördert nicht nur die Rückbildung, sondern tut auch der Seele gut. Auch durch Fußmassagen mit der Behandlung der entsprechenden Reflexzonen, wie auch durch Akupunktur oder Akupressur können die körperlichen Vorgänge angeregt werden.

Bald nach der Geburt dienen erste Übungen der Wochenbettgymnastik zur Anregung des Kreislaufs und zur Kräftigung der Beckenboden- und Bauchmuskulatur. Schrittweise kommen weitere Übungen der üblichen Rückbildungsgymnastik hinzu. Nach dem Tod eines Kindes vermittelt die Hebamme die Übungen im Rahmen der Wochenbettbesuche zumeist als Einzelunterweisung, da die Teilnahme an einem üblichen Rückbildungsgymnastik-Kurs keine Option ist. Mancherorts werden auch Rückbildungsgymnastik-Kurse speziell für Sternenkind-Mütter angeboten, auch als Hybrid- oder Online-Angebot. Diese Kurse schaffen zum einen die Möglichkeit, die 10 Rückbildungsgymnastik-Stunden, die den Müttern als Kassenleistung zustehen, in Anspruch zu nehmen und sich unter Anleitung einer Hebamme etwas Gutes zu tun. Zum anderen ergibt sich die Möglichkeit, in einem geschützten Rahmen mit anderen Betroffenen in Kontakt und Austausch zu kommen. Hierfür ist es hilfreich, bereits in der Klinik eine entsprechende Liste mit relevanten regionalen Angeboten vorzuhalten, die der Mutter ausgehändigt werden kann.

10.4.2 Begegnung mit dem toten Kind

Die Hebamme betreut nicht nur die körperlichen Prozesse der verwaisten Mutter. Sie begleitet ebenso den Verabschiedungs- und Trauerprozess, ob sie sich dessen bewusst ist oder nicht. Bei den anstehenden Entscheidungen muss die Hebamme damit rechnen, als Vertrauensperson um Rat gefragt zu werden. Vor allem diejenigen Familien, die keine strukturierte Begleitung durch Mitarbeitende des jeweiligen Krankenhauses erfahren, sind überfordert und dankbar für eine einfühlsame Unterstützung.

Im Kontakt mit dem toten Kind kann die Hebamme eine wichtige Vorbildfunktion übernehmen. Wenn sie selbstverständlich mit dem Kind umgeht, kann dies den Eltern helfen, ebenfalls ohne Scheu mit ihrem Kind umzugehen und bestehende Berührungsängste zu überwinden.

Hebammen sind dafür zuständig, gute Bedingungen zu schaffen für die Mutter-Kind-Bindung. Dies gilt auch, wenn das Kind nicht mehr lebt. Folglich bedeutet für die Hebamme eine einfühlsame Betreuung, die Eltern zu ermutigen, Zeit mit dem toten Kind zu verbringen. Dabei ist es wichtig, flexibel auf die individuellen Bedürfnisse einzugehen und vor allem sensibel zu sein für das individuelle Tempo. Frauen, die eine solche Begleitung erfuhren, hatten später weniger Angstzustände und weniger Depressionen (Radestad et al. 2007; Surkan et al. 2008). Allerdings ist nicht davon auszugehen, dass der Kontakt mit ihrem toten Kind grundsätzlich positiv für alle Frauen ist. Was den Frauen gut tut, hängt offensichtlich stark von den Rahmenbedingungen ab, wie sie den Kontakt mit ihrem toten Kind erleben. Dabei haben sich zwei Dinge als wichtig erwiesen:

Zum einen muss die Frau bereit sein für den Kontakt. Sie sollte also nicht zu früh oder zu plötzlich mit ihrem toten Kind konfrontiert, aber durchaus zum Kontakt ermutigt werden, damit sie schließlich so viel Zeit mit ihrem Kind verbringen kann, wie sie es möchte. Nimmt man dies ernst, gehört es zu einer kompetenten Begleitung, für das richtige „Timing" zu sorgen. Es geht also nicht nur darum, dass die Frau überhaupt Zeit mit ihrem toten Kind verbringt, sondern auch darum, den richtigen Zeitpunkt dafür zu erspüren. So wird sie in die Lage versetzt, den zeitlichen Ablauf des Geschehens mit beeinflussen zu können.

Zum anderen geht es darum, für den jeweils passenden Zeitraum zu sorgen, das heißt, es der Frau zu überlassen, wie viel Zeit sie mit ihrem Kind verbringen möchte, damit sie sich im eigenen Tempo dem inneren Prozess überlassen kann und nicht den Eindruck hat, sich beeilen zu müssen. Ein sehr wichtiger Schritt ist auch das Herrichten des Sarges in dem Sinne, „ein letztes Bettchen" für das Kind zu machen und das Kind in den Sarg zu betten (► Abschn. 9.3.3, 9.3.4, und 9.3.5). Diese Schritte können auch von der Hebamme begleitet werden, wenn sie bereits zur Vertrauensperson geworden ist. Wenn die Eltern nicht dabei sein können oder wollen, können Hebamme bzw. Bestatter*in ein Foto machen und damit bezeugen, dass sie es nach dem Wunsch der Eltern getan haben.

10.4.3 Betreuung einer Folgeschwangerschaft

Bei einer erneuten Schwangerschaft möchten manche Frauen gerne wieder von der gleichen Hebamme betreut werden. Andere Frauen suchen sich ganz bewusst eine andere Hebamme und auch eine andere Klinik für die Geburt. Eine solche Schwangerschaft ist durch die Erfahrung des Abschieds und der Trauer um das verstorbene Kind und die Ängste, die in diesem Zusammenhang auftauchen, sehr belastet. Häufig kommt es vor, dass eine Frau dies wie einen Verrat am verstorbenen Kind erlebt und geplagt wird von Schuld- sowie Ambivalenzgefühlen. Entlastend kann hier ein Perspektivwechsel sein, der die Mutter in die Lage versetzt, aus der Sicht des verstorbenen Geschwisters die erneute Schwangerschaft zu betrachten und zu überlegen, was es dem nachgeborenen Kind für dessen Leben wohl wünschen würde. In jedem Falle sollte die eventuell wieder aufbrechende Trauer um das verstorbene Kind genügend Raum haben und benannt werden dürfen. Denn dieses Kind fehlt weiterhin, aber es bekommt ein Geschwisterchen. Sich bewusst zu machen, dass es normal ist, dass Geschwister sich die Eltern teilen, kann sehr entlastend wirken. Eine kontinuierliche Betreuung durch eine Hebamme, schon von der Frühschwangerschaft an, kann eine Frau darin stärken, sich auf diese Schwangerschaft als etwas Neues einzulassen. Das heranreifende Kind ist zwar ein verwaistes Geschwister, hat aber ein ganz eigenes Schicksal und sein individuelles Leben (Lothrop 2016).

Im Wochenbett kann es zu überwältigenden Glücksgefühlen und großer Dankbarkeit für das neugeborene Kind kommen und auch zu tiefen Trauergefühlen um das fehlende Kind. Denn erst jetzt wird tatsächlich erfahrbar, was die Eltern mit ihrem verstorbenen Kind nicht erleben durften.

10.5 Gedenkfeier

Eine Gedenkfeier für die verstorbenen Kinder einer neonatologischen Intensivstation kann sich zu einem festen Bestandteil im

Jahreslauf sowohl für das Klinikteam als auch für die früh verwaisten Eltern und deren Angehörige entwickeln. Eine Gedenkfeier zeigt: Die Kinder sind nicht vergessen! Diese Erfahrung tut vielen Familien besonders gut, denn in ihrem Alltag gibt es, vor allem für die Kinder, deren Tod schon länger zurückliegt, oftmals nur noch wenig Raum.

Zudem bietet sie allen Beteiligten die Gelegenheit, für einen kurzen Moment innezuhalten und an einem gemeinsamen Ort miteinander ins Gespräch zu kommen. Der Austausch zwischen den Familien und dem Klinikpersonal sowie unter den Familien ist ein wichtiges Anliegen einer solchen Gedenkfeier. Sie bietet allen die Möglichkeit, Erlebtes noch einmal zu erzählen, offene Fragen zu klären und sich miteinander zu erinnern. Die Begegnung der betroffenen Eltern untereinander macht ihnen deutlich: Wir sind nicht alleine mit unserem Schicksal.

Ein weiterer wichtiger Aspekt ist unseres Erachtens, dass das Klinikteam in den Gesprächen mit den Familien immer wieder wichtige Rückmeldungen zur eigenen Arbeit erhält. Viele Gespräche verdeutlichen, welche Interventionen als hilfreich oder weniger hilfreich empfunden wurden und bieten damit eine gute Möglichkeit, Handlungsabläufe bei Bedarf zu modifizieren und an die elterlichen Bedürfnisse anzupassen.

Literatur

Christ-Steckhan C (2005) Elternberatung in der Neonatologie, 1. Aufl. Reinhardt, München

Harder U, Borchard C (Hrsg) (2022) Wochenbettbetreuung. Edition Hebamme, 5. Aufl. Georg Thieme Verlag, Stuttgart

Lammer K (2010) Trauer verstehen. Formen, Erklärungen, Hilfen, 3. Aufl. Neukirchener Verlagshaus, Neukirchen-Vluyn

Lothrop H (2016) Gute Hoffnung – jähes Ende. Fehlgeburt, Totgeburt und Verluste in der frühen Lebenszeit. Begleitung und neue Hoffnung für Eltern, Vollständig überarbeitete und aktualisierte Neuausgabe. Neuauflage.Kösel, München

Nijs M (2003) Trauern hat seine Zeit: abschiedsrituale beim frühen Tod eines Kindes, 2. Aufl. Verlag für Angewandte Psychologie, Hannover

Radestad I, Surkan PJ, Steineck G, Cnattingius S, Onelov E, Dickman PW (2007) Long-term outcomes for mothers who have or have not held their stillborn baby. Midwifery 25(4):422–429

Schwarz C (2020) Betreuung verwaister Mütter. In: Stiefel A, Brendel K, Bauer N (Hrsg) Hebammenkunde. Lehrbuch für Schwangerschaft, Geburt, Wochenbett und Beruf, 6. aktualisierte und erweiterte Aufl. Thieme, Stuttgart, S 902–907

Specht-Tomann M, Tropper D (2011) Wir nehmen jetzt Abschied. Patmos, Ostfildern, S 188–190

Stadelmann I (2024) Die Hebammen-Sprechstunde. Schwangerschaft, Geburt, Wochenbett, Stillzeit – eine einfühlsame Begleitung 6. Aufl. Stadelmann, Wiggensbach

Surkan PJ, Radestad I, Cnattingius S, Steineck G, Dickman PW (2008) Events after stillbirth in relation to maternal depressive symptoms: a brief report. Birth 35:153–157

Weinberger S (2011) Klientenzentrierte Gesprächsführung: lern- und Praxisanleitung für psychosoziale Berufe (Edition Sozial), 13. Aufl. Beltz Juventa, Weinheim

Selbstsorge und Qualitätsmanagement

Selbstsorge

Beate Violet

Inhaltsverzeichnis

L. Garten und K. von der Hude (Hrsg.), *Palliativversorgung und Trauerbegleitung in der Neonatologie,*
https://doi.org/10.1007/978-3-662-71982-4_11

Nachdem in den vorangehenden Kapiteln die Mitarbeitenden des multiprofessionellen Teams die Herausforderungen ihrer Arbeit in der Sterbe- und Trauerbegleitung aus jeweils ihrer fachlichen Sicht dargelegt haben, soll nun ein Blick auf die Mitarbeitenden selbst gerichtet werden. Mitarbeiterinnen und Mitarbeiter auf einer Neugeborenenintensivstation arbeiten in einem Arbeitsfeld mit komplexen Arbeitsanforderungen und -belastungen, die sich als Stress auswirken können. Dabei sind sie zunächst besonderen strukturellen Arbeitsbedingungen ausgesetzt. Zudem gehören sie zu einer Berufsgruppe, in der ein wesentlicher Aspekt der Arbeit die Beziehungsqualität zwischen Neugeborenen, Eltern und Mitarbeitenden ist. Und schließlich sind sie beruflich permanent mit dem schwierig zu bewältigenden Tabubereich von Sterben, Tod und Trauer konfrontiert. Das Kapitel Selbstsorge widmet sich daher der Frage, was Mitarbeitende in diesem beruflichen Kontext ganz praktisch tun können, um gut mit den besonderen Anforderungen und Belastungen auf einer Neugeborenenintensivstation umgehen zu können und dabei gesund zu bleiben. Zugänge dafür ergeben sich aus der wissenschaftlichen Burnout- und Gesundheitsforschung, aber auch aus dem Kontext systemischer Beratung und Supervision. Dabei sollen im Folgenden Belastungsfaktoren benannt und Herangehensweisen zum Umgang mit diesen dargelegt werden.

11.1 Situation der Arbeitsbelastung

11.1.1 Strukturelle Faktoren

Die Mitarbeitenden auf einer Neugeborenenintensivstation sind täglich herausgefordert, mit komplexen Anforderungen umzugehen, die sich aus ihren besonderen Arbeitsbedingungen und der konkreten Arbeitsorganisation auf ihrer Station ergeben. Insbesondere mehrdeutige Situationen führen dabei zu einer spürbaren Stressbelastung (Gussone und Schiepek 2000). Faktoren wie unklare (Therapie-) Zielvorgaben, zu viele oder inkompatible Aufträge, ungeklärte Zuständigkeiten, konkurrierende Interessen, überfordernde Situationen, mangelnde Kommunikation und diffuse Erwartungen wirken sich belastend auf die Arbeitssituation aus. Erschwerend kommen für Mitarbeitende nicht selten ein geringer Gestaltungsspielraum, zu wenig Einflussmöglichkeiten sowie fehlende Unterstützung und Wertschätzung dazu.

11.1.2 Personale Faktoren

Neben den strukturellen Faktoren der Belastung gibt es eine Reihe von weiteren Faktoren, die in der Person des bzw. der Mitarbeitenden selbst liegen und hier als personale Faktoren benannt werden sollen. Diese haben ganz entscheidend Einfluss auf die persönliche Fähigkeit zur Bewältigung der beruflichen Anforderungen. Bezugnehmend auf die Forschungsergebnisse von Lammer (2012) gehören zu den personalen Faktoren der Belastung das ausgeprägte Bedürfnis anderen zu helfen, die Schwierigkeit selbst Hilfe anzunehmen, die mangelnde Fähigkeit sich von den Erwartungen anderer abzugrenzen und sie zu enttäuschen, ein labiler Selbstwert und Unsicherheit, eine geringe Überzeugung von der Wirksamkeit des eigenen Handelns sowie die mangelnde Fähigkeit zur Selbstreflexion. Ebenso wirkt es sich belastend für den Mitarbeitenden aus, wenn es kaum oder keinen persönlichen Zugang zu sinngebenden Vorstellungen gibt oder wenn ein hohes Arbeitsethos mit übertriebenem Ehrgeiz und hohen Erwartungen gepflegt wird. Weitere personale Faktoren der Belastung sind die Schwierigkeit, Gefühle zuzulassen, die mangelnde Fähigkeit, mit Stress umzugehen, und die fehlende Kompetenz, gut für sich und die eigenen Bedürfnisse zu sorgen.

11.1.3 Soziale Faktoren

Die Mitarbeitenden sind bei der Behandlung der Neugeborenen nicht nur fachlich gefordert, sondern werden bei der Begleitung der Familien zugleich menschlich beansprucht. Die zum Neugeborenen und zu dessen Eltern aufgebaute Beziehung ist ein weiterer Belastungsfaktor. Die gespürte Belastung steigt danach mit der Intensität und Häufigkeit der Kontakte, mit der Dauer der Beziehung, mit der Kraftinvestition im Verhältnis zu den eingenommenen Kräften (wie Dankbarkeit, das Aufgreifen von Anregungen) sowie mit dem Auftreten schwieriger, widersprüchlicher oder fremder Reaktionsmuster der Eltern (wie Aggressivität, Unzufriedenheit, Passivität) (Hoffmann und Hofmann 2012). Weitere soziale Faktoren der Belastung sind eine gestörte Atmosphäre, der schwierige Umgang mit Konflikten und mit Konkurrenz im Team. Schließlich gehören auch die eigenen Beziehungen und die Belastungen im persönlichen sozialen Umfeld dazu, wie ein fehlendes, instabiles oder gestörtes familiäres Umfeld und soziales Netz, aber auch finanzielle Schwierigkeiten oder eine eigene Erkrankung.

11.1.4 Besondere Belastung im Tabubereich von Sterben, Tod und Trauer

Eine besondere Form der Belastung für die Mitarbeitenden einer neonatologischen Klinik besteht darin, dass ihr Wirken ständig auch im Tabubereich von Sterben, Tod und Trauer stattfindet. Auf einer Neugeborenenintensivstation liegen Lebensanfang und Lebensende dicht beieinander, und es gibt hier eine Häufung von Sterben. Die Unbegreiflichkeit solchen Sterbens und die Erfahrung, dass Anspruch und Wirklichkeit des Lebens hier weit auseinanderfallen, sind ein besonderer Faktor der Belastung. Er korrespondiert damit, wie es den Mitarbeitenden auf Dauer gelingt, einen Zugang zu ihren eigenen tragfähigen, sinngebenden und religiösen Vorstellungen zu finden und wie gut sie eigene Verlusterfahrungen verarbeitet haben.

Ein weiterer Belastungsfaktor ist das Mitleiden mit den Neugeborenen und Eltern. Untersuchungen haben gezeigt, „dass durch Mitleid das Schmerzzentrum im Gehirn aktiviert wird, das für die Verarbeitung eigener körperlicher Schmerzen verantwortlich ist“ (Hoffmann und Hofmann 2012). Hoffmann und Hofmann sowie Lammer sprechen in diesem Zusammenhang von emotionaler Ansteckung (Hoffmann und Hofmann 2012; Lammer 2012), die mit der Intensität der Beziehung und der Häufigkeit des Sterbens korreliert. Sie hinterlässt Spuren im Schmerzgedächtnis und entzieht emotionale Energie. Die Erkenntnisse der Neurobiologie belegen im Umkehrschluss aber auch, dass das Zulassen positiver Emotionen dabei hilft, Stress abzubauen sowie Intuition und Kreativität zu aktivieren (Hoffmann und Hofmann 2012). Schließlich ist auch das mögliche Fehlen einer schützenden Distanz zu den Gedankeninhalten der Eltern ein Faktor der Belastung. Diese Belastung ist für die Mitarbeitenden umso größer, je weniger mittelbar die Arbeit ist, also je weniger Geräte, Verrichtungen usw. schützend zwischen Mitarbeiter und Neugeborenen und Eltern stehen (Hoffmann und Hofmann 2012).

11.2 Begriffsbestimmung Selbstsorge

Der Begriff der Selbstsorge („Le Souci de Soi“) wurde durch Foucault 1984 geprägt und meint die Sorgfalt, die man auf sich selbst verwendet. Selbstsorge berührt dabei wesentlich auch die Beziehung zu anderen, denn sie befähigt einen Menschen, den passenden Platz in seiner Umwelt und in seinem beruflichen Kontext einnehmen und die notwendigen Aufgaben ausüben zu können (Gussone und Schiepek 2000). Selbstsorge ist die Fähigkeit eines Menschen, sich selbst und die eigenen Bedürfnisse wahr- und ernst zu nehmen. Der Begriff der Selbstsorge stellt in einem sozialen Arbeitsfeld mit komplexen Belastungen wie einer Neugeborenenintensivstation einerseits einen korrespondierenden Begriff zur Fürsorge dar. Damit lässt sich das Augenmerk auf die Fähigkeit und die Notwendigkeit richten, auch als Mitarbeitende in einem fürsorglichen Beruf verantwortlich für sich selbst zu sorgen. Andererseits stellt Selbstsorge einen positiven Gegenbegriff zur Burnoutprophylaxe dar. Damit lässt sich die Perspektive wechseln weg von Defiziten und negativen Folgen beruflicher Belastung wie Ermüdung und Erschöpfung hin zu den Vorbedingungen und Fähigkeiten, um gesund zu bleiben – trotz komplexer Arbeitsanforderungen und -belastungen. Diese Perspektive, die selbst-bewusstes und selbst-wirksames Handeln befördert, soll bei der Selbstsorge eingenommen werden.

11.3 Selbstsorgender Umgang mit Arbeitsbelastung

Ausgehend von dem Begriff der Selbstsorge, werden im Folgenden einige wissenschaftliche Zugänge und Konzepte zur Gesunderhaltung, zur psychischen Widerstandskraft, zu den internen und externen Ressourcen, zur Befriedigung der Grundbedürfnisse und zur Reflexion eigener Trauer dargestellt. Sie können erklären, warum und wie Mitarbeitende den Anforderungen gewachsen sein und trotz Belastungen gesund bleiben können. Wie oben beschrieben, sind die Mitarbeitenden auf einer Neugeborenenintensivstation unterschiedlichen strukturellen, personalen und psychosozialen Arbeitsanforderungen und -belastungen ausgesetzt. Daraus können Überlastung und Ermüdung erwachsen und sich zu einem „Burnout" (Ausbrennen) ausweiten. So entsteht eine „arbeitsbedingte, chronische seelische Erschöpfung, verbunden mit einer Entpersönlichung im Umgang mit sich selbst und anderen Menschen und mit einem starken Absinken von beruflicher Effektivität, beruflicher Zufriedenheit sowie allgemeiner Leistungsfähigkeit und Lebensfreude" (Lammer 2012). Kennzeichen einer solchen Entpersönlichung sind nachlassende Fähigkeit zu Mitgefühl sowie zunehmende Gleichgültigkeit, Reizbarkeit, Zynismus und sozialer Rückzug. Um einem Burnout vorzubeugen, soll das Augenmerk auf den selbstsorgenden Umgang mit Arbeitsbelastungen gerichtet werden.

11.3.1 Salutogenesekonzept

Das Salutogenesekonzept (lat. Gesundungsprozess) geht auf Antonovsky zurück, der diesen Begriff in den 1970er-Jahren prägte. Er ging der Frage nach, was Menschen trotz Belastungen gesund hält und begann im Kontext von Stressoren heilsame bzw. „generelle Widerstandsfaktoren" (Antonovsky 1997) zu suchen, die es Menschen ermöglichen, mit Anforderungen und Belastungen umzugehen. Dabei kam er zu der Erkenntnis, dass Menschen dann besser mit Herausforderungen umgehen können, wenn sie das Gefühl haben, diese verstehen zu können, sie handhaben zu können und sie für sinnvoll oder bedeutsam zu halten (Antonovsky 1997). Antonovsky nennt dieses Gefühl den „Sense of Coherence" (Antonovsky 1997), den Kohärenzsinn oder Zusammenhangssinn. Dabei meint er,

- etwas verstehen zu können, die Fähigkeit Anforderungen kognitiv einordnen zu können,
- etwas handhaben zu können, das Vertrauen, ausreichende Ressourcen zur Bewältigung der Anforderungen zu haben, und

- etwas für sinnvoll zu halten, das Erkennen eines Sinnzusammenhanges, in dem die Anforderungen stehen.

Das Besondere an der Erkenntnis Antonovskys ist, dass der Kohärenzsinn dabei nicht nur die Stresswahrnehmung, sondern auch die Stressbewältigung beeinflusst (Antonovsky 1997).

Menschen mit einem starken Kohärenzsinn können besser mit belastenden Herausforderungen umgehen. Sie sind auch eher bereit, etwas zur Erhaltung ihrer Gesundheit zu tun (Antonovsky 1997).

Hat z. B. eine mitarbeitende Person erlebt, dass eine private oder berufliche Anforderungen bereits bewältigt werden konnte, befähigt dies dazu, sich auch auf neue Herausforderungen einzulassen und dafür eigene Ressourcen und das soziale Umfeld aktivieren zu können. Die eigenen Erfahrungen können sich sozusagen zunutze gemacht werden. Damit entsteht ein Zugewinn an Fähigkeiten zukünftig besser mit Belastungen umzugehen. Dieser Zugewinn ist entscheidend geprägt durch die Erfahrung, selbst mitgewirkt zu haben. Zudem wirken sich solche Erfahrungen aber auch auf das Gefühl aus, das eigene Erleben und Handeln insgesamt als bedeutsam zu bewerten. Das gilt auch im Tabubereich von Sterben, Tod und Trauer. Hier kommt der Fähigkeit der Mitarbeitenden, die eigenen Lebenserfahrungen verstehen zu können, sie gehandhabt zu haben und sie in einen größeren, möglicherweise auch religiösen, Sinnzusammenhang stellen zu können, eine große Bedeutung zu, um wiederum selbst angemessener mit den Belastungen durch Sterben, Tod und Trauer im Arbeitskontext umgehen zu können.

11.3.2 Resilienzkonzept

Der Begriff der Resilienz „stammt aus der Materialkunde und bezeichnet die Fähigkeit, nach extremer Belastung in den ursprünglichen Zustand zurückzufinden“ (Rechenberg-Winter und Fischinger 2008). Die heutige Resilienzforschung bezieht sich auf die „psychische Widerstandskraft gegenüber biologischen, psychologischen und psychosozialen Entwicklungsrisiken“ (Wustmann 2004) und meint das wirkungsvolle Umgehen mit diesen Risiken und Belastungen.

Bezugnehmend auf die Untersuchungen von Weiand (Weiand 2012) ist es wichtig zu verstehen, welche Eigenschaften und Fähigkeiten Menschen haben, die sich trotz Risiken und Belastungssituationen gut und gesund entwickeln. Dabei ist zwischen inneren und äußeren Risiko- und Schutzfaktoren zu unterscheiden und nach den Zusammenhängen und wirksamen Wechselwirkungen zwischen diesen zu fragen. Zwei wichtige Wechselwirkungen seien hier genannt. Erstens mildern Schutzfaktoren die Risiken und zweitens können personale Schutzfaktoren die sozialen Schutzfaktoren aktivieren.

Damit weist das Resilienzkonzept den Schutzfaktoren für die Gesunderhaltung eine besondere Bedeutung zu.

Das Resilienzkonzept wendet den Blick weg von den Defiziten hin zu den individuellen Fähigkeiten bzw. Stärken eines Menschen, die er zur Verfügung hat und mit deren Hilfe er sich in seinem Umfeld Unterstützung mobilisieren kann, um mit den Belastungen umzugehen. Die personalen Schutzfaktoren Selbstwahrnehmung, Selbstwirksamkeit, Selbststeuerung sowie soziale Kompetenz werden dabei auch als Resilienzfaktoren bezeichnet. Familie, Zugang zu Bildung und das soziale Umfeld stellen soziale Schutzfaktoren dar (Weiand 2012).

Sind in einer Belastungssituation die Schutzfaktoren eines Mitarbeitenden wirkungsvoller als die Risikofaktoren, kann von einem widerstandsfähigen Menschen gesprochen werden.

In einer komplexen Arbeitssituation verfügt er oder sie über die Fähigkeiten, sich zuerst an den Aufgaben zu orientieren und dann die Probleme anzugehen, Lösungsideen zu entwickeln und Entscheidungen zu treffen. Im Verlauf des Handelns können zudem Fehler überprüft, sich wenn nötig abgegrenzt und sich Unterstützung organisiert werden.

11.3.3 Stresstheorie

Die Stresstheorie nach Lazarus und Folkman (1984) geht davon aus, dass Stress dann entsteht, „wenn die Anforderungen einer Belastungssituation nach Einschätzung der betroffenen Person die ihr verfügbaren Anpassungs- oder Bewältigungsressourcen überfordern, so dass ihr Wohlergehen gefährdet ist" (Lammer 2010).

Anforderungen bzw. Stressoren rufen Reaktionen auf der körperlichen, kognitiven und emotionalen Ebene und auf der Verhaltensebene hervor. Gelingt es nicht, angemessen auf die Stressoren zu reagieren, entsteht Stress, der nicht zuletzt auch gesundheitliche Folgen (Erschöpfung, Ermüdung, Burnout) haben kann.

Ein entscheidender Einfluss auf die Stressentstehung und -bewältigung wird dabei der individuellen Bewertung der Situation zugemessen. Die Bewertung hat nicht nur Einfluss darauf, ob und wie ein Mensch eine Herausforderung angeht, sondern auch, welche Ressourcen dafür – nach individueller Einschätzung – verfügbar sind. In der Stresstheorie werden daher interne von externen Ressourcen unterschieden. Interne Ressourcen sind z. B. die Fähigkeit, mit Problemen und Konflikten umgehen zu können, sich Erholung und Pausen verschaffen zu können, Einschätzungen und Bewertungen vornehmen zu können sowie Unabänderliches akzeptieren zu können (Schuster et al. 2011). Externe Ressourcen sind z. B. Handlungsspielraum und soziale Unterstützung (Schuster et al. 2011).

Ist ein Mitarbeiter bzw. eine Mitarbeitende einer komplexen Anforderung mit Zeitdruck, unklarem Auftrag und emotionaler Belastung ausgesetzt, wird er bzw. sie sich möglicherweise körperlich müde und lustlos fühlen. Die Konzentrationsfähigkeit wird nachlassen, Ärger oder Nervosität werden deutlicher spürbar. Möglicherweise wird das Frühstück abgekürzt oder ausfallen, es werden mehr Zigaretten geraucht oder es kommt der Gedanke, alles nicht schaffen zu können. Kann die Mitarbeiterin bzw. der Mitarbeiter aber auf solche Ressourcen zurückgreifen, mit denen sie bzw. er die aktuelle Situation und seine Aufgabe als machbar und sinnvoll einschätzen, seine Aufgaben einteilen und Unterstützung organisieren, eine spätere Frühstückspause einplanen, den Ärger über die Unklarheit des Auftrags ernst nehmen und wenn nötig ansprechen und sich nicht zuletzt nach Feierabend dann z. B. bei einem guten Buch oder beim Laufen entspannen und erholen, schützt sie bzw. ihn das vor weiterer oder andauernder Überforderung.

11.3.4 Bedürfniskonzept

Mit seiner Bedürfnispyramide hat Maslow (1943) einen Ansatz geliefert, der bis heute die Untersuchung von Bedürfnissen und Motivationen im Arbeitskontext prägt. Die Forschung hat gezeigt, dass das Ausmaß der Befriedigung psychischer Grundbedürfnisse einen wesentlichen Einfluss auf die Gesundheit eines Menschen hat (Schuster et al. 2011). Werden im Kontext von Arbeitsbelastungen psychische Bedürfnisse nicht in ausreichendem Maße erfüllt, wirkt sich das negativ auf das Wohlbefinden aus. Verletzungen der psychischen Grundbedürfnisse führen auf Dauer sogar zu körperlichen Beeinträchtigungen. Schuster et al. nennen hier in Anlehnung an Grawe (1998) folgende Bedürfnisse: Lustgewinn, Selbstwert, Kontrolle und Autonomie, Sinn und Orientierung sowie Bindung.

Mit dem Bedürfnis, sich wohl zu fühlen (Lustgewinn), wird hier der Blick auf ein sehr grundlegendes Bedürfnis gerichtet. Es wird insbesondere dann erfüllt, wenn auch die anderen Bedürfnisse erfüllt werden können. Wertschätzung und Unterstützung befördern die Befriedigung von Selbstwert und Bindung. Das Bedürfnis nach Sinn und Orientierung wird erfüllt, wenn Erlebnisse als sinnvoll und geordnet wahrgenommen werden können. Auf die Nichterfüllung oder Verletzung von Bedürfnissen reagieren Menschen meist mit erlernten Reaktionsschemata, dem Anpassungsschema oder dem Vermeidungsschema, und passen sich entweder der Situation an oder vermeiden sie (Schuster et al. 2011). Beide Schemata können zur Bewältigung aktiviert werden und sind sinnvolle Bewältigungsmuster. Werden sie jedoch gleichzeitig aktiviert, weil Menschen einerseits eine Herausforderung angehen und sie andererseits vermeiden wollen, spüren sie dies als stressauslösenden Konflikt. Ein solcher Konflikt kann auch zwischen zwei verschiedenen Menschen entstehen, weil z. B. eine strukturelle Veränderung bei dem einen das Bedürfnis nach Bindung befriedigt und bei dem anderen das Bedürfnis nach Autonomie verletzt.

Gibt es Konflikte im Team z. B. über ein unklares (Therapie-)Ziel oder eine unklare Beratungsanfrage, können diesen verletzte oder beeinträchtigte Bedürfnisse zugrunde liegen. Die Fähigkeit, auch tiefer liegende Gefühle bei sich und anderen wahrzunehmen, kann hier zur Konfliktbewältigung beitragen. Fühlen Mitarbeitende sich in ihrem Arbeitskontext schlecht oder lustlos, werden oft auch hier Bedürfnisse nicht befriedigt.

In der Regel wirken eine Kultur der Wertschätzung und das Ernstnehmen privater Bedürfnisse positiv auf die Arbeitsmotivation und tragen zu mehr Wohlbefinden bei.

11.3.5 Traueraufgabenmodell

Aufgrund der besonderen Belastungssituation beim Umgang mit Sterben, Tod und Trauer soll hier aus der Perspektive der psychosozialen, pflegerischen und ärztlichen Teammitglieder noch einmal auf das Traueraufgaben-Modell von Lammer (Lammer 2010) Bezug genommen werden. Lammer hat die perimortale Trauerbegleitung in den Fokus ihrer Untersuchungen gerückt und ein Traueraufgaben-Modell entwickelt, das der Verlustbewältigung der von Trauer Betroffenen dienen soll (► Abschn. 5.5.2). Außerdem nimmt sie die Mitarbeitenden in den Blick, die mit Sterbenden und deren Angehörigen arbeiten. Für Letztere formuliert sie professionelle Voraussetzungen: „Das eigene Verhältnis zu Tod und Trauer klären, eigene Wahrnehmungseinstellungen und Erwartungsmuster an Trauernde erkennen und erweitern und sich Wissen über die Trauerphänomenologie aneignen …" (Lammer 2010).

Lammer formuliert Kompetenzen, die auch für die Mitarbeitenden auf einer Neugeborenenintensivstation bedeutsam sind. Persönliche themenspezifische Reflexion und entsprechendes Wissen im Arbeitskontext sind nötig, damit die eigene Lebensgeschichte sowie die eigenen Haltungen und Annahmen zu Sterben, Tod und Trauer nicht vorschnell und unreflektiert auf die Eltern übertragen werden und somit bei der Arbeit störend wirken. Das Bewusstmachen der eigenen Lebenserfahrungen wirkt förderlich auf den Umgang mit der persönlichen Schmerzgrenze, dient der bewussten Unterscheidung eigener und fremder Trauer und ermöglicht damit einen größeren persönlichen und beruflichen Handlungsspielraum. Auch die Auseinandersetzung mit eigenen sinngebenden und religiösen Vorstellungen wirkt bis ins Team hinein stabilisierend.

Das Wissen über Trauerphänomene ermöglicht eine kompetente Arbeit und gehört zu den fachlichen Voraussetzungen in diesem Arbeitsfeld. Nicht zuletzt verhilft die eigene Reflexionsfähigkeit auch zur Klärung der beruflichen Rolle und Aufgabe, so dass Mitarbeitende betroffenen

Eltern angemessene fachliche und zugleich einfühlsame menschliche Unterstützung geben können. Mitarbeitende auf einer Neugeborenenintensivstation sollen auf diese Weise mit der Frage „Wie viel Trauer verträgt mein persönliches Entwicklungssystem?“ (Rechenberg-Winter und Fischinger 2008) selbst-bewusst und selbst-wirksam umgehen können.

11.4 Zehn praktische Möglichkeiten zur Selbstsorge

11.4.1 Eigene Erfahrungen reflektieren

11.4.1.1 Vorbilder und Vorerfahrungen nutzen

Besonders die sozialen Faktoren der Belastung für Mitarbeitende auf einer Neugeborenenintensivstation, die durch den engen auch emotionalen Kontakt und die unweigerlich entstehende Beziehung zu den Neugeborenen und ihren Familien bestehen, sind für die Mitarbeitenden nur durch aktive Selbstsorge zu bewältigen. Dazu ist es hilfreich und erforderlich, sich der eigenen Vorerfahrungen und Vorbilder zu erinnern und sie zu aktualisieren. Mit diesen Erfahrungen und Bildern ließen sich nämlich nicht nur belastende Situationen in der Vergangenheit bewältigen, sie können dem gleichen Zweck auch in der Gegenwart dienen.

Dazu ist es wichtig, die zurückliegenden Erfahrungen zu erinnern und einen sensiblen Blick auf die eigenen Lebensthemen zu richten: Verluste, Verletzungen, Enttäuschungen und Scheitern genauso wie Bewältigung, Zugewinn, Erfüllung und Gelingen.

Das bewusste Erinnern, Erfühlen und Verstehen der eigenen Lebenserfahrungen fördert das Gefühl, etwas geschafft und bewältigt zu haben. Gelingt es den Mitarbeitenden, das Erlebte auch in einen größeren sinntragenden Zusammenhang zu stellen, bestärkt sie das im Umgang mit den aktuellen Herausforderungen. Hierzu gehört auch, die eigenen Vorbilder oder Leitbilder zu nutzen, zu erinnern und sich mit ihnen kritisch auseinanderzusetzen. Aktive Selbstsorge bedeutet also, auf diese Vorerfahrungen zurückzugreifen und sich an eigenen Vorbildern noch einmal auszurichten.

11.4.1.2 Persönliche Haltung zum Sterben erarbeiten

Auch wenn die Erfahrung von Sterben, Tod und Trauer zum beruflichen Alltag und damit zur Routine einer Neugeborenenintensivstation gehört, ist sie bei jedem Einzelschicksal neu zu machen und schwer zu bewältigen. Der Tod ist zwar (medizinisch) erklärbar, aber gleichzeitig immer auch (menschlich) unbegreiflich. Die Belastung, die durch diesen Widerspruch für die Mitarbeitenden besteht, macht es für die Selbstsorge erforderlich, sich auch mit der eigenen Haltung zu Sterben, Tod und Trauer auseinanderzusetzen, sie zu erinnern und kennenzulernen. Dabei beeinflussen die eigenen persönlichen Annahmen den beruflichen Umgang mit Sterben, Tod und Trauer, genauso wie umgekehrt die Begegnung mit dem Einzelschicksal im Arbeitskontext sich auswirkt auf die eigene persönliche Haltung. Diese kann sich verändern und weiterentwickeln.

Doch immer wieder ist es für die Selbstsorge in diesem Zusammenhang hilfreich, sich zu erinnern, wie man persönlich mit dem Sterben der eigenen Eltern, Großeltern oder anderer nahestehender Menschen umgegangen ist und was einem heute davon zugute kommen kann.

Es ist wichtig, sich zu fragen, welche sinntragenden und religiösen Erklärungen man für den Tod und welche Vorstellungen man von einem Leben nach dem Tod hat.

Selbstsorge angesichts der Belastungen auf einer Neugeborenenintensivstation durch das ständige Umgehen mit Sterben,

Tod und Trauer macht schließlich auch erforderlich, den Sinn von Trauer zu verstehen, sich eigener Trauerbewältigung zu erinnern und praktische Schritte der Trauerarbeit gehen zu können.

11.4.2 Sich Grenzen setzen

11.4.2.1 Professionelle Distanz halten

Die Stressbelastung für die Mitarbeitenden einer Neugeborenenintensivstation, die durch die hohen fachlichen Standards einerseits und das große Bedürfnis nach Zuwendung andererseits entsteht, macht es für eine aktive Selbstsorge erforderlich, im Verhältnis zu den Klient*innen trotz aller nötigen Empathie auch eine professionelle Distanz zu halten. Immer wenn die Mitarbeitenden die Neugeborenen und ihre Familien emotional stützen, müssen sowohl die affektive oder emotionale Nähe als auch die professionelle Distanz wieder neu bestimmt werden. Um sich im professionellen Kontakt nicht zu stark von den schmerzlichen Gefühlen emotional anstecken zu lassen, ist es also hilfreich, bewusst eine heilsame äußere Distanz oder einen reflektierten inneren Abstand zu den belastenden Gefühlen zu halten. Das immer neue Ausloten der Grenze zwischen Nähe und Distanz schützt davor, sich in der beruflichen Arbeit zu sehr zu erschöpfen oder gar zu verlieren.

Selbstsorge heißt dabei auch, eine bewusste Grenze zwischen Beruf und Privatleben zu ziehen. So sollten die Mitarbeiter*innen „ihre Fälle“ in ihrer Arbeitszeit bearbeiten, bewältigen und reflektieren und aus ihrem Privatleben weitestgehend heraushalten.

11.4.2.2 Lachen gegen den Schmerz

Natürlich zeigen Mitarbeiter*innen einer Neonatologie eine hohe menschliche und professionelle Kompetenz, wenn sie sich sowohl einfühlen als auch mitfühlen können. Sie helfen anderen, wenn sie bei Verlust eines Klienten bzw. einer Klientin Schmerz zulassen, Trauer ermöglichen und Gefühle artikulieren. Doch wo Freud und Leid, Hoffnung und Angst so dicht beieinander liegen, geraten auch die Mitarbeitenden in das Durcheinander der Gefühle. Deshalb sollten sie zur Selbstsorge sich vor zu vielen, zu häufigen und zu schmerzlichen Gefühlen schützen, die das Schmerzgedächtnis belasten. Sie sollten den schmerzlichen Gedanken und Gefühlen einen Raum geben, sie diesen aber ebenso auch begrenzen. Sie sollten immer auch positive Gedanken und Emotionen in der Situation suchen und zulassen. Gelingt es, diese durch Aussprechen, durch Lachen oder gar durch Humor zu verstärken, werden neue seelische und körperliche Kräfte geweckt.

Aktive Selbstsorge heißt also, neben den schmerzlichen Gefühlen durchaus bewusst auch die erfreulichen Gefühle in der Situation wahrzunehmen und zuzulassen.

11.4.2.3 Nehmen statt nur zu Geben

Personale Faktoren der Belastung für die Mitarbeiter*innen auf einer Neugeborenenintensivstation sind immer wieder auch ihr ausgeprägtes Bedürfnis, anderen zu helfen, und der Wunsch, sie nicht zu enttäuschen. Deshalb geben sie oft „alles“. Wo Mitarbeiter*innen aber so viel geben, kann ihr persönlicher Kräftehaushalt leicht auch ins Ungleichgewicht geraten. Zur Selbstsorge gehört deshalb nicht nur zu geben, sondern gleichzeitig auch nehmen zu können. Gelingt Mitarbeitern und Mitarbeiterinnen das Nehmen auf Dauer nicht, nimmt der Grad ihrer Ermüdung und Erschöpfung zu.

Zum Nehmen-können gehört es, die eigenen Bedürfnisse zu kennen und zu reflektieren, den eigenen Kräftehaushalt zu beobachten und zu bemerken, wie viel persönliche Kraftressourcen noch zur Verfügung stehen.

Nur wenn die persönliche Energiebilanz stimmt, ist Geben seliger als Nehmen. Zur Selbstsorge gehört es, immer wieder auch „aufzutanken“, Dank, Würdigung und Wertschätzung anzunehmen und sich das womöglich auch selbst zu organisieren.

11.4.3 Sich Unterstützung organisieren

11.4.3.1 In Familie und Freundschaften investieren

Die komplexen Anforderungen, die physischen Belastungen und die emotionalen Beanspruchungen für die Mitarbeitenden auf einer Intensivstation erfordern zur Selbstsorge immer wieder auch die Fähigkeit, sich Unterstützung zu organisieren. Dazu gehören dann zuallererst die eigene Familie und die persönlichen Freundschaften. Familie und Freundschaften sind eine große und wertvolle Kraftressource und ein Ausgleich zu den schmerzlichen Erlebnissen im Arbeitskontext.

Die Mitarbeiter*innen sollten bereits in unbelasteten Situationen einiges in diese Unterstützungssysteme investieren, denn hier können sie im Belastungsfall wesentliche emotionale und soziale Hilfe erfahren und sich als in einen größeren tragfähigen Lebenszusammenhang eingebettet erleben.

Familie und Freundschaften haben dabei insbesondere auch eine unterstützende und bestätigende Funktion, um den besonderen Anforderungen in der Sterbe- und Trauerbegleitung und beim persönlichen Umgang mit Sterben, Tod und Trauer gewachsen zu sein.

11.4.3.2 Gesprächsforen mobilisieren

Weitere Unterstützungssysteme als praktische Form der Selbstsorge finden die Mitarbeitenden von Neugeborenenintensivstationen allerdings auch intern, also zum Beispiel im eigenen Team. Um mit störenden und belastenden Faktoren wie unklaren (Therapie-)Zielvorgaben, konkurrierenden Interessen oder diffusen Erwartungen besser umgehen zu können, lohnt es sich, in den formellen und informellen Austausch zu investieren und Gesprächsforen zu mobilisieren (Abschn. 11.3). Mitarbeitende können sich auf diese Weise Entlastung verschaffen, Irritationen beseitigen, Zuständigkeiten klären und mehr Klarheit über Behandlungsziele und -strategien bekommen.

Der fachliche Austausch, Übergaben und Fallbesprechungen, aber auch Weiterbildungen und Teamsupervision sind geeignete Mittel zur Selbstsorge mithilfe von Unterstützung durch das Team.

Nicht zuletzt befördert eine Kultur der Wertschätzung, die Gelungenes würdigt und sich nicht auf die Defizite fixiert, den Zusammenhalt im Team und die Freude an einer gemeinsamen Arbeitsaufgabe. So kann Selbstsorge durch Unterstützung helfen, mit schwerwiegenden Belastungen im Arbeitsalltag umzugehen.

11.4.3.3 Rituale gestalten

Die vielfältigen Routinen, Arbeitsaufgaben und -abläufe stellen auf einer Neugeborenenintensivstation eine spürbare Belastung für die Mitarbeitenden dar, die sie aber durch aktive Selbstsorge bewältigen und unterbrechen können.

Eine bewusste Unterbrechung des Alltäglichen, wenn zum Beispiel ein Neugeborenes stirbt und das Unbegreifliche zur Belastung wird, stellen Rituale und ritualisierte Handlungen dar.

Sie zu pflegen und zu gestalten dient der Selbstsorge und ist ein wirkungsvolles Unterstützungssystem in der Belastungssituation. Im Spannungsfeld zwischen Professionalität und persönlicher Betroffenheit haben die Mitarbeiter*innen dabei Raum und Zeit für eigene Gefühle, für persönliche Gedanken und für den Ausblick auf das Morgen. Zu solchen Ritualen und ritualisierten Handlungen gehören z. B. das Aufstellen eines Fotos und eines Lichtes oder das Freihalten des Platzes des verstorbenen Kindes für einen Tag. Auch die Taufe (▶ Abschn. 7.1) oder Segnung (▶ Abschn. 7.2) eines Kindes ist eine ritualisierte Gelegenheit zur Selbstsorge, nicht nur für die Angehörigen, sondern auch für die Mitarbeiterinnen und Mitarbeiter. Schließlich gehören dazu auch eine Abschiedskultur, die das Abschiednehmen von Mitarbeitenden gestaltet, die ihre Tätigkeit auf der Station beenden, das verlässliche Begehen der Geburtstage sowie Formen der Begrüßung für neue Mitarbeiter*innen.

11.4.4 Für Erholung sorgen

11.4.4.1 Pausenkultur pflegen

Durch die ständige Komplexität der Anforderungen und die stete Wiederholung von ungewollten Schmerzerfahrungen sind die Mitarbeiter*innen auf einer Neugeborenenintensivstation einer dauerhaften Stressbelastung ausgesetzt, die sich im Sinne der aktiven Selbstsorge durch erholsame Unterbrechungen reduzieren lässt. Solche erholsamen Unterbrechungen des Alltags stellen Pausen dar, wie sie mehrfach an einem Arbeitstag ihren Platz haben sollten.

Pausen verschaffen einem Mitarbeiter bzw. einer Mitarbeiterin heilsamen Abstand zu seiner bzw. ihrer Arbeitsaufgabe und helfen Kraft zu schöpfen. Sie sollten als wertvolle Regenerationszeit begriffen und genutzt werden.

Dazu müssen sie aber von momentanen Arbeitsinhalten oder -problemen freigehalten werden. Pausen sollten nicht kurzsichtig einer vermeintlich größeren Effektivität geopfert werden. So werden sich auch kleine Pausen als hilfreiche Möglichkeit der Selbstsorge positiv auf die Arbeit und das Wohlbefinden der Mitarbeitenden auswirken.

11.4.4.2 Entspannung einüben

Auf der Neugeborenenintensivstation ist nicht nur die Behandlung der Neugeborenen, sondern auch die Sorge der Mitarbeitenden um diese intensiv, wie es schon im Namen der Station heißt. Die Mitarbeitenden werden durch die professionelle und menschliche Begleitungsarbeit und durch das Leid, mit dem sie konfrontiert werden, sozusagen mit Leib und Seele beansprucht. Wo Mitarbeitende so intensiv eingespannt sind und in steter Anspannung arbeiten, benötigen sie zur Selbstsorge immer wieder auch Entspannung. Entspannung wirkt stressreduzierend auf das körperliche und seelische Wohlbefinden. Sie kann erreicht werden zum einen durch Bewegung und körperliche Aktivitäten und zum anderen durch Ruhe, Körperübungen und entspannendes Verhalten. Vielfältige Möglichkeiten, für sich selbst zu sorgen, bieten sich durch Laufen, Radfahren, Tanzen, Angeln, Singen, Musizieren, progressive Muskelentspannung, Autogenes Training oder Yoga an.

Kleine Ziele, die von Zeit zu Zeit überprüft werden sollten, können große erholsame Wirkung haben.

Auch die Sorge um den eigenen Körper gehört zur Selbstsorge. Körperliches Wohlbefinden und die Freude, ihn zu spüren, machen Mitarbeiter*innen zu ganzen Menschen, mit Leib und Seele.

Literatur

Antonovsky A (1997) Salutogenese. Zur Entmystifizierung von Gesundheit. Dt. erw. Aufl. A. Franke. dgvt, Tübingen

Grawe K (1998) Psychologische Therapie. Hogrefe, Göttingen

Gussone B, Schiepek G (2000) Die Sorge um sich. Burnout-Prävention und Lebenskunst in helfenden Berufen. dgvt, Tübingen

Hoffmann N, Hofmann B (2012) Selbstfürsorge für Therapeuten und Berater, 2. überarbeitete Aufl. Beltz, Weinheim/Basel

Lammer K (2010) Den Tod begreifen. Neue Wege in der Trauerbegleitung, 5. Aufl. Neukirchener, Neukirchen-Vluyn

Lammer K (2012) Beratung mit religiöser Kompetenz. Beiträge zu pastoralpsychologischer Supervision und Beratung. Neukirchener, Neukirchen-Vluyn

Lazarus RS, Folkman S (1984) Stress, appraisal and coping. Springer, New York

Maslow AH (1943) A theory of human motivation. Psychol Rev 50:370–396

Rechenberg-Winter P, Fischinger E (2008) Kursbuch systemische Trauerbegleitung, 3. bearbeitete Aufl. 2018. Vandenhoeck & Ruprecht, Göttingen

Schuster N, Haun S, Hiller W (2011) Psychische Belastungen im Arbeitsalltag: Trainingsmanual zur Stärkung persönlicher Ressourcen. Originalausgabe. Beltz, Weinheim/Basel

Weiand D (2012) Gesund arbeiten statt krank „feiern“. Supervision als eine Maßnahme zur Gesundheitsförderung im Arbeitsleben ausgehend von den Konzepten der Salutogenese und der Resilienz. MT an der EH Freiburg

Wustmann C (2004) Resilienz. Widerstandsfähigkeit von Kindern in Tageseinrichtungen fördern. Beltz, Weinheim/Basel

Qualitätsmanagement

Claudia Christ-Steckhan

Inhaltsverzeichnis

Ergänzende Information Die elektronische Version dieses Kapitels enthält Zusatzmaterial, auf das über folgenden Link zugegriffen werden kann ► https://doi.org/10.1007/978-3-662-71982-4_12.

L. Garten und K. von der Hude (Hrsg.), *Palliativversorgung und Trauerbegleitung in der Neonatologie*,
https://doi.org/10.1007/978-3-662-71982-4_12

Die Förderung der Qualität im Gesundheitswesen generell und insbesondere bei der Pflege und Behandlung in den Kliniken gewinnt seit einigen Jahren kontinuierlich an Bedeutung. So hat der Gesetzgeber umfangreiche Richtlinien und Beschlüsse zur Qualitätssicherung im SGB V § 135–137 festgelegt. Die Kliniken sind verpflichtet, ein einrichtungsinternes Qualitätsmanagement aufzubauen sowie Mindestanforderungen für die Struktur-, Prozess- und Ergebnisqualität zu erfüllen (SGB V § 135a, Abs. 2). In der Umsetzung des Qualitätsmanagements bleibt jedoch Gestaltungsspielraum. Insbesondere bei den Themen Sterben und Tod gibt es keine detaillierten Vorgaben. Doch gerade dieser hochsensible Bereich der Pflege und Behandlung am Lebensende bedarf der Vorgabe von strukturellen und prozessualen Qualitätskriterien. Jedes Perinatalzentrum und jedes Team, das regelhaft sterbende Neugeborene pflegt und behandelt sowie deren Eltern begleitet, sollte Qualitätsziele und Qualitätskriterien formulieren. Nur wenn das Versorgungsziel klar formuliert ist, können die Teams prüfen und kritisch reflektieren, ob es bei einzelnen Aspekten der Ergebnisqualität Verbesserungspotenziale gibt.

Die Strukturkriterien für eine neonatologische Intensivstation sind durch den gemeinsamen Bundesausschuss in der „Qualitätssicherungs-Richtlinie Früh- und Reifgeborene QFR-RL“ vorgegeben (Gemeinsamer Bundesausschuss 2005, in der Fassung vom 16.05.2024, in Kraft getreten am 26.07.2024). In dieser Qualitätssicherungs-Richtlinie werden Qualitätsmerkmale bzw. Strukturanforderungen u. a. im Hinblick auf Anzahl und Qualifikation der Ärzte und Pflegefachkräfte gemacht. Die grundlegende interprofessionelle Konzeption der Versorgung Früh- und Reifgeborener sowie die räumlichen Gegebenheiten und die Anzahl der Intensivtherapieplätze werden in der Qualitätssicherungs-Richtlinie ausgeführt und teils als verbindliche Strukturkriterien vorgegeben.

Zur Gewährleistung und Förderung einer qualitativ hochwertigen Palliativversorgung in der neonatologischen Intensivstation sollten nach und nach einige Ärzte und Pflegefachkräfte eine zusätzliche Weiterbildung in spezieller Palliativmedizin absolvieren.

Mitarbeitende mit palliativmedizinischer Weiterbildung können das erworbene und kontinuierlich aktualisierte Expertenwissen in das Team bringen. In regelmäßigen kompakten Teamfortbildungen (z. B. bei Schichtwechsel von Früh- auf Spätdienst) können neue Erkenntnisse und Standards der Palliativversorgung und der familienorientierten Trauerbegleitung vorgestellt werden.

Für die relevanten Prozesse in der Palliativversorgung sollten Standards oder Verfahrensregeln formuliert werden. Aufgrund der sowohl interdisziplinären als auch interprofessionellen Prozesskette ist die Festlegung von Standards für einzelne Themenbereiche im Pflege- und Behandlungsprozess besonders wichtig. Noch wichtiger ist die gelebte Qualitätskultur in den interdisziplinären und interprofessionellen Teams. Allen muss klar sein, dass Qualität nicht einfach da ist. Qualität ist nicht etwas, was ein System hat, sondern Qualität ist etwas, was ein System tut. Qualität im Pflege- und Behandlungsprozess wird jeden Tag durch einen komplexen, kontinuierlichen Anpassungsprozess hergestellt. Qualität kann nicht auf Vorrat erarbeitet werden, sondern kommt in einem arbeitsteiligen Prozess aller an der Pflege- und Behandlung beteiligten Akteure zustande. Kommt es in einem Teil der Prozesskette, z. B. durch eine unzureichende Schmerztherapie, nicht zur angestrebten Behandlungsqualität, so wirkt das in alle anderen Bereiche hinein. Das gesamte Konzept von Pflege, Begleitung und Behandlung des Kindes und der Eltern verändert sich und muss entsprechend angepasst werden: Die Pflege des Kindes wird durch die Schmerzsituation erschwert, die Eltern sind unter Umständen sehr ängstlich und besorgt und haben entsprechenden Gesprächsbedarf etc. Folglich ist die Voraussetzung von Qualität und ihre kontinuierliche Weiterentwicklung eine gute Kooperation und Kommunikation aller beteiligten Akteure.

12.1 Teamkultur

Der Begriff Teamkultur ist schwer zu fassen, aber dennoch entscheidend für die Qualität der Pflege und Behandlung in der neonatologischen Intensivstation. Teamkultur ist die Beschaffenheit der Zusammenarbeit. Eine förderliche Teamkultur steht im Allgemeinen für einen freundlichen und fairen Umgang. Die Grundvoraussetzung für die Entwicklung einer positiven Teamkultur ist die Kommunikation im Team sowie das Bewusstsein, dass es nur zusammen funktioniert. Teamarbeit funktioniert nur im Zusammenspiel, gleichzeitig kommt es auf jeden Einzelnen an. Jede Mitarbeiterin und jeder Mitarbeiter ist ein Teil und ein Spiegel der Teamkultur. Nichts spricht deutlicher und lauter als das eigene Verhalten. Insofern geht es auch hier um die Verantwortung jeder einzelnen Mitarbeiterin und jedes einzelnen Mitarbeiters, die durch ihre Handlungen und ihre Kommunikationswege die Entwicklung einer positiven Teamkultur befördern oder auch behindern können.

Teamkultur setzt Kommunikationskultur voraus.

Schwierigkeiten, Verständnisprobleme und Kritik müssen offen angesprochen werden. So entwickelt sich Vertrauen. Eine vertrauensvolle Zusammenarbeit ist eine sehr wichtige Voraussetzung, um die komplexe und schwere Arbeit der Sterbe- und Trauerbegleitung qualitativ gut und sicher zu bewältigen. Wichtig sind regelmäßige Besprechungsformate, wie Teambesprechungen, Fallbesprechungen, Morbiditäts- und Mortalitätskonferenzen etc. (▶ http://extras.springer.com, Checkliste 7), um sowohl fachliche, organisatorische als auch Aspekte der Arbeitsatmosphäre zu besprechen (Garten et al. 2013). Eine einmalige Information, ein einmaliger Austausch oder eine einmalige Nachbereitung einer belastenden Situation wird nicht ausreichen. Es muss regelhaft Zeit für die Kommunikation frei sein und genutzt werden.

12.2 Standards und Kontrollen

12.2.1 SMART-Regel

Jedes Team muss für sich entscheiden, ob und welche Ziele es sich im Hinblick auf die Pflege und Behandlung von sterbenden Neugeborenen und der Begleitung der Eltern und Angehörigen setzen will. Wegen der Komplexität der Situation macht es Sinn, Teilziele zu formulieren. Auch ist nicht alles, was für den qualitativ guten Versorgungsprozess wichtig ist, messbar. Bei der Formulierung von Qualitätszielen sollte auf konkrete und selbsterklärende Qualitätsziele geachtet werden. Mithilfe der SMART-Regel kann im Team geprüft werden, ob das gewählte Qualitätsziel geeignet ist.

SMART
- **S**pezifisch
- **M**essbar
- **A**kzeptabel
- **R**ealistisch
- **T**erminiert

Beispiel 1: „Wir wollen, dass die Eltern sich gut begleitet und in ihren Bedürfnissen wahrgenommen fühlen."
- Frage: Ist dieses Ziel SMART?
- Antwort: spezifisch – nein, messbar – nein, akzeptabel – ja, realistisch – ja, terminiert – nein.

Beispiel 2: „Wir wollen, dass innerhalb eines Jahres das gesamte Team an einer eintägigen Schulung zum Thema ‚Trauerbegleitung und Gesprächsführung mit Eltern eines sterbenden Früh- oder Neugeborenen in der neonatologischen Intensivstation' teilnimmt."

- Frage: Ist dieses Ziel SMART?
- Antwort: spezifisch – ja, messbar – ja, akzeptabel – ja, realistisch – ja, terminiert – ja.

Ziele, die SMART sind, können nach Ablauf der vorgegebenen Zeit genau überprüft werden. Wenn das festgelegte Ziel nicht erreicht wurde, ist eine kritische Reflexion der Gründe sinnreich. Auf Basis der gewonnenen Erkenntnisse können die Voraussetzungen zur Zielerreichung geschaffen werden. Manchmal muss jedoch auch das Ziel revidiert werden, da es zu ambitioniert gewählt war, oder bestimmte Rahmenbedingungen die Zielerreichung unmöglich machen.

12.2.2 Checklisten

Für die Umsetzung einer qualitativ guten Sterbe- und Trauerbegleitung ist es sinnvoll, Checklisten, klinikinterne Leitlinien und Verfahrensregeln zu erstellen. Eine Verfahrensregel zur Versorgung des verstorbenen Neugeborenen gibt neuen und/oder weniger erfahrenen Mitarbeitenden Sicherheit. Auf Basis der Verfahrensregel können sie nachlesen, wie die Vorgehensweise und der Ablauf sein sollen. Die Pflege und Behandlung von sterbenden oder verstorbenen Neugeborenen sind für alle beteiligten Professionen eine große Herausforderung und emotional sehr belastend. Hier sind strukturierte Beschreibungen der Vorgehensweise eine große Unterstützung. Sie gewährleisten die Versorgung in der angestrebten Qualität und lassen in der Regel Gestaltungsspielräume offen, damit erfahrene Mitarbeiter*innen in begründeten Fällen davon abweichen können. Das Gleiche gilt für Checklisten für die Gesprächsführung. Eine Checkliste zum Beispiel für ein Beratungsgespräch mit den Eltern nach dem Tod des Kindes ist sehr hilfreich, damit kein wichtiger Aspekt vergessen wird. Insbesondere in einer so anspruchsvollen Gesprächssituation gibt ein solcher Leitfaden Sicherheit und gewährleistet, dass die Eltern alle relevanten Informationen erhalten (► http://extras.springer.com, Checkliste 5).

12.2.3 Ergebnisüberprüfung

Ein kontinuierlicher schrittweiser Verbesserungsprozess in der Zusammenarbeit aller ist nur möglich durch Messung bzw. Prüfung der Ergebnisse in Bezug auf die angestrebten Qualitätsziele. Das objektive und manipulationsfreie Messen und Kontrollieren steht nicht im Fokus, sondern ist Mittel zum Zweck der Zielerreichung. Hier muss klar kommuniziert werden, dass das Messen und Darstellen von Pflege- und Behandlungsergebnissen dem Ziel dient, tatsächliche Verbesserungen zu ermöglichen. Die Mitarbeiter*innen sollten keine Ängste oder Vorbehalte haben, wenn ihre Arbeit geprüft und kritisch reflektiert wird. Das Konzept und die Umsetzung eines gelebten kontinuierlichen Verbesserungsprozesses sollten von allen akzeptiert sein. Qualität ist kein statischer Zustand, sondern bedarf der kritischen Prüfung der eigenen Vorgehensweise sowie der Weiterentwicklung und Anpassung an neue Erkenntnisse. Gerade in der Palliativversorgung und Trauerbegleitung in der Neonatologie haben die Teams eine große Verantwortung. Die Begleitung der Familie und damit das Erleben der Eltern dieser Ausnahmesituation wirken sich in starkem Maße auf die Partnerschaft, das zukünftige Familienleben, die Geschwisterkinder und auf zukünftige Schwangerschaften aus.

12.3 Aktive Fehlerkultur und Sicherheitskultur

Um das Ziel einer kontinuierlichen Verbesserung der Pflege- und Behandlungsprozesse zu erreichen, ist es wichtig, regelmäßig die eigene Vorgehensweise kritisch zu reflektieren. Innerhalb der Teams sollte eine offene Fehler- bzw. Sicherheitskultur entwickelt werden, sodass es möglich ist, konstruktiv über suboptimale Entscheidungen und Verläufe zu diskutieren. Es muss Raum, Zeit und die Bereitschaft vorhanden sein, problematische Pflege- und Behandlungsverläufe auch und insbesondere in Zusammenhang mit Sterben und Tod zu besprechen. Ein bewährtes Besprechungsformat zur kritischen Auseinandersetzung und Analyse sind die Morbiditäts- und Mortalitätskonferenzen (M&M-Konferenzen).

M&M-Konferenzen sind ein wichtiger Baustein der internen Qualitätssicherung und Qualitätsentwicklung. Auch fördern sie die sachliche und lösungsorientierte Kommunikation, die eine Voraussetzung für eine gelebte Sicherheitskultur ist.

In der neonatologischen Intensivstation sollte es eine monatlich fest terminierte M&M-Konferenz als strukturiertes und berufsgruppenübergreifendes Besprechungsformat geben. Die Konferenz sollte zum festen Besprechungsprogramm der Abteilung gehören. Der Termin und die Räumlichkeit stehen fest, damit sich alle darauf einstellen können. Das schließt nicht aus, dass es bei Bedarf eine zeitnahe außerordentliche M&M-Konferenz geben kann. Für die Ausrichtung der M&M-Konferenzen sollten Verantwortliche aus dem Team benannt werden. Bewährt hat sich ein Team aus 2 Ärzten oder Ärztinnen und 2 Pflegefachkräften, die für die Vorbereitung, Durchführung und Nachbereitung der Konferenz verantwortlich sind. Das Team wählt die Fälle für die M&M-Konferenz aus und delegiert die Aufbereitung und/oder Präsentation der Fälle an einen Arzt oder eine Ärztin und eine Pflegefachkraft. So ist gewährleistet, dass sowohl der Pflegeverlauf als auch der Behandlungsverlauf sowie auch mögliche Probleme in der Kooperation und Kommunikation vorgestellt werden. Bei Bedarf werden die involvierten Ärzte*innen anderer Disziplinen oder auch Therapeuten*innen eingeladen.

Der Ablauf der Konferenz folgt der bewährten Struktur von Präsentation, Diskussion und Fazit. Wichtig für die Akzeptanz und Qualität der Konferenz sind das strukturierte Vorgehen und die Verlässlichkeit in Bezug auf Termin, Beginn und Dauer. Ebenso wichtig ist eine effektive und effiziente Moderation der Konferenz. Ein geschulter Moderator oder eine geschulte Moderatorin sorgt sowohl für Freundlichkeit, Fairness und Respekt in der Konferenz als auch für Klarheit in der Sache bei den fachlichen Inhalten und Zielorientierung bei der Isolierung von Verbesserungspotenzialen bzw. Ergebnissen der Diskussion. Im Hinblick auf die Schulung der Moderatoren und Moderatorinnen aus dem Kreise der Teams hat sich eine zweitägige Moderationsschulung mit einem professionellen Coach bewährt. Die strukturierte, kollegiale und offene Diskussion ausgewählter Fälle führt in aller Regel zur Erschließung neuer Perspektiven und Erkenntnisse. In der Berufsgruppen und Disziplinen übergreifenden Betrachtung werden konkrete und realistische Verbesserungsvorschläge entwickelt. So gelingt es regelmäßig, latente Fehler und begünstigende Faktoren aufzudecken.

Innerhalb von 3 Tagen nach der Konferenz wird ein standardisiertes Ergebnisprotokoll erstellt. Dieses Protokoll dient der internen Kommunikation der beschlossenen Veränderungen an alle beteiligten Akteure. Die Umsetzung der beschlossenen Veränderungen wird von den Teams gewährleistet und in einer der folgenden M&M-Konferenzen nachgefragt (Christ-Steckhan und Vargas Hein 2010).

Die Zielrichtung sollte sein: Wir prüfen und zeigen, wo wir gut sind und wo wir besser werden wollen. Angestrebt ist die Entwicklung einer achtsamen, proaktiven und lösungsorientierten Fehlerkultur.

Das Lernen aus Fehlern und suboptimalen Pflege- und Behandlungsabläufen ist die Voraussetzung für die qualitative Weiterentwicklung in der Palliativversorgung von Neugeborenen.

12.4 Managementaufgabe: Gesundheitsvorsorge

In der stationären Krankenversorgung stehen die Gesundheit und das Wohlbefinden der Patienten*innen und ihrer Familien im Vordergrund. Die Rahmenbedingungen, in denen Palliativversorgung stattfindet, werden für die Patienten und Angehörigen sehr sorgfältig und professionell geplant. Aspekte wie eine starke Familienorientierung, zur Verfügung stellen von Ruhe- und Rückzugsräumen und gezieltes „Offen lassen" von Gestaltungsspielräumen für die Eltern und Kinder bestimmen die Prozesse der Pflege, Behandlung und Begleitung. Diese an den Bedarf der Familien angepassten Konzepte und Qualitätskriterien werden kontinuierlich von den Teams der neonatologischen Intensivstationen weiterentwickelt.

Die Verantwortung der Kliniken, und hier insbesondere der Führungskräfte in allen Ebenen, ist es, die psychosoziale Gesundheit der Pflege- und Behandlungsteams zu fördern. Man könnte auch sagen, die Kliniken haben die Aufgabe, die Pflege- und Behandlungsteams zu pflegen. Die Erhaltung und Förderung der psychosozialen Gesundheit spielt im Bereich der Palliativversorgung und Trauerbegleitung eine besondere Rolle. Die Rahmenbedingungen für die Ärzte, Ärztinnen und Pflegefachkräfte und auch für alle anderen Berufsgruppen sollten so gestaltet sein, dass es möglich ist, mittel- und langfristig bei guter körperlicher und seelischer Gesundheit auf einer neonatologischen Intensivstation zu arbeiten. Die Arbeit mit schwerstkranken und sterbenden Neugeborenen, die Auseinandersetzung mit der eigenen Trauer und dem Verlusterleben der Eltern, ist auf sehr vielschichtige Art belastend. Diese Arbeit kann auf Dauer nur geleistet werden und gelingen, wenn sich die Mitarbeitenden selber um ihr Wohlbefinden und ihre Bedürfnisse kümmern und sich ihrer persönlichen Grenzen bewusst sind. Ohne Selbstsorge und Verantwortung für das eigene psychosoziale Gleichgewicht geht es nicht (▶ Kap. 11).

Die Rahmenbedingungen und die Atmosphäre, in der diese Arbeit stattfindet, liegen jedoch klar in der Verantwortung des Arbeitgebers. Die Fürsorgepflicht des Arbeitgebers ist hier in besonderer Weise gefordert. Neben einer ausreichenden Personalbesetzung, der Einhaltung regelmäßiger Pausenzeiten und der verlässlichen Planung von freien Tagen und Urlaubszeiten ist auch die Organisation und Finanzierung einer regelmäßigen Teamsupervision wichtig. Darüber hinaus geht es um Wertschätzung und Respekt für die Arbeit. Wichtig sind aufmerksame Führungskräfte, die kontinuierlich mit den Mitarbeitenden im Gespräch sind. Mitarbeiter*innen sollten nicht erst krank werden, bevor man mit ihnen spricht.

Nach einer Sterbebegleitung sollte die pflegerische und ärztliche Leitung des Bereichs gezielt auf die beteiligten Pflegenden, Ärztinnen und Ärzte zugehen und nach dem Verlauf, den Eindrücken und dem Befinden fragen. Das ist einerseits ein Signal, dass die Arbeit gesehen und gewürdigt wird. Andererseits bekommt die Leitungsperson einen Eindruck darüber, wie die Mitarbeitenden den Verlauf für sich bewerten und wie es ihnen im Nachgang geht. Bei Bedarf kann ein Folgegespräch verabredet werden oder die Abstimmung, dass der betroffene Mitarbeiter oder die betroffene Mitarbeiterin die nächsten Wochen soweit möglich stabilere Patienten versorgt. So können zeitnah und niedrigschwellig belastende Begleitungen besprochen werden. Die Arbeitssituation kann daraufhin angepasst werden, sodass es den Mitarbeitenden möglich ist, an der Stressbewältigung, dem Belastungsabbau und in Folge dem Ressourcenaufbau zu arbeiten. Die Erholungsfähigkeit der Mitarbeitenden bleibt erhalten (Matyssek 2010). Ein regelmäßiges Feedback der Führungskräfte in fachlicher Hinsicht sollte ebenso die Regel sein.

Positives Feedback, wie Lob und Anerkennung für die qualitativ gute Arbeit und das gezeigte Engagement, müssen verbal geäußert werden.

Wenn eine Palliativversorgung fachlich und in der Kooperation aller Beteiligten gut gelungen ist, sollten ärztliche oder pflegerische Führungskräfte, im besten Falle gemeinsam, dieses gezielt ansprechen und den Einsatz aller anerkennend benennen. Gleichermaßen ist auch negatives Feedback wichtig. Auch eine konstruktiv und respektvoll geäußerte fachliche Kritik zeigt den betroffenen Pflegenden, dass sie als Person und ihre Arbeitsleistung von ihren Vorgesetzten gesehen und gewürdigt werden. Wenn die Führungsperson sich die Mühe macht, einen Mitarbeiter oder eine Mitarbeiterin in angemessener Form zu kritisieren, ist das ein Zeichen von verantwortungsvoller Führungsarbeit.

Abschließend sei hier nochmals, wie bereits beim Thema Teamkultur, darauf hingewiesen, wie wichtig eine gute Stimmung, ein gutes Betriebsklima ist. Die Kultur in den Teams und Bereichen wird maßgeblich von den Führungskräften geprägt. Eine von Vertrauen, Achtsamkeit und Wertschätzung geprägte Kultur in den Pflege- und Behandlungsteams einer neonatologischen Intensivstation ist eine grundlegende Voraussetzung zur Erhaltung und Förderung der psychosozialen Gesundheit aller Mitarbeiter*innen. Gute Palliativversorgung und Trauerbegleitung in der Neonatologie können auf Dauer nur gelingen, wenn die Rahmenbedingungen für die Teams die psychosoziale Gesundheit gewährleisten und fördern.

Literatur

Christ-Steckhan C, Vargas Hein O (2010) Umgang mit „Fehlern“. In: Kuhlen R, Rink O, Zacher J (Hrsg) Jahrbuch Qualitätsmedizin. Medizinisch Wissenschaftliche Verlagsgesellschaft, Berlin

Garten L, von der Hude K, Rösner B, Klapp C, Bührer C (2013) Familienzentrierte Sterbe- und individuelle Trauerbegleitung an einem Perinatalzentrum. Z Geburtsh Neonatol 217:95–102

Gemeinsamer Bundesausschuss (2005) Qualitätssicherungsrichtlinie Früh- und Reifgeborene. QFR-RL G-BA: Berlin, Fassung vom 20.09.2005, letzte Änderung 16.05.2024, in Kraft getreten: 26.07.2024, URL: ▶ https://www.g-ba.de/richtlinien/41/. Zugegriffen: 10. Dez. 2024

Matyssek AK (2010) Führung und Gesundheit, Ein praktischer Ratgeber zur Förderung der psychosozialen Gesundheit im Betrieb, 2. Aufl. Books on Demand GmbH, Norderstedt

Serviceteil

L. Garten und K. von der Hude (Hrsg *Palliativversorgung und Trauerbegleitung in der Neonatologie*, https://doi.org/10.1007/978-3-662-71982-4

Stichwortverzeichnis

R

S

T

U

V

W

Z